Du monde entier

JONATHAN COE

LE CERCLE FERMÉ

roman

*Traduit de l'anglais
par Jamila et Serge Chauvin*

GALLIMARD

Titre original :

THE CLOSED CIRCLE

© *Jonathan Coe, 2004.*
© *Éditions Gallimard, 2006, pour la traduction française.*

Note de l'auteur

Parmi les ouvrages auxquels ce roman a puisé ses sources figurent *Labour Party PLC* de David Osler (Mainstream, 2002), *White Riot : The Violent Story of Combat 18* de Nick Lowles (Milo, 2001) et « *We Ain't Going Away!* » : *The Battle for Longbridge* de Carl Chinn et Stephen Dyson (Brewin Books, 2000).

La première partie du roman, intitulée « Sur le sommet de craie », doit son titre et son inspiration à la chanson *High on the Chalk* des High Llamas, parue sur leur album *Beet, Maize and Corn* (Duophonic DS_{45}-CD_{35}).

Le Cercle fermé constitue la suite du roman intitulé *Bienvenue au club*. Un synopsis de ce roman figure en fin de volume pour ceux qui ne l'ont pas lu, ou qui l'auraient lu et inexplicablement oublié.

J. C.

Pour Philippe Auclair

Sur le sommet de craie

Sur le sommet de craie
Étretat
Mardi 7 décembre 1999
au matin

Ma très chère sœur,
La vue est magnifique, mais il fait trop froid pour
écrire longtemps. J'ai du mal à tenir mon stylo. Mais
je me suis promis de commencer cette lettre avant de
rentrer en Angleterre, et je n'aurai pas d'autre
occasion.
Alors, quelques dernières pensées avant de quitter
le Continent ? Avant le retour au bercail ?
Je scrute l'horizon, guettant un signe. Mer calme,
ciel bleu limpide. Ça doit vouloir dire quelque chose.
Apparemment, des gens viennent ici pour se
suicider. D'ailleurs, il y a un garçon sur le sentier qui
se tient un peu trop près du bord, comme si telle
était justement son intention. Il n'a pas bougé depuis
que je me suis assise sur ce banc, et il ne porte qu'un
tee-shirt et un jean. Il doit être gelé.
Moi, au moins, je n'en suis pas encore là ; même si

15

j'ai passé de mauvais moments ces dernières semaines. Des moments où j'avais l'impression de perdre les pédales, d'être en chute libre. Toi aussi, autrefois, tu as dû connaître ça. J'en suis même sûre. En tout cas, je m'en suis sortie. En avant pour un nouveau départ.

Au-dessous de moi, j'aperçois Étretat, sa grande plage incurvée, les pignons du château où j'ai passé la nuit. Je n'ai même pas trouvé moyen de visiter la ville. C'est marrant, quand on est libre de faire tout ce qu'on veut, on finit par ne pas faire grand-chose. Quand le choix est infini, il n'y a pas de choix possible. J'aurais pu aller déguster une sole à la dieppoise et me laisser draguer par un serveur qui m'aurait offert des calvas ; en fait, je suis restée dans ma chambre à regarder un vieux film de Gene Hackman doublé en français.

Ça ne vaut pas la moyenne. Venez me voir après la classe. Peut mieux faire. En voilà une façon de commencer une nouvelle vie.

Mais d'ailleurs, est-ce que je commence une nouvelle vie ? Peut-être que je reprends simplement une ancienne vie, après une longue et vaine interruption.

À bord du ferry *Pride of Portsmouth*
Au restaurant
Mardi 7 décembre 1999
Fin d'après-midi

Je me demande comment ils arrivent à rentabiliser la traversée en cette saison. À part moi et le type au comptoir — je ne sais pas comment l'appeler : le steward ? le commissaire de bord ? —, l'endroit est désert. Il fait sombre dehors, et les vitres sont éclaboussées de pluie. Ou peut-être d'embruns. Ça me donne des frissons, même s'il fait chaud ici, presque trop.

J'écris cette lettre dans le petit carnet A 5 que j'ai acheté à Venise. Il a une couverture reliée d'un bleu marbré et soyeux et de belles pages épaisses et grossièrement coupées. Quand j'aurai terminé — si jamais je termine — je devrai sans doute arracher les pages et les mettre dans une enveloppe. Mais ça ne rimerait pas à grand-chose, pas vrai? En tout cas, on ne peut pas dire que le début soit prometteur. Un peu trop complaisant, à mon avis. On pourrait croire que j'ai appris à t'écrire, après ces milliers et ces milliers de mots que je t'ai adressés ces dernières années. Et pourtant, à chaque lettre, j'ai l'impression de t'écrire pour la première fois.

Je sens que celle-ci va être la plus longue de toutes.

Quand je me suis assise sur ce banc au sommet des falaises de craie qui surplombent Étretat, je ne savais même pas à qui j'allais écrire, à toi ou à Stefano. Mais c'est toi que j'ai choisie. Tu peux être fière de moi! Tu vois, je suis fermement décidée à ne pas replonger. Je me suis promis de ne pas le contacter, et rien n'est plus sacré qu'une promesse faite à soi-même. Ça ne va pas de soi, car en quatre mois il ne s'est pas passé un jour sans qu'on s'appelle, ou qu'on s'e-maile, ou au moins qu'on se SMSe. Une habitude difficile à briser. Mais je sais que ça va devenir plus facile. C'est juste une crise de manque. En regardant mon portable posé sur la nappe à côté de la tasse, je me fais l'effet d'une ancienne fumeuse qu'on narguerait avec un paquet de clopes. Ce serait tellement simple de lui envoyer un SMS. C'est même *lui* qui m'a appris à en envoyer. Mais ce serait de la folie. Et d'ailleurs, il m'en voudrait. Il me détesterait. Et j'ai peur qu'il se mette à me détester, vraiment très peur. Ça me terrifie plus que tout. C'est bête, hein ? Qu'est-ce que ça peut bien faire, puisqu'on ne se reverra jamais ?

Je vais faire une liste. Les listes, c'est toujours une bonne diversion.

Leçons à tirer du fiasco Stefano :
1. *Un homme marié quitte rarement sa femme et sa fille pour une célibataire qui frise la quarantaine.*
2. *On peut avoir une liaison sans coucher ensemble.*
3.

Je ne trouve pas de troisièmement. C'est déjà pas si mal. Voilà deux leçons importantes. De quoi me blinder la prochaine fois que ça m'arrivera. Ou plutôt de quoi faire en sorte (j'espère) qu'il n'y ait pas de prochaine fois.

Tout ça est bien beau, sur le papier — surtout ce papier vénitien de luxe, épais et crémeux. Mais je me rappelle une phrase que Philip citait toujours. Un vieux pilier gâteux de l'establishment anglais qui disait : « Oui, j'ai beaucoup appris de mes erreurs, et je suis sûr de pouvoir les répéter à la perfection. » Ha, ha. C'est tout moi.

Quatrième café de la journée
Cafétéria du National Film Theatre
Londres, Rive Sud
Mercredi 8 décembre 1999
Après-midi

Eh oui, ma chère sœur, me revoilà, après une interruption de vingt heures environ, et la première

question qui me vient à l'esprit au bout d'une
matinée passée à errer dans les rues, sans but ou
presque, c'est : qui sont tous ces gens, et qu'est-ce
qu'ils font ?

Non que je garde de Londres un souvenir très net.
Cela doit faire six ans que je ne suis pas venue ici.
Mais je me souviens très bien (je le croyais, du
moins) de l'emplacement de mes boutiques préférées.
Il y avait un magasin de vêtements dans une des
petites rues entre Covent Garden et Long Acre, où on
trouvait de très jolies écharpes, et à quelques mètres
de là un vendeur de poteries artisanales. J'espérais
trouver un cendrier pour papa, histoire d'enterrer la
hache de guerre. (Un vœu pieux, assurément : il en
faudrait bien davantage...) Bref, le problème, c'est
qu'apparemment les deux boutiques ont disparu.
Elles ont toutes deux été transformées en coffee
shops, absolument bondés d'ailleurs. Et il y a autre
chose : certes, moi qui viens d'Italie, je suis habituée
à voir les gens parler dans leur portable à longueur
de journée, mais voilà des années que je serine aux
Italiens d'un ton expert : « Oh, vous savez, ça ne
prendra jamais en Angleterre, en tout cas pas dans
les mêmes proportions. » C'est plus fort que moi. Il
faut toujours que je pérore sur des trucs auxquels je
ne connais rien, comme si j'étais une autorité en la
matière. Nom de Dieu, aujourd'hui, ici, *tout le monde*
a un portable. Pendu à l'oreille en arpentant Charing
Cross Road, à bavasser tout seul comme le fou du
village. Certains ont même des écouteurs : du coup,
on ne se rend pas compte qu'ils parlent au téléphone,
et on les prend pour des cas cliniques. (Lesquels ne
manquent pas, d'ailleurs.) Mais la question, comme
je le disais, c'est : qui sont tous ces gens, et qu'est-ce

qu'ils font ? Je sais bien que je ne devrais pas généraliser sous prétexte que deux boutiques ont fermé (à moins d'ailleurs que je ne me sois trompée de rue), mais ma première impression, c'est que dans cette ville il y a quantité de gens qui ne *travaillent* plus, qui ne fabriquent rien, ne vendent rien. Comme si c'était démodé. Les gens se contentent de *se voir* et de *parler*. Et quand ils ne *se voient* pas pour *parler* directement, ils sont généralement occupés à *parler* au téléphone. Et de quoi ils *parlent* ? Ils prennent rendez-vous pour *se voir*. Mais je me pose la question : quand enfin ils *se voient*, de quoi ils *parlent* ? Encore un truc que je n'avais pas compris quand j'étais en Italie. Je passais mon temps à dire à tout le monde que les Anglais sont un peuple réservé. Mais apparemment, ce n'est pas le cas : nous sommes devenus une nation de parleurs. Profondément sociables. Et pourtant, je n'ai pas la moindre idée de ce qui se dit. Une grande conversation est en cours à l'échelle du pays, et j'ai l'impression d'être la seule personne qui en soit exclue — faute d'en connaître le sujet. De quoi parlent-ils ? De ce qu'il y avait hier soir à la télé ? De l'embargo sur le bœuf britannique ? Des moyens de contrer le bug de l'an 2000 ?

Encore un truc, avant que j'oublie : cette saloperie de grande roue qui a fait son apparition sur les quais de la Tamise, à côté du County Hall. À quoi ça rime, exactement ?

Bref, trêve de commentaires sociaux. Je voulais avant tout te dire que j'ai décidé de braver l'orage, de prendre le taureau par les cornes et tout ça, et de rentrer à Birmingham *ce soir* (il faut dire que les hôtels ici sont hors de prix et que je n'ai pas les moyens de rester une nuit de plus); et d'autre part que, moins de vingt-quatre heures après mon retour, le passé m'a déjà rattrapée. Sous la forme d'un flyer récupéré au Queen Elizabeth Hall. Ils organisent lundi soir une conférence intitulée « Adieu à tout ça ». Six « personnalités de la vie publique » (nous dit-on) vont nous expliquer « ce qu'ils regretteront le plus ou ce qu'ils seront le plus heureux de laisser derrière eux, en cette fin de deuxième millénaire ». Et devine qui est le numéro quatre sur la liste : non, pas Benjamin (même si c'est lui que nous prenions pour un futur grand écrivain), mais Doug Anderton — qui, apprend-on, est « journaliste et commentateur politique », excusez du peu.

Alors, encore un autre présage ? Le signe qu'au lieu de m'engager vaillamment dans l'avenir, j'ai fait le premier pas involontaire d'une remontée dans le temps ? Enfin, merde, ça faisait quinze ans que je n'avais pas vu Doug. La dernière fois, c'était à mon mariage. Lors duquel, si je me rappelle bien, il m'avait coincée contre un mur en me disant d'une voix pâteuse que je faisais le mauvais choix. (Et bien sûr, il avait raison, mais pas au sens où il l'entendait.) Ça ferait bizarre, non ? d'aller l'écouter pontifier en public sur les hantises millénaristes et les bouleversements sociaux ? On endurait déjà la même chose il y a plus de vingt ans, dans les conférences de rédaction du journal du lycée. Sauf qu'aujourd'hui on commence à avoir des cheveux gris et mal au dos.

Et toi, ma chère Miriam, est-ce que tu as les cheveux gris ? Ou est-ce que tu n'as plus à t'en soucier ?

Il y a un train pour Birmingham dans cinquante minutes. Je vais essayer de l'attraper.

Deuxième café de la journée
Coffee Republic
New Street, Birmingham
Vendredi 10 décembre 1999
au matin

Oh, Miriam, la maison! Cette putain de maison.
Elle n'a pas changé. *Rien* n'a changé, depuis que tu
es partie (et un quart de siècle s'est écoulé depuis,
presque jour pour jour), sauf qu'elle est plus froide,
plus vide, plus triste (et plus *propre*) que jamais.
Papa paie une femme de ménage pour être sûr que
tout soit immaculé, et à part elle, qui vient faire la
poussière deux fois par semaine, je ne crois pas qu'il
adresse la parole à qui que ce soit, maintenant que
maman n'est plus là. D'autant qu'il a acheté une
petite maison en France où il a l'air d'être fourré tout
le temps. Il a consacré presque toute la soirée de
mercredi à me montrer des photos de la fosse
septique et de la chaudière qu'il vient de faire
installer; c'était palpitant, comme tu peux l'imaginer.
Dans le cours de la conversation, il m'a vaguement
invitée à y passer une semaine ou deux, mais j'ai
bien vu que c'étaient des paroles en l'air, et d'ailleurs
je n'en ai aucune envie. Et je ne compte pas
davantage rester sous son toit plus de nuits que le
nécessaire, cette fois.
    Hier soir, j'ai dîné au restaurant avec Philip et
Patrick.
    Soit : je n'avais pas vu Philip depuis plus de deux
ans, et en pareille circonstance c'est assez courant,
j'imagine, qu'une ex-femme regarde son ex-mari en se
demandant ce qui jadis avait bien pu les réunir. Je

parle avant tout d'attirance physique. Je me rappelle que, quand j'étais étudiante et que j'ai passé presque un an à Mantoue, en 1981 (mon Dieu, ça fait si longtemps?), j'étais entourée de jeunes Italiens, presque tous craquants, et tous sans exception me suppliant pour ainsi dire de coucher avec eux. Une bande de Mastroianni ados dans toute leur plénitude sexuelle, et qui, osons le dire, ne pensaient qu'à ça. Mon anglicité me conférait un attrait exotique impensable à Birmingham, et je n'avais que l'embarras du choix. J'aurais pu me les taper tous, l'un après l'autre. Et pourtant, qu'est-ce que j'ai choisi? Ou plutôt *qui* j'ai choisi? J'ai choisi Philip. Philip Chase le pâlot, Philip Chase le fayot, avec ses trois poils roux au menton et ses binocles en écaille, Philip qui était venu passer une semaine avec moi, et qui dès le deuxième jour a réussi Dieu sait comment à se retrouver dans mon lit, et qui en fin de compte a bouleversé le cours de ma vie, peut-être pas de façon définitive, mais en tout cas radicale... fondamentale... je n'en sais rien. Je n'arrive pas à trouver le mot. Parfois un mot en vaut un autre. Est-ce qu'on était trop jeunes, tout simplement? Non, il faut lui rendre justice. De tous les garçons que je connaissais à l'époque, il était le plus franc, le plus compréhensif, le moins arrogant (Doug et Benjamin étaient tellement imbus d'eux-mêmes, chacun à sa manière!). Et profondément, Phil est quelqu'un de bien : on ne peut pas trouver plus fiable, plus digne de confiance. Je n'ai pas oublié que c'est grâce à lui que le divorce a été si peu traumatisant : je sais que c'est un compliment empoisonné, mais pour un divorce... Philip est l'homme idéal.

Quant à Patrick, eh bien... évidemment, j'ai envie

de profiter de lui au maximum tant que je suis ici. Il est tellement adulte. Bien sûr, on s'écrit et on s'envoie des mails sans arrêt, et l'an dernier il est venu passer quelques jours à Lucques, mais quand même... chaque fois, je suis surprise. Tu ne peux pas savoir l'effet que ça me fait de regarder cet *homme* — il a beau n'avoir que quinze ans, il a vraiment l'allure d'un homme —, cet homme si grand (plutôt maigre, plutôt pâle, plutôt mélancolique) en sachant qu'il fut un temps où il était... *en moi*, sans vouloir insister lourdement. Je dois reconnaître qu'il a l'air de bien s'entendre avec son père. Je leur ai envié cette aisance à parler ensemble, à blaguer ensemble. C'est peut-être juste un truc de mecs. Non, ça va bien au-delà. Philip et Carol prennent bien soin de lui, c'est flagrant. Je n'ai pas à me plaindre. Je suis juste un peu jalouse. Mais bon, c'est moi qui ai choisi de repartir tenter ma chance en Italie et de confier Pat à son père. C'était mon choix.

Et pour finir, la grande nouvelle, la plus retentissante — et peut-être la plus dérangeante. J'ai revu Benjamin. Il y a une heure environ. Et dans les circonstances les plus improbables.

On m'avait rencardée sur Ben, au dîner. Il travaille toujours pour le même cabinet — en tant qu'associé à présent, ce qui n'est que justice, après toutes ces années — et il est toujours marié à Emily. Pas d'enfants : mais bon, il y a bien longtemps qu'on ne pose même plus la question. D'après Phil, ils ont tout essayé, y compris des démarches d'adoption. La médecine est perplexe, etc., etc. Ce n'est la faute de personne, apparemment (ce qui veut dire sans doute qu'au fond de son cœur, et sans pouvoir l'avouer, chacun rejette la faute sur l'autre). Et dans le cas de

Benjamin, il en va des livres comme des enfants : voilà des années qu'il porte en lui (!) un chef-d'œuvre révolutionnaire, mais jusqu'à présent personne n'en a lu le moindre mot. Même si tout le monde, avec une persévérance touchante, semble convaincu qu'il finira par venir au monde.

Bref, on en était là. Et maintenant, imagine-moi, si tu peux, en train de fureter dans le rayon Histoire de la librairie Waterstone de High Street. À peine un jour et demi que je suis de retour, et déjà je ne trouve rien de mieux à faire. Je me tiens tout près du coin réservé aux sempiternels buveurs de café. Du coin de l'œil, j'aperçois une fille face à moi — *très* jolie, quoique épaisse comme du papier à cigarettes — et, me tournant le dos, un type aux cheveux gris que je prends d'abord pour son père. La fille doit avoir dix-neuf ou vingt ans, et elle a un look vaguement gothique, et de très beaux cheveux, très noirs, épais, longs et droits, qui lui tombent dans le milieu du dos. Au début, je ne fais pas particulièrement attention à eux, mais, en m'approchant d'une table pour y regarder les livres exposés, je vois la fille se pencher pour fouiller dans son sac, et je remarque que son tee-shirt remonte et dévoile son nombril, et je remarque que *lui aussi* l'a remarqué, fugitivement, subrepticement, et d'un seul coup je le reconnais : c'est Benjamin. Il est en costume cravate — ça fait bizarre, pour moi, mais après tout il travaille, aujourd'hui, il a juste dû s'éclipser quelques instants du bureau — et il a l'air, à cette seconde, profondément... Quel est le mot ? Je sais que cette fois il y a un mot précis, qui décrit idéalement l'air qu'ont les hommes dans cette situation...

Ah... Ça me revient. « Transi. » C'est le mot juste, pour décrire Benjamin.

Et puis il me remarque ; et le temps paraît se figer — comme toujours, au moment où on reconnaît quelqu'un qu'on ne s'attendait pas à voir, qu'on n'a pas vu depuis longtemps, et un glissement s'opère en chacun de vous deux, un subtil réagencement des attentes de ce jour... Enfin je m'approche de leur table, et Benjamin se lève, et il me *tend la main*, incroyable mais vrai, il me *tend la main* pour que je la lui serre. Évidemment, je m'en garde bien. Je lui fais la bise. Et il a l'air confus et gêné, et aussitôt il me présente à son amie ; qui à son tour se lève ; et qui, à ce que j'apprends, s'appelle Malvina.

Alors, qu'est-ce qui se passe au juste ? De quoi s'agit-il ? Après cinq minutes de conversation hachée — dont je ne me rappelle pas un mot — je n'en sais pas davantage. Mais, selon un schéma qui commence à devenir familier, je me retrouve avec quelque chose à la main. Un flyer. Annonçant un événement qui aura *aussi* lieu le lundi 13 décembre. Il se trouve que ce soir-là le groupe de Benjamin donne un concert.

« Je croyais que vous aviez splitté depuis des siècles.

— On s'est reformés. Le pub célèbre ses vingt ans de musique *live*. À une époque, on était leur groupe attitré, et ils nous ont demandé de nous reformer pour l'occasion. »

Je jette un nouveau coup d'œil au flyer. Le nom du groupe me revient : Saps at Sea. Le titre du film où Laurel et Hardy partent en croisière, m'avait expliqué Benjamin. En un sens, ce serait marrant de les revoir sur scène, même si je n'ai jamais adoré leur musique. Mais je ne mens pas en disant : « Je viendrai si je

suis encore là. Mais j'aurai peut-être déjà quitté
Birmingham.

— Viens, je t'en prie, répond Benjamin. Je t'en
prie, viens. »

Et puis on débite maladroitement les trucs
habituels comme quoi c'est super de se revoir et
blablabla, et l'instant d'après je suis déjà partie, sans
regarder en arrière. Enfin... juste un coup d'œil. Le
temps de voir Benjamin se pencher vers Malvina —
qu'il m'a présentée comme son « amie », sans plus de
précisions — et lui dire quelque chose en lui
montrant le flyer. Leurs fronts s'effleurent par-dessus
la table. Et en prenant mes jambes à mon cou, je ne
peux m'empêcher de penser : Oh, Benjamin,
Benjamin, comment peux-tu faire ça à celle qui est ta
femme depuis seize ans ?

> Dans ma vieille chambre
> St Laurence Road
> Northfield
> Samedi 11 décembre 1999
> au soir

Ce séjour ne fait qu'empirer. Ça s'est passé il y a
plus de trois heures, et j'en suis encore toute
retournée. Papa est en bas, occupé à lire un de ses
horribles romans d'Alistair McLean. Il n'a pas montré
la moindre compassion. À vrai dire, il avait l'air de
penser que tout ça était ma faute. Je ne supporte
plus de rester ici. Il faut que je parte demain, et que
je trouve un endroit où loger.

Je vais te raconter brièvement ce qui m'est arrivé.
J'étais impatiente de revoir Pat, qui était censé jouer
un match de foot ce matin. L'équipe du lycée se

déplaçait à Malvern. J'ai donc décidé de passer le prendre chez Philip et Carol et de l'emmener moi-même. À contrecœur, papa m'a laissée emprunter sa voiture.

Nous avons pris Bristol Road vers le sud, tourné à droite en arrivant à Longbridge, traversé Rubery et poursuivi vers l'autoroute M 5. Ça faisait bizarre d'être seule avec lui en voiture, plus bizarre que je ne l'aurais cru. Il est tellement *silencieux*, mon fils. Peut-être simplement parce qu'il était avec moi, mais je crois qu'il y a autre chose. C'est quelqu'un d'introverti, pas de doute — et il n'y a pas de mal à ça. Mais surtout — et voilà ce qui m'a vraiment secouée —, quand *enfin* il a ouvert la bouche, je n'en ai pas cru mes oreilles. Il s'est mis à parler de *toi*, Miriam. À poser des questions sur la dernière fois où je t'avais vue, sur la façon dont papa et maman avaient vécu ta disparition. J'étais abasourdie. Je ne savais vraiment pas quoi dire. Et ça n'était même pas venu naturellement dans la conversation : il avait abordé le sujet de but en blanc. Que lui dire ? Simplement que tout ça remontait à très, très longtemps, et que nous ne saurions sans doute jamais la vérité. Qu'il fallait vivre avec et s'en accommoder. Un combat de chaque jour pour moi et pour papa, chacun à sa manière. Que dire d'autre ?

Il est resté silencieux, et moi aussi. Je dois avouer que cette conversation m'avait mise mal à l'aise. Je m'attendais à ce qu'on parle du lycée, du match à venir. Pas de sa tante qui avait disparu sans laisser de traces dix ans avant sa naissance.

J'ai essayé de ne plus y penser, de me concentrer sur la route.

Encore une chose que j'ai remarquée sur l'Angleterre, Miriam, en ces quelques jours : on peut mesurer la température d'un peuple à sa façon de conduire, et l'Angleterre a changé ces dernières années. N'oublie pas que j'ai vécu en Italie, la patrie des chauffards. J'ai l'habitude. L'habitude de me faire couper la route, doubler dans un virage, insulter par des gens qui hurlent que mon frère est un fils de pute sous prétexte que je roule trop lentement. Je ne m'en formalise pas. Il ne faut pas prendre ça au sérieux. Mais la même chose est en train d'arriver ici — sauf que ce n'est pas tout à fait la même chose. Il y a une grande différence : ici, *c'est* du sérieux.

Il y a quelques mois, j'ai lu dans le *Corriere della Sera* un article intitulé : « L'Angleterre apathique ». Selon l'auteur, à présent que Tony Blair avait été élu à une écrasante majorité, et comme il avait l'air d'un type bien qui savait ce qu'il faisait, les gens avaient poussé un énorme soupir de soulagement et s'étaient désintéressés de la politique. Et il faisait le lien, va savoir comment, avec la mort de la princesse Diana. J'ai oublié comment il articulait ça, je me rappelle juste avoir trouvé l'argument un peu alambiqué. Cela dit, il n'avait peut-être pas tort. Mais je ne crois pas qu'il ait touché le fond du problème. Car si on gratte un peu la surface de cette apathie, on risque de trouver bien autre chose : une frustration terrible et bouillonnante.

Il ne m'a pas fallu longtemps — vingt minutes tout au plus — pour remarquer que sur l'autoroute les gens conduisaient différemment. Pas seulement plus vite que dans mon souvenir — moi aussi, je roule vite — mais avec une sorte de *rage*. Ils se faisaient des queues de poisson, lançaient des appels de phares quand les autres tardaient à se rabattre. À croire qu'il est apparu une nouvelle variété d'automobilistes qui s'installe dans la voie centrale et refuse d'en bouger, ce qui a le don d'énerver tout le monde : au bout de cinq mètres à rouler derrière eux en leur collant au train, les autres conducteurs les doublent et se rabattent brutalement devant eux sans laisser de distance de sécurité. Sans parler de ceux qui font tranquillement du 100 à l'heure mais qui, si on fait mine de vouloir les doubler, accélèrent jusqu'à 130 ou 140, comme si c'était un affront personnel qu'une humble Punto diesel prétende dépasser une Mégane, comme s'ils en étaient blessés jusques au fond du cœur. J'exagère à peine. Après tout, c'était samedi matin, et la plupart d'entre eux allaient simplement faire des courses ou se balader, et pourtant on sentait une fureur collective gronder sur l'autoroute. Une tension, une pression, comme si le moindre incident pouvait tout faire basculer.

Bref : nous sommes arrivés au lycée et la bataille a commencé. Patrick jouait milieu de terrain, et il avait l'air absorbé par le match. Il était gêné que je le regarde et prenait un air dur et adulte, mais sa perpétuelle grimace de concentration le rajeunissait de cinq ans et me fendait le cœur. Il a bien joué. Je ne connais rien au foot, mais je trouve qu'il a bien joué. Son équipe a gagné 3-1. J'ai failli mourir de froid à rester debout sur la ligne de touche pendant une heure et demie — il y avait encore du givre sur le gazon — mais ça en valait la peine. J'ai beaucoup de choses à rattraper avec Patrick, et c'était un bon début. Après le match, je pensais qu'on irait déjeuner quelque part, mais il s'est trouvé qu'il avait prévu autre chose : rentrer en car avec ses coéquipiers, puis

passer chez son ami Simon, le gardien de but. Je
pouvais difficilement refuser, même si ça m'a prise
au dépourvu. En quelques minutes, ils s'étaient
douchés, le car avait disparu, et d'un seul coup je me
retrouvais toute seule en plein Malvern. Avec une
journée à tuer.

Retour à la normale. La solitude de la célibataire.
Trop de temps, trop peu de compagnie. Que faire ?
J'ai pris un verre et un sandwich dans un pub de
Worcester Road, et l'après-midi je suis allée me
balader dans les collines. Ça m'a calmée, ça m'a
remis les idées en place. Comme si au fond de moi je
ne me sentais heureuse qu'à flanc de colline. En tout
cas, j'ai passé beaucoup de temps ces dernières
semaines à escalader des hauteurs pour admirer la
vue. Peut-être qu'à ce stade de ma vie j'ai besoin de
cette perspective olympienne. Peut-être ai-je tellement
perdu mes repères lors de ma liaison avec Stefano
que je ne peux les retrouver qu'en élargissant le
panorama. Et en matière de panorama, j'ai été servie.
Est-ce que tu te rappellerais ce paysage, Miriam, si
jamais tu le revoyais ? On y allait souvent quand on
était petites : toi, moi, papa et maman. Avec nos
pique-niques glacés, sandwiches au jambon et
thermos, abrités du vent tous les quatre derrière un
gros rocher, contemplant les champs sous le ciel gris
des Midlands. Je me souviens d'une petite grotte
dissimulée à flanc de colline. On l'appelait la Grotte
du Géant, et j'ai encore quelque part une photo de
nous debout à l'entrée dans nos anoraks verts
assortis, la capuche bien serrée. Je crois que papa a
jeté presque toutes les photos de toi, mais j'ai réussi
à en garder quelques-unes. À les sauver du naufrage.
Avec le recul, je crois qu'on a toujours eu très peur

de lui, et que c'est cette peur qui nous rapprochait. Ce qui n'en fait pas pour autant des souvenirs malheureux. Bien au contraire. Ils sont tellement précieux que j'ose à peine les invoquer.

Je n'arrive pas à croire que tu aies pu vouloir renoncer à tout ça. C'est absurde. Tu n'aurais pas fait une chose pareille, pas vrai, Miriam ? Tu ne m'aurais pas abandonnée ainsi ? Je me refuse à le croire, même si l'autre explication est pire encore.

Vers trois heures et demie, le jour commence à baisser. Il est temps de rassembler mes forces et de rentrer pour une autre soirée en tête à tête avec papa. La dernière soirée. C'est décidé. Si les choses s'étaient mieux passées, j'étais prête à fêter Noël avec lui, mais ça ne risque pas d'arriver. Lui et moi, c'est perdu d'avance. Il faut que je trouve à me loger. Peut-être que je pourrais partir quelque part avec Pat. On verra bien.

Bref, je prends le chemin du retour. Comme j'avais dit à papa que je ferais les courses pour le dîner, je repasse à Worcester acheter des steaks. Il adore le steak. Et maintenant que les Français le boycottent, il considère qu'il est de son devoir patriotique d'en manger aussi souvent et aussi saignant que possible. C'est papa tout craché. À peine sortie de Worcester, j'ai déjà eu une escarmouche avec quelqu'un qui a essayé de me doubler dans un rond-point et je recommence à me sentir nerveuse, comme si tous les gens au volant étaient prêts à péter les plombs. Je m'éloigne de la ville, derrière une voiture qui roule très lentement. Les réverbères sont déjà allumés, et je vois que le chauffeur est un homme, tout seul, et sans doute pas très vieux ; et s'il roule si lentement, c'est parce qu'il parle dans son portable. Sinon, il

irait sans doute à fond la caisse, car il a une voiture
de sport très chic, une Mazda. Je ne sais pas de quoi
il parle, mais la conversation est visiblement très
absorbante. Il conduit d'une seule main et passe son
temps à dériver vers l'autre voie. La vitesse est
limitée à 70, mais il doit faire du 40 tout au plus. Ce
qui m'énerve, ce n'est pas tant qu'il me retarde, mais
plutôt que sa conduite est dangereuse, terriblement
irresponsable. Ce n'est pas défendu de téléphoner au
volant, dans ce pays? (En Italie, c'est interdit, même
si personne n'en tient compte.) Que se passerait-il si
un enfant traversait la route? Il accélère quelques
instants, puis ralentit de nouveau, brusquement et
sans raison, et je manque de lui rentrer dedans. Pour
autant que je sache, il ne m'a même pas remarquée.
Je freine d'un coup sec, et les sacs en plastique que
j'ai posés à côté de moi répandent leur contenu sur
le plancher. Super. Voilà qu'il accélère encore.
J'envisage de me garer pour ramasser le contenu des
sacs, mais j'y renonce. Je préfère regarder ce
conducteur, fascinée malgré moi. La conversation
s'est animée et il fait de grands gestes. Il a
complètement lâché le volant! Je décide de me sortir
de cette situation aussi vite que possible : s'il doit y
avoir un accident, je ne veux pas être là. La route,
qui traverse la grande banlieue, s'est rétrécie à deux
voies, et il n'y a personne en vue. Ce n'est peut-être
pas très prudent, mais j'en ai marre de ce bouffon :
je mets mon clignotant, je me déporte et
j'entreprends de le doubler. Il a de nouveau ralenti,
et ça ne devrait prendre que quelques secondes.

Mais d'un seul coup, il s'aperçoit que je suis en
train de le dépasser et ça ne lui plaît pas du tout.
Sans lâcher le téléphone, il appuie sur l'accélérateur

et commence à me courser. Pour le moment, je vais plus vite que lui, mais la Rover de papa n'a pas grand-chose sous le capot, et il me faut trop de temps à mon goût pour le doubler, d'autant qu'une camionnette arrive en face. Tout en pestant contre l'entêtement insensé de ce crétin macho, je rétrograde en troisième, j'appuie sur le champignon, je monte à 80 ou 90 dans un vrombissement de moteur, et j'arrive tout juste à me rabattre devant lui avant que déboule la camionnette, qui me fait des appels de phares frénétiques.

L'incident est terminé. Ou plutôt il l'aurait été si en doublant je n'avais pas fait une double connerie. L'espace d'une seconde, j'ai croisé le regard de ce type. Et je l'ai klaxonné.

Oh, c'était juste un petit coup de klaxon tout timide de fillette. Je ne sais même pas pourquoi j'ai fait ça. Sans doute pour dire, à ma manière un peu pathétique : « Espèce de branleur ! » Mais l'effet a été immédiat, et impressionnant. Il a dû expédier son coup de téléphone et balancer aussitôt son portable sur la banquette, car l'instant d'après le voilà *juste* derrière moi — à vingt centimètres, je dirais —, pleins phares, et je suis aveuglée par la lumière dans le rétroviseur, et j'entends son moteur rugir. Un véritable hurlement de rage. Et brusquement j'ai peur. Je suis terrifiée. J'essaie d'accélérer pour m'en débarrasser — jusqu'à une vitesse insensée, genre 110 — mais il ne veut rien lâcher. Il me colle au train, pare-chocs contre pare-chocs. J'hésite à freiner pour le déstabiliser, l'obliger à prendre ses distances, mais je n'ose pas, car je crois que ça ne servirait à rien. Sinon à ce qu'il me rentre dedans.

J'imagine que ça n'aura duré qu'une poignée de

secondes, mais ça me paraît interminable. Et puis ma chance m'abandonne. On arrive à un embranchement, et le feu est au rouge. Je m'arrête, et Monsieur Mazda se range à côté de moi dans un crissement de pneus, met le frein à main et, sans crier gare, descend de voiture. Je m'attends à un gros beauf à la nuque épaisse, mais en fait c'est un gringalet qui ne doit pas dépasser 1,60 m. C'est tout ce que je me rappelle de lui, car je n'ai plus de la scène qu'un souvenir flou. Il commence par tambouriner à la vitre. J'aperçois son visage pendant un horrible instant dilaté et puis je regarde droit devant moi, dans l'espoir de faire passer le feu au vert, le cœur battant à tout rompre. Et le voilà qui hurle : les trucs habituels, salope, connasse, je n'y prête pas vraiment attention, ce ne sont que des bruits parasites — et puis, comme je ne supporte plus d'attendre, je grille le feu en pensant que la voie est libre, sauf qu'une voiture surgit tout à coup de la gauche et qu'elle doit faire une embardée pour m'éviter dans un hurlement de freins, et puis elle se met à klaxonner mais bientôt le bruit s'estompe parce que j'ai filé comme une tarée, je ne sais même pas à quelle allure je roule, et ce n'est qu'au bout de deux ou trois kilomètres, après avoir laissé la ville loin derrière, que je me demande pourquoi le pare-brise est mouillé de mon côté alors qu'il ne pleut pas, et puis je comprends que le type a craché dessus avant que je redémarre. Le coup de grâce.

J'ai grillé tous les stops jusqu'à l'autoroute parce que j'avais peur qu'il me suive et qu'en me voyant il s'arrête pour finir ce qu'il avait commencé. Alors j'ai roulé jusqu'à Birmingham, et c'était de la folie parce que je n'ai pas arrêté de pleurer et de trembler et de me retourner pour guetter une Mazda fonçant sur moi, pleins phares, prête à dégainer.

Une autre femme aurait peut-être fait demi-tour pour lui rendre la monnaie de sa pièce. Mais je crois sincèrement que si j'avais baissé ma vitre il m'aurait physiquement agressée. Il était hors de lui, incontrôlable. Je n'ai jamais vu...

J'allais dire que je n'ai jamais vu un homme dans cet état. Mais ce n'est pas vrai. J'ai beau n'avoir aperçu son visage qu'un bref instant, j'ai eu le temps de voir son regard, et effectivement j'ai déjà vu autant de haine dans les yeux d'un homme : une seule fois. Il y a quelques mois, en Italie. Mais ceci est une autre histoire, que je garde pour un autre jour, car j'ai la main engourdie à force d'écrire.

Quel silence dans cette maison. Je viens seulement de le remarquer. Je viens de m'apercevoir qu'il n'y avait aucun bruit à part le grattement du stylo.

Bonne nuit, ma douce Miriam. La suite au prochain épisode.

> Dans ma vieille chambre
> St Laurence Road
> Northfield
> Dimanche 12 décembre 1999
> Fin de matinée

Alors, frangine, devine où est papa, et pourquoi j'ai la maison pour moi toute seule pendant une heure ou deux. C'est facile. Il est à l'église, bien sûr! Pour devenir quelqu'un de bien. Ce qui serait une excellente idée s'il y avait la moindre chance que ça marche. Mais il fait ça toutes les semaines depuis près de soixante ans (comme il me le rappelait encore ce matin au petit déjeuner) et, si tu veux mon avis, le résultat n'est guère concluant. Franchement, soixante ans de messe pour en arriver là, il y a de quoi demander un remboursement.

J'arrête là : ça n'en vaut pas la peine. D'ailleurs, je n'ai plus qu'un repas à endurer avec lui — le sinistre déjeuner du dimanche — avant de mettre les voiles. J'ai décidé de me gâter en réservant une chambre pour deux nuits au Hyatt Regency. C'est le nouvel hôtel le plus chic de Birmingham : plus de vingt étages, juste à côté de l'Auditorium et de Bridley Place. Je me suis baladée dans ce quartier vendredi et je n'en croyais pas mes yeux : ça a tellement changé depuis les années 70. À l'époque, vers les canaux, c'était un désert, un no man's land. Maintenant, c'est une succession de bars et de cafés, tous bondés. Et comme partout, il y a des gens qui se voient et qui parlent. De quoi ? Mystère.

Mais peut-être que tu sais tout ça. Peut-être que tu y es déjà allée ces deux dernières années. Peut-être que tu étais là vendredi matin, à prendre un café avec des amis au Bar Accoudé. Qui sait ?

Même si je ne l'ai vu qu'une fraction de seconde, je repense sans cesse au visage de cet homme qui m'a insultée et craché dessus hier parce que je l'avais klaxonné. Je t'ai dit, je crois, que ça me rappelait un incident survenu cet été en Italie. C'était la première fois que je voyais un homme entrer dans une telle fureur. C'était un spectacle horrible (et pas simplement un spectacle, car j'étais en plein dedans), mais aux conséquences plus graves, en un sens, car c'est ce qui a provoqué ma liaison avec Stefano. Et regarde où ça m'a menée.

Ça paraît déjà si lointain. C'était dans une autre vie.

Lucques est une ville entourée de collines, dont les plus belles à mes yeux sont celles qui se trouvent au nord-est. C'est là, en pleine campagne mais avec une vue fabuleuse sur la ville (l'une des plus belles d'Italie), qu'on restaurait une vieille ferme, de bas en haut et de fond en comble. La restauration était assurée par un homme d'affaires anglais nommé Murray ; plus exactement, c'était lui qui payait la note. Le travail était en fait supervisé par sa femme, Liz, et l'architecte et entrepreneur s'appelait Stefano. Liz ne parlait pas italien, Stefano ne parlait pas anglais, et c'est là que j'interviens. J'ai été engagée comme traductrice et interprète, et Liz Murray est devenue mon employeur pour six mois.

C'est assez inquiétant de signer un contrat pour s'apercevoir au bout de deux jours qu'on est confronté à la patronne de l'enfer. Dire de Liz qu'elle avait mauvais caractère et un langage vulgaire ne donne qu'une faible idée de l'horreur de la situation. C'était une conne très coincée du nord de Londres qui n'éprouvait envers les gens travaillant pour elle — et, autant que je sache, envers toute l'espèce humaine — que le mépris le plus absolu. Je n'ai pas réussi à savoir si elle avait jamais travaillé elle-même : en tout cas, elle ne manifestait aucun don particulier pour quoi que ce soit, à part foutre la trouille aux gens et les traiter comme des chiens. Par bonheur, mon boulot était très simple et j'étais douée, ou du moins compétente ; et même si elle ne m'a jamais adressé un mot aimable, et m'a toujours traitée comme un larbin, au moins elle ne m'a jamais hurlé dessus. Mais Stefano, comme les ouvriers, devait endurer les pires insultes, que bien sûr j'étais tenue de traduire. Un jour, la coupe a débordé.

Ça s'est passé un mercredi, je m'en souviens, un mercredi de la fin août. Le chantier devait être inspecté à 17 heures. Stefano, Liz et moi sommes arrivés à la maison séparément. Le contremaître, Gianni, était déjà là. Il avait travaillé toute la journée avec quatre ouvriers, et ils étaient harassés, accablés de chaleur. Le travail avait pris plusieurs semaines de retard, et ils regrettaient sans doute de ne pas être en vacances comme tout le reste de l'Italie. Il faisait une chaleur indescriptible. Personne ne devrait avoir à travailler par une telle chaleur. Mais en deux ou trois semaines ils avaient accompli (à mon avis) un boulot magnifique. Ils avaient creusé et presque entièrement carrelé une gigantesque piscine. Le carrelage à lui tout seul avait exigé trois jours de travail. Ils avaient utilisé des carreaux de porcelaine de cinq centimètres carrés qui offraient un subtil dégradé de bleu. L'effet était superbe. Sauf qu'il y avait un problème.

« Qu'est-ce que c'est que ces trucs ? » glapit Liz à l'adresse de Gianni en désignant le carrelage.

Je traduisis et il répondit : « C'est le carrelage que vous avez demandé. »

Elle : « Les carreaux sont trop grands. »

Lui : « Non, vous avez dit cinq centimètres. »

Stefano s'avança en consultant une épaisse liasse de papiers.

« C'est exact, dit-il. On a passé la commande il y a environ cinq semaines. »

Liz s'adressa à Gianni : « Mais j'ai changé d'avis depuis. On en a parlé.

— Oui, on en a *parlé*, mais vous n'avez rien décidé. Et comme finalement vous n'aviez toujours rien décidé, on a procédé comme prévu. »

Et Liz : « *Si*, j'ai décidé. J'ai demandé des carreaux plus petits. De trois centimètres carrés. »

Peu à peu, au cours de la discussion, Gianni a commencé à comprendre ce qu'elle attendait de lui. Elle voulait que ses ouvriers enlèvent tout le carrelage, commandent des milliers de nouveaux carreaux plus petits, et recommencent de zéro. Qui plus est, elle escomptait qu'il le fasse à ses frais, car elle était formelle : elle avait donné des instructions orales explicites en vue d'un changement de carrelage.

« Non ! disait-il. Non ! C'est impossible ! Vous allez me ruiner. »

J'ai traduit pour Liz, qui a répondu : « Je m'en fous. C'est votre faute. Vous ne m'avez pas écoutée.

— Mais vous n'avez pas dit *clairement*...

— Ne vous avisez pas de me contredire, espèce d'imbécile à la con. Je sais très bien ce que j'ai dit. »

J'ai tout traduit, sauf le « à la con ».

Gianni était furieux. « Je ne suis pas un imbécile. C'est vous, l'idiote. Vous n'arrêtez pas de changer d'avis.

— Comment osez-vous ? Comment osez-vous rejeter la faute sur moi alors que tout ça est dû à votre paresse et à votre incompétence, putain ?

— Je ne peux pas faire une chose pareille. Ce serait la faillite, et j'ai une famille à nourrir. Soyez raisonnable.

— Et alors ? Qu'est-ce qu'on en a à foutre ?

— Imbécile ! Idiote ! C'est vous qui avez dit cinq centimètres ! C'est écrit là.

— Ça a changé depuis, abruti. On en a parlé, et j'ai dit trois centimètres, et vous avez dit que c'était enregistré.

— Mais vous ne l'avez jamais mis par écrit.

— Parce que j'ai été assez bête pour croire que tu t'en rappellerais, putain de gros lard. Je pensais que trois centimètres, ça serait facile à retenir, vu que c'est la taille de ta bite. »

Elle attendait que je réagisse. J'ai dit : « Hors de question de traduire ça.

— Je vous paie, fit-elle remarquer, pour me traduire au mot près. Alors traduisez. Mot pour mot. »

En baissant la voix, j'ai traduit la phrase. Et c'est alors que j'ai vu s'opérer la terrible métamorphose : les yeux de Gianni — ce colosse si doux, si gentil — se sont mis à étinceler de haine, et sans réfléchir il a empoigné le premier outil venu — un burin, un énorme burin — et s'est rué sur son employeuse en hurlant des mots de rage inarticulés. Ses collègues ont réussi à le maîtriser, mais pas avant qu'il lui ait assené un coup sur les lèvres. Et c'est ainsi que Liz, la bouche en sang, a dû se précipiter dans la cuisine, où la plomberie venait d'être installée ; quelques minutes plus tard, nous l'avons entendue partir en voiture sans qu'elle nous ait adressé un seul mot.

Alors les hommes ont remballé leurs outils, méthodiquement et en silence. Stefano et Gianni ont eu une longue discussion à l'ombre d'un cyprès, dans un coin du jardin. J'avais demandé à Stefano si je pouvais partir, mais il avait répondu qu'il préférerait que je reste un peu, si c'était possible. J'ai attendu une vingtaine de minutes, assise dans la future loggia, et puis, une fois la discussion terminée, il est venu me trouver en disant : « Vous, je ne sais pas, mais moi, j'ai bien besoin d'un verre. Ça vous dit ? »

Nous sommes allés dans un restaurant de la grand-route, non loin de la ferme, nous nous sommes installés en terrasse, à flanc de colline, dominant la ville, et nous avons bu du vin et de la grappa, et au bout de deux heures nous avons mangé des pâtes, et puis nous avons discuté jusqu'au coucher du soleil, et j'ai remarqué la beauté de ses traits, la bonté de son regard, le grand rire d'enfant qui le secouait tout entier, et il m'a dit qu'il serait soulagé de se faire virer par Liz, qui était la pire cliente qu'il ait jamais eue et qui le stressait tellement qu'il frisait la dépression, et qu'il n'avait vraiment pas besoin de ça parce qu'en plus de tout le reste il avait des problèmes de couple. Un ange passa, comme si nous étions tous deux gênés par cette confidence. Et puis il me raconta qu'il était marié depuis sept ans, qu'ils avaient une petite fille de quatre ans nommée Annamaria, mais qu'il ne savait pas si leur couple allait tenir car sa femme l'avait trompé, et même si elle avait rompu avec son amant Stefano en avait beaucoup souffert, jamais il n'avait souffert autant, et il n'était pas sûr de pouvoir lui pardonner ni conserver les mêmes sentiments pour elle. Je hochais la tête, j'émettais des grognements de compassion, des paroles de réconfort, et déjà, d'emblée, j'étais trop aveugle pour m'avouer qu'au fond de mon cœur j'exultais d'apprendre tout ça, que rien ne pouvait me combler davantage. Et à la fin de cette soirée, il m'a embrassée sur le parking du restaurant : un baiser sur la joue, mais plus qu'un baiser amical, car en même temps il me caressait les cheveux, et je lui ai proposé mon numéro de portable et il m'a signalé qu'il l'avait déjà — forcément, sur ma carte de visite —, et il m'a promis de me rappeler bientôt.

Il m'a rappelée le lendemain matin, et le lendemain soir nous sommes retournés dîner.

Luxe, calme et volupté
Hotel Hyatt Regency
Birmingham
13 décembre 1999
Tard le soir

Je suis bien tombée. Je ne sais pas comment, vu
que je n'ai jamais été très douée pour jouer les
demoiselles en détresse aux cils frémissants. Mais
quand je me suis pointée ici hier après-midi, l'air
bien accablée j'imagine, avec juste quelques affaires
fourrées dans un sac (pour le moment, j'ai laissé le
reste chez papa), le type à la réception, qui s'est
révélé être l'adjoint du gérant, m'a fait une *grande*
faveur. Il m'a dit que toutes les suites étaient libres
et que je pouvais en avoir une si j'en avais envie. Et
je peux te dire, ma chère sœur, que c'est tout
bonnement merveilleux. Après quatre jours de misère
dans la ferme amish de papa, je peux enfin me
détendre et me prélasser. J'ai passé la moitié du
temps dans mon bain et l'autre moitié à piller le
mini-bar. La note sera salée, mais c'est ma dernière
folie avant de passer aux choses sérieuses et de
remettre de l'ordre dans ma vie. Et pendant ce
temps, les lumières de Birmingham scintillent sous
mes pieds, et d'un seul coup le monde semble riche
de tous les possibles.

Bien : je vais te raconter ma soirée, et ensuite je te
laisserai en paix.

Donc, il y a quelques heures à peine, je me décide
enfin à être une amie digne de ce nom en allant
écouter Benjamin et son groupe. Le pub où ils
jouent, le Glass & Bottle, n'est qu'à cinq minutes d'ici

par le canal. Phil et Patrick y seront, ainsi qu'Emily :
il est grand temps que je lui donne signe de vie. Et je
ne risque pas de tomber sur Doug Anderton, qui sera
à Londres en train de dire « Adieu à tout ça » au
Queen Elizabeth Hall (une salle un tantinet plus
prestigieuse que le Glass & Bottle, ne puis-je
m'empêcher de penser, mais bon, c'est comme ça). Je
n'ai donc aucune excuse pour ne pas faire acte de
présence.

En chemin, malgré tout, je me surprends à me
demander pourquoi j'hésite tant à y assister. Rien à
voir avec mes goûts musicaux, ni avec la perspective
d'une soirée de nostalgie vaguement morbide.
Essayons d'être franche : si j'hésite, c'est entre autres
parce qu'au lycée j'avais le béguin pour Benjamin, et
que même à présent, après tant d'années, ça m'a fait
bizarre de tomber sur lui vendredi à la librairie. Pas
seulement à cause de la femme qui l'accompagnait,
même s'il était flagrant que je n'interrompais pas une
simple rencontre amicale. Non, il y avait autre chose ;
j'ai du mal à y croire, car (sincèrement) je n'ai guère
pensé à Benjamin depuis au moins dix ans, mais
c'est toujours là : un vestige têtu des sentiments que
j'avais pour lui. Comme c'est contrariant, comme
c'est *déprimant* ! C'est bien la dernière chose dont
j'aie besoin en ce moment. Je sens qu'il est
absolument crucial, pour ma santé, pour mon
équilibre mental, pour ma *survie*, que j'évacue le
souvenir de Stefano le plus vite possible : mais
supposons que je n'y parvienne pas ? Que ces
sentiments *ne meurent jamais* ? Est-ce que je suis un
cas unique — un cas désespéré — ou est-ce que
profondément tout le monde a le même problème ?

Je pousse la porte du pub et je troque les ténèbres

givrées du canal pour une bouffée de lumière et de chaleur et de cacophonie.

Patrick me repère aussitôt, s'approche et me fait un gros bisou. Phil discute avec Emily. Nous nous tombons dans les bras. Salut, Emily, contente de te voir, ça fait longtemps, et cetera, et cetera. Elle n'a pas changé. Pas de cheveux gris (ou une excellente coiffeuse), une belle silhouette, moins potelée même qu'autrefois. (Cruellement, je me dis qu'il est plus facile de garder la ligne quand on n'a pas d'enfant.) Phil va me chercher un Bloody Mary. (Les barmen ont déjà remarqué — ce qui n'est pas très difficile — que Patrick est mineur et refusent de le servir.) Il y a du monde. « Ils sont tous venus pour la musique ? » Philip confirme d'un signe de tête. Il est de bonne humeur, fier que tant de gens soient là pour Benjamin. Comme je l'ai dit, Philip a toujours été le plus bienveillant d'entre nous. Le profil démographique du public est assez aisé à établir : il n'y a pour ainsi dire que des hommes frisant la quarantaine. Partout, je vois des débuts de brioche. Mais la plupart des membres du groupe ont aussi une famille, si bien qu'on voit quelques épouses et une poignée d'adolescents égarés. Au total, soixante ou soixante-dix personnes réparties en petits groupes qui gravitent vers la scène, au fond du pub, où les musiciens sont en train d'installer leur matériel. Benjamin, assis à son clavier, appuie sur des boutons, les sourcils froncés, l'air concentré. La sueur perle déjà sur son front : le plafond est bas et il doit faire chaud sous les projecteurs. Je cherche des yeux son amie Malvina, que je repère toute seule à une table, dans un autre coin de la salle. Nos regards se croisent, mais ça ne va pas plus loin :

j'ignore ce que prescrit l'étiquette en pareil cas. Elle ne se mélange pas, je suppose qu'elle ne connaît personne. Est-ce à moi de faire les présentations ? Trop risqué : je n'ai aucune envie de compliquer une situation déjà ambiguë. Je me demande si Emily sait que cette femme existe, si Benjamin a jamais fait allusion à elle. Je parierais que non. Emily le couve d'un regard de vénération énamourée. Pourtant, il se contente de brancher un clavier sur un ampli et de régler un tabouret de pianiste. Ce n'est pas comme s'il était en train de sculpter une statue de glace ou de construire une réplique en allumettes de l'abbaye de Westminster. Mais après seize ans de mariage, elle continue de l'idolâtrer. Je dois avouer que je ne m'attendais pas à ce que leur couple dure si longtemps. Mais en un sens, c'est logique : Benjamin aura toujours du mal à rompre, car il a horreur de la difficulté, horreur de la confrontation. Une vie paisible, à n'importe quel prix : telle est sa devise tacite ; et j'imagine que la vie avec Emily doit effectivement être paisible. Mais franchement, ils sont mal assortis. Benjamin m'a toujours frappée comme quelqu'un d'égocentrique. Ni avide ni (consciemment) méchant, mais doté d'un ego fort (d'un ego *solide*), il n'a pas vraiment besoin de compagnie autre que la sienne. Et il ne *donne* pas beaucoup de lui-même, c'est certain. Alors qu'Emily se donne sans compter. Elle est ouverte aux autres, généreuse envers ses amis, prodigue d'elle-même, c'est ça qui la rend heureuse, et je l'imagine toute dévouée à son couple, incapable de rien garder pour elle, ni secrets ni intimité. Mais il a bien dû arriver un moment où elle s'est sentie frustrée : donner tant d'elle-même et recevoir si peu en échange ? Au cours de ces années, elle a dû connaître ce genre de déception. Et pas seulement les enfants, ou plutôt l'absence d'enfants. Je parle des petites déceptions. De toutes les petites choses, des mille et une façons dont Benjamin lui a fait défaut. Pendant toutes ces années.

Je sais que j'ai raison. Je sais que ma vision de Benjamin et d'Emily est exacte. Je le vois dans les yeux d'Emily, plus tard dans la soirée.

Le set (est-ce que c'est le mot juste ? Je n'ai jamais réussi à le prendre au sérieux) se passe bien. Je me rappelle avoir vu le groupe en concert plusieurs fois dans les années 80, et trouvé leur musique vraiment démodée. Ils jouaient de longs instrumentaux funky, mais il faudrait attendre quelques années pour qu'on invente l'expression « acid jazz » et que ce style revienne à la mode. À l'époque, ça paraissait juste pervers et anachronique. Mais ce soir, ça marche du tonnerre de Dieu. Super section rythmique : le batteur travaillait avec Benjamin dans une banque, si je ne m'abuse, c'est comme ça que tout a commencé. En tout cas, il sait ce qu'il fait, tout comme le bassiste ; et sur ces solides fondations, Benjamin, le guitariste et le saxo tissent des mélodies tendres et vaguement mélancoliques (je reconnais la patte de Benjamin) et des improvisations inventives et impeccables : pas de solos complaisants, pas de variations interminables sur deux accords qui pousseraient le public à retourner au bar. Au bout de deux ou trois morceaux, les gens arrêtent même de taper du pied d'un air gêné ou de gigoter sur place. Ils dansent ! Ils dansent pour de bon ! Même Philip, qui est peut-être un parangon de gentillesse et de générosité, mais qui sur la piste n'a rien d'un

Travolta. Emily se déchaîne, elle aussi. Elle est étonnamment gracieuse. Elle se lâche, elle prend du bon temps. Apparemment, elle est venue avec toute une bande d'amis (« des gens de la paroisse », m'explique Phil) et en plein milieu d'un morceau, lors d'une accalmie après le premier paroxysme, alors que déjà quelques spectateurs applaudissent et acclament le groupe, elle se tourne vers l'un de ses amis — un grand type aux hanches étroites, très beau gosse — qui se penche vers elle et pose la main sur son épaule, et elle crie : « Alors ? Je t'avais bien dit qu'ils étaient bons. Je t'avais dit qu'ils seraient super. »

Elle a l'air tellement heureuse.

Moi, je n'arrive pas à me mettre dans l'ambiance. Je ne sais pas pourquoi. Peut-être que ces derniers jours ont été trop étranges, que ces derniers mois m'ont entraînée dans un voyage émotionnel trop long et trop fatigant, et que ce soir je sens tout ce fardeau peser sur moi. Bref. Rien, rien au monde ne me fera danser. Je me tiens en lisière de la foule, que je regarde, appuyée au mur, et au bout d'un moment je vais au bar m'acheter un paquet de Marlboro Light. C'est dire. Voilà des semaines que je n'ai pas fumé : et je ne m'y étais remise que lorsque l'histoire avec Stefano a commencé à me déprimer, après quatre ou cinq ans d'abstinence. Je ne suis pas encore prête à en allumer une, mais c'est bon de sentir le paquet dans ma poche, de savoir qu'il est là. Tôt ou tard, j'en aurai envie. Je sens le besoin monter.

Une demi-heure plus tard, l'atmosphère change, et je sens qu'il est temps de partir.

Voilà comment ça se passe. Un morceau rapide et joyeux s'achève sur un friselis de cymbales et un accord majeur tonitruant, et trois des musiciens posent leurs instruments et se retirent au fond de la scène. Il n'en reste que deux, Benjamin et le guitariste, lequel annonce qu'ils vont faire un duo. Une composition de Benjamin intitulée *Marine n° 4*. Et puis ils commencent à jouer et l'ambiance change du tout au tout. C'est une petite mélodie triste et délicate, presque menaçante à force de fragilité, et en la jouant Benjamin est métamorphosé. D'un seul coup, il est courbé sur son clavier, tendu et introverti, les yeux baissés, les paupières mi-closes. Malgré la complexité du morceau, il n'a pas besoin de se concentrer, car on sent qu'il en connaît par cœur les accords, les motifs — gravés dans sa mémoire comme les traits d'une histoire d'amour qu'on n'oubliera jamais —, ce qui le laisse libre de penser à autre chose, de fixer son regard ailleurs : en arrière, dans le passé, sur l'épisode, quel qu'il soit, qui lui a inspiré cette musique déchirante. Et bien sûr, certains d'entre nous savent ce qui l'a inspirée. Ou plutôt *qui* l'a inspirée. À cette pensée, je lance un coup d'œil à Emily pour voir sa réaction à la musique, au changement de ton, à la métamorphose de son mari. Elle aussi a changé de comportement. Elle ne lève plus vers la scène des yeux adorateurs. Elle regarde par terre. Il y a bien un sourire sur ses lèvres, mais quel sourire ! Un sourire en ruine, un vestige fossilisé de l'excitation passée, figé, inerte, sans vie, un rictus qui ne fait que souligner l'horrible tristesse que trahit le reste de son visage. Et je comprends, d'un simple coup d'œil, que si Benjamin a eu le cœur brisé, une seule fois, il y a bien des années, par la femme que commémore cette musique, le cœur d'Emily a été déchiré cent fois, mille fois au cours de ces années de mariage, par la conscience qu'il ne s'est jamais remis de ce bref, pathétique et dévastateur amour adolescent. Qu'il n'a même pas *essayé* de s'en remettre, suis-je tentée de dire : voilà ce qu'il y a de plus blessant, de vraiment impardonnable. Il n'a aucune envie de l'oublier. Aucune envie de faire croire à Emily qu'elle est autre chose qu'un pis-aller. Celle qu'il n'a jamais vraiment désirée. Un prix de consolation pour un homme inconsolable.

J'observe les expressions indéchiffrables des autres spectateurs, et je me demande : ils ne savent donc pas à quoi ils assistent, ce qu'ils écoutent vraiment ? Ça ne s'entend donc pas ? Ne voient-ils pas la pâleur blafarde qui baigne le visage d'Emily depuis le début du morceau ?

Non. Honnêtement, je ne crois pas qu'ils s'en rendent compte. Seule une autre personne semble absorbée par la musique, submergée par elle ; elle seule semble comprendre dans quels abîmes Benjamin l'a puisée ; et cette personne, curieusement, c'est Malvina. Elle a le regard fixé sur Benjamin, et elle aussi a changé de comportement : elle est tendue, aux aguets. Jusqu'à présent, elle était restée sur la touche, hors jeu, à observer froidement ce qui se passait, mais je sens qu'il y a dans ce morceau précis quelque chose qui la touche. Elle s'implique, pour la première fois de la soirée, elle s'implique passionnément.

Ce qui me ramène à la question que je rumine depuis trois jours : qu'est-ce qui se passe au juste entre elle et Benjamin ?

Je regarde une dernière fois les deux femmes que Benjamin (à son insu, sans doute) est en train de tourmenter d'une simple mélodie, et je sens qu'il est urgent de partir. J'agrippe le bras de Patrick, et quand il se retourne je lui dis à l'oreille que je m'en vais, et nous convenons de nous retrouver demain midi à l'heure du déjeuner. Et je disparais.

*

Quelques minutes plus tard, au bord du canal. Déjà le chemin de halage commence à geler, et parfois l'eau noire ondule mystérieusement, fragmentant en éclats qui dansent le reflet des lumières blafardes. La fumée de ma cigarette s'élève en spirale, et le goût âcre au fond de ma gorge est amer, brûlant et purificateur.

J'ai l'impression, malgré mes années d'absence, d'avoir compris tout ce qu'il y avait à comprendre sur la vie de couple de Benjamin et d'Emily. C'est si facile, finalement, de décoder toute une vie à partir d'un seul instant trop vulnérable. Il suffit de savoir où chercher, de regarder au bon endroit au bon moment. Mais avouons-le : ce n'est pas une surprise. C'est quelque chose que j'ai découvert tout récemment, il y a quelques semaines, à Lucques. Pas dans un pub. Pas dans une soirée nostalgique de vieux jazzeux. Non, j'étais à la *gastronomia* du coin. Toute seule, en début de soirée ; et c'est alors que j'ai aperçu Stefano et sa fille Annamaria qui hésitaient entre deux variétés d'olives.

C'est tellement banal, quand on y pense. Ça n'a vraiment rien d'extraordinaire. Bien sûr, mon premier réflexe a été de les aborder. Pourquoi pas ? Ça n'aurait rien eu de gênant. Nous étions censés déjeuner ensemble le surlendemain. Je n'avais pas encore été présentée à Annamaria, mais ce n'est pas cela qui m'a retenue. Ce qui m'a retenue, d'abord, c'est qu'il essayait de joindre quelqu'un sur son portable. J'ai décidé de le laisser donner son coup de fil avant de m'avancer pour dire bonjour.

Notre relation (là encore, est-ce le mot juste ? Je ne crois pas qu'il y en ait un pour décrire l'étrangeté de la situation) durait depuis déjà trois mois. La femme de Stefano, malgré ses promesses, continuait de le tromper. Il répétait qu'il allait la quitter. Chaque fois que nous en discutions, je me retenais de lui donner le moindre conseil. Je ne pouvais pas me fier à mon impartialité. Il était dans mon intérêt qu'il la quitte. Non : c'est exprimé trop froidement. Je désirais de tout mon cœur qu'il la quitte. Je le désirais de toutes les fibres de mon être. Mais je ne disais jamais rien. Cette situation fausse m'avait reléguée dans un rôle d'amie, et à ce titre je ne pouvais que me taire. Alors nous nous sommes cantonnés à notre rituel : déjeuner, prendre un verre, cantonnés à nos désirs inexprimés et aux baisers polis et sans passion qui ouvraient et fermaient nos rencontres. Quant aux sentiments qui me causaient tant de peine, tant de douleur inconsolable, je faisais mine de les ignorer. Je jouais les héroïnes. Ce qui était stupide de ma part, si ce n'est qu'au fond de moi je me raccrochais à l'idée qu'un jour, dans un avenir raisonnablement proche, ma patience, miraculeusement, finirait par payer.

La personne qu'il appelait ne répondait pas. Je l'ai entendu dire à Annamaria : « Non, elle n'est pas là. » Et Annamaria a répondu : « Papa, tu ne te rappelles vraiment pas celles qu'elle préfère ? » Ils regardaient deux saladiers d'olives vertes bien dodues, disposés sur le comptoir, et il hésitait entre les deux. Mais ça n'avait rien d'une hésitation ordinaire. Loin de là. Non, il était vraiment, *vraiment* important pour lui de choisir exactement les olives que préférait sa femme. Et j'ai aussitôt compris que c'était sur de tels détails de la vie quotidienne que se fondait tout le bonheur de leur vie de couple. Et dans son hésitation, à cet instant, j'ai perçu, avec une clarté déprimante, l'amour inextinguible qu'il éprouvait pour cette femme, qu'il continuait à éprouver pour elle malgré ses trahisons répétées, cet amour dont j'espérais tant, pendant toutes ces semaines de plomb, qu'il le reporterait sur moi. Cet espoir vacilla et mourut en un souffle, en une fraction de seconde. L'instant d'avant il existait, et d'un seul coup il avait disparu. Me laissant brisée. Je me suis détournée de Stefano et de sa fille, métamorphosée : méconnaissable, sans aucun lien avec la femme qui s'était engagée étourdiment dans l'allée de la *gastronomia* et s'apprêtait à les aborder. En un instant, mon identité était tombée en poussière. Tel fut l'effet de ce terrible cadeau, de cette révélation inattendue : la certitude que jamais Stefano ne quitterait sa femme. Jamais, jusqu'à ce que la mort les sépare.

Des olives. Qui l'eût cru ? Je me demande quelle variété il a fini par choisir.

Passons.

La cigarette se consume, et je la balance dans la noirceur marbrée du canal. Le froid me pénètre les os et je sais qu'il est temps de rentrer, de retrouver chaleur et confort.

Assez gambergé.

Assise à mon bureau recouvert de cuir, au vingt-troisième étage du Hyatt Regency — le dernier et le plus majestueux de mes panoramas ! —, contemplant les lumières qui parsèment cette ville ressuscitée, si occupée à se reconstruire, à se réinventer, je suis bien contente d'être allée écouter Benjamin. Tu sais pourquoi? Parce qu'en un instant, d'une valeur inestimable, j'ai compris qu'il est toujours perdu, toujours prisonnier du passé, et j'ai vu la douleur qu'il inflige à cause de ça, et j'ai compris qu'il est hors de question pour moi de vivre ainsi. Et je ne parle pas de Stefano, je parle — à mon grand regret, ma sœur bien-aimée — de toi. Pendant toutes ces années tu as été ma compagne muette, et tout ce temps je me suis raccrochée à l'illusion que mes mots te parviendraient, et je sens à présent que l'heure est venue de renoncer à cette illusion. Demain, je quitterai cet hôtel pour une autre ville, et ce soir j'arrive enfin au bout de cette lettre — de cette longue, si longue lettre que je n'enverrai jamais, car je n'ai plus personne à qui l'envoyer — et quand ce sera fait je refermerai le carnet vénitien et je le rangerai dans un endroit sûr. Peut-être quelqu'un la lira-t-il un jour. J'aurais tellement voulu que ce soit toi. Mais c'est justement ce désir, je l'ai compris ce soir, qui m'empêche d'aller de l'avant. Le désir que tu puisses m'entendre. Le désir que tu puisses me lire. Le désir que tu sois en vie.

Je dois repartir. De zéro. Et je dois commencer par faire ce qu'il y a de plus dur au monde, ce que j'ai refusé de faire toutes ces années : abandonner tout espoir.

Est-ce que j'en suis capable?

Je crois que oui. Oui, j'en suis capable.

Oui. Voilà. C'est fait.

Et pour cela, ma chère Miriam, je te demande de pardonner

Ta sœur qui t'aime,

Claire.

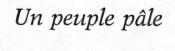

Un peuple pâle

Un peuple pâle emplissait les rues de Londres en ce dernier soir du vingtième siècle. Des foules serrées se bousculaient pour se frayer un passage vers la Tamise, contempler émerveillées le nouvel Œil de Londres, et attendre le stupéfiant feu d'artifice — le soi-disant « Fleuve de feu » — que les autorités leur avaient promis. C'était sûrement dangereux d'avoir tant de gens massés jusqu'à Whitehall et Embankment. Des prophètes de malheur prédisaient depuis des semaines qu'il y aurait des victimes, qu'un tel rassemblement provoquerait immanquablement une tragédie. Les mêmes qui prédisaient, depuis plus longtemps encore, qu'au dernier coup de minuit tous les systèmes informatiques du monde seraient anéantis.

« Je suis bien contente d'être ici, dit Sheila Trotter, plutôt que là-bas. Rien au monde ne m'aurait convaincue d'y aller. »

Benjamin leva un instant les yeux de son travail pour jeter un regard discret à sa mère. À près de soixante-dix ans, elle arrivait encore à le surprendre. À l'atmosphère de fête qui régnait ce soir au centre de Londres, comment pouvait-elle préférer *ça*, cette torpeur, ce calme mortel ? Tous les quatre assis dans le vieux salon, dans cette maison de Rubery où ses parents vivaient depuis quarante-cinq ans, sans un mot à se dire ? Tous les six, plutôt, en comptant sa belle-sœur Susan, qui était montée coucher la petite Antonia : mais on ne pouvait guère compter sur elle pour mettre de l'ambiance. Susan ce soir n'était qu'un nœud de rancunes, furieuse que son mari Paul, le frère cadet de Benjamin, ne soit pas avec eux. Et la perspective improbable de l'entrapercevoir à la télévision dans quelques minutes ne faisait que nourrir sa colère.

Emily, la femme de Benjamin, proposait à sa belle-mère un autre verre de Cava. « Allez, Sheila, disait-elle, ce n'est pas tous les jours qu'on entame un nouveau millénaire, pas vrai ? »

Benjamin, bouillant intérieurement face à l'imbécillité de cette remarque, tendit la main vers les CD empilés devant lui sur la grande table. Il en glissa un dans le graveur qu'il avait acheté quelques jours plus tôt. Il faisait une sauvegarde de tous les fichiers de son ordinateur : une tâche interminable. La plupart des fichiers de musique, par exemple (quinze ans de composition, de séquençage et d'enregistrement), occupaient chacun plus de dix mégabits, et il y en avait près de cent cinquante.

« Il faut *vraiment* que tu travailles ce soir, Ben ? demandait son père. Ce n'est quand même pas un jour comme les autres. Tu ne peux pas t'arrêter quelques heures ? C'est incroyable.

— Laisse tomber, Colin, dit Emily d'un ton résigné. Il fait son intéressant. Il n'a pas envie de s'amuser ce soir, et il veut que tout le monde le sache.

— Ça n'a rien à voir, protesta Benjamin avec une insistance contrôlée, les yeux rivés sur l'écran de son ordinateur portable. Combien de fois je devrai te le répéter ? Il faut que j'aie tout sauvegardé avant minuit. »

Susan redescendit et s'affala sur le canapé, l'air épuisée et stressée.

« Elle dort ? demanda Sheila.

— Oui. C'est pas trop tôt. Bon Dieu, ça ne s'améliore pas. J'y ai passé... » — elle consulta sa montre — « ... trois quarts d'heure. Elle se couche, mais elle continue à jacasser et à chanter. C'est peut-être une enfant hyperactive, qu'est-ce que vous en pensez ?

— Tiens, dit Emily en lui tendant un verre. Bois un peu. »

Susan prit le verre et se releva aussitôt, se rappelant soudain qu'elle avait promis d'appeler son frère Mark avant minuit.

« Il est où, déjà, en ce moment ? demanda Sheila.

— Au Liberia. » (Mark travaillait pour Reuters, et on ne pouvait jamais prévoir, d'un mois sur l'autre, dans quelle partie du monde il allait se trouver.)

« Au Liberia ? Voyez-vous ça !

— Il n'y a pas de décalage horaire, apparemment. Ils sont à l'heure de Greenwich. J'en ai pour une minute. Ne t'inquiète pas, Colin, je te rembourserai l'appel. »

Colin acquiesça d'un geste et Susan disparut dans le couloir. Pendant ce temps, minuit approchait. À moins le quart, Benjamin sortit son portable pour appeler au bureau. Adrian, le responsable informatique du cabinet, était censé sauvegarder sans exception tous les fichiers du réseau : plus de 4 000 comptes d'entreprise, selon son estimation, et à huit heures du soir il y était encore. Mais le téléphone sonna dans le vide, et Benjamin en déduisit qu'il avait fini à temps. Il pouvait toujours compter sur Adrian. Mais en tant qu'associé, il lui incombait de vérifier que les dossiers des clients avaient été sauvegardés.

« Susan, ça y est : regarde ! Est-ce que tu vois Paul ? »

Les caméras de télévision étaient désormais braquées sur le Millenium Dome, où les invités — politiciens, célébrités et membres de la famille royale — s'étaient rassemblés pour attendre les douze coups de Big Ben. À la surprise générale, Paul Trotter avait réussi à dégoter une invitation de dernière minute. Il n'y avait pas de carton pour sa femme, ni pour sa fille de trois ans ; mais cela n'avait pas suffi à le dissuader. C'était une occasion trop prestigieuse pour qu'il la laisse passer. Il était le plus jeune député travailliste invité, ce qu'il avait lourdement souligné dans sa dernière circulaire à ses administrés (à leur grande perplexité). Ses parents avaient rapproché leurs fauteuils du poste de télé, et scrutaient l'écran pour le repérer.

« Allez, Benjamin, viens voir. Minuit ne va pas tarder à sonner. »

À contrecœur, Benjamin se leva, alla rejoindre le reste de la famille et s'assit à côté de sa femme. Elle posa la main sur son genou et lui tendit un verre. Il but une gorgée et fit la grimace. Saluer le nouveau millénaire par du Cava de supermarché ! Pour une fois, bon Dieu, ils auraient quand même pu faire un effort ! Sur l'écran, il vit sourire jusqu'aux oreilles le Premier ministre pour lequel il avait voté avec tant d'optimisme, deux ans et demi plus tôt, comme des millions d'autres Britanniques. Debout à côté de la reine, il faisait mine de chanter *Ce n'est qu'un au revoir*, et ni l'un ni l'autre n'étaient convaincants. Putain, il n'y avait donc personne pour connaître les paroles de cette foutue chanson ?

« Bon millénaire, mon chéri », dit Emily en l'embrassant sur la bouche.

Il lui rendit son baiser, étreignit ses parents, et s'apprêtait à embrasser Susan lorsqu'elle aperçut quelque chose à la télé et s'écria : « Regardez, le voilà ! »

C'était Paul, effectivement, qui tendait le cou au milieu des fêtards, et qui agrippait le Premier ministre par l'épaule alors que celui-ci distribuait claques dans le dos et poignées de main à ses collègues. Paul parvint à attirer son regard pendant quelques brèves secondes, et dans les yeux du Premier ministre on put lire non seulement une confusion flagrante, mais une perplexité totale face à cet inconnu.

« Bravo, Paul ! s'exclamait Sheila. Tu as réussi. Tu as su te faire remarquer.

— Et merde ! hurla Colin en se précipitant vers le meuble télé. J'ai oublié de lancer le magnétoscope. Merde, merde, merde ! »

Vingt minutes plus tard, une fois achevés les chants de liesse et un Fleuve de feu qui s'était réduit à un pétard mouillé, le téléphone sonna. C'était Lois, la sœur de Benjamin, qui appelait du Yorkshire.

« Ils ont fait un feu d'artifice dans le jardin, rapporta Colin au reste de la famille. Ils avaient invité tous les voisins. Toute la rue est venue, apparemment. » Il se laissa retomber dans son fauteuil et reprit une gorgée de vin. « Deux mille, dit-il d'un ton incrédule, en soupirant et en gonflant les joues. Je ne pensais pas être là pour voir ça. »

Sheila Trotter alla dans la cuisine mettre de l'eau à bouillir pour le thé.

« Je ne sais pas, marmonna-t-elle en quittant la pièce, sans s'adresser à personne en particulier. Moi, je ne vois pas grande différence. »

Benjamin retourna à son ordinateur et constata que, pour le moment, ses fichiers étaient intacts, et que le calendrier était passé à 01-01-2000 sans la moindre protestation. Il n'en poursuivit pas moins sa sauvegarde. Et il se rappela que, près de trente ans plus tôt, il faisait ses devoirs à la même table, dans la même maison, tandis que ses parents, assis dans les mêmes fauteuils, regardaient la télé. À l'époque, il y avait aussi son frère et sa sœur, et non sa femme et sa belle-sœur — mais la différence était minime, non ? On ne pouvait pas dire que sa vie ait été radicalement bouleversée en trois décennies.

Il prit la tasse de thé que lui tendait sa mère et pensa : Non, tu as raison. Il n'y a pas grande différence.

27

À ce stade de sa carrière, Paul Trotter était sous-secrétaire d'État auprès du ministre de l'Intérieur. Fonction qui se révélait ambiguë et frustrante. Traditionnellement, on la considérait comme un préalable à l'obtention d'un portefeuille ministériel ; mais en attendant, Paul se retrouvait relégué dans un rôle restreint et effacé, qui consistait avant tout à assurer la liaison entre le ministre et les députés de base. Il n'avait pas le droit de parler aux journalistes des affaires du ministère ; en fait, on l'encourageait vivement à ne pas leur parler du tout. Mais Paul n'était pas entré en politique pour se contenter d'un travail en coulisses. Il avait des opinions — des opinions tranchées, qui pour l'essentiel coïncidaient avec la ligne du parti — qu'il était enclin à exprimer chaque fois que l'occasion s'en présentait. Si la plupart des jeunes députés travaillistes paniquaient à la simple vue d'un journaliste ou d'un micro, Paul était déjà renommé pour sa loquacité et son don des petites phrases. Les rédacteurs des grands journaux commençaient à lui proposer d'intervenir dans leurs colonnes, et les chroniqueurs parlementaires réclamaient son avis sur les sujets d'actualité, même (ou surtout) quand il n'y connaissait rien.

Paul n'était pas dupe. Il savait que les journalistes seraient ravis de le prendre en défaut. Il savait aussi que ses électeurs attendaient certaines choses d'un gouvernement travailliste, et que ses convictions personnelles, s'il les avait exprimées franchement et publiquement, les auraient choqués, leur auraient procuré un sentiment de malaise et de trahison. Il devait rester sur ses gardes, ce qui finissait par l'exaspérer. Après trois ans de mandat, la routine de sa vie parlementaire (la moitié de la semaine au centre de Londres, suivie d'un long, d'un interminable week-end dans sa circonscription des Midlands, coincé à la maison avec sa femme et sa fille) commençait à lui peser. Il ne tenait plus en place, il aspirait au changement, à un changement rapide et radical. Il se sentait dépérir, sombrer dans une complaisance et une torpeur prématurées, et il rêvait d'un choc qui redonnerait vie à tout son être.

Dans les faits, le choc se produisit un jeudi soir de février 2000, et l'instigateur en fut, incroyable mais vrai, son frère.

*

Benjamin installa la planche à repasser tandis qu'Emily regardait la télévision. Une équipe de jardiniers, experts et stars dans leur domaine, transformaient la sinistre pelouse d'une maison de ville en oasis verdoyante, avec terrasse, barbecue et pièce d'eau, en l'espace d'un seul week-end. Au-dehors s'étendait le jardin des Trotter, négligé et rabougri.

« Je vais te la repasser, si tu veux, proposa Emily.

— Ne dis pas de bêtises, répliqua Benjamin. Je sais quand même repasser une chemise. »

Sa réponse ne se voulait ni brusque ni acerbe, mais

c'est ainsi qu'elle apparut. À vrai dire, il aurait préféré que ce soit Emily qui lui repasse sa chemise. Il détestait repasser les chemises, et il n'était pas doué pour ça. Si réellement il s'était disposé à dîner en tête à tête avec son frère Paul, comme il l'avait dit à Emily, il aurait été ravi de la laisser faire. Mais la présence de Malvina au dîner, qu'il avait dissimulée à sa femme, lui procurait un sentiment de culpabilité. Benjamin, d'habitude si enclin à analyser toutes choses, ne chercha pas à analyser *pourquoi* en l'occurrence il se sentait coupable. Il s'en rendait compte, tout simplement, comme il se rendait compte qu'il se sentirait plus coupable encore s'il laissait Emily lui repasser sa chemise.

Il se mit à l'ouvrage. Chaque fois qu'il retournait une manche, il découvrait deux ou trois superbes faux plis qui ne s'y trouvaient pas auparavant. C'était systématique, et il ne comprenait pas pourquoi.

À l'émission de jardinage succéda une émission de cuisine où une jeune femme invraisemblablement glamour, qui vivait dans une maison invraisemblablement élégante, préparait des mets délectables tout en écartant gracieusement une mèche rebelle, en adressant des moues séductrices à la caméra et en se léchant les doigts tachés de beurre et de sauce d'une manière si suggestive que Benjamin, repassant les poignets pour la cinquième fois, se surprit à bander. Elle concoctait depuis cinq minutes, avec une aisance invraisemblable, des abricots pochés fourrés à la crème fraîche et saupoudrés de pistaches lorsqu'il entendit tintinnabuler le micro-ondes : profitant de la pub, Emily avait mis à réchauffer un gratin de macaroni de chez Marks & Spencer, qu'elle versa dans un bol et mangea sans conviction en couvant ce spectacle gastronomico-érotique d'un regard envieux et perçant.

Alors, pourquoi ne pas lui avoir dit ? se demanda Benjamin. Son esprit remonta trois mois en arrière, à ce jour de novembre 1999 où Malvina s'était assise à la table voisine de la sienne, dans le coin café de la librairie Waterstone de High Street. Il était près de sept heures : la fin d'une longue journée de travail. Il aurait déjà dû être à la maison, auprès d'Emily. Mais ce soir-là, comme tant d'autres soirs, il lui avait dit qu'il travaillerait tard. Non pour s'échapper et passer quelques heures avec sa maîtresse (Benjamin n'aurait jamais de maîtresse), mais pour grappiller une demi-heure de solitude, en compagnie d'un livre et de ses pensées, avant de regagner la solitude plus profonde et plus oppressante de sa vie de couple.

Il ne tarda pas à remarquer que la jeune femme pâle et mince assise près de lui tentait d'attirer son attention. Elle ne cessait de croiser son regard en souriant, et regardait avec tant d'insistance le livre qu'il lisait (une biographie de Debussy) qu'il eût bientôt été impoli de la part de Benjamin de ne pas lui adresser la parole. Ils lièrent conversation, et il apprit très vite qu'elle étudiait les médias à l'université de Londres et qu'elle était à Birmingham pour quelques jours, en visite chez des amis. Des amis proches, sans doute, car apparemment elle venait souvent les voir : après cette première rencontre, Malvina et Benjamin se revirent (même heure, même endroit) au moins tous les quinze jours, parfois davantage ; et bientôt (pour Benjamin, en tout cas), ces rendez-vous ressemblèrent moins à de simples retrouvailles amicales qu'à une véritable idylle. Dans les minutes qui précédaient l'arrivée de Malvina, il se sentait tellement impatient que la tête lui tournait. Son ventre se contractait tel un poing serré. Éprouvait-elle la même chose ? Il n'en savait rien. Mais c'était probable : sinon, pourquoi l'aurait-elle abordé la première fois ? Certes, il grisonnait, ses joues se faisaient flasques, son estomac s'était mis à enfler bizarrement et de sa propre initiative, indépendamment de la quantité de nourriture qu'il mangeait. Cela sonnait-il le glas de l'attrait qu'il exerçait sur les femmes ? Apparemment non. Mais il y avait autre chose qui le tourmentait davantage : l'aura d'échec, de déception qu'il sentait lui coller à la peau, que ses amis avaient acceptée mais qui, il en était convaincu, devait frapper immédiatement quiconque faisait sa connaissance. Et pourtant, miraculeusement, Malvina ne semblait pas s'en rendre compte. Elle lui revenait, encore et encore. Elle n'avait jamais refusé une invitation à prendre un verre ou un café. Elle avait même assisté au concert de reformation de son groupe au Glass & Bottle, juste avant Noël.

Qu'est-ce qui pouvait bien l'intéresser en lui ? Il demeurait incapable de répondre à cette question, malgré toutes les heures qu'elle avait passées à l'écouter, avec une attention apparemment sans faille, parler de ses vingt ans de carrière d'expert-comptable, de sa carrière plus brève de musicien dans les années 80 et (le plus grand de ses secrets, en un sens) du roman auquel il travaillait depuis tout ce temps, qui comptait désormais plusieurs milliers de pages, et qui pourtant ne semblait toujours pas près d'être achevé. Malvina affichait un appétit insatiable pour ces détails intimes ; en retour, elle laissait parfois échapper une révélation personnelle, telles ses propres aspirations d'écrivain, déjà auteur de plusieurs poèmes et nouvelles inédits. Benjamin, inévitablement, avait demandé la permission d'en lire ; mais jusqu'à présent Malvina (non moins inévitablement, peut-être) la lui avait refusée. Ce n'était sans doute que de la timidité ; mais Benjamin n'était pas mû par une simple curiosité. Il voulait sincèrement l'aider, de toutes les manières possibles. Constamment, au fond de lui — sans se l'avouer, sans même s'en rendre compte —, il craignait que ces merveilleux rendez-vous, qui depuis quelques mois transfiguraient sa vie, ne s'interrompent du jour au lendemain. Plus il pourrait l'aider, lui rendre de services, lui devenir indispensable, moins il risquerait, pensait-il, de la voir se lasser de lui. C'est ainsi qu'il finit par lui proposer de la présenter à Paul.

Pour sa deuxième année d'études, Malvina devait écrire un mémoire de 20 000 mots sur les rapports entre les néotravaillistes et les médias. Vaste sujet : trop vaste pour elle, soupçonnait Benjamin. Il savait qu'elle avait déjà pris du retard ; il percevait la panique dans sa voix chaque fois qu'elle en parlait ; et s'il n'était guère envisageable de se dévouer, par exemple (il l'aurait volontiers fait), pour l'écrire lui-même, du moins pouvait-il lui offrir une assistance pratique en lui permettant de rencontrer une étoile montante du parti. Une expérience de première main avec laquelle aucun étudiant ne saurait rivaliser.

« Je suis vraiment obligé ? s'était plaint Paul dès que Benjamin lui avait soumis sa requête au téléphone.

— Non, bien sûr que tu n'es pas obligé. Mais ça ne te prendrait que deux ou trois heures. Je me disais qu'on pourrait dîner tous les trois la prochaine fois que vous seriez à Birmingham. Juste pour la soirée ; ça pourrait être agréable. »

Sur quoi Paul reprit, après un bref silence : « Elle est jolie ? »

Benjamin réfléchit un moment, puis répondit : « Oui. » Ce qui n'était qu'un constat. Et même une litote. En réponse à une simple question posée dis-

68

traitement par Paul, marié et père d'une jolie petite fille.

Pourtant, Benjamin aussi était marié, et jamais il n'avait parlé de Malvina à Emily. Et ce soir, lorsque retentit la sonnette, il lui parut soudain plus important que jamais que sa femme ignore tout de cette nouvelle amitié, ignore l'existence même de Malvina.

Obsédé par cette pensée, il se précipita pour ouvrir la porte.

« Tu ne vas quand même pas porter cette vieille chemise ? lui demanda aussitôt son frère, qui arborait un costume Ozwald Boetang fait sur mesure.

— Je suis en train d'en repasser une autre. Entre. » Encore sur le seuil, Benjamin ajouta en aparté : « Écoute, Paul, n'oublie pas : ce soir, on dîne tous les deux.

— Oh. » La déception de Paul était palpable. « Je croyais que tu voulais justement me présenter à quelqu'un. Je croyais que cette femme voulait me rencontrer.

— Effectivement.

— Alors ça va se passer quand ?

— Ce soir.

— Mais tu as dit qu'on dînait juste tous les deux.

— Tous les trois. Mais tous les deux. Tu vois ce que je veux dire ?

— Non, je ne vois pas du tout.

— Emily n'est pas au courant.

— Pas au courant que quoi ?

— Qu'elle vient dîner avec nous.

— Emily vient dîner avec nous ? Tant mieux. Mais pourquoi elle n'est pas au courant ?

— Non : c'est Malvina qui vient dîner avec nous. Pas Emily. Mais elle n'est pas au courant.

— Elle n'est pas au courant qu'elle ne vient pas dîner avec nous ? Tu veux dire... elle croit qu'elle vient dîner avec nous ?

— Écoute. Emily n'est pas au courant... »

Paul bouscula son frère d'un air irrité.

« Benjamin, j'ai pas le temps d'écouter tes conneries. Je viens déjà de passer trois quarts d'heure d'enfer avec les parents, et il est de plus en plus flagrant qu'il y a un grain de folie héréditaire dans la famille, et que c'est toi qui en as hérité. Alors, on va dîner ou pas ? »

Ils passèrent au salon et Benjamin termina son repassage. Paul tenta brièvement et laborieusement de faire la conversation à Emily, puis resta sans mot dire, assis à côté d'elle sur le canapé, à contempler la déesse culinaire qui pelait une banane de ses doigts langoureux puis en mordillait rêveusement le bout de ses lèvres pulpeuses. « Putain, je me la ferais bien », finit-il par murmurer. Avait-il conscience d'avoir parlé tout haut ?

Dans sa voiture, en route pour Le Petit Blanc sur Brindley Place, Benjamin lui demanda : « Pourquoi c'était l'enfer de voir papa et maman ?

— Tu les as vus récemment ?

— Je les vois toutes les semaines, répondit Benjamin d'un ton de supériorité qui le fit grimacer.

— Tu ne les trouves pas bizarres ? À moins qu'ils n'aient toujours été comme ça. Quand j'ai dit à papa qu'on allait en ville ce soir, tu sais ce qu'il m'a répondu ? "Faites attention aux voyous." »

Benjamin fronça les sourcils. « Aux voyous ? Quels voyous ?

— Aucune idée. Il n'a pas précisé. Mais il était convaincu que si on allait au centre-ville un jeudi soir, on allait se faire attaquer par une bande de voyous quelconque. Il a pété les plombs.

— Ils sont vieux, c'est tout. Ils sont vieux et ils ne sortent pas beaucoup. Laisse-les vivre un peu. »

Paul grogna et se tut. En temps normal, il était hystérique au volant, enclin à griller les feux rouges et à lancer des appels de phares à quiconque ne roulait pas assez vite, mais ce soir il n'avait pas l'air concentré sur la route. Il conduisait d'une main en se mordillant l'autre. Benjamin reconnut un tic d'enfance : un signe de nervosité, de préoccupation.

« Tout va bien, Paul ?

— Quoi ? Oh, oui, oui, tout va bien.

— Susan va bien ?

— Il m'a semblé.

— J'avais l'impression que... que quelque chose te travaillait. »

Paul regarda son frère. Impossible à dire s'il lui était reconnaissant de sa sollicitude ou s'il était contrarié que son malaise soit si flagrant.

« Je me suis fait coincer par un journaliste cet après-midi dans les salons du Parlement. Il m'a posé une question sur Railtrack et... eh bien, je n'ai pas assez réfléchi avant de répondre. Je crois que j'ai merdé. »

Cet après-midi-là, on avait annoncé à la presse que l'entretien et la sécurité des chemins de fer seraient confiés à Railtrack, une entreprise privée, et non à un organisme public indépendant comme le réclamaient de nombreux critiques. Fondamentalement, Paul approuvait ce choix (tous ses instincts politiques le portaient vers le secteur privé) et il ne s'était pas gêné pour le dire haut et fort, pensant ainsi se concilier les cadres du parti. Mais apparemment, il était allé trop loin.

« Il se trouve, dit-il, que les gens qui sont le plus hostiles à cette privatisation sont les familles des victimes

71

de la catastrophe de Paddington. Ils disent qu'on ne peut pas se contenter de ça.

— C'est logique.

— Bien sûr, ils sont en *deuil*. C'est tout à fait compréhensible. Mais ça n'avance à rien, dès qu'il y a un petit problème, de dire que c'est la faute du gouvernement. On est en train de sombrer dans une culture de la culpabilisation, tu ne trouves pas ? C'est le mauvais côté de l'Amérique qui nous contamine.

— Qu'est-ce que tu as dit exactement ?

— C'était un type du *Daily Mirror*. Il m'a demandé : "Qu'est-ce que vous diriez aux proches des victimes de la catastrophe de Paddington, qui voient dans cette décision une insulte à leur mémoire ?" J'ai commencé par dire que je respectais leurs sentiments, blablabla, mais bien sûr c'est le genre de choses qu'il va couper dans son article. Je sais très bien ce qu'il va citer. C'est ce que j'ai dit en dernier. "Ceux qui cherchent à capitaliser sur des vies humaines devraient faire leur examen de conscience."

— Tu parlais des proches des victimes ?

— Non, pas du tout. Je parlais des gens qui vont exploiter leur émotion à des fins politiques. *Voilà* ce que je voulais dire. »

Benjamin claqua la langue. « Trop subtil. Les gens vont penser que t'es un salopard insensible et sans cœur.

— Je sais. Fait chier, marmonna Paul en contemplant ce qui avait jadis été le cinéma ABC de Bristol Road, mais qui depuis des années était devenu un drive-in McDonald's. Mais passons. Parle-moi de cette femme qu'on va rencontrer. Est-ce qu'elle va me redonner le moral ?

— Elle s'appelle Malvina. Elle est très intelligente.

Elle partage son temps entre ici et Londres, à ce que j'ai cru comprendre. Elle veut juste te parler de tes rapports avec la presse, je crois. Histoire d'étoffer son mémoire.

— Eh bien, fit Paul d'un air sombre. Elle a bien choisi son jour. »

*

Plus tard, en repensant à cette soirée, Benjamin comprit qu'il avait été stupide de ne pas prévoir la métamorphose de Malvina. Il avait une telle habitude — une telle lassitude — de son frère cadet qu'il avait du mal à comprendre qu'aux yeux de beaucoup de gens Paul était devenu une star, que le rencontrer était un événement qui méritait qu'on se mette sur son trente et un. Lorsqu'ils arrivèrent au Petit Blanc, où Malvina les attendait à une table, près de la fenêtre, Benjamin fut suffoqué, réduit par sa beauté à un silence émerveillé. Bien sûr, il l'avait déjà vue maquillée, mais jamais avec tant d'art ni de luxuriance ; jamais avec les cheveux si savamment ébouriffés ; et jamais, sauf erreur de sa part, avec une jupe *si* courte et *si* indécente. Il déposa un baiser sur sa joue parfumée — comme il avait attendu ce moment, et comme il fut bref ! — puis, se tournant vers son frère pour faire les présentations, s'aperçut que Paul avait déjà pris la main de Malvina avec une telle déférence, une telle tendresse qu'on se serait attendu à un baisemain.

Il vit leurs regards se croiser et se détourner aussitôt. Il vit Paul ajuster sa cravate et Malvina lisser sa jupe en s'asseyant, et il en eut le cœur serré. Il se demanda aussitôt s'il ne venait pas de commettre l'une des pires erreurs de sa vie.

Tandis que Benjamin mangeait son entrée du bout des lèvres — salade de poulet thaï aux papayes vertes et à la roquette —, Paul entreprit de raconter à Malvina, avec une autodérision charmante, sa gaffe de l'après-midi ; et bientôt il évoquait plus généralement l'interdépendance problématique qu'il percevait entre le gouvernement et les médias. Benjamin avait déjà entendu le couplet, mais ce soir il fut frappé par son ton expert. Sans compter le *glamour* qui s'attachait à son frère, un glamour né du *pouvoir* qu'il exerçait, si limité qu'il fût. Malvina écoutait, opinait, griffonnait quelques notes. Au début, elle parlait peu, comme gênée que Paul prenne le temps d'expliquer toutes ces choses à son humble personne. Mais dès le plat — filet de bar frit aux courgettes, fenouil et sauce royale — Benjamin s'aperçut d'un rééquilibrage dans la discussion. Malvina se faisait plus diserte, et Paul ne se contentait plus de communiquer des informations : il posait des questions, sollicitait des avis, et visiblement elle en était à la fois surprise et flattée. Benjamin, pour sa part, avait sombré dans un silence morose qui dura tout le reste du repas. Piochant sans intérêt dans sa crème brûlée aux fruits de la passion, il les regarda engloutir leur dessert avec gourmandise : un mi-cuit au chocolat dans son coulis de crème anglaise tiède, qu'ils dégustaient en partageant la même cuiller à long manche. À ce stade, il savait, avec une boule au creux de l'estomac, une chose qu'il aurait crue inconcevable quelques heures plus tôt : Malvina était perdue pour lui. Perdue ! Mais l'avait-il jamais possédée ? Si ce n'est que, tant qu'avaient duré leurs rencontres hebdomadaires si ambiguës, il pouvait au moins continuer de fantasmer sur elle, de rêver que cette amitié débouche, par quelque miracle (Benjamin croyait fermement aux miracles), sur autre chose, quelque chose d'explosif. Il ne s'était jamais soucié des détails, ni inquiété de la douleur qu'il risquait d'infliger à Emily — et à lui-même — en poursuivant ce chemin semé de pièges. Ce n'était qu'un rêve, et cela le resterait sans doute ; mais Benjamin ne vivait que par et pour ses rêves, depuis toujours : ils étaient pour lui aussi concrets que les détails de sa journée de travail ou les courses du week-end au supermarché ; et il semblait bien cruel, bien amer de se voir ainsi arracher jusqu'à ces maigres fantasmes. Il sentit le désespoir l'envelopper de ses tentacules, et au même instant sa vieille haine pour son frère s'insinuer dans ses os.

« Donc, d'après vous, si je comprends bien, disait Paul, le discours politique est devenu un genre de champ de bataille où politiciens et journalistes s'affrontent jour après jour sur le sens des mots.

— Oui, parce que les politiciens font tellement attention à ce qu'ils disent, les déclarations politiques sont devenues tellement neutres que c'est aux journalistes qu'il incombe de *créer* du sens à partir des mots qu'on leur donne. Ce qui compte aujourd'hui, ce n'est plus ce que vous *dites*, vous autres, c'est la manière dont c'est *interprété*. »

Paul fronça les sourcils et lécha les derniers vestiges de chocolat liquide au dos de la cuiller. « Je vous trouve un peu trop cynique, reprit-il. Les mots ont un sens, un sens établi, et on ne peut rien y changer. À mon grand regret. Il suffit de voir ce que j'ai dit au type du *Daily Mirror* : "Ceux qui cherchent à capitaliser sur des vies humaines devraient faire leur examen de conscience." C'est irrattrapable, non ? On aura beau tourner la phrase dans tous les sens, ça fait mauvais effet.

— Soit, dit Malvina, mais si vous disiez que la phrase a été sortie de son contexte ?

— Comment ça ?

— En précisant que vous ne parliez absolument pas des familles des victimes. Au contraire, en tant que partisan, sur le principe, de la privatisation des chemins de fer, vous lanciez un avertissement aux entreprises pour leur interdire de "capitaliser" sur des vies humaines en faisant passer le profit avant la sécurité. C'est donc *elles* qui devraient faire leur examen de conscience. » Elle lui sourit, d'un sourire énigmatique et provocant. « Alors, qu'est-ce que vous en dites ? »

Paul la regarda stupéfait. Il ne comprenait pas bien ce qu'elle disait, mais déjà, grâce à elle, sa gaffe lui semblait moins grave, et il se sentait délesté d'un lourd fardeau d'angoisse.

« C'est pour ça que le mot était si bien choisi, poursuivit Malvina. "Capitaliser." Parce que c'est bien là le danger, pas vrai ? Que tout soit conçu en termes d'argent. C'est très astucieux, de manier ainsi la langue. Et tellement ironique. » De nouveau, ce sourire. « Car c'était bien de l'ironie de votre part, n'est-ce pas ? »

Paul acquiesça, lentement, sans la quitter des yeux.

« C'est très moderne, l'ironie, assura-t-elle. Très *in*. Vous voyez, vous n'avez plus besoin d'expliciter ce que vous voulez dire. En fait, vous n'avez même pas besoin de *penser* ce que vous dites. C'est toute la beauté de la chose. »

Paul demeura quelques instants immobile et silencieux, hypnotisé par ses paroles, son assurance, son calme. Par sa jeunesse. Enfin il dit : « Malvina, vous voulez bien travailler pour moi ? »

Elle éclata d'un rire incrédule. « Travailler pour vous ? Mais c'est impossible ! Je ne suis qu'une étudiante.

— Ça ne vous prendrait qu'un jour par semaine.

Deux jours maximum. Vous pourriez devenir ma... » (il se creusa la tête à la recherche d'une expression appropriée) « ... conseillère médiatique.

— Oh, Paul, ne dites pas de bêtises ! s'écria-t-elle en détournant la tête, rougissante. Je n'ai aucune expérience.

— Je n'ai pas besoin d'expérience. J'ai besoin d'un regard neuf.

— Pourquoi il vous faut un conseiller médiatique ?

— Parce que je ne peux pas me passer des médias, mais que je ne les comprends pas. Contrairement à vous. Vous pourriez vraiment m'aider. Vous pourriez faire office de... tampon, de truchement, entre... »

Sa voix s'éteignit, et Benjamin marmonna : « C'est contradictoire. »

Paul et Malvina le regardèrent en chœur — voilà vingt minutes qu'il n'avait pas ouvert la bouche — et il expliqua : « Tampon et truchement. Ce sont des termes contradictoires. On ne peut pas être à la fois un tampon et un truchement.

— Tu n'es pas au courant ? répliqua Paul. Les mots ont le sens qu'on veut bien leur donner. On vit à l'ère de l'ironie. »

*

Paul proposa à Malvina de la raccompagner à la gare de New Street, où elle pourrait prendre le dernier train pour Londres. Il s'empara de l'addition, qu'il régla discrètement et prestement pendant qu'elle était aux toilettes.

« À quoi tu joues au juste, Paul ? siffla Benjamin tandis qu'ils l'attendaient sur le trottoir. Tu ne vas quand même pas l'*embaucher* !

— Pourquoi pas ? J'ai un budget pour ça.
— Tu sais quel âge elle a ?
— Quel est le rapport ? Et toi, tu le sais ? »

Benjamin dut avouer que non : c'était l'une des nombreuses choses qu'il ignorait à son sujet. Mais en la voyant monter à l'avant de la voiture de Paul, il se dit que la différence d'âge entre eux ne paraissait pas si grande, après tout. Paul ne faisait certainement pas ses trente-cinq ans, et Malvina avait l'air... intemporelle, ce soir. Ils faisaient un beau couple, dut-il admettre en serrant les dents.

La vitre de la BMW noire scintillante s'ouvrit sans bruit et Malvina leva les yeux vers lui.

« À bientôt », dit-elle affectueusement ; mais cette fois, ils ne s'étaient pas embrassés.

« Faut pas débander, Marcel », cria Paul, qui depuis des années prenait plaisir à énerver son frère en le présentant comme « le Proust de Rubery ».

Benjamin le foudroya du regard et dit d'un air sinistre : « Promis. » Il tenta d'avoir le dernier mot en rétorquant : « Passe le bonjour à ta femme et à ta fille, d'accord ? »

Paul opina — impénétrable, comme toujours — et puis la voiture disparut, dans un crissement de caoutchouc sur le goudron, et Malvina disparut avec elle.

La pluie se mit à tomber tandis que Benjamin partait d'un pas lent vers les arrêts de bus de Navigation Street.

26

Au milieu du Lambeth Bridge, Paul freina brusquement, se stabilisa en posant un pied sur le bord du trottoir et reprit son souffle. Les muscles de ses cuisses palpitaient d'une douleur sourde : il n'avait pas l'habitude de faire deux kilomètres à vélo. Au bout de quelques secondes, il pivota de quatre-vingt-dix degrés et gagna le côté est du pont. Il descendait de sa monture lorsque la conductrice d'un énorme 4×4 vert bouteille — qui semblait fait pour acheminer des vivres sur des routes défoncées entre Mazar-e-Charif et Kaboul plutôt que pour emmener au supermarché, comme cela semblait être le cas, un couple bourgeois avec enfant — klaxonna furieusement en faisant une embardée, portable à la main ; Paul passa à dix centimètres d'une mort certaine. Il n'y prêta pas attention, ayant déjà compris que dans le centre de Londres, où automobilistes et cyclistes vivaient dans un état de guerre larvée permanente, on frôlait la mort tous les jours. D'ailleurs, ce serait une bonne anecdote pour sa nouvelle chronique, « Confessions d'un député cycliste », que Malvina comptait fourguer la semaine prochaine au rédacteur en chef d'un quotidien gratuit distribué dans le métro. Elle prenait son nouvel emploi très au sérieux, et ce n'était là que l'une des nombreuses idées qu'elle venait de lui soumettre. Elle lui conseillait aussi de participer à un jeu télé satirique très regardé : apparemment, elle connaissait l'un des producteurs, et comptait évoquer le sujet avec lui à la première occasion. Elle se révélait déjà plus efficace et beaucoup plus utile qu'il ne l'aurait cru possible.

Il souleva son vélo et l'appuya au parapet du pont, auquel il s'accouda. Le menton sur les mains, il contempla un spectacle qui ne manquait jamais de le fasciner : à sa gauche, le palais de Westminster, au teint de beurre sous les projecteurs, dont le reflet scintillant jetait une lumière dorée sur le métal noir de la Tamise endormie ; à sa droite, le London Eye, ce parvenu, plus audacieux, plus racé, plus grand que tous les édifices environnants, parsemant le fleuve de flaques bleu néon, bouleversant tout le paysage avec une impudence désinvolte. L'un représentait tradition et continuité — dont Paul se défiait plus que tout. L'autre représentait... quoi ? Il était sublimement inutile. C'était une machine, une parfaite machine à faire de l'argent et à offrir aux gens un nouveau panorama sur ce qu'ils connaissaient déjà par cœur. La Roue et le Palais se mesuraient l'une à l'autre, dans une coexistence encore pacifique, partageant leur ascendant sur cette partie de Londres l'espace d'une trêve irréelle, malaisée, magnifique. Et Paul se tenait sur le pont, debout entre les deux, pris d'une excitation tremblante, exalté par la légitimité d'une vie qui l'avait enfin conduit à cet endroit, à cet instant. C'est là qu'était sa place.

*

Doug Anderton l'attendait, attablé dans un coin d'un restaurant de Westminster spécialisé dans la cuisine anglo-indienne. Hier encore, l'immeuble abritait une bibliothèque de prêt, et les murs de la mezzanine demeuraient tapissés de livres, offrant aux clients, déjà confortés dans leurs privilèges par l'extravagance des prix, un frisson doublement illicite à l'idée de manger dans un endroit naguère ouvert au commun des mortels, conformément à un idéal démocratique d'une désuétude presque comique. Doug étudiait les pages Opinions d'un quotidien rival, fronçant les sourcils en signe de concentration ou de mépris pour la concurrence — impossible à dire — tout en sirotant son Bellini à l'ananas. Son uniforme soigneusement prolétaire — blouson en jean, tee-shirt et jean — ne l'empêchait aucunement de paraître très à l'aise dans ce cadre.

« Doug », dit Paul en lui tendant la main avec un sourire chaleureux.

Doug replia son journal et lui serra sèchement la main. « Salut, Trotter, répondit-il.

— Trotter ? » s'étonna Paul en s'asseyant en face de lui. Il semblait déterminé à maintenir une bonne ambiance. « Pas très amical, après vingt et un ans.

— Tu as dix minutes de retard, lui fit remarquer Doug. T'as eu du mal à te garer ?

— Je suis venu en vélo », corrigea Paul en se servant un grand verre d'eau plate ; la bouteille coûtait plus cher que le salaire horaire minimum récemment imposé par le parti travailliste. « Je ne me déplace plus qu'à vélo. Malvina dit que c'est bon pour moi. »

Doug éclata de rire. « Ça y est, elle t'oblige déjà à

faire de l'exercice ? Mais je croyais que ta femme s'appelait Susan.

— Effectivement. Ça n'a rien à voir avec l'exercice. Malvina est ma conseillère médiatique. Tu l'as eue au téléphone.

— Ah, oui. Bien sûr. Où avais-je la tête ? Ta... *conseillère médiatique.* » Il étira les mots au maximum. « Bon, si ça te dérange pas, on va commander et abréger les préliminaires — quoi de neuf depuis vingt ans, toutes ces conneries. Comme ça, au moins, on crèvera pas de faim.

— Quoi de neuf ? Pas grand-chose, dit Paul en prenant un menu. J'ai suivi de près ta carrière. Et réciproquement, j'imagine.

— J'ai effectivement fait allusion à toi, indirectement, dans un petit speech que j'ai prononcé sur la rive sud il y a quelques mois. Mais je ne peux pas dire que j'aie été obsédé par toi ces dernières années. En fait, je crois que je n'avais jamais repensé à toi jusqu'à ce que tu surgisses sans crier gare le soir des élections, en 97, quand tu as relégué aux oubliettes un ministre conservateur très distingué. Tu avais l'air le premier surpris.

— Tu crois quand même pas à ces foutaises ? Soidisant que je ne m'attendais pas à être élu ? Je sais que tu as écrit ça à l'époque, mais... quand même. Tu me connais mieux que ça.

— Comment va ton frère ? demanda Doug en guise de réponse.

— Oh, Benjamin va bien. » (Il était difficile de discerner si Paul y croyait vraiment ou s'il tentait de s'en persuader.) « Tu sais, son vrai problème, c'est qu'il est parfaitement heureux, mais qu'il refuse de se l'avouer. Ça lui convient très bien de ne rien publier. Ça lui convient très bien aussi de ne rien enregistrer. En fait, il adore ça, être comptable. Rien ne pourrait lui plaire davantage que de pouvoir se considérer comme le Zola des livres de comptes. Et le fait que le reste du monde refuse de le reconnaître à sa juste valeur ne fait qu'ajouter au charme de la chose.

— Mmm... » Doug n'avait pas l'air convaincu. « Bien sûr, tu le connais mieux que moi, mais je serais tenté de dire qu'il est malheureux en ménage, malheureux de ne pas avoir d'enfants, et complètement frustré par sa vie professionnelle et artistique. Et Lois ? »

Paul expédia les détails — Lois était toujours à York, toujours bibliothécaire universitaire, toujours mariée à Christopher — sans dissimuler que la vie de ses frère et sœur l'ennuyait jusqu'à la nausée. Remarquant que Doug lui-même réprimait un bâillement, il dit : « Je sais. On ne peut pas dire qu'ils aient changé le monde, mes aînés. Rien que d'y penser, ça donne envie de dormir.

— Ça n'a rien à voir, répondit Doug en se frottant les yeux. On vient d'avoir un autre fils. Ranulph. Il a cinq mois. Il m'a tenu éveillé la moitié de la nuit.

— Félicitations, se sentit obligé de dire Paul.

— Oh, tu sais, c'est Frankie qui en voulait un autre. C'est ma...

— Ta femme. Je sais. L'Honorable Francesca Gifford. Fille de Lord et Lady Gifford de Shoscombe. Éduquée à Cheltenham et au Brasenose College d'Oxford. J'ai regardé dans le Gotha cet après-midi. » Il lança à Doug un regard rusé mais indéchiffrable. « Elle a déjà été mariée, non ?

— Ouais.

— Divorce à l'amiable ?

— C'est quoi, ça, un interrogatoire ? » Doug, qui faisait mine de consulter la carte des vins, la reposa, se disant apparemment que, puisqu'il s'était condamné à passer deux ou trois heures en compagnie de Paul, mieux valait jouer le jeu. « En fait, si elle l'a quitté, c'est parce que *lui* ne voulait plus d'enfants. Il en avait marre de se reproduire, alors qu'elle, elle adore ça, va savoir pourquoi. Elle adore ça. Elle adore être enceinte. Même accoucher n'a pas l'air de la déranger. Elle adore tout ce qui s'ensuit. Les visites de la sage-femme. Donner le bain, changer les couches. Et tout le matos : les porte-bébés, les landaus, les berceaux, les moïses, les bibe-rons, les stérilisateurs. Elle *adore* ça. En ce moment, elle passe la moitié de ses journées à se traire, branchée sur la machine comme une vache de concours. » Il bat-tit des paupières, comme s'il avait du mal à s'ôter cette image de la tête. « Je dois dire que je ne vois plus ses seins du même œil.

— Elle en a combien, maintenant ?

— Deux, comme tout le monde.

— Des enfants, je veux dire.

— Oh. Quatre, en tout. Deux garçons, deux filles. Tous à la maison. Plus la nounou, bien sûr. » La seule pensée de sa vie domestique ne manquait jamais de déprimer Doug, ou du moins de lui inspirer un obscur sentiment de culpabilité. Peut-être à cause de sa mère, qui depuis la mort de son mari vivait seule à Rednal, et qui paraissait si frêle et perdue chaque fois qu'il parve-nait à convaincre Francesca de la laisser passer quel-ques jours sous leur toit. Il secoua la tête impa-tiemment pour chasser cette pensée. « Et Antonia, elle a quoi ? Trois ans, maintenant, je dirais.

— Oui, absolument. T'as vraiment une mémoire d'éléphant.

— C'est difficile d'oublier un bébé baptisé en hom-mage au chef du parti, et qui, âgé de quelques mois à peine, a joué un si grand rôle dans ta campagne électorale. En un mois, elle a dû visiter plus de maisons que le facteur. »

Paul poussa un soupir de lassitude. « Ce n'est *pas* en hommage à Tony qu'on l'a appelée comme ça. Encore un mythe à la con inventé par vous autres journalistes. » Il ajouta : « Écoute, Douglas, si tu dois te monter cynique et hostile envers moi toute la soirée, je ne vois pas l'intérêt de continuer.

— Je ne suis pas sûr de voir l'intérêt de ce dîner, rétorqua Doug. *Pourquoi* tu m'as invité, au juste ? »

Paul entreprit donc de s'expliquer. Malvina lui avait fait comprendre que pour améliorer son profil médiatique il devait cultiver l'amitié de journalistes bienveillants. Quoi de plus naturel, dès lors, que son désir de renouer avec quelqu'un qui s'était fait unanimement reconnaître comme l'un des commentateurs politiques les plus respectés du pays, et qui avait exercé un tel ascendant sur lui tout au long de leur scolarité, dans l'innocence lointaine et touchante de la fin des années 70 ?

« Mais on se détestait, au lycée, lui fit observer Doug, mettant le doigt avec perspicacité sur le seul défaut de cette proposition.

— Pas que je me souvienne, protesta Paul, fronçant les sourcils d'un air abasourdi. Tu crois ?

— Bien sûr. D'ailleurs, tout le monde te détestait : ça, tu dois t'en souvenir.

— C'est vrai ? Pourquoi ?

— Parce que tout le monde te considérait comme un sinistre petit connard de droite.

— Bon, ça, d'accord... mais ça n'avait rien de *personnel*. Ce qui veut dire qu'on peut quand même être amis, non, après vingt ans ? »

Doug se gratta la tête, sincèrement déconcerté par la tournure que prenait la conversation. « Paul, les années n'ont pas suffi à te rendre moins bizarre, tu sais. Qu'est-ce que ça veut dire, "amis" ? Comment on pourrait être amis ? En quoi ça consisterait, cette amitié ?

— Eh bien... » Paul avait une réponse toute prête. « Par exemple, Malvina pensait que, puisque nos enfants ont à peu près le même âge, on pourrait organiser une rencontre et voir s'ils ont envie de jouer ensemble.

— Tu peux répéter ? Ta conseillère *médiatique* suggère que mes enfants jouent avec tes enfants ? J'ai jamais rien entendu d'aussi ridicule.

— Ça n'a rien de ridicule, insista Paul. Toi et moi, on a plus de choses en commun qu'autrefois.

— Par exemple ?

— Par exemple politiquement. À présent, on est du même bord, non ? Globalement, on est tous les deux d'accord pour dire que c'est le parti travailliste qui offre à l'Angleterre les meilleures perspectives de prospérité.

— Qu'est-ce qui peut bien te faire croire que je suis de cet avis ? Tu ne lis donc pas mes papiers ?

— Oh, je sais que tu as quelques critiques à formuler, ici et là...

— Quelques... ? s'étrangla Doug en éclaboussant la nappe de miettes de poppadum aux cornichons.

— ... mais dans l'ensemble j'ai raison, non ? Tu souscris comme moi aux convictions profondes et aux idéaux fondamentaux de la révolution néotravailliste. Pas vrai ?

— J'y souscrirais peut-être si j'arrivais à comprendre en quoi peuvent bien consister ces putains d'idéaux.

— Là, tu le fais exprès, maugréa Paul, boudeur.

— Pas du tout. » Doug, commençant à s'échauffer,

congédia le serveur qui rôdait près de la table et poursui-vit : « C'est quoi, tes "convictions profondes" à *toi*, Paul ? Explique-moi. Ça m'intéresse. Sérieusement.

— Tu veux dire mes convictions personnelles ? Ou celles du parti ?

— Comme tu préfères. D'ailleurs, j'imagine qu'elles se confondent.

— Eh bien... » Pour la première fois de la soirée, Paul paraissait à court de mots. Il hésita un instant, puis il dit : « Pourquoi t'as renvoyé le serveur ? J'allais commander.

— Ne détourne pas la conversation. »

Paul se tortilla sur son siège. « Eh bien, tu vois, Doug, tu me demandes de réduire un ensemble de convictions très vaste et très complexe à une simple formule, et ça n'est pas...

— La "troisième voie", par exemple, lui souffla Doug.

— Quoi ?

— La "troisième voie". Tu n'as que ces mots à la bouche. Qu'est-ce que c'est ?

— Qu'est-ce que c'est ?

— Oui.

— Qu'est-ce que tu veux dire par là ?

— Je veux dire : "Qu'est-ce que c'est ?" C'est pourtant simple, comme question.

— Sérieusement, Douglas, dit Paul en se tamponnant les lèvres avec sa serviette, bien qu'il n'eût encore rien mangé, je ne peux pas m'empêcher de te trouver très naïf.

— *Qu'est-ce que c'est ?* C'est tout ce que je veux savoir.

— Très bien. » Il se tortilla encore, se redressa sur son siège, tambourina sur la table. « Eh bien, c'est un *choix*. Un choix qui permet d'échapper à la vieille dichotomie usée et stérile entre gauche et droite. » Il guetta une réaction, en vain. « C'est une bonne chose, non ?

— Ç'a l'air d'une très bonne chose, en effet. Ça a l'air d'être la solution miracle qu'on cherche depuis des années. Et vous autres, à ce que je vois, vous avez réussi à la dégoter en un week-end. La prochaine étape, c'est quoi ? La pierre philosophale ? L'Arche d'Alliance ? Qu'est-ce qu'il a encore comme atouts, Tony, dans sa manche de soie ? »

L'espace d'une seconde, on put croire que Paul allait se mettre en colère. Mais il se contenta de dire : « Alors, ils vont jouer ensemble, nos enfants, ou pas ? »

Doug éclata de rire. « O.K. Si tu veux. » Il croisa le regard du serveur et le rappela. « Et tu sais pourquoi ? Parce que j'escompte bien qu'un de ces jours tu vas être mouillé dans une sale histoire, un truc tellement énorme, putain, tellement *scandaleux*... Et moi, quand ça éclatera, je veux être aux premières loges. » Il eut un sourire combatif. « Voilà. C'est uniquement pour ça.

— Ça me suffit, dit Paul. Et en un sens, ça prouve que j'ai raison. » En réponse au regard surpris de Doug, il expliqua : « On a quelque chose en commun : l'ambition. T'as pas envie de garder le même boulot toute ta vie, pas vrai ?

— Non, fit Doug. J'imagine que non. Mais mon petit doigt me dit que de toute façon je ne vais pas tarder à être promu. »

Sur ce, enfin parvenus à un relatif accord, ils passèrent à des affaires plus urgentes : commander à manger.

*

Paul regagna son pied-à-terre de Kennington peu après onze heures. Pendant la semaine, il logeait au troisième étage d'une ancienne maison bourgeoise découpée en appartements, à quelques rues du terrain de cricket d'Oval. Ce qui veut dire que quatre nuits sur sept, Susan et Antonia étaient seules dans leur maison de campagne, une grange reconvertie, à la lisière semi-rurale de sa circonscription des Midlands. Ce mode de vie lui occasionnait parfois des bouffées de remords (la maison était assez isolée, et il savait que Susan n'était pas encore parvenue à se faire des amis dans le voisinage), mais foncièrement il lui convenait très bien. En fait, il menait une vie de célibataire, mais agrémentée, en guise de garde-fou, d'une vie de famille accueillante dans laquelle il pouvait toujours se réfugier s'il se sentait seul ou stressé. Le meilleur des mondes possibles.

Susan n'avait pas la clef de son appartement londonien. En revanche, quelques jours plus tôt, il avait fait faire un double pour Malvina. Quand il la lui avait tendue, elle avait demandé, l'air perplexe : « C'est pour quoi, ça ? » « Tu pourrais en avoir besoin », avait répondu Paul sans préciser davantage, avant de l'embrasser sur la joue, pour la troisième fois depuis qu'ils étaient amis. Et cette fois encore, elle ne s'était pas dérobée à son baiser, mais ne le lui avait pas rendu non plus. Il était incapable de dire comment elle interprétait ces gestes — que ce soit le baiser ou le don de la clef —, et d'ailleurs il n'était pas sûr de les comprendre lui-même. Il ne s'était pas encore avoué son attirance pour Malvina, et le rôle que cette attirance avait joué dans sa décision de l'embaucher. Elle n'en était pas moins réelle et déterminait l'essentiel de son comportement, fût-ce à son insu. En vérité, Paul aurait aimé par-dessus tout abdiquer la responsabilité de ses actes et se laisser emporter par la vague de passion provoquée par cette femme. Bref, il attendait que Malvina fasse ce que jamais elle ne ferait : se jeter dans ses bras.

En ouvrant la porte de son appartement, Paul ressentit donc un frisson anticipé : car depuis qu'il lui avait donné la clef, il s'attendait plus ou moins à vivre ce qu'il appelait une « scène à la James Bond ». Il faisait allusion à la scène, présente dans d'innombrables James Bond, où notre héros, regagnant sa chambre d'hôtel en fin de soirée dans quelque contrée exotique, découvre en allumant la lumière que son lit est déjà occupé par une femme fatale nue, qui s'agite langoureusement sous les draps et l'invite à la rejoindre en murmurant paresseusement une réplique riche de sous-entendus. Et comme Paul était doté, dans ses fantasmes les plus arrosés, d'un magnétisme sexuel aussi racé que celui de l'agent 007, il persistait à espérer que tôt ou tard la même chose lui arriverait.

Ce soir-là, pourtant, il fut encore déçu. Sa chambre restait inexplicablement vide de toute Malvina et, lorsqu'il lui envoya un SMS pour savoir où elle était et ce qu'elle faisait, il ne reçut pas de réponse. Il ne lui restait qu'à appeler Susan, à écouter exaspéré le récit minutieux et interminable de sa journée, et à lui demander d'embrasser Antonia pour lui. Puis, après s'être dit que, somme toute, son dîner avec Doug avait été plus fructueux que prévu, il sombra dans un sommeil profond et satisfait.

Deux semaines plus tard, l'après-midi du mercredi 15 mars 2000, la première édition du *Evening Mail* envahit les rues de Birmingham, annonçant à la une : « UN COUP DE POIGNARD DANS LE DOS ».

L'article qui suivait n'avait rien de rassurant. Apparemment, l'entreprise automobile Rover allait être vendue par son propriétaire allemand, BMW, ce qui provoquerait des licenciements massifs à l'usine de Longbridge, à la sortie de Birmingham. Pourtant, son avenir était assuré — du moins le pensait-on — grâce à une subvention de 152 millions de livres consentie l'année précédente par le gouvernement, et à la promesse répétée que la direction de BMW ferait tout pour maintenir à flot sa filiale en difficulté. Le député travailliste de Northfield, Richard Burden, n'avait pas tardé à réagir : « BMW trahirait sa parole en renonçant à ses engagements vis-à-vis de Longbridge. Cette nouvelle est un coup de tonnerre. On joue avec la vie de 50 000 personnes dont l'emploi dépend de la survie de Longbridge. BMW s'est engagé envers l'Angleterre, et l'Angleterre s'est engagée envers BMW. Il incombe aux deux parties de tenir leurs engagements. »

Le lendemain en fin d'après-midi, Philip Chase éteignit son ordinateur plus tôt que de coutume dans son bureau du *Birmingham Post* et partit pour Longbridge, afin de sonder par lui-même l'humeur des ouvriers et de la population locale. Ses collègues des pages Économie s'étaient envolés le matin pour Munich, où ils devaient assister à une conférence de presse de la direction de BMW. Les nouvelles ne faisaient qu'empirer. Apparemment, même Land Rover, qui faisait la fierté de l'empire Rover, allait être abandonné, et l'usine de Longbridge vendue à un petit fonds de pension baptisé Alchemy Partners, qui avait déjà annoncé son intention de licencier l'immense majorité des ouvriers et de n'en garder que le strict minimum nécessaire pour produire en petite quantité une ligne de voitures de sport haut de gamme. Le reste du site serait remodelé de fond en comble et sans doute transformé en zone résidentielle : mais qui voudrait y vivre s'il n'y avait plus d'emplois ?

On ne voyait pas grand monde aux portes de l'usine. L'air était vif et venteux, le ciel gris et gonflé de nuages, et les quelques ouvriers que Philip parvint à intercepter à la sortie du travail n'avaient guère qu'une chose à dire : ils étaient « accablés » ou « dégoûtés » ; cette décision était une « claque dans la gueule » infligée par « ces salauds d'Allemands ». En quelques minutes, la mission de Philip était achevée : ces propos rapportés viendraient nourrir son article ; mais il aurait tout aussi bien pu les reconstituer sans quitter son bureau. Pourtant, il n'avait pas envie de partir. Il avait l'impression de vivre l'Histoire en marche : une histoire lugubre et mélancolique, certes, mais qui n'en méritait pas moins un témoin et un chroniqueur. Pelotonné dans son imper pour échapper au froid insinuant, il se mit à remonter Bristol Road. Peu avant le terminus du bus

62, il tourna à droite et gagna le Old Hare & Hounds ; en poussant la porte du pub, il crut d'abord s'être trompé d'endroit car, depuis sa dernière visite, la salle avait été redécorée pour attirer une clientèle bourgeoise, et les antiques tables de chêne, la pénombre impénétrable avaient laissé place à des banquettes plus accueillantes, des murs couverts de livres, et des faux feux de cheminée dans tous les coins.

Dans l'un de ces recoins se pressait une bonne vingtaine d'hommes, qui tous discutaient les dernières nouvelles de Munich avec une fureur contenue mais palpable. Philip s'approcha et se présenta. La plupart d'entre eux le connaissaient de nom et, comme il s'y attendait, étaient plus qu'heureux de pouvoir se confier à un journaliste local. Ils ne tardèrent pas à aborder les premières réactions des médias et du parti travailliste à la crise en cours, et on approuva bruyamment les commentaires de Richard Burden. Sur quoi quelqu'un lança : « Et Trotter ?

— Qui ça ? demandèrent quatre ou cinq voix autour de la table.

— Paul Trotter. Qu'est-ce qu'il en pense ?

— Sa circonscription est loin d'ici.

— N'empêche, c'est un gars du coin, pas vrai ? C'est ici qu'il a grandi. Je me rappelle que son père travaillait à l'usine. Qu'est-ce qu'il en dit ?

— C'est facile à savoir, dit Philip en sortant son portable. Je vais l'appeler. »

Il retrouva le numéro de Paul sur la carte mémoire et appuya sur le bouton. Au bout de quatre ou cinq sonneries, une voix féminine lui répondit. Philip se présenta comme un journaliste du *Post*, ancien condisciple du député, et après une certaine confusion on lui passa Paul.

« Je voulais juste savoir, lui dit-il, quelle était ta réaction aux dernières nouvelles de Birmingham. »
Le silence se fit dans le pub : les hommes se penchèrent autour de la table, s'efforçant vainement de capter les paroles de Paul. Philip arbora un air neutre, puis perplexe.
« Tu peux répéter, Paul ? demanda-t-il avant de raccrocher. Tu as bien dit que la nouvelle te réjouissait ? »
Il y eut encore quelques paroles sonores et définitives à l'autre bout du fil, là-dessus, c'est d'un ton franchement déconcerté que Philip conclut : « O.K., Paul, merci de ton commentaire. Et bonne chance pour ce soir. Bye. »
Il referma son portable et le posa sur la table, les sourcils froncés.
« Alors ? » demanda quelqu'un.
Philip parcourut du regard le cercle de visages attentifs et annonça à son auditoire, d'une voix incrédule : « Il a dit que c'était une bonne nouvelle pour le secteur, une bonne nouvelle pour Birmingham et une bonne nouvelle pour le pays tout entier. »

*

Au moment de ce coup de fil, Paul se trouvait dans les loges d'un studio télé de la rive sud, en plein centre de Londres, les joues toutes roses de blush. Et en l'occurrence, Longbridge était à mille lieues de ses soucis. Il était occupé à répéter un bon mot concernant le chocolat.
Tout avait commencé la veille par un appel de Malvina.
« Tu vas passer, avait-elle dit. Cette semaine. Ils enregistrent demain après-midi.
— Je vais passer où ? » demanda Paul. Et elle lui rap-

pela qu'elle avait promis de le faire passer dans une émission satirique hebdomadaire, un jeu où de jeunes comiques offraient des commentaires mordants sur l'actualité, parfois en présence d'un politicien en vue. Pour un parlementaire, c'était un sacré coup de pub d'y être invité, même s'il (ou plus rarement elle) devait s'attendre à essuyer les quolibets des autres invités, et s'estimer heureux de ne pas en sortir complètement déconsidéré.

Paul n'en croyait pas ses oreilles.

« C'est moi qu'ils veulent ? Tu les as convaincus ? Mais comment t'as réussi ?

— Je te l'ai déjà dit : je connais quelqu'un. Un ex-petit copain de ma mère. » (À l'entendre, la mère de Malvina avait vécu avec une ribambelle de compagnons ces dernières années, ce qui rendait l'explication assez plausible.) « Tu ne te rappelles pas ? Il y a quelques semaines, je lui ai dit que tu serais disponible en cas de défection de dernière minute. Pour remplacer le véritable invité.

— C'est fantastique », répondit Paul, qui, pour peu que la nouvelle soit bonne, remarquait rarement l'affront qu'elle dissimulait. Mais aussitôt il s'affola. « Attends, attends... je suis censé être drôle ?

— C'est une émission comique, souligna Malvina. Si tu sortais une blague ou deux, ça ne pourrait pas faire de mal.

— Les blagues, c'est pas trop mon truc, avoua Paul. Je veux dire... les trucs que les gens trouvent drôles... ça m'échappe toujours un peu.

— Eh bien, il faudra que tu développes ton sens de l'humour, dit Malvina d'un ton pragmatique. Tu as vingt-quatre heures. À ta place, je m'y mettrais tout de suite.

— Et comment je vais faire ?

— Achète les journaux, rentre chez toi, installe-toi et lis-les. Et cherche un truc drôle à commenter. Essaie de choisir un événement qui ait un lien avec toi, quelque chose d'un peu personnel. Ne sois pas timide : un peu d'autopromotion ne peut pas faire de mal. Et tâche d'être un peu irrévérencieux. C'est ça, le principe de l'émission.

— Mais tout le monde la regarde, à Millbank. Même Tony, je crois. Si je suis irrévérencieux, ça risque de ne pas leur plaire. »

Malvina lui dit de ne pas s'inquiéter. Elle avait déjà remarqué que l'humour n'était pas le point fort de Paul. Mais c'était justement cette tendance à tout prendre au sérieux qui l'attendrissait chez lui. Ça le rendait tellement facile à taquiner.

Une fois rentré, Paul passa toute la soirée à éplucher les journaux et à zapper sur les chaînes d'info du satellite. Rien ne retenait son attention. Le secrétaire d'État à l'Irlande du Nord, Peter Mandelson, avait annoncé le rapatriement de 500 soldats, et British Aerospace s'était vu accorder une subvention de 530 millions de livres pour la mise au point d'un « superjumbo » européen qui devrait entrer en service en 2007. BMW vendait son usine Rover de Longbridge, ce qui était bien triste, évidemment, et qui avait à voir avec Birmingham, mais qui ne se prêtait guère à des plaisanteries. La seule nouvelle que Paul trouva un tant soit peu prometteuse était la suivante : les ministres de l'UE avaient enfin décidé d'autoriser la vente de chocolat anglais dans le reste de l'Union : jusqu'alors, on le jugeait trop riche en lait et en graisses végétales, et trop pauvre en cacao.

Paul médita longuement l'événement ; lorsqu'il se coucha, il commençait à se dire timidement que cela

pouvait faire l'affaire. D'une part, la principale bénéfi-
ciaire de cette décision serait l'usine Cadbury de
Bournville : en y faisant allusion, il aurait donc l'air de
parler au nom de Birmingham, sa ville natale, où on le
considérait généralement avec suspicion et où il s'attirait presque toujours une mauvaise presse. D'autre
part, c'était une anecdote réjouissante et optimiste
concernant un produit cher au cœur des Anglais, ce qui
lui concilierait à coup sûr les bonnes grâces des cadres
du parti. (Bien plus qu'en s'attardant sur cette triste
histoire de Longbridge.) Il ne lui restait plus qu'à trouver un bon mot à offrir sur le sujet, et à faire en sorte,
par tous les moyens, de le glisser pendant l'émission.

« Alors, qu'est-ce que t'as trouvé ? lui demanda Malvina le lendemain, tandis que leur taxi se frayait un
chemin par à-coups dans les embouteillages du centre
de Londres, en direction de la rive sud.

— Pas grand-chose pour le moment, avoua Paul. Le
seul truc qui m'est venu à l'esprit, c'est... il n'y avait pas
un... un slogan publicitaire ou je ne sais quoi qui disait :
"J'en rugis de plaisir" ? »

Malvina opina solennellement.

« C'était pour quel produit ? demanda-t-il.

— Pour du chocolat.

— Alors peut-être que je pourrais dire ça. » Face à
son regard vide, il ajouta : « Puisqu'il est question de
chocolat.

— Oui. » Elle opina de nouveau, semblant méditer
ces paroles avec un sérieux inhabituel. « Et quand
est-ce que tu vas mettre le sujet sur le tapis, au juste ?
Ou bien est-ce que tu vas... lâcher la phrase de but en
blanc ?

— Mettons, expliqua Paul, qu'il soit question de cette
histoire d'UE. L'un des participants me demande : "Et
vous, Paul, qu'est-ce que vous en pensez ? Vous aimez

le chocolat anglais ?" Et alors... » Sa voix se brisa, perdit toute confiance face au regard implacable de Malvina. « ... alors, c'est à ce moment-là que... que je dirai ça...

— Autant que je sache, répondit-elle après un silence lourd de sous-entendus, ils ont des gagmen sur le plateau. Ils pourront toujours te fournir en bons mots si tu es à sec. »

Paul détourna les yeux pour regarder par la vitre, vexé. « Dans le contexte, ce sera drôle, dit-il. Tu vas voir. »

Et il ruminait encore sa plaisanterie en fin d'après-midi, tandis qu'on le maquillait. Les deux dernières heures, passées en répétitions et en conversations laborieuses avec les autres participants, n'avaient fait que le rendre plus nerveux. Il ne comprenait pas ces gens, ne parlait pas leur langue, était régulièrement incapable de déterminer s'ils plaisantaient ou pas. En parcourant la liste des questions censées servir de tremplin à la discussion, il découvrit avec horreur que l'exportation de chocolat britannique en Europe n'y était mentionnée nulle part. Il souleva le problème avec l'un des producteurs, essaya sur lui son « J'en rugis de plaisir », et ne récolta qu'un silence incrédule.

« Il m'a tout bonnement ignoré », se plaignit-il à Malvina, assise à côté de lui tandis qu'il attendait, face à un miroir inondé de lumière, le retour de la maquilleuse, qu'on avait appelée au téléphone. « Il m'a regardé sans dire un mot.

— J'aimerais bien qu'il m'ignore, *moi*, répliqua Malvina. Il a passé la répétition à me coincer contre le mur. Comme si ça ne lui suffisait pas de s'être déjà tapé ma mère.

— Tu sais ce que c'est leur problème, à tous ces

gens ? » Paul se pencha vers elle et murmura : « *Ils sont tous drogués.* » Il désigna du regard un grand récipient de poudre blanche posé devant lui. « On m'en a proposé, tu sais. La maquilleuse, rien que ça. Pas gênée. "Vous en prenez, d'habitude, monsieur Trotter ?" Non mais tu te rends compte ? Imagine, si j'en avais pris et qu'elle était allée tout déballer aux journalistes ? C'est quasiment une machination, tu ne crois pas ? »

Malvina se leva et examina le contenu du récipient. Elle y plongea son doigt, le lécha et fit la grimace.

« Paul, calme-toi, d'accord ? C'est juste du talc. On le met sur le visage pour masquer la transpiration.

— Oh. »

Le portable de Paul sonna et, tandis que Malvina répondait, il continua de réfléchir à sa blague. Elle ne lui semblait pas moins drôle que certaines des élucubrations du capitaine de son équipe (un comique télé très populaire) ou des remarques cyniques de son adversaire (le rédacteur en chef d'un journal satirique, un petit malin). D'ailleurs, il était important que le public soit informé. Le chocolat, ça concernait tout le monde. Cadbury était une grande entreprise britannique. Pourquoi ne pas mettre en valeur la nouvelle ?

C'est alors que Malvina lui tapota l'épaule et lui tendit le téléphone.

« Il faut que tu parles à ce type, lui dit-elle. Philip Chase. Du *Post*. »

Le nom ne lui disait rien, et sa première réaction — repensant à une discussion qu'il avait eue la semaine précédente avec Malvina sur les possibilités d'acquérir un profil médiatique en Amérique — fut d'empoigner le portable en hurlant surexcité : « Allô, Washington ?

— Philip Chase à l'appareil, répondit une voix nasillarde. J'appelle de Birmingham. Désolé de vous décevoir, ce n'est pas Bernstein et Woodward. Je voudrais parler à Paul Trotter.

— C'est moi », dit Paul d'un air pincé.

Philip lui rappela qu'ils avaient été au lycée ensemble, une information qui, à cet instant, ne l'intéressait pas le moins du monde. Il parla de l'émission de télé qu'il était sur le point d'enregistrer, une information qui, mystérieusement, n'eut pas l'air d'impressionner Philip. Ce dernier, sentant que Paul n'était pas d'humeur à prolonger la discussion, lui demanda comment il réagissait aux dernières nouvelles de Birmingham. Paul, l'esprit accaparé par les exportations de chocolat plutôt que par les licenciements dans l'industrie automobile, répondit que c'était une bonne nouvelle pour le secteur, une bonne nouvelle pour Birmingham et une bonne nouvelle pour le pays tout entier. Il y eut un silence stupéfait à l'autre bout du fil : manifestement, Philip ne s'attendait pas à une réaction aussi lapidaire. « Tu peux répéter, Paul ? demanda-t-il. Tu as bien dit que la nouvelle te réjouissait ? »

Paul lança un regard joyeux à Malvina et prit une inspiration avant de s'écrier à pleins poumons, d'une horrible voix grasseyante : « J'en rugis de plaisir ! » Puis, reprenant une voix normale, mais où perçait encore son excitation, il ajouta : « Et tu peux me citer ! »

Du coup, peu importait à présent qu'il réussisse ou non à placer sa phrase pendant l'émission.

*

Une limousine les ramena à Kennington. C'était plus confortable qu'un taxi. Les banquettes étaient plus profondes, plus moelleuses, tapissées d'une sorte de skaï souple qui couinait suggestivement chaque fois que l'effleuraient les collants noirs de Malvina. Les réverbères illuminaient son visage par saccades ambrées. La chorégraphie séductrice des feux rouges — à croire qu'il y en avait tous les dix mètres — attirait fugitivement son corps vers lui. Paul avait les idées un peu embrumées par la vodka qu'il avait descendue goulûment dans les loges après l'enregistrement. Il était euphorique, aux anges, de s'apercevoir que son premier contact avec le show-business avait été un tel succès. (Ou plus exactement n'avait pas été une catastrophe absolue.) Il voulait manifester sa gratitude à Malvina, la femme à laquelle il devait tout cela. Celle qui s'était tenue à ses côtés, avait arrondi les angles, était magistralement intervenue chaque fois qu'il essayait de communiquer avec ces gens si déroutants. Celle qui avait rappelé Philip Chase dès que Paul avait rejoint le plateau — tout suant à l'idée qu'il venait encore de commettre une gaffe monumentale (ce ruissellement de panique serait-il visible à l'écran ?) — et qui était parvenue en quelques instants à redresser la situation, expliquant à quoi Paul faisait allusion et soulignant le caractère comique de ce malentendu. Comment faisait-il autrefois pour se débrouiller sans elle ? Qu'arriverait-il à présent si elle devait le quitter ? Il avait envie de la prendre dans ses bras : mais la tension de son corps svelte — toujours nerveux, jamais en repos — le fit renoncer. Il avait aussi envie de l'embrasser. Plus tard, peut-être. Pour l'heure, il se contenta de dire :

« Tu crois que ça s'est bien passé ?

— Et toi, qu'est-ce que tu en penses ? rétorqua-t-elle en tournant légèrement la tête pour remettre en place les cheveux qui lui couvraient l'œil.

— Je crois que ça s'est bien passé. Je trouve même

101

que j'étais en pleine forme. C'est bien ce qu'a dit ton ami, non ?

— Euh... pas exactement. Il a dit : "C'est pas grave, on peut toujours le couper au montage." »

Paul eut l'air abattu. Puis, en y réfléchissant, il éclata d'un rire aviné. « Oh, putain. J'étais nul à *chier*, pas vrai ?

— Non, dit Malvina tendrement. Tout ce qu'ils ont dit, c'est qu'ils pourraient toujours te couper au montage. »

De nouveau, elle écarta sa mèche rebelle, laissa Paul croiser brièvement son regard — qui depuis plusieurs minutes était demeuré soigneusement fuyant — et Paul, profitant de cette miette d'intimité, posa la main sur sa cuisse mince et gainée de nylon, la caressant, lui effleurant le genou, une main qu'elle regardait impassible, avec un détachement presque surnaturel.

« Tu es la meilleure chose qui me soit jamais arrivée », balbutia-t-il.

Malvina sourit et secoua la tête. « Non. Ce n'est pas vrai. »

Paul rumina ce qu'il venait de dire. « Tu as raison. Je crois que la meilleure chose qui me soit jamais arrivée, c'est mon élection.

— Et ta femme ? Et ta fille ? » Faute de réponse, elle poursuivit : « Paul, il faut que tu redescendes sur terre.

— Sur terre ? » Il avait l'air de découvrir cette expression. « À propos de quoi ?

— De tout. Pour le moment, tu vis dans ta bulle. Tu es tellement coupé de la vraie vie que c'en est effrayant.

— Tu parles de Longbridge ? demanda-t-il avec un froncement de sourcils perplexe.

— Entre autres, oui. Enfin, bon Dieu, même moi, qui n'ai pas particulièrement de... *conscience* politique, je me rends bien compte que des milliers de gens privés d'emploi, c'est plus important que la quantité de cacao qu'on doit mettre dans le chocolat pour pouvoir le vendre à Anvers... » Elle lui prit la main et la retira de son genou, qu'il étreignait encore mollement. « Mais il n'y a pas que ça. Il faut aussi que tu redescendes sur terre à propos de moi.

— Ce qui veut dire... ? demanda Paul en se penchant vers elle, le cœur battant à l'idée que le moment tant attendu était enfin arrivé.

— Ce qui veut dire que tôt ou tard, Paul, il va falloir que tu décides ce que tu veux de moi.

— C'est très simple », répondit-il en lui caressant doucement les cheveux, deux, trois fois, avant de poser les lèvres sur la courbe menue et immaculée de son oreille en murmurant : « Je veux te faire l'amour ce soir. »

Ce n'était qu'un murmure, mais cela suffit pour que le chauffeur allume l'autoradio, réglé sur une station *easy listening* qui passait la chanson du film *Arthur*.

Malvina s'écarta de lui. Elle resta silencieuse, se contentant de le fixer d'un regard qui semblait exprimer à la fois le rejet, la tristesse et (sauf erreur de sa part) un soupçon de désir réprimé à contrecœur. Mais finalement elle se contenta de dire : « Je ne crois pas que tu aies bien réfléchi. »

24

Benjamin n'était venu qu'une fois chez Doug, ou plutôt, devrait-il dire, chez Doug et Frankie. Ou peut-être simplement chez Frankie, puisque la maison appartenait à sa famille depuis deux ou trois générations, et que Doug n'y était chez lui que par mariage. Après sa première visite, Benjamin n'avait pas eu envie de revenir : c'était trop déprimant. Il ne tenait pas à se voir infliger le spectacle de la réussite de Doug. Mais Emily avait passé un excellent week-end, et Doug et Frankie les avaient réinvités, et d'ailleurs Benjamin lui-même s'était senti bien malgré lui irrésistiblement attiré vers cet endroit, parvenu au point (et il le savait) où tout ce qu'il pouvait espérer, c'était qu'on l'autorise, ne fût-ce que deux ou trois jours, à grappiller comme un chat affamé quelques misérables miettes de cette vie qu'il s'était imaginé un jour mener. Ladite vie — qui pour lui n'avait jamais été qu'un idéal abstrait, mais que Doug avait fini par concrétiser, grâce à une carrière fulgurante et à un mariage providentiel — comprenait entre bien d'autres les éléments suivants : une maison de quatre étages qui devait valoir deux ou trois millions de livres, dissimulée dans un coin paisible entre King's

Road et les quais de Chelsea, un havre de beauté sereine en plein cœur de Londres ; quatre enfants invraisemblablement mignons, angéliques et faciles à vivre (dont deux, il faut le préciser, n'étaient pas de Doug) ; et une maisonnée proliférante exclusivement peuplée de très jeunes femmes désirables — jeunes filles au pair, nurses, femmes de ménage —, réfugiées d'Europe de l'Est très diverses mais qui toutes, à en juger par leur physique, auraient pu faire carrière comme call-girls de luxe ou stars du porno ; et enfin, pour couronner le tout, Frankie elle-même. L'Honorable Francesca Gifford, ancien top model (un vieux press-book en noir et blanc était là pour le prouver) qui régnait à présent sur le circuit caritatif de Chelsea, activité (profession ?) quelque peu floue et mystérieuse, mais qui avait en tout cas l'air de l'accaparer entre deux grossesses.

Frankie était blonde et mince, frisait la quarantaine mais faisait dix ans de moins, et arborait la voix chantante et le sourire vaguement terrifiant d'une chrétienne fervente. Ce qu'elle était. Du moins sa foi lui donnait-elle un point commun avec Benjamin et Emily, qu'elle appréciait, mais qu'elle ne semblait guère considérer — collectivement — que comme un objet de pitié méritant son attention charitable. Benjamin s'en rendait compte et lui en voulait, ce qui ne l'empêchait pas, à son grand dam, de saliver sur elle. Sa simple présence suffisait à l'exciter secrètement ; et c'était là peut-être la dernière raison, et la plus décisive, qui l'avait poussé à accepter de passer le week-end chez eux.

En s'aventurant dans la cuisine le dimanche matin à l'aube (trois jours après l'enregistrement du triomphe télévisuel de Paul), il s'aperçut que seule Frankie était déjà levée. Son bébé de cinq mois, Ranulph, gigotait sur ses genoux ; des traces de bouillie non identifiée,

105

mais semblable à de la morve, lui maculaient le visage, les mains et le torse, ainsi que le peignoir blanc en éponge de sa mère. Celle-ci tentait de boire une tasse de café, mais chaque fois que la tasse approchait de ses lèvres le bébé gigotait de plus belle, et le café finissait sa course sur ses genoux, sur ses pieds ou par terre. Un élégant poste de radio numérique trônait sur une étagère, réglé sur Classic FM, et — comme d'habitude — Benjamin reconnut le morceau : c'était l'*Introduction et allegro* de Ravel, une œuvre qui lui évoquait toujours un paradis inaccessible et qui était donc particulièrement de circonstance.

« Tu es matinal », dit Frankie, qui ajouta aussitôt : « Oh mon Dieu, je dois avoir une sale tête. »

Benjamin était incapable de la moindre galanterie risquant d'être interprétée comme salace ou sexiste. Il traînait ce handicap depuis plus de vingt ans. Au lieu de s'écrier, comme il l'aurait peut-être dû : « Mais non, tu es superbe ! », il se contenta donc de demander : « Tu as bien dormi ?

— Pas trop, avoua Frankie. C'est jamais facile quand il y a un petit monsieur qui passe la nuit à te tripoter les tétons. »

L'espace d'une seconde, Benjamin crut qu'il s'agissait de Doug, tant il était enclin à la jalousie sexuelle ; par bonheur, Frankie baissa les yeux vers son enfant avec un tendre sourire. Benjamin se hâta de mettre de l'eau à bouillir pour dissimuler sa confusion.

« Emily a besoin de sa tasse de thé pour affronter le monde, expliqua-t-il. On comptait aller à l'office de dix heures.

— Excellent ! Dans ce cas, je vais venir avec vous. Ça fait plaisir de trouver des amis de Duggie qui ne considèrent pas la messe comme une perversion. »

Ils allèrent au service du matin à St Luke, dans Sydney Street, et pendant une heure trop brève Benjamin put se plonger dans le rituel et oublier la frustration qui le reste du temps pesait sur lui et le menaçait d'écrasement. À la sortie de l'église, il croisa le regard d'Emily — ce qui en soi était déjà rare — et ils échangèrent un sourire chaleureux, signe d'une complicité fugitive. Puis ils s'attardèrent au soleil sans rien à se dire, tandis que Frankie saluait des paroissiens. Elle devait pour la plupart les voir toutes les semaines, mais se sentait apparemment tenue de les étreindre avec une passion fiévreuse, tels de vieux amis perdus depuis des décennies de solitude. Elle avait l'air de connaître tout le monde, et d'être unanimement considérée comme une sainte : les gens s'agglutinaient autour d'elle, rôdaient à portée de sa voix, comme s'ils convoitaient le simple privilège de la toucher. Ses deux aînés étaient restés à la maison, mais elle avait amené Ranulph dans son porte-bébé — et il en profitait pour enfouir le visage entre ses seins — tandis que Coriander Gifford-Anderton, sa fille de deux ans, patientait silencieusement, cramponnée à Emily, balayant parfois la rue ensoleillée d'un regard circonspect, pleine d'un doute hostile face à ce monde qu'on lui offrait sur un plateau.

« C'est bon, dit Frankie en les rejoignant, une fois achevées ses épuisantes mondanités. On va où, maintenant ?

— J'espérais faire les boutiques, dit Emily.

— Oh, maman ! protesta Coriander à ces mots. Tu m'avais promis de m'emmener au barte.

— Au *parc*, ma chérie. *Par-queu*. Elle a du mal à prononcer les P et les C, je ne sais pas pourquoi.

— Il est où, ce parc ? demanda Benjamin.

— Oh, elle parle du petit square au bout de la rue.

107

— Ça ne me dérange pas d'y aller, dit-il, saisissant au vol cette occasion de passer un moment seul avec Frankie et sa fille. Tu n'as pas besoin de moi, pas vrai, Em ?

— Mince alors, c'est sympa de ta part ! » s'exclama Frankie. Et elle entraîna Emily par le bras, s'éloignant à grandes enjambées. « Tu es gâtée, ma fille, ajouta-t-elle à l'adresse de Coriander, tu vas avoir Benjamin pour toi toute seule. » Enfin, s'adressant à Emily : « Viens, je vais te montrer cette nouvelle boutique de tissus dont je t'ai parlé. »

Coriander chercha à tâtons la main de Benjamin et la saisit sans conviction, tandis qu'ils regardaient les deux femmes disparaître en direction de King's Road. Il aurait été difficile de dire lequel se sentait le plus stupéfait, le plus délaissé.

En chemin, Frankie passa un petit coup de fil à Doug, qui était encore couché. La conversation fut brève, badine, énigmatique ; il était question de gros mots. Après avoir raccroché, elle expliqua à Emily : « Duggie a été d'humeur massacrante toute la semaine parce que je fais la grève du sexe.

— La grève du sexe ? » répéta Emily en descendant du trottoir pour éviter une blonde platine quinquagénaire en rollers qui avait l'air de parler toute seule d'un air égaré, mais qui en fait négociait un billet d'avion sur son kit mains libres. À Chelsea, apparemment, on ne se reposait pas le septième jour.

« Pour qu'il arrête de dire tout le temps des gros mots, expliqua Frankie. Tu sais, je viens seulement de m'en apercevoir. Le problème, c'est qu'il fait ça devant les enfants. Ce n'est pas tant pour Hugo et Siena — Dieu sait qu'à l'école ils entendent bien pire —, mais Corrie n'arrête pas de me demander : "Dis, maman, c'est quoi, une tête de nœud ?", ou bien "Dis, maman, c'est quoi un branleur?" ou bien... pire encore. Alors je lui ai dit qu'il fallait que ça cesse. Chaque fois qu'il dit un gros mot devant les enfants, il a un jour de pénitence. Deux jours pour "*p...*", et trois jours pour "*e...*". Interdit d'accès.

— Mais c'est aussi une punition pour toi, non? »

Frankie éclata de rire. « Pas vraiment. Ce n'est jamais très marrant, tu sais, de faire l'amour cinq mois seulement après avoir accouché. Tu te rappelles, non? »

À peine avait-elle achevé sa phrase qu'elle se rendit compte de sa gaffe. Mais les gens semblaient toujours oublier qu'Emily et Benjamin n'avaient pas d'enfants. Peut-être parce qu'ils savaient s'y prendre avec ceux des autres.

*

« Regarde, Benjamin, regarde! »

Coriander se dressait triomphalement au sommet du plus haut des toboggans — réservé théoriquement aux plus de cinq ans — et attendit que Benjamin s'approche, s'assurant qu'elle monopolisait son attention admirative. Alors elle se lança sur le toboggan sans jamais le quitter des yeux, pour être certaine que rien ne puisse le distraire, ne fût-ce qu'un instant. Elle ne remarqua donc pas un bambin déjà assis au pied du toboggan sans trop savoir comment se relever; il y eut une collision brève mais spectaculaire. Elle le heurta de plein fouet, jambes écartées, et l'envoya valser sur l'asphalte caoutchouté. Benjamin se précipita pour remettre le garçon sur ses pieds et l'épousseter. Il pleura un peu mais n'avait pas l'air traumatisé, et son père, qui lisait, assis sur un banc tout proche, les pages Affaires du *Sunday Telegraph*, ne s'aperçut de rien.

Il y avait beaucoup de pères ce matin-là dans le square, et beaucoup d'enfants qui réclamaient leur attention sans l'obtenir. À cet égard, Coriander, malgré l'absence de ses parents, n'était pas la plus mal lotie. La plupart des nounous, apparemment, avaient leur dimanche libre, et les pères pouvaient ainsi profiter de leurs enfants au parc tandis que les mères restaient à la maison pour faire ce qu'elles ne pouvaient pas faire le reste de la semaine pendant que les nounous s'occupaient de leurs enfants. Ce qui signifiait en pratique que les enfants étaient livrés à eux-mêmes, délaissés et confus, tandis que les pères, chargés non seulement de journaux mais de pintes de café Starbucks ou Coffee Republic, tentaient de faire sur un banc ce qu'ils auraient fait à la maison s'ils en avaient eu la possibilité.

Coriander voulut ensuite monter sur la bascule. Tout en la poussant, Benjamin assista du coin de l'œil à une mini-tragédie. Deux petites filles étaient assises sur les balançoires, mais aucune des deux ne se balançait. L'une d'entre elles, un petit bout de chou à l'air sérieux, aux yeux pâles et aux bouclettes brunes, s'ennuyait sans bouger pendant que son père, appuyé aux montants métalliques, parcourait le *Herald Tribune*. L'autre fillette — très semblable d'allure et de teint — essayait par des mouvements frénétiques de donner à sa balançoire l'impulsion qui lui manquait cruellement, mais n'avait pas encore trouvé le truc. « Papa, papa ! » se mit-elle à crier, mais son père ne l'entendait pas ; d'ailleurs, il avait une main prise par un cappuccino, et l'autre par un portable sur lequel il semblait être en conférence avec un collègue de Sydney. Autant dire qu'il était hors de question pour lui de la pousser. Les deux fillettes étaient complètement au repos lorsque, son coup de fil achevé, il prit une dernière gorgée de café, balança son gobelet dans la poubelle, prit l'une d'elles dans ses bras et se dirigea vers le portail. Ce qui intrigua Benjamin, c'est qu'il n'avait *pas* pris dans ses bras l'enfant qui l'avait appelé « papa ». Cette dernière, immobile sur sa balançoire, regardait avec une détresse croissante s'éloigner la silhouette de son père présumé. Pendant ce temps, le lecteur du *Herald Tribune* poursuivait sa lecture tel un bienheureux, sans se douter le moins du monde que sa fille était victime d'un inoffensif kidnapping.

Comme aucun des deux adultes ne paraissait susceptible de remarquer la méprise, et comme les petites filles paraissaient trop choquées pour dire quoi que ce soit, Benjamin courut intercepter le buveur de cappuccino à la grille du square.

« Excusez-moi, dit-il. Ça ne me regarde pas, mais... vous êtes sûr que c'est votre fille ? »

L'homme baissa les yeux vers l'enfant qu'il portait. « Merde, fit-il. Vous avez raison. Ce n'est pas Emerald. » Il regagna précipitamment les balançoires et accosta l'autre père, qui repliait son journal. « C'est à vous ? lui demanda-t-il.

— Papa ! » Emerald tendit les bras, les joues luisantes de larmes. Il y eut un échange fébrile, des rires gênés, et puis, alors que Benjamin retournait vers la bascule, le portail se rouvrit en couinant et une silhouette familière mais inattendue fit irruption, tirant derrière elle une fillette de trois ans manifestement réticente.

« Susan !

— Benjamin ! Qu'est-ce que tu fous ici ?

— Je suis avec la fille de Doug. On passe le week-end chez lui.

— C'est elle ? demanda Susan en regardant la petite fille assise, muette et déconcertée, tout en bas de la bascule. Elle s'appelle Lavande, c'est ça ? Ou Farigoulette ou je sais pas quoi ? Bref. » Elle souleva Antonia et la colla à l'autre bout de la bascule. « Alors allez-y, vous deux, jouez. C'est ce qu'on vous a dit de faire, alors faites-le et qu'on n'en parle plus. Putain, à m'entendre, on croirait Super Nanny, tu ne trouves pas ? »

Elle s'assit sur un banc et fit signe à Benjamin de la rejoindre.

« Et toi, qu'est-ce que tu fais à Londres ? demanda-t-il.

— On est venus pour la journée. Ça nous a pris deux heures et demie. Tout ça à cause de ton connard de frère. Putain, je sais pas pourquoi je me laisse embobiner. Hier après-midi, il m'annonce triomphalement, comme ça, à brûle-pourpoint, qu'il faut qu'on vienne ici aujourd'hui en famille pour pouvoir forcer Antonia à jouer avec les enfants de Doug Anderton. Apparemment, il est vital qu'ils deviennent les meilleurs amis du monde — et peu importe qu'ils habitent à 200 bornes de distance. Il faut toujours que tout tourne autour de lui et de sa *putain* de carrière...

— Mais alors, il est où, Paul ?

— Oh, il n'est pas venu, lui. Il est parti directement à Kennington pour disséquer cette connerie d'émission télé. Avec sa *conseillère médiatique*, excusez du peu. T'as regardé, vendredi ?

— Oui.

— Il avait vraiment l'air d'un petit con. Il n'a pas dit un seul truc marrant du début à la fin. D'ailleurs, c'est impossible : on lui a retiré son sens de l'humour à la naissance. Non, il m'a plantée là sur le Chelsea Bridge, il est descendu en trombe, il m'a donné leur numéro de téléphone et il m'a laissée me débrouiller toute seule. Alors j'ai appelé chez Doug et je suis tombée sur une fille tarée qui parlait pas trois mots d'anglais...

— Ça devait être Irina. Elle est de Timişoara.

— ... et qui m'a dit que je trouverais sûrement tout le monde ici. Alors me voilà. Et les voilà. »

Elle lança un regard aux deux enfants qui, figées sur la bascule immobile, se dévisageaient avec une antipathie horrifiée. Benjamin alla les trouver en disant : « Alors, vous deux, c'est quoi le problème ? » et donna une impulsion à la bascule ; après quoi elles continuèrent toutes seules, sans grande conviction. Susan les rejoignit et fixa une mèche rebelle d'Antonia avec une barrette en forme de papillon.

« Et papa, on va le revoir bientôt ? demanda la fillette.

— Ça, répondit sa mère, c'est la grande question. Il est censé déjeuner avec nous, mais je ne me risquerais pas à parier là-dessus. Pas s'il a le choix entre nous et sa conseillère médiatique. »

Elle dit cela d'un ton léger ; mais Benjamin savait, à la façon dont elle lui prit le bras, que cette gaieté était factice. Il chercha des mots de réconfort, mais en vain.

23

En arrivant au Pizza Express de King's Road, ils découvrirent que tout le monde les attendait déjà à l'une des grandes tables rondes à dessus de marbre : Emily, Frankie et Doug et leurs trois autres enfants, Ranulph, Siena et Hugo, plus la nounou roumaine. Les enfants, sous prétexte de dessiner et de colorier, en profitaient pour se piquer mutuellement les yeux, les oreilles et autres parties du corps avec un assortiment de crayons et de feutres, tandis que les adultes arboraient le sourire crispé, tendu vers l'horizon, de ceux qui rêvent par-dessus tout d'être arrachés à leur condition et transportés à l'époque bénie où ils n'avaient pas encore d'enfants. Le niveau sonore était assourdissant, et on aurait pu légitimement se croire non au restaurant, mais dans une crèche pour enfants trop gâtés et trop peu disciplinés dont tout le personnel aurait fait défection. De toutes parts, des enfants blonds nommés Jasper, Orlando ou Arabella semaient chaos et désolation, se lançaient des boules de mie et des fragments de pizza à moitié mâchés qui atterrissaient sur leurs vêtements de marque française ou italienne, se disputaient la dernière Gameboy et hurlaient à pleins poumons dans un parfait accent de la

BBC : déjà ils maîtrisaient le braiment de la classe diri-
geante dont ils empliraient à coup sûr, dans vingt ans,
les pubs de Fulham et de Chelsea. Le seul couple sans
enfant, assis dans un coin à une petite table, évitait tant
bien que mal les missiles alimentaires et jetait parfois
sur la salle un regard d'horreur muette : visiblement, ils
avaient hâte de partir, et ils engloutissaient leur pizza
comme s'ils visaient le record du monde.

Susan et Benjamin firent en sorte que les deux nouvelles amies soient assises côte à côte (car en moins
d'une heure Antonia et Coriander, contre toute attente,
étaient devenues inséparables), puis se ménagèrent une
petite place et prirent leur menu. Benjamin bondit
presque aussitôt avec un cri de douleur et de dégoût, car
il s'était assis sur un morceau de bruschetta mâchonné
et mystérieusement empalé sur le bras amputé d'une
poupée Barbie. Irina l'en débarrassa et fit disparaître la
chose, désamorçant la crise avec l'efficacité silencieuse
et insondable qui semblait la caractériser.

Doug était d'humeur exubérante. Il avait passé la
matinée à lire les journaux dominicaux et semblait
convaincu d'avoir remporté le match hebdomadaire
contre ses rivaux. Il avait consacré un article polémique
et enflammé aux menaces de fermeture qui pesaient
sur l'usine Leyland, évoquant longuement l'époque où
feu son père y était délégué syndical. Et ce matin-là il
n'avait rien lu d'aussi vibrant, d'aussi vigoureux, d'aussi
personnel. Il était donc prêt à se détendre, et à jouer les
figures paternelles charismatiques pour cette grande
famille chaotique.

À portée d'oreille des enfants, et malicieusement
conscient de cette transgression, il se mit à raconter à
Benjamin, avec force détails, l'épisode de la grève du
sexe.

« Frankie t'a parlé du système qu'elle a mis au point, non ? Un jour sans sexe pour chaque gros mot ordinaire. Deux jours pour *"p..."*, et trois jours pour *"e..."*.

— C'est ingénieux », concéda Benjamin qui, lançant un coup d'œil en direction de Frankie, s'aperçut qu'elle ne perdait pas un mot de la conversation et qu'elle arborait un large sourire : visiblement, elle adulait son mari et jouissait du pouvoir qu'elle exerçait sur lui.

« Au fait, dit Doug en se tournant vers elle, tu te rends compte que ça fait plus d'une semaine que je n'ai pas dit un seul gros mot ? Tu sais ce que ça veut dire ?

— Qu'est-ce que ça veut dire ? » demanda-t-elle. (Et Benjamin crut percevoir, dans cette phrase apparemment si banale, des accents de tendresse sensuelle.)

« Ça veut dire que ce soir, c'est le grand soir ! s'écria Doug triomphalement. J'ai payé ma dette envers la société. Le passif est liquidé, le compte est soldé. Et je compte bien... » (il but une gorgée de pinot grigio lourde de sous-entendus) « ... réclamer mon dû.

— Duggie, le réprimanda-t-elle. Faut-il vraiment que tu fasses profiter tout le monde des détails de notre vie sexuelle ? » Mais elle n'avait pas l'air tellement contrariée. Benjamin et Emily furent les seuls à paraître mal à l'aise, se contorsionnant sur leur siège et évitant de se regarder.

Quelques minutes plus tard, Paul arriva.

« Putain de merde, dit-il en déposant au sommet du crâne de Susan un baiser de pure forme, c'est le troisième cercle de l'enfer, ici. » Il ébouriffa les cheveux d'Antonia, qui leva (brièvement) les yeux de son dessin, vaguement consciente de l'arrivée de son père. Il ignora complètement Benjamin et se contenta de dire : « Salut, Doug : tu ne me présentes pas ta ravissante épouse ? »

116

Il s'installa à côté de Frankie et entreprit de lui faire ce qu'il croyait être son grand numéro de charme, tandis que Doug le foudroyait du regard. « Je déteste être vu en public avec ce connard, murmura-t-il à Benjamin qui attaquait sa pizza quatre saisons. Faut pas s'attarder. »

Et de fait, le brillant parlementaire et son allié putatif au sein de la grande presse n'échangèrent quasiment pas un mot de tout le repas, sinon lorsque Doug, se faisant un devoir de capter l'attention de Paul, évoqua sa récente prestation télévisée.

« Au fait, je voulais te demander — enfin, si tu peux te détacher de ma femme une seconde — ce qui t'est arrivé l'autre soir à la télé. Sérieusement, est-ce que le parti t'avait formellement enjoint de ne pas ouvrir la bouche ? Parce que je n'ai pas le souvenir d'avoir jamais vu un invité aussi silencieux. »

Un éclair de rage assassine parcourut le visage de Paul ; mais il se ressaisit et dit (conformément à la ligne fixée avec Malvina quelques heures plus tôt) : « Tu sais quoi ? Ils ont coupé mes interventions au montage. Intégralement. Je ne sais pas pourquoi. Le pire, c'est que j'avais sorti des trucs vachement marrants. J'en avais une excellente à propos de chocolat... » Sa voix se perdit, et il secoua la tête d'un air navré. « Mais bref... à quoi bon ? La prochaine fois, je serai prévenu. Ils te coupent au montage pour se faire mousser. »

Doug médita cette explication, avant de pousser un soupir d'incrédulité à peine voilée et de se lever de table.

« C'est pas tout, annonça-t-il, mais Ben et moi, on a pas encore eu le temps de se parler, alors on va se balader. On vous retrouve à la maison. »

Ils prirent par les petites rues pour rejoindre le quai de Chelsea, où rugissait un double flot ininterrompu de voitures et de camions, et où les vapeurs de gaz carbonique formaient une chape sur le petit village de péniches pour millionnaires amarrées dans un coude de la Tamise et sur la majesté postmoderne de l'immeuble Montevetro, qui scintillait sur l'autre rive et leur renvoyait le pâle soleil de mars. Benjamin se revit chez lui : pas dans le centre-ville où il travaillait tous les jours — et où des immeubles comparables à celui-ci commençaient également à surgir, quoique à plus petite échelle — mais dans la maison qu'il partageait avec Emily, près de King's Heath, dans ce petit monde qu'ils s'étaient bâti et qui se réduisait à quelques magasins, deux ou trois pubs, une rare expédition au parc de Cannon Hill... D'un seul coup, la différence semblait énorme. Écrasante.

« Ça te plaît, ici ? demanda-t-il. Je veux dire, tu te sens... à l'aise ?

— Bien sûr, répondit Doug. Qu'est-ce qui pourrait ne pas me plaire ? » Anticipant la réponse de son ami, il ajouta : « Si *toi* t'es à l'aise, à l'aise dans ta tête, tu te sens chez toi n'importe où. Enfin, c'est ce que je crois. L'important, c'est de rester fidèle à soi-même.

— Oui, comme toi, fit Benjamin avec une moue dubitative. Enfin, j'imagine.

— C'est pas parce que j'ai épousé une fille de la haute, rétorqua Doug en haussant la voix, exaspéré, que j'ai oublié d'où je viens. À quel camp j'appartiens. J'ai pas renoncé à la lutte des classes, tu sais. J'ai infiltré l'ennemi, voilà tout.

— Je sais bien, protesta Benjamin. Je disais ça sans arrière-pensées. Ça se voit, d'ailleurs : il suffit de lire tes articles dans le journal. Ça doit être chouette, poursuivit-il d'une voix rêveuse (de nouveau l'envie s'insinuait en lui), d'avoir une plate-forme pareille. Tu dois te dire... tu dois te dire que tu fais exactement ce que tu avais envie de faire.

« — Peut-être. » Ils contemplaient le fleuve, appuyés au muret du Battersea Bridge. Puis Doug se redressa et se mit à marcher vers l'aval, respirant à pleins poumons les fumées toxiques émises par le trafic incessant. « Mais j'ai l'impression d'avoir atteint un plafond. Ça fait presque huit ans que j'écris ces papiers. Il y a quelques mois, j'ai commencé à faire savoir que je me sentais prêt à changer de poste. Tu vois, j'ai fait circuler la rumeur au journal. Eh bien, apparemment, ils ont fini par s'en rendre compte. Ils préparent une grande réorganisation. Ça fait des semaines que ça couve.

— C'est prometteur. Qu'est-ce qui va se passer, d'après toi ?

— Eh bien, je connais un peu l'assistante du rédac' chef : Janet, elle s'appelle. Une fille très chouette, qui est arrivée juste avant Noël. On s'est tout de suite bien entendus, et depuis elle me raconte tous les potins. Et elle a appris — plus exactement, elle a *sur*pris une conversation au téléphone — que... bref, on parlait de moi pour un poste. »

Benjamin attendit. Puis dut se résoudre à demander : « Oui ? Quel poste ?

— Elle n'était pas sûre, avoua Doug. Elle n'a pas bien entendu. Mais d'après elle, ça avait l'air sûr ; et c'était il y a deux ou trois jours. Et elle était certaine — enfin, à 90 % — qu'il a dit soit rédacteur du service politique — ce qui serait super —, soit rédacteur en chef adjoint. Ce qui serait carrément... génial.

— Rédacteur en chef adjoint ? répéta Benjamin, visiblement impressionné. Waouh ! Et tu crois vraiment que ça va être ça ?

— J'essaie de ne pas y penser. Rédacteur du service politique, ça serait super. Ça serait l'idéal. Ça m'irait parfaitement.

— Ça ferait une différence, en termes de salaire?

— Oui, dans les deux cas. Sans doute même un paquet de pognon. Voilà déjà qui fera plaisir à Frankie. On va sans doute m'appeler aujourd'hui pour me donner le résultat des courses.

— Aujourd'hui? Un dimanche?

— Ouais. » Doug se frotta les mains à cette pensée. « Aujourd'hui, c'est le grand jour, Benjamin. On pourra peut-être sabler le champagne ce soir avant que vous repartiez. Suivi, en ce qui me concerne — après une semaine passée à m'abstenir de tout gros mot, juron ou autre grossièreté —, d'une séance de baise que j'imagine déjà *épique*. Opération Tempête du plumard. »

Ils traversèrent la route à grand-peine en serpentant entre les quatre voies, avant de rejoindre l'enclave de conte de fées où se nichait la résidence Gifford-Anderton.

« Je croyais que tu n'avais pas d'affinités avec le reste de la rédaction, dit Benjamin. Politiquement, je veux dire.

— Ah, mais c'est justement là mon atout majeur, lui fit remarquer Doug. Ce sont tous des crétins de blairistes. Mais au bout du compte, il faut quand même qu'ils ménagent les lecteurs; et la plupart des lecteurs sont des travaillistes de la vieille école. C'est pour ça qu'ils ont besoin de quelqu'un comme moi dans l'équipe, même si ça ne leur plaît pas. Je suis le porte-parole de tous ces gens. De ces gens qui estiment qu'on devrait faire un effort pour sauver Longbridge, même si ça n'est pas rentable. De ces gens qui ont quarante, cinquante, soixante ans, qui lisent le journal depuis des années, et qui se foutent de connaître la marque d'eye-liner qu'utilise Kylie Minogue, c'est-à-dire le genre de sujet qui obsède notre respectable rédacteur en chef...

120

— Tu ne t'entends pas bien avec lui ?

— Oh, si, on s'entend bien. Mais il n'a aucun scrupule. Le parfait opportuniste. Il y a quelques mois, par exemple, ils ont pris des photos d'un top model particulièrement rachitique pour un article de mode du supplément dominical, mais elle avait l'air tellement squelettique et mal en point qu'ils ont renoncé à les utiliser. Et puis la semaine dernière ils ont fini par les déterrer pour illustrer un article sur l'anorexie psychosomatique. Visiblement, ça ne leur posait aucun problème. »

Il émit un gloussement amer. Ils atteignirent le portail, qui s'ouvrit en couinant. Doug, qui avait oublié ses clefs, sonna à l'interphone, et ils patientèrent en admirant le lierre qui encadrait la porte et les fenêtres à meneaux. Frankie n'avait pas le temps de jardiner, expliqua Doug, et ils avaient engagé un jardinier qui venait trois fois par semaine.

La porte s'ouvrit sur une Irina essoufflée.

« Ah, Doug, vite, entrez. Quelqu'un a appelé pour vous.

— Qui ça ? demanda-t-il fébrilement en lui emboîtant le pas.

— Là... par là. »

Elle désignait le salon du rez-de-chaussée, qui s'étendait sur toute la longueur de la maison et menait à un jardin d'hiver deux fois plus grand que la pelouse chez Benjamin. Tout le monde était là : Paul, Susan, Emily, Frankie et les enfants au grand complet. Ils dévisageaient Doug avec un sourire d'excitation et d'impatience tandis que Frankie parlait à quelqu'un sur un téléphone sans fil.

« Oui... il est là. Il vient tout juste de rentrer, littéralement. Je vous le passe. Tiens. »

Doug s'empara du téléphone et se réfugia dans un coin de la pièce.

« C'est pour son poste ? » murmura Benjamin, et Frankie hocha la tête.

Au début, ils eurent du mal à comprendre ce qui se passait, puisqu'ils n'entendaient qu'une moitié de la conversation. Doug ne parlait guère, hormis quelques grognements approbateurs. Mais bientôt ils remarquèrent qu'au fil de la discussion ces grognements changeaient de ton. Les silences de Doug se prolongeaient : la voix à l'autre bout du fil semblait sur le point de faire une grande révélation. Et quand vint la révélation, Doug sombra dans un silence de mort. Et les autres avec lui.

De longues minutes parurent s'écouler avant que Doug dise enfin : « Quoi ? » d'une voix inaudible ; et aussitôt il répéta : « *QUOI ?* », mais cette fois à pleins poumons, dans un rugissement de fureur qui provoqua chez les enfants des échanges de regards effrayés.

L'interlocuteur avait également haussé la voix, et on l'entendit dire : « Doug... je t'en prie, prends le temps de réfléchir. Ne raccroche pas. Quoi que tu fasses... »

Doug coupa la communication, gagna la cheminée et y reposa le téléphone avec un calme surnaturel.

« Alors ? » demanda Frankie, pour mettre fin au suspense insoutenable.

Doug regardait son reflet dans le miroir doré.

« Cette bonne femme, finit-il par dire, d'une voix rauque et étrangement lointaine. Cette bonne femme, Janet. Il lui faudrait un sonotone. » Il se retourna vers un cercle de visages ébahis. « Rédacteur du service politique ? Non. Rédacteur en chef adjoint ? NON. » Puis, prenant sa respiration, il aboya : « Rédacteur en chef des pages *LITTÉRAIRES*. Vous avez entendu ? *RÉDAC-TEUR - EN CHEF - DES PUTAINS - DE PAGES - LITTÉ-*

RAIRES. Ils veulent que je supervise des critiques de livres. Ils veulent que je passe mes journées à foutre des romans dans des putains d'enveloppes matelassées pour les envoyer à... à... » Il balbutia, à court de mots, et puis il se mit à tournoyer dans la pièce, comme possédé, en hurlant : « Les *enculés*. Putains de putains de putains de putains de putains de putains d'*ENCULÉS* ! »

Dans le silence total qui suivit, Benjamin crut entendre les mots résonner dans la pièce avant de se dissiper. Personne ne savait quoi dire, jusqu'à ce que Coriander se tourne vers sa mère et chuchote d'un air grave : « Dis, maman, c'est quoi un entulé ? C'est quoi, un butain de butain de butain de butain d'entulé ? »

Jamais de sa vie elle n'avait prononcé une phrase aussi longue. Mais Frankie trouva le moment mal choisi pour le faire remarquer, ou pour souligner que son mari venait encore de se condamner à au moins trois semaines de chasteté.

22

Claire, qui en bonne compagnie pouvait se montrer volubile, faisait face à son fils à la table de la cuisine en cherchant vainement quelque chose à dire.

Elle commençait à comprendre qu'elle avait perdu ses réflexes maternels. Dix ans plus tôt, quand Patrick en avait cinq, cela lui aurait semblé impensable. Certes, à l'époque, aimer son fils lui était aussi naturel que de respirer ; mais elle l'aimait encore, plus que jamais. La différence, c'est qu'elle ne savait plus comment se comporter avec lui. Cette évolution avait débuté, elle le savait, avant même son départ pour l'Italie. Déjà, quand il avait neuf ou dix ans, elle se sentait à court de repères, incapable de trouver la bonne distance : elle ne comprenait pas ses obsessions naissantes, les sports qui le fascinaient, les vêtements qu'il se croyait tenu de porter. Et elle se rendait compte que Philip n'avait pas ce problème, en tout cas pas dans les mêmes proportions ; voilà entre autres pourquoi elle avait trouvé raisonnable — ou du moins acceptable — de le laisser entre les mains de son père et de sa belle-mère tandis qu'elle s'embarquait pour son expédition italienne. Mais une fois cette expédition achevée, cinq ans plus tard, une fois rentrée à Birmingham (c'était absurde d'éprouver le mal du pays pour un endroit qu'elle n'aimait même pas), elle comprit que le gouffre qui les séparait n'avait fait que s'accroître. C'était inévitable, se disait-elle : il lui avait rendu régulièrement visite, et elle revenait en Angleterre au moins deux fois par an, mais il n'en avait pas moins changé, grandi, s'éloignant d'elle, hors de portée, presque méconnaissable. Et en sa présence elle était de plus en plus frappée de mutisme.

Elle n'était pas retournée chez son père depuis décembre, lorsqu'elle était partie au bout de quatre jours pour passer deux nuits dans un hôtel de Birmingham avant de fêter Noël à Sheffield avec de vieux copains de fac. Elle n'aurait pas pu tenir une minute de plus. Mais ce week-end, Dieu merci, Donald Newman se trouvait à l'étranger : il menait la grande vie en France, dans cette résidence secondaire dont il ne cessait de se vanter et qu'elle comptait bien ne jamais visiter. Depuis qu'il était à la retraite, il semblait y passer l'essentiel de son temps : mais elle ne connaissait guère sa vie actuelle, et d'ailleurs elle s'en foutait. Dans les années 90, apparemment, un courtier astucieux lui avait fait gagner quelques milliers de livres, ce qui lui avait permis de s'acheter une ruine pittoresque près de Bergerac. Tant mieux pour lui. Qu'il en profite.

En fait, ce fut Patrick qui le premier fit allusion à lui.

« Papy est une vraie fée du logis, remarqua-t-il en désignant la cuisine impeccable. Pour un célibataire, je veux dire. Un vieux chnoque comme lui.

— Il a rien d'autre à faire, j'imagine. D'ailleurs, je crois qu'il a une boniche qui fait le boulot à sa place. Je serais étonnée qu'il sache par quel bout on prend un aspirateur. »

Son fils sourit. Elle eut envie de lui faire un compliment — lui dire que les cheveux longs lui allaient bien, se réjouir qu'il n'ait pas de piercings — mais les mots lui manquèrent. Elle pensa à la soirée à venir, aux deux couverts qu'il allait falloir mettre sur la table, au repas qu'ils prendraient dans le lourd silence des banlieues résidentielles, et soudain elle eut peur que ce ne soit au-dessus de ses forces.

« Dis-moi, Pat, tu veux pas qu'on sorte, ce soir ? Qu'on aille dîner dans un pub à la campagne ?

— Pourquoi ? Je croyais que t'avais acheté à manger.

— Oui, bien sûr, mais... tu sais bien. » Elle désigna la pièce du regard. « C'est cette maison.

— On peut mettre un peu de vie. Allumer des bougies. J'ai apporté de la musique. »

Tandis que Claire farfouillait dans les tiroirs à la recherche d'une nappe, son fils sortit de son sac un ghetto blaster et le brancha au mur. Il choisit un disque dans son porte-CD. Claire se raidit, s'attendant à des horreurs, mais entendit un motif de piano en mode mineur, vibrant, obsédant, aux accents de tango, bientôt enrichi d'harmonies délicates jouées au violon, violoncelle et bandonéon.

« C'est joli, dit-elle. Qu'est-ce que c'est ?

— Astor Piazzolla. Je me disais bien que ça pouvait te plaire. » Avec un petit rire, il ajouta : « Évidemment, c'est pas ce que j'écoute normalement. D'habitude, j'écoute que des gros gangsters black qui parlent de violer des salopes et de fumer du crack. Celui-là, je le garde en réserve pour les personnes âgées.

— Fais gaffe à ce que tu dis, l'avertit Claire. Tu as touché un point sensible. Déjà, je n'ose imaginer ce que mes colocataires disent de moi derrière mon dos. »

On était le 31 mars 2000. Claire était descendue à

Birmingham pour participer à la grande manifestation du lendemain contre la fermeture de l'usine de Longbridge : un énorme rassemblement à l'échelle de la ville. Le cortège devait partir du centre, puis grossir jusqu'au parc de Cannon Hill où auraient lieu les discours. Pour l'heure, Claire vivait — même si à ses yeux ce n'était pas une vie, tout juste une transition — dans une maison à Ealing, dans l'ouest de Londres, qu'elle partageait avec trois étudiantes, des thésardes qui n'avaient pas vingt-cinq ans. Elle avait trouvé un poste d'intérimaire, qui malgré son titre ronflant s'apparentait à un boulot de comptable : elle traitait les factures d'un importateur de mobilier italien. Tout cela n'était guère réjouissant. Sa vie ressemblait à une cassette qu'on aurait rembobinée de quinze ans.

« Elles se foutent de ta gueule, c'est ça ? demanda Patrick.

— Jamais ouvertement. Elles sont trop bien élevées. Mais à la façon dont elles me regardent, je sens qu'elles se demandent si pour mon anniversaire il faut m'offrir un déambulateur ou un fauteuil roulant. »

Elle mit une casserole d'eau à chauffer pour les pâtes et se mit à hacher des oignons et des tomates. Patrick lui servit un verre de vin et demanda la permission d'en prendre.

« Bien sûr. Tu n'as même pas à demander. »

Il disparut quelques minutes au salon. Claire le surprit à contempler les photos de famille sur la cheminée. Sauf que « famille » n'était pas le mot approprié. Il n'y avait aucune photo des filles de M. Newman : aucun souvenir de Miriam la disparue, de Claire la vagabonde. Uniquement des photos de Donald et de Pamela, une chronique de leur vie commune, de leur vieillissement : la photo de mariage, les vacances en

Écosse et aux îles Sorlingues ; le couple devant la ferme de Bergerac, avec une Pamela voûtée, ratatinée. Elle avait succombé à un cancer huit mois après l'achat de la maison. À la place d'honneur, un portrait d'elle, format A 4, dans un cadre d'argent. Il devait dater des années 50, avant la naissance des enfants. Les cheveux noirs, un collier de perles, une robe du soir noire ou bleu marine. Elle arborait ce sourire indéchiffrable qu'on réserve à l'objectif. Patrick souleva la photo, la pencha pour éviter les reflets, l'étudia intensément comme si elle allait lui livrer les secrets de famille.

« Alors, dit-il en regagnant la cuisine, un verre de vin à la main, vous vous parlez, en ce moment, papy et toi ?

— On n'est pas en guerre ouverte. Simplement, je ne l'appelle pas et il ne m'appelle pas. Ou presque pas. Cela dit, il s'est montré très courtois quand je lui ai demandé si je pouvais dormir ici ce week-end. Même s'il trouvait ridicule la raison de ma venue à Birmingham.

— Oh, tu sais, ça n'a jamais été un révolutionnaire. Tu l'imagines à une manif ? Sauf s'il s'agissait de réclamer le rétablissement de la pendaison pour les gens qui se tiennent par la main avant le mariage.

— Ou l'inscription de la chasse au renard au programme du bac. » Elle sourit, moins à cause des plaisanteries elles-mêmes que de leur complicité naissante. « Et toi, au fait ? Tu viens demain ?

— Oui. Bien sûr. C'est important, non ? Il y a des tas d'emplois, des tas de vies en jeu.

— Et ton père ?

— Ouais.

— Et ta belle-mère ?

— Je crois. Carol est très remontée à propos de

Longbridge, comme tout le monde. Ça te pose un problème ?

— Absolument pas. Je m'entends très bien avec Carol.

— Il va aussi y avoir quelques copains de papa. Doug Anderton ? Ça te dit quelque chose ? Il va venir de Londres. Et Benjamin suit le mouvement, je crois.

— Oh mon Dieu, ça va *vraiment* faire bizarre. C'est carrément la réunion d'anciens combattants. Ça fait des lustres que je n'ai pas vu Doug. Je crois qu'on ne s'est pas retrouvés tous ensemble depuis notre mariage.

— Benjamin était le témoin de papa, non ?

— Tout à fait. Et il a fait un discours absolument désastreux. Bourré de citations de Kierkegaard — dont l'auditoire aurait peut-être profité s'il n'avait pas tenu à les réciter en danois — suivies d'un jeu de mots à tiroirs sur Rimbaud et Rambo. Personne n'a compris ce qu'il voulait dire. » Elle soupira, attendrie. « Pauvre Benjamin. Je me demande s'il a changé.

— Je croyais que tu l'avais vu, juste avant Noël. »

Claire se remit à hacher ses légumes et se contenta de répondre : « On n'a pas vraiment eu l'occasion de parler », d'un ton qui laissait entendre — du moins aux oreilles de son fils — que le sujet était clos.

Ce fut une bonne soirée. Patrick réussit à dénicher trois autres CD qui obtinrent l'imprimatur maternel, et Claire n'eut pas besoin de recourir au plan B, qui aurait consisté à regarder la télé faute de choses à se dire. En vérité, elle en garda l'impression perverse que tout s'était *trop* bien passé. Car ce soir, pour la première fois, elle avait remarqué chez Patrick quelque chose de bizarre : il était trop prévenant, trop attentionné, trop sensible aux besoins et aux réactions de sa mère, qu'il devinait en expert. Il y avait dans son comportement une étrange raideur, presque un malaise, comme s'il se sentait obligé de jouer un rôle dans une pièce qu'il n'aurait pas écrite. Peut-être n'était-ce là qu'une gêne inhérente à l'adolescence ; mais Claire y voyait un problème plus profond : il y avait en Patrick une extraordinaire *vigilance*, à croire qu'il attendait que le monde lui dise comment se comporter, lui révèle sa propre personnalité avant qu'il puisse l'habiter. Fallait-il l'imputer à Claire et à Philip, à ce qu'ils lui avaient fait subir en divorçant quand il avait trois ans, en le ballottant de l'un à l'autre pendant des années ? Il *manquait* quelque chose à Patrick, elle le comprenait à présent : il lui manquait un composant vital, qu'elle n'arrivait pas à identifier, mais qui excédait la simple stabilité familiale.

Patrick lui servit un dernier verre de vin et le lui apporta jusqu'au canapé.

« Tiens, dit-il. Je vais me coucher. Ne passe pas la nuit à te bourrer la gueule.

— Promis. »

Il se pencha pour l'embrasser. Ses joues étaient duveteuses, premier signe d'une barbe naissante.

« C'était chouette, cette soirée, pas vrai ? » lui dit-elle. Il la serra dans ses bras. « Oui. Très chouette. »

Lorsqu'il se redressa, elle puisa dans le vin le courage de lui demander : « Tout va bien, mon amour ? Phil et Carol prennent bien soin de toi, hein ?

— Bien sûr. Pourquoi ? J'ai pas l'air d'aller bien ? »

Elles étaient bien trop vagues, trop compliquées, ces angoisses qui l'agitaient depuis quelques minutes. Elle se borna à répondre : « Tu as juste l'air un peu pâle. »

Patrick s'abrita derrière un sourire. « Comme tout le monde. Moi, mes amis. C'est à cause de toutes ces saloperies que nous font ingurgiter les gens de ta génération. » Et d'une voix étouffée, il ajouta : « Le peuple pâle. C'est nous. »

Sans s'expliquer davantage, il envoya un dernier baiser à sa mère ; et avant qu'il monte se coucher, elle vit ses yeux s'attarder de nouveau sur les photos de la cheminée.

*

Le lendemain matin, en sortant de la douche, elle s'aperçut qu'il avait ouvert la porte de l'ancienne chambre de Miriam.

Elle l'y rejoignit.

« Il n'y a pas grand-chose à voir, hein ? » dit-elle.

La chambre n'avait pas changé depuis la dernière fois : pas de meubles, un sol nu, des murs blanchis à la chaux. Moins une chambre qu'un manifeste : l'affirmation d'une absence. Elle imaginait son père venant ici tous les jours, immobile au milieu de la pièce, à respirer le néant. À penser à Miriam comme il devait le faire tous les jours, intangible, insondable. Sinon, pourquoi aurait-il gardé la chambre dans cet état ? Immaculée, d'ailleurs, aussi consciencieusement époussetée et nettoyée que le reste de la maison. Malgré sa répulsion, elle comprenait sa logique. C'était la chambre d'une disparue.

« Elles sont où, ses affaires ? »

Claire haussa les épaules. « J'en sais rien. J'en ai gardé quelques-unes : tu sais, les photos que tu as vues, quelques bricoles, des bracelets, une brosse à cheveux, ce genre de trucs. Des jouets... » (elle crut que sa voix allait se briser, mais elle se reprit) « ... qu'elle avait quand elle était petite. Je crois que papa a jeté tout le reste. Il a donné tous ses meubles, ça j'en suis sûre. Il y avait plein d'autres choses : des albums de photos, tous ses journaux intimes. Je ne sais pas ce qu'ils sont devenus. Perdus corps et biens. » Elle parcourut en trois petits pas la minuscule pièce désolée et contempla le jardin, aussi dépouillé et maniaquement ordonné que l'était la maison. « Vous parlez souvent d'elle ? demanda-t-elle. Je veux dire, avec Philip et Carol. Il leur arrive d'en parler ?

— Non.

— Mais *toi*, tu penses à elle, pas vrai ? Je m'en rends bien compte.

— Elle est peut-être encore en vie », dit Patrick, d'une voix soudain suppliante.

Claire tourna les talons et quitta la pièce. « On ne va pas commencer, d'accord ? »

Il la rejoignit sur le palier et désigna la trappe du grenier.

« Comment on fait pour monter ?

— C'est impossible.

— Il suffirait d'une échelle.

— Il n'y a rien à voir là-haut. C'est juste un débarras. »

Elle le fixa du regard, tentant de conjurer le sort. Elle ne voulait pas qu'il en fasse une mission personnelle. Elle-même n'avait pas la force de revivre tout ça ; et pour lui aussi, c'était dangereux. Il était trop jeune, trop vulnérable pour se charger d'un tel fardeau.

« Je vais faire des courses, dit-elle. Ça te dit de manger du poisson ce soir ? Et je vais racheter du vin. Profites-en pour prendre un bain. Il faut qu'on parte dans une heure si on veut arriver à temps à Cannon Hill. »

Il acquiesça, mais sans bouger. Elle finit par dire : « Il y a une échelle dans le garage. Enfin, dans mon souvenir. » Elle lui effleura l'épaule, qui lui parut maigre et osseuse. « Pourquoi tu tiens à faire ça, Pat ? À quoi ça rime ? »

Il retira délicatement sa main. « J'en sais rien. Pour moi, c'est lié à papa et toi, à votre divorce, et... » Il se détourna, s'engagea dans l'escalier. « J'en sais rien. Mais j'y tiens.

— Tu ne trouveras rien, lui cria-t-elle. Il a tout jeté. »

Mais Claire se trompait.

Une demi-heure plus tard, à son retour du supermarché, elle trouva Patrick — toujours pas lavé, toujours en tee-shirt et en caleçon — assis à même le parquet de la chambre de Miriam. Il avait réussi, Dieu sait comment, à descendre du grenier une énorme malle de cuir à l'ancienne, dont il avait fait sauter le cadenas avec des tenailles. La moitié du contenu jonchait le sol autour de lui. Claire, bouche bée, n'en crut pas ses yeux. Elle se mit à suffoquer.

Tant de choses qu'elle n'avait pas vues depuis plus de vingt ans. Les vêtements de sa sœur. Ses livres, ses bijoux. Un petit coffre à trésors acheté chez John O'Groats, rempli de colifichets en plastique. De vieux magazines, des exemplaires de *Jackie*, des posters de chanteurs des années 70 découpés et percés de trous de punaises. David Bowie, Bryan Ferry. Une chemise d'homme violette qui avait été quelque temps l'un de ses biens les plus précieux, sans que l'on sache jamais pourquoi. Et des journaux intimes. Deux ou trois volumes de journaux, remplis de ses arabesques de petite fille au bic bleu.

C'est vers ces journaux que Claire tendit la main.

« Tu ne les as pas lus, au moins ? » demanda-t-elle. Elle venait de se rappeler que Doug Anderton serait à la manif. Elle ne voulait pas que Patrick sache que le père de Doug était impliqué dans la disparition.

« Non », répondit-il. Il avait trouvé des dizaines de photos de Miriam — de Miriam et de Claire —, essentiellement des diapos, qu'il regardait à la lumière grise des fenêtres sans rideaux.

« Tant mieux », dit Claire, qui ouvrit le journal de 1974 et mit à le feuilleter fébrilement, trop bouleversée pour lire quoi que ce soit, avant de le laisser tomber par terre avec fracas : elle venait d'arriver à une page maculée de traces de doigts — ses doigts de fillette de quatorze ans tachés de Viandox — et ses yeux s'emplirent de larmes acides comme autant d'aiguilles, de larmes comme elle ne pensait plus pouvoir en pleurer

21

De : Malvina
À : btrotter
Envoyé : Jeudi 30 mars 2000 15:38
Sujet : Manif pour Longbridge

Salut Ben

Oui, je crois avoir convaincu ton frère de venir — même si bien sûr il est terrifié à l'idée qu'on puisse croire qu'il critique le parti, et Tony en particulier — donc je serai certainement là aussi.

Ce serait super de se voir. Au coin café de Waterstone, en souvenir du bon vieux temps ? Je devrais être là pour 10 heures.

À samedi donc, sauf contrordre.

Je t'embrasse
Malvina XoX

*

Benjamin arriva le premier, forcément. Il prit un cappuccino et un pain au chocolat, ainsi qu'un grand moka pour Malvina : il savait que c'était sa boisson préférée.

Il avait dix minutes d'avance ; elle en avait cinq de retard. Pour passer le temps, il lut deux brochures du fisc : l'une concernait la déclaration simplifiée de consolidation, l'autre la possibilité de déduire des bénéfices imposables l'impôt anticipé sur les sociétés. Autant se tenir au courant. Lorsque Malvina arriva enfin, son moka avait eu le temps de refroidir, et elle dut en commander un autre. Il l'embrassa : ses joues étaient glacées. Il prolongea le baiser autant que possible, respirant son parfum, qui ranima aussitôt le souvenir de leurs précédentes rencontres, et des espoirs fous et brumeux qu'elles avaient nourris en lui.

Une fois assis en face d'elle, il s'aperçut qu'il ne trouvait rien à dire. Sa gêne semblait contagieuse, et ils gardèrent quelque temps un silence embarrassant.

« Alors, finit par dire Malvina après deux ou trois gorgées revigorantes, qu'est-ce que ça va donner aujourd'hui, d'après toi ? Tu crois qu'on va arriver à quelque chose ?

— Eh bien... je ne sais pas... » Benjamin paraissait déconcerté par cette question. « Pour moi, c'était le signe qu'on pouvait... tu vois, quoi, rester amis. »

Malvina soutint son regard, puis sourit. « Je ne parlais pas de ça. Je parlais de la manif.

— Oh. Ah oui, la manif. » Benjamin baissa les yeux vers la surface écumeuse de son café. Cesserait-il jamais de s'infliger de nouvelles humiliations ? « Je n'en sais rien. Je crois que c'est une journée qui fera date. Je crois que pour les gens ce sera une source d'inspiration, et sans doute un encouragement. Mais ça ne va pas les faire changer d'avis, hein ? Ceux qui tirent les ficelles.

— Non. Certainement pas. » D'un ton plus gai, elle ajouta : « Et ton livre, alors ? Qu'est-ce que ça donne ? Tu as beaucoup écrit, ces dernières semaines ? »

Malvina était l'une des rares personnes à qui Benjamin ait parlé de son grand œuvre. Mais même avec elle, il avait été incapable d'entrer dans le détail. Il lui avait confié le titre — *Agitation* —, mais dès qu'il tentait d'expliquer ce qu'il espérait accomplir — pourquoi il considérait ce projet comme unique, novateur, nécessaire —, les mots lui faisaient défaut ; il s'entendait parler, mais les phrases qui sortaient de sa bouche semblaient inadaptées à la forme idéale et parfaite que son œuvre continuait de revêtir dans son esprit. Il avait envie de lui dire que rien n'était plus important dans sa vie ; que ça le rendait fou ; que c'était une alliance inédite de formes anciennes et de technologies nouvelles ; que cette œuvre bouleverserait à jamais la relation entre musique et écriture ; que depuis des mois il n'avait pas écrit un mot ni composé une note ; qu'il avait parfois l'impression que c'était la seule chose qui le retenait à la vie ; qu'il commençait à ne plus y croire, comme à tant d'autres choses... Mais il paraissait vain, tellement vain d'avouer tout cela à cette femme si belle, si impénétrable, assise en face de lui, qui léchait les traces de café sur sa lèvre pulpeuse couleur de vin.

« Comme ci comme ça, finit-il par répondre, lamentablement. Je continue à gratter. »

Malvina secoua la tête en souriant. « Dis-moi, Benjamin, tu es le roi de la litote ou quoi ? Ça fait *vingt ans* que tu écris ce truc. T'as bien gagné le droit à un peu de fierté, non ? C'est incroyable, une telle persévérance. Enfin, quoi, moi, quand j'écris cinq vers d'un poème et que je suis coincée, j'abandonne et je bazarde tout. » Elle s'enfonça dans son siège et le contempla, rayonnante, presque fière de lui. « Comment tu fais ? Qu'est-ce qui te pousse à continuer ? »

Après un long silence, Benjamin répondit d'une voix

sourde : « Je te l'ai déjà dit. La toute première fois qu'on s'est rencontrés. »

Le regard de Malvina se perdit dans les profondeurs de son café. « Ah, oui... la mystérieuse femme fatale. Le grand amour de ta vie. Comment elle s'appelait, déjà ?

— Cicely.

— Et le but du livre, c'est... Redis-moi ça ? » Faute de réponse, elle poursuivit : « Ça me revient : un jour, elle va le lire, comprendre que tu es un génie et qu'elle a fait une folie en te quittant, et elle te reviendra ventre à terre. En gros, c'est ça, non ?

— En gros, dit Benjamin, le visage soudain sombre et distant.

— Benjamin, reprit Malvina, avec ferveur cette fois, je parle peut-être sans savoir, mais tu n'as jamais pensé que cette rupture était la meilleure chose qui te soit arrivée ? Que tu l'avais échappé belle ? »

Benjamin haussa les épaules en sirotant le marc de son cappuccino.

« Bon, si ça te permet de continuer à écrire, tant mieux — vu que c'est sans doute la seule chose qui t'empêche de devenir fou —, mais pour le reste, je voudrais vraiment que tu oublies toutes ces conneries. À un moment, il faut bien se décider à tourner la page. Et dans ton cas, ça fait vingt ans que tu aurais dû la tourner. »

Benjamin avait-il même entendu ce conseil ? Impossible à dire. Il se contenta de changer de sujet en demandant : « Et toi ? Tu écris, en ce moment ?

— Oh, oui, je... je "continue à gratter", comme tu dis.

— Je me demande comment tu trouves le temps ; tu as une vie tellement remplie. » (Mais en fait, il savait très bien comment elle trouvait le temps : elle était jeune.)

« Oh, tu sais. Des nuits blanches. Du café noir. Je me suis remise à écrire des nouvelles, mais je n'arrive jamais à aller jusqu'au bout. Je n'ai que des fragments d'histoires. Je ne sais pas ce que je vais en faire.

— Tu les as montrées à quelqu'un ?

— Non. Ça me gênerait.

— Tu devrais, pourtant. »

Ce que Benjamin désirait vraiment, bien sûr, c'était les lire lui-même : tous les prétextes seraient bons pour rétablir avec elle un semblant d'intimité. Mais il sentait qu'elle n'accepterait jamais. En revanche, il se cramponnait à l'idée qu'il pouvait peut-être l'aider de façon plus concrète, même si quelques secondes de réflexion lucide auraient suffi à lui faire comprendre que c'était tout aussi impossible.

« Je connais quelqu'un à qui tu pourrais les montrer. Un ami à moi : Doug Anderton.

— Ah, oui, je connais Doug. Enfin, on s'est parlé au téléphone. Il vient d'avoir un nouveau poste, c'est ça ?

— C'est pour ça que je t'en parle. Il est devenu rédacteur en chef des pages littéraires. Pourquoi tu ne lui enverrais pas tes trucs ? »

Malvina fronça les sourcils. « À quoi bon ? Il se contente de commander des articles et des critiques de livres. Jamais le journal ne publierait des nouvelles.

— Ça arrive, insista Benjamin. D'ailleurs, il m'a dit que les éditeurs passent leur temps à l'appeler et à l'inviter à déjeuner. Alors, si tes histoires lui plaisaient, il pourrait leur en toucher un mot, pas vrai ? Et eux seraient ravis de lui rendre service, pour être sûrs qu'on parle de leurs livres. Tout ce milieu, c'est magouilles et compagnie. Alors autant en profiter. »

Ça paraissait presque plausible, compte tenu qu'en réalité il n'y connaissait rien. Et Malvina, toujours prompte à penser qu'effectivement le monde fonctionnait ainsi, avait l'air prête à se laisser convaincre.

« Peut-être... murmura-t-elle.

— De toute façon, tu ne vas pas tarder à faire la connaissance de Doug.

— C'est vrai ? Il vient à la manif ?

— Bien sûr. Rappelle-toi, son père était délégué syndical à Longbridge. Je suis censé le retrouver à la gare de New Street dans vingt minutes. Tu veux venir ?

— Je ne sais pas encore. Je ne sais pas où je dois retrouver Paul. »

Elle ne tarda pas à le savoir. Ils finirent leur café, sortirent dans l'humidité glaciale et se mêlèrent à la foule, de plus en plus dense, qui s'écoulait sur New Street en direction de Bristol Road. Déjà ce flot humain enflait et s'accélérait, alors même qu'il n'était qu'un affluent du cortège principal. Partout on voyait des banderoles (« Rover ne doit pas mourir », « Sauvez nos emplois », « Tony nous renie ») et toute la ville semblait réunie : les retraités côtoyaient les ados, les Bangladais se mêlaient aux Blancs et aux Pakistanais. L'atmosphère était bon enfant, se dit Benjamin, même si tout le monde avait l'air frigorifié. Il ne quittait pas Malvina d'une semelle, par désir de proximité autant que par peur de la perdre dans la foule ; elle fut donc incapable de dissimuler sa réaction en recevant un SMS de Paul. Elle parut irritée, et même un peu blessée, mais pas étonnée le moins du monde.

« Oh, *Paul* », lança-t-elle à son portable avant de le refermer d'un coup sec et de le ranger dans la poche de son blouson de cuir.

« Qu'est-ce qui se passe ? Il ne s'est pas dégonflé, quand même ?

— Il dit qu'il a trop de paperasses à liquider. » Elle

détourna les yeux en se mordant la lèvre. « Et *merde*. Ç'aurait été tellement bon pour lui d'être vu ici. Pourquoi je n'ai pas réussi à le lui faire comprendre ?

— Mon frère est un lâche », dit Benjamin, comme s'il se parlait à lui-même.

Elle le foudroya du regard. « Tu trouves ? »

Il haussa les épaules. « Des fois, oui. » Puis il ajouta : « Je sais que je ne devrais pas te dire ça. » Et, en baissant la voix : « Je sais que tu l'aimes beaucoup.

— Oui, reconnut Malvina. Oui, je l'aime beaucoup. N'empêche que des fois c'est vraiment un fieffé connard.

— Alors il reste à Londres ?

— Non. Il est à la maison. Je dois le rejoindre plus tard.

— Oh. » Benjamin était décontenancé. « Et Susan, elle en pense quoi ?

— Elle n'est pas au courant. Elle passe le week-end chez ses parents. Avec Antonia.

— Et tu vas passer la nuit là-bas ?

— Oui.

— C'est bien pratique, dit Benjamin d'un air lourd de sous-entendus.

— Tu crois que ça fait mauvais effet ?

— Pas toi ? » Il eut un petit rire. « C'est toi, normalement, l'experte en médias. Tu imagines ce qui se passerait si les journaux l'apprenaient ? »

Malvina se retourna vers lui et le regarda d'un air grave. Sa voix et son regard prirent une intensité que Benjamin jugea presque comique : « Je ne suis pas sa maîtresse, tu sais. Je ne couche pas avec lui. Et ça n'arrivera jamais. »

Il ne trouva rien à répondre. Sinon, après un bref silence : « Je te crois.

— Tant mieux, dit Malvina. Car c'est la vérité vraie. »

141

*

En fin de compte, ils furent cinq à marcher de
conserve vers le parc de Cannon Hill : Benjamin, Doug,
Malvina, Philip Chase et Carol. Ils essayaient de repérer
Claire et Patrick, mais en vain. Il y avait à présent des
dizaines de milliers de personnes qui avançaient solennellement sur Pershore Road, et l'ambiance était au défi,
à la détermination farouche, plutôt qu'au militantisme
braillard. Benjamin s'attendait à une manifestation
essentiellement locale, mais on voyait des banderoles
syndicales de tout le pays : Liverpool, Manchester, Dur-
ham, York. Le mouvement de soutien à la survie de
Longbridge était visiblement massif et dépassait les cli-
vages politiques, malgré les tentatives de récupération
des suspects habituels ; de temps à autre résonnait dans
l'air cet éternel cri de la rue, aussi anglais que le premier
coucou du printemps : « SOcialist Worker! SOcialist
Worker ! » Doug ne put s'empêcher de s'exclamer joyeusement : « C'est fantastique, vous ne trouvez pas ? On se
croirait revenu dans les années 70. »

Phil et Carol marchaient bras dessus bras dessous,
Phil brandissant au-dessus de sa tête une banderole
« Laissez tourner Rover ». Malvina entra en orbite
autour de Doug et ne tarda pas à entamer avec lui une
conversation à voix basse, avec des mines de conspira-
trice : Benjamin supposa qu'elle lui parlait de ses velléités d'écriture. Une fois encore, même en compagnie de
deux de ses meilleurs amis, il se retrouvait exclu, relégué dans son petit monde, réduit aux ressources de son
imagination. Il ne comprenait pas comment ça arrivait,
mais ça arrivait, invariablement. Si Emily avait été là,
se dit-il, il aurait pu lui parler, ou du moins lui tenir la

main. Mais elle était coincée à la maison : Andrew, le bedeau, devait passer la chercher pour qu'ils aillent ensemble distribuer la circulaire de la paroisse. Elle avait envisagé d'annuler pour pouvoir aller à la manif, mais Benjamin avait réussi à l'en dissuader. Il ne tenait pas à ce qu'elle rencontre Malvina.

« De quoi vous parliez ? » demanda-t-il à Doug lorsque Malvina fut hors de portée de voix ; ils étaient à trois cents mètres du parc.

« Oh, de tout et de rien. De ton connard de frère, essentiellement. Je lui ai dit que ce n'était plus la peine qu'il me fasse du lèche-cul. C'est pas les pages littéraires qui vont améliorer son profil médiatique. On a à peu près dix lecteurs, dont huit qui ont écrit les articles.

— Elle t'a parlé de ses nouvelles ?

— Elle y a vaguement fait allusion. Je n'écoutais pas vraiment. »

Au grand dam de Benjamin (et ce n'était pas la première fois), Doug ne faisait même pas semblant de s'intéresser à son nouveau poste. S'il en parlait, c'était toujours avec mépris. Comme si à moyen terme (et même à court terme) il comptait tout lâcher.

« Ils sont vraiment tarés, dit Benjamin, de t'avoir mis comme ça sur une voie de garage. C'est vrai, tu aurais pu écrire un super article sur cette manif. Ils ont envoyé quelqu'un pour la couvrir ?

— Non, ils me laissent faire le papier. C'est mon baroud d'honneur. Phil m'a proposé de passer chez lui pour le taper sur son ordinateur. Mais honnêtement, je ne sais pas si ça en vaut la peine. » Il soupira ; son souffle fit un nuage de vapeur dans le crachin. « Je ne sais vraiment pas comment réagir, Ben. Faire contre mauvaise fortune bon cœur, je suppose. Tiens, à propos... ça te dirait de chroniquer un livre ?

— Moi? fit Benjamin incrédule.

— Ben oui, pourquoi pas? Tant qu'à avoir ce boulot de merde, autant en faire profiter mes amis.

— Mais je n'ai jamais fait de critique littéraire. Encore moins pour un journal national.

— Et alors? Tu peux pas faire pire que les conneries de certains critiques attitrés. D'ailleurs, j'ai un truc qui est fait pour toi.

— Ah oui?

— Tu te souviens de cette vieille folle gâteuse qui était venu au lycée nous lire ses poèmes? Francis Piper, il s'appelait. »

Benjamin hocha la tête. Comment aurait-il pu l'oublier? Ce jour était resté gravé dans sa mémoire en lettres indélébiles. Car c'était le jour où il avait oublié son slip de bain, ce qui — en vertu du règlement byzantin et barbare des cours de gym à King William — aurait dû le condamner à nager nu devant tous ses camarades. Mais ce jour-là Dieu était venu à son secours; et c'est sur ce miracle (dont presque tout le monde ignorait l'existence) que se fondait toute la foi de Benjamin. Non, ce n'était pas un jour qu'il risquait d'oublier.

« Oui, je me souviens. Un petit vieux très sympa : du coup, j'avais acheté tous ses poèmes. Cela dit, ça fait des années que je ne les ai pas relus. Tu vas quand même pas me dire qu'il est encore en vie? Il devait avoir au moins quatre-vingt-dix ans quand il est venu au lycée.

— Apparemment, il est mort il y a cinq ans, à peu près. Et voilà que sort une biographie de lui. Un pavé : environ huit cents pages. Qu'est-ce que t'en penses? Tu crois que tu pourrais faire un papier dessus?

— Oui, bien sûr... ça me plairait beaucoup.

144

« — On devrait pouvoir t'envoyer un exemplaire dans deux ou trois semaines. Je te le transmettrai directement. »

Philip, qui marchait sur leurs talons, les rattrapa en disant : « Je me souviens de ce type. Il avait un air presque... angélique, mais ses poèmes étaient vraiment cochons quand on comprenait de quoi il parlait.

— Ce qui n'était pas notre cas.

— Excepté Harding, corrigea Phil. Vous ne vous rappelez pas ? Il avait levé la main pendant le cours de Fletcher pour demander si Piper était gay.

— Sauf qu'il ne l'avait pas dit aussi élégamment, hein ? » Doug sourit et s'interrogea à voix haute : « Ah, Harding, Harding... qu'es-tu devenu ? Où es-tu quand on a tant besoin de toi ?

— Il peut être n'importe où, dit Benjamin. Si ça se trouve, il n'a jamais quitté Birmingham. Il est peut-être même ici. »

Phil secoua la tête. « Sean ? Non. Ce n'était pas son style. Il ne manifesterait pas en solidarité avec les ouvriers, ni avec qui que ce soit. Son truc, c'était plutôt l'anarchie.

— De toute façon, ça serait forcément déprimant de le revoir, fit Doug. Comme je l'ai déjà dit, il est sûrement devenu métreur ou je ne sais quoi. Il doit être encore plus chiant que nous tous réunis.

— De qui vous parlez ? demanda Malvina, revenue vers eux après quelques minutes aux franges du cortège.

— D'une vieille connaissance, répondit Doug. Trois quadras qui radotent sur leurs années de lycée. Des trucs qui datent d'avant ta naissance. » Et soudain il lui demanda : « Au fait, t'es née en quelle année ?

— 1980.

— Oh putain. » La révélation les laissa incrédules, comme si c'était biologiquement impossible. « T'es vraiment une enfant de Thatcher, dis donc.

— Oh, tu n'as pas à regretter d'avoir raté les années 70, glissa Phil. Tu ne vas pas tarder à faire un voyage dans le temps. »

Un avertissement pour Blair : 100 000 personnes manifestent contre la fermeture de Rover

Doug Anderton

La psalmodie n'en finissait plus, hypnotique, comme une transe : « Honte-à-toi-Tony-Blair! Tu-n'es-qu'un-nouveau-Thatcher! »

Reste à savoir si le Premier ministre saura l'entendre. Mais quoi qu'il en soit, la population de Birmingham a exprimé sans équivoque son sentiment face à l'attitude du gouvernement; non seulement la ville a connu hier sa plus grande manifestation depuis les années 70, mais la Grande-Bretagne n'avait guère connu pareille mobilisation depuis le conflit entre Mme Thatcher et les mineurs en grève.

La décision de BMW de laisser tomber Rover a provoqué une réaction citoyenne. Dans une ambiance bon enfant malgré la colère, les ouvriers de Rover, les dirigeants syndicaux et des dizaines de milliers d'anonymes ont défilé côte à côte dans les rues de Birmingham; la manifestation s'est conclue par un grand rassemblement au parc de Cannon Hill, où les discours de résistance ont été précédés par un mini-concert du groupe UB40, des enfants du pays.

Ce mouvement reflétait admirablement la diversité de la ville en termes d'âge, de classe sociale et d'origine ethnique. Tandis que Joe Davenport, âgé de quatre-vingt-quatre ans, arborait une banderole : « BMW : Bandits Menteurs Walkyries », des bambins de trois ou quatre ans couraient entre les jambes des adultes en brandissant des ballons et de la barbe à papa. Il n'y a eu aucun incident, aucune arrestation.

Les discours ont donné lieu à quelques chahuts émanant de groupuscules d'extrême gauche. Richard Burden, député travailliste de Northfield, a fait les frais de la colère de la foule à l'égard d'un gouvernement que beaucoup taxent, à tout le moins, de passivité et d'imprévoyance. (Son collègue Paul Trotter, soit dit en passant, brillait par son absence.) D'autres orateurs ont su enflammer l'auditoire. Albert Bore, président du conseil municipal de Birmingham, a fait exploser l'applaudimètre en évoquant « le viol de Rover ». Le syndicaliste Tony Woodley n'a pas mâché ses mots non plus : pour lui, BMW s'est comporté de façon « malhonnête et déshonorante », et le gouvernement a « une responsabilité envers Rover, envers la Grande-Bretagne et envers l'industrie britannique ».

Mais la vedette de la journée a été sans conteste le professeur Carl Chinn, habitué des radios, autoproclamé « historien du peuple », qui s'est révélé un orateur hors pair et n'a pas hésité à invoquer toute une généalogie contestataire ouvrière et syndicale : si une telle rhétorique émanait de son entourage, le Premier ministre actuel en recracherait son chardonnay.

Mais cette évocation vibrante du mouvement chartiste a paru revigorer la foule, qui s'est alors dispersée, prête à repartir au combat. Nul ne sait encore quelle forme prendra ce combat, ni quelles forces il mobilisera : cela dépend (comme tout le reste, apparemment) de tractations occultes qui se dérouleront dans les prochains jours à Millbank. À huis clos, bien entendu.

Carl Chinn conclut son discours par ces mots : « Nous lançons un avertissement solennel : s'ils refusent d'entendre notre voix, alors nous marcherons dans les rues de Londres et nous livrerons notre combat jusqu'aux portes de Westminster. » Lorsque les applaudissements s'apaisèrent, Tony Woodley revint à la tribune pour ajouter : « Aujourd'hui, nous avons adressé à BMW un message on ne peut plus clair. Nous ne mourrons pas sans combattre. » Il répétait la phrase sous des acclamations toujours plus nourries lorsque Philip sentit qu'on lui tapotait l'épaule : en se retournant, il découvrit son fils et son ex-femme qui lui souriaient chaleureusement.

« Salut, Claire », dit-il en la serrant dans ses bras. Il donna à Patrick une grande claque dans le dos tandis que Claire et Carol sauvaient les apparences par une brève étreinte polie.

C'est alors que Claire s'aperçut que Doug la regardait. C'était leur première rencontre en plus de quinze ans. Il lui prit les mains, et dans ses yeux elle vit une avidité, une curiosité qui remontaient plus loin encore, à leurs années de lycée, lorsqu'ils rentraient ensemble par le bus 62. Les décennies écoulées n'en étaient pas pour autant effacées. L'instant était plus troublant encore, car il confirmait cette vérité qu'elle avait comprise en décembre, lors du concert de Benjamin : certains sentiments ne s'estompaient jamais, même après tant d'années, après tant d'amitiés, de mariages, de liaisons plus ou moins durables. C'était donc vrai, se dit-elle, avec un pincement au cœur : il aura toujours les mêmes sentiments pour moi ; et j'aurai toujours les mêmes sentiments pour Benjamin ; et Benjamin aura toujours les mêmes sentiments pour Cicely. Vingt ans ont passé, et au fond rien n'a changé. Rien ne change jamais.

Mais elle n'en souffla pas un mot. Elle se contenta de sourire en entendant Doug lui dire : « Claire, tu es superbe », et répondit : « Toi aussi, tu as bonne mine. Je me suis laissé dire que tu fais partie de la haute, maintenant. Visiblement, ça te réussit, de fréquenter les aristos. »

Avant même de trouver une réplique, Doug prit conscience d'une présence dans le dos de Claire : quelqu'un qui voulait lui parler. C'était un homme grand, d'allure un peu farouche, en anorak bleu marine, aux cheveux clairsemés et grisonnants, la soixantaine bien sonnée, cramponné au bras de sa femme, plus corpulente, plus ingambe, plus à l'aise. Doug était sûr de les connaître, mais n'arrivait pas à mettre un nom sur leurs visages. Claire, percevant son malaise, fit les présentations.

« Oh, excusez-moi... vous vous connaissez, non ? Voici M. et Mme Trotter. Les parents de Benjamin. On s'est rencontrés juste devant le terrain de cricket.

— Bonjour, Doug. » Colin Trotter lui serra la main et s'y accrocha comme s'il oubliait de la lâcher. « Tu as plutôt bien réussi, à ce que je vois. On est vraiment contents pour toi, Sheila et moi. Je me demande ce que ton père en aurait pensé...

— En tout cas, il aurait été bien content de vous voir là, je peux vous le dire, dit Doug en toute sincérité.

— Oh, bien sûr, on avait nos désaccords. Comme tout le monde, à l'époque. Mais c'est une usine dont on peut être fiers, et c'est ça qui compte. Personne n'a envie de la voir finir aux ordures.

— Vous y travaillez encore, Colin ?

— Non. J'ai pris ma retraite il y a quatre ans. Il était grand temps, je dois dire. On est désolés pour ton père, Doug. Vraiment désolés. Il n'a guère eu le temps de profiter de sa retraite, pas vrai ?

— Au moins, ç'a été rapide. Il n'a pas souffert. C'est plutôt une belle mort.

— Et Irene, comment elle s'en sort ?

— Elle s'accroche. Elle aurait vraiment aimé venir aujourd'hui, mais elle vient de se faire opérer de la hanche. Il a fallu que je vienne la semaine dernière pour l'emmener à l'hôpital et tout ça. Finalement, on a opté pour une clinique privée.

149

— Vous avez bien fait. À quoi bon avoir de l'argent si c'est pas pour le dépenser ?

— De toute façon, c'est vers ça qu'on s'achemine », renchérit Sheila. Puis, comme pour détourner la conversation : « On pensait te trouver avec Benjamin.

— Mais il est là, normalement. » Doug regarda autour de lui, et s'aperçut brusquement qu'il n'avait pas vu son ami depuis un quart d'heure. « Il est allé dire au revoir à quelqu'un, mais il a dit qu'il revenait tout de suite. » Il se tourna vers Philip et Carol ; il y avait de l'étonnement dans sa voix, mais teinté d'une exaspération familière. « Quelqu'un a vu Benjamin récemment ? »

*

Malvina n'avait pas tardé à se lasser des discours, Benjamin s'en rendait bien compte. Elle n'était pas venue pour ça. Elle était venue pour être avec Paul ; en partie pour s'assurer que Paul serait présent, et bien visible, mais aussi par simple envie d'être avec lui. Benjamin était bien obligé de se l'avouer, même s'il lui en coûtait. Et le pire, c'est que ça ne changeait en rien ses sentiments pour elle. Lorsqu'elle se tourna vers lui, en plein milieu du discours de Tony Woodley, pour dire : « Je crois que je vais y aller », il la suivit sans réfléchir et la raccompagna jusqu'au parking de Cannon Hill, lui frayant un chemin dans la cohue. « Tu vas rater le reste, lui dit-elle une fois parvenue au portail. Tu devrais aller rejoindre tes amis. » Il hocha la tête passivement. Il avait honte de son attirance pour elle, mais il n'y avait rien à faire. C'était plus fort que lui. Et Malvina dut le sentir, car juste avant de prendre congé elle lui dit une chose étrange, une chose merveilleuse, une chose complètement inespérée. Elle lui dit : « Tu sais, Benjamin, quoi qu'il puisse arriver, quelle que soit l'issue... je serai toujours heureuse de t'avoir connu. Jamais je ne le regretterai. » Et puis elle l'embrassa sur la joue, rapidement, ardemment, et elle fila comme un poisson vers son refuge. Benjamin la regarda disparaître.

Il se dirigea d'un pas traînant vers le podium à l'autre bout du parc, où Doug, Phil et Carol se tenaient aux premières loges. La rhétorique des discours se muait en brouhaha vide de sens, en déluge sonore, dans une langue dont il avait tout oublié — mais que la foule se rappelait, même si les vagues d'acclamations et de huées lui paraissaient complètement prévisibles, complètement robotiques, en réaction au ton et au rythme des voix des orateurs plutôt qu'au contenu de leur discours. En début de journée, il s'était senti impliqué, politisé, mais à présent il sombrait en toute lucidité dans une sorte d'inertie mélancolique, à l'opposé des objectifs de la manifestation. Ça n'allait pas du tout. Il fallait qu'il les rejoigne, qu'il aille au pub avec eux, qu'ils discutent ensemble de la réussite de l'événement et d'une mobilisation à long terme. D'autant que ses parents avaient dû enfin arriver, et qu'ils voudraient peut-être se joindre à eux. Voilà ce qu'il devait faire. C'était la seule attitude digne et raisonnable.

Il retraversa le parking et atteignit la lisière de la foule. Un stand de hot-dogs emplissait l'air d'une odeur de viande et d'oignons, et un homme rubicond aux cheveux blancs, en gilet et haut-de-forme frappés du drapeau britannique, vendait des ballons aux enfants. Benjamin regarda deux petites filles — trois et cinq ans, à vue d'œil — se cramponner solennellement à leurs ballons tandis que leur mère se débattait avec le couvercle d'un Tupperware pour en sortir des sandwiches à la confiture enveloppés dans du film plastique.

L'aînée prit son sandwich et mordit dedans ; mais la tâche était trop ardue pour sa petite sœur. En tendant la main vers son sandwich, elle laissa échapper le fil auquel était attaché son ballon jaune. Il s'éleva aussitôt dans les airs. Elle leva les yeux, le visage momentanément vide de toute expression ; puis elle écarquilla les yeux, horrifiée, les traits figés. « *Ma-man !* » cria-t-elle en tentant de saisir la ficelle, déjà hors de portée. « *MA-MAN !* » Et aux oreilles de Benjamin son cri parut bien plus sonore, bien plus urgent que la logorrhée gutturale qui émanait de la tribune. En voyant ce qui se passait, il se précipita ; il s'entendit dire : « Je vais le rattraper, je vais le rattraper ! » comme si sa voix venait de très loin, et il se mit à courir, filant devant la mère des fillettes qui le regardait ébahie, le prenant pour un fou. La petite fille aussi le dévisageait, mais il ne le remarqua même pas : il avait les yeux rivés sur le ballon, qui dérivait d'un air décidé vers les marronniers du bout du parc. Le ballon prit de la vitesse et Benjamin l'imita, bousculant les rangs serrés des manifestants et heurtant l'épaule d'une femme qui lui cria : « *Putain, ça va PAS, non ?* » Émergeant de la foule en terrain plus ou moins découvert, il esquissa un sprint, mais il était trop tard. Le ballon jaune ne cessait de s'élever ; il s'accrocha brièvement dans une branche, mais se dégagea et prit son envol dans le ciel gris d'avril en loopings innombrables, jusqu'à ce qu'il rapetisse et s'estompe, se fonde lentement dans l'horizon infini, ne laissant derrière lui qu'un point jaune incandescent gravé dans la rétine et un sentiment de perte lancinant, insoutenable...

Benjamin rejoignit la petite famille d'un pas mal

assuré et hoqueta, à bout de souffle : « Je n'ai pas réussi à l'attraper. J'ai essayé, mais il allait trop vite.

— Ce n'est pas grave, répondit froidement la mère. Ça n'était qu'un ballon. Je lui en rachèterai un. »

Il regarda la petite fille. Ses yeux étaient emplis de larmes, mais continuaient à le dévisager fixement, méfiants, effarouchés.

« Je suis désolé, dit Benjamin. Je suis vraiment désolé. »

Et il tourna les talons et, pour la dernière fois, s'éloigna de la foule.

– – – – – Message original – – – – – –
De : Malvina
À : Doug Anderton
Envoyé : Mercredi 19 avril 2000 01:54
Sujet : Nouvelle

Cher Doug

J'ai longuement réfléchi avant de t'envoyer
ceci, mais j'ai fini par décider de prendre ma vie
en main.

N'essaie pas de lire entre les lignes. C'est un texte de
* fiction *, même si on écrit forcément sur les gens qu'on
connaît et les choses qu'on a vécues. Je n'avais que
l'embarras du choix entre tous mes fragments de nouvelles
— ça fait trois ans que j'y travaille à intervalles
irréguliers — et faute de me décider je t'envoie finalement
la dernière en date. Je l'ai terminée il y a à peine trois
semaines.

Je ne m'attends certainement pas à ce que tu la publies.
Je sais que tu n'en as ni la place ni l'envie (ni la
liberté éditoriale?). Simplement, j'aimerais avoir ton
opinion, parce que je t'ai toujours trouvé * simpatico * et
que tu es la seule personne de ma connaissance qui ait le
moindre rapport avec le milieu éditorial. Si tu trouves ça

nul (ce qui est probable), je t'en prie, efface-le, et PAR PITIÉ ne le montre à personne.

J'ai l'impression qu'il s'est passé des siècles depuis la manif pour Longbridge. Paul te salue, et te félicite pour ton nouveau poste. Il espère que tu t'y plais.

Je t'embrasse
Malvina x

– – – – – TEXTE À SUIVRE – – – – – – – – – – –

MANIFESTATIONS

1.
Elle se perd.
Elle se trompe de sortie et fait plus d'un kilomètre dans une brume qui vire au crépuscule.
Elle a les cheveux mouillés, emmêlés. Ses bas humides lui collent aux jambes.
Elle est partie en avance. Elle aurait pu rester plus longtemps, fondue dans la foule, écouter les discours, avec ces gens qu'elle commence à considérer comme des amis, avec cet homme qui la convoite du regard, cet homme à qui elle cache des choses, cet homme dont elle se sent incroyablement proche.
Elle ne veut pas se fondre dans la foule. C'est l'une des raisons. Il n'y en a pas beaucoup d'autres (des raisons), se dit-elle parfois.
Les nuages se dissipent. Une lune crémeuse s'élève. Elle fait demi-tour, revient sur ses pas.
En marchant, elle sent monter en elle un appétit ardent. Il devient plus intense, plus douloureux à l'approche de la maison. Elle ressent cet appétit quand elle est avec lui. C'est une sensation nouvelle pour elle. C'est ce qui la fait revenir, sans doute, contre tous ses instincts. Parfois c'est une pression sur le cœur, parfois un vide au creux de l'estomac, parfois une béance délicieuse entre ses jambes, qui réclame d'être remplie. Pourquoi est-ce lui, entre tous, qui lui inspire cet appétit? C'est un grand mystère, un beau mystère.

155

Parce qu'ils se ressemblent comme des âmes sœurs ?
Sûrement pas.

2.

Ce n'est pas une maison, c'est une grange. Plus personne
ne veut habiter dans une maison. Les gens veulent habiter
dans des granges, des entrepôts, des moulins, des églises,
des écoles, des chapelles, des brasseries. Mais surtout
dans des granges. Une maison, ça n'est plus assez bien,
pas pour ces gens, pas pour ceux que nous sommes
devenus à force de prospérité. À cette pensée, elle est
obligée d'ajouter : je ne me dissocie pas, je ne m'excepte
pas. On est tous dans le même bain. Moi-même,
j'aimerais bien habiter ici.
Elle aimerait bien habiter ici, mais hélas quelqu'un lui a
piqué la place. Telle Boucles d'Or (aux cheveux de jais),
elle se mord la lèvre et contemple les photos de sa
femme, les photos de sa fille. Les Barbie par terre, les
nounours sur le lit, le petit trampoline dans le jardin. Et
elle sera stupéfaite, plus tard dans la soirée (après avoir
repris du vin, et dégusté le dîner qu'elle aura préparé elle-
même : de la bouillabaisse, la recette préférée de sa
mère, en insistant sur l'ail et le safran, la recette qui ne
manque jamais de l'apaiser), d'apprendre qu'il veut
qu'elle dorme dans le lit de sa fille. Il veut qu'elle dorme
sous une couette brodée de fées, dans une chambre
ornée de posters des Teletubbies. Dans un lit si petit que
ses pieds dépassent. Peut-être que c'est un fétichiste des
pieds, qui compte venir les lui caresser en pleine nuit. Ou
peut-être (ah ! ah !) qu'il boude parce qu'elle refuse de
dormir dans le même lit, et que c'est sa punition. Jamais il
ne l'avouera. Il se contente de dire : Il ne faut pas que
quelqu'un dorme dans la chambre d'amis. Ça éveillerait
les soupçons.
Elle se dit que personnellement il est un peu tard pour ce
genre de subtilités.
Mais tout ça viendra plus tard. Pour l'heure, elle sirote
son vin amer et citronné et le regarde, à quatre pattes,
bâtir une pyramide de bois dans la cheminée, puis

craquer une allumette et pousser un ululement satisfait
lorsque les flammes s'élèvent et se cabrent, dansant bien
droites au milieu de l'âtre. Quelques minutes plus tard,
quand le feu sera mourant, affaissé, réduit à une lueur
froide, il recommencera à bouder en disant que le bois
est humide.

3.
Elle se métamorphose et se scinde en deux. C'est un don.
Ce n'est pas le seul.
Ils sont assis sur le canapé, préservant une distance
pudique de vingt centimètres, et agitent leurs verres en
silence. Ils ont travaillé — le travail est leur alibi — et à
présent il faut meubler ces minutes redoutables avant
d'aller au lit. Elle regarde le feu, le tapis devant le feu, et
elle sait qu'il aimerait la voir allongée sur ce tapis, levant
les yeux vers lui. Elle aussi, elle aimerait être allongée là.
Allongée sur ce tapis, lever les yeux vers lui, sentir un
picotement dans ses veines à l'idée du pouvoir qu'elle
exerce sur lui, effleurer sa jambe du bout de son pied
déchaussé, lui écarter les jambes, laisser remonter son
pied le long de ses cuisses, jusqu'au cœur de son être, si
faible, si malléable.
Et tandis qu'elle lui écarterait les jambes et laisserait
remonter son pied, elle se regarderait faire, son autre moi
assis à côté de lui sur le canapé, préservant une distance
pudique de vingt centimètres, et elle se dirait : Qu'est-ce
que tu fabriques ? Qu'est-ce que tu FOUS ? Et la femme
sur le canapé toiserait la femme sur le tapis, et cette
femme excitée et lubrique qui laisse sa jupe remonter sur
ses cuisses, découvrant la pâleur lumineuse de sa peau,
lui expliquerait :
Toute ma vie, mon rôle a été de veiller sur les autres. Du
plus loin que je me souvienne. J'ai vingt ans et je n'ai
jamais appris à aimer les autres, seulement à veiller sur
eux. C'est le rôle que m'ont attribué mes parents. Ma
mère, plus exactement. Dans ma courte vie d'adulte deux
hommes m'ont baisée, et après m'avoir baisée ils m'ont
quittée parce qu'ils ne voulaient pas que je veille sur eux.

Je les faisais chier à force de vouloir veiller sur eux mais je ne peux pas m'en empêcher parce que c'est tout ce que je sais faire. Et dans cet homme je sens un besoin. Un besoin que je crois pouvoir satisfaire comme personne, je crois. Et c'est cela qui m'attire vers lui et qui me fait le désirer et je crois que c'est là le seul désir que je connaisse et que je connaîtrai jamais.

Et la femme sur le tapis se redresse et tire pudiquement sa jupe sur ses genoux et elle dit :

Je crois que tu déconnes.

Et elle ajoute :

Je crois que tu recherches un père.

4.

Il est plus de minuit. Peut-être une heure et demie, peut-être deux heures. Elle n'arrive pas à dormir, et comme la chambre de sa fille lui paraît étouffante elle a ouvert la fenêtre et elle fume une cigarette en regardant la nuit, et elle joue à faire des lucioles dans le noir.

Cet endroit est tout noir. Ça lui fait peur. Des renards hurlent dans la nuit, mais on n'est ni en ville ni à la campagne. Elle a vécu en ville et elle a vécu à la campagne, elle a vécu dans beaucoup d'endroits très différents, et même sur des continents différents, mais jamais elle n'a eu aussi peur qu'ici. Ces lumières dispersées dans le lointain. Le long silence indifférent, le silence absolu de cette nuit des Midlands.

Le cœur de l'Angleterre.

La porte s'ouvre en chuchotant et il apparaît devant elle, comme dans un cadre, éclairé à contre-jour par la lumière tamisée du palier. Elle écrase sa cigarette, se retourne, se dirige vers lui. Elle ne porte qu'un débardeur et une culotte de coton blanc, et cette tenue a beau lui paraître la moins érotique qui soit, elle le sent excité à sa vue. Elle sent son regard attiré vers ses seins menus, aux pointes durcies par le froid de la nuit. Il s'avance et pose la main sur sa joue, suit la courbe de sa mâchoire, le contour de son cou gracile. Elle a envie de réagir, de ronronner et de lui rendre sa caresse avec sa joue comme une chatte

voluptueuse. Mais quelque chose l'en empêche. Elle lui dit
non, et quand pour la cinquantième fois il lui demande
Pourquoi, voilà tout ce qu'elle trouve à répondre :
Parce que ce n'est pas à moi de détruire tout ça.
Et elle ajoute :
Il faut que ce soit toi.

19

Doug lut la nouvelle de Malvina d'un œil torve, vers deux heures et demie du matin, quarante minutes environ après l'envoi du message. Ranulph venait de se réveiller pour la troisième fois, et il avait emmené le nourrisson geignard et affamé de sommeil dans la cuisine pour y récupérer les réserves de lait de Frankie, avant de s'installer à son bureau et de consulter ses e-mails pendant que son fils tétait bruyamment le biberon, jusqu'à ce que ses yeux se referment et que sa respiration vire à la houle lente et régulière d'un ronflement de bébé. Tandis que l'enfant pesait sur son bras gauche, Doug, d'une seule main, entreprit laborieusement d'accomplir quelques opérations informatiques. Il créa un répertoire intitulé « Trotter » et y enregistra la nouvelle de Malvina. Puis il créa un nouveau fichier intitulé « Notes Malvina », l'enregistra dans le même répertoire et tapa quelques phrases :

M a passé la nuit dans la maison de PT le 1er avril 2000
A l'air traumatisée. Est-ce qu'il abuse de sa jeunesse /
naïveté / vulnérabilité ?
Liaison = de quoi ruiner sa carrière, à ce stade ?

Là-dessus, il se sentit à son tour gagné par le sommeil. Il éteignit l'ordinateur, recoucha Ranulph dans son berceau, regagna sa chambre sur la pointe des pieds, se lova tendrement contre les courbes et les replis de Frankie, et ne repensa plus à cette histoire pendant quelques jours.

*

Il avait toujours sa place aux conférences de rédaction, mais il commençait à se demander si ça valait la peine d'y participer. Généralement, il était le dernier consulté. Et parfois, faute de temps, les pages littéraires n'étaient même pas évoquées.

Le mardi suivant, par exemple, l'industrie était en tête de l'ordre du jour. Le rédacteur en chef arriva en retard, comme d'habitude, s'affala dans son fauteuil pivotant et fit face à un cercle de visages quêtant son attention avec une nervosité variable selon l'âge, l'expérience et le caractère. « O.K., James, commença-t-il. Qu'est-ce que tu as à me proposer ? »

James Tayler, le nouveau rédacteur de la rubrique Entreprises, avait onze ans de moins que Doug. Diplômé en économie de King's College, à Cambridge, il travaillait au journal depuis moins de deux ans.

« Rover : l'heure de vérité, proclama-t-il de sa voix franche et assurée. Alchemy Partners a jusqu'à vendredi pour finaliser son offre. On devrait en avoir le cœur net aujourd'hui. J'ai pensé qu'on pourrait faire un portrait de leur patron : l'homme qui va diriger Rover, ce genre de truc.

— Donc c'est dans la poche ?

— Ça m'en a tout l'air. »

Le rédacteur en chef ne souriait jamais. Néanmoins, exceptionnellement, une lueur malveillante pouvait illuminer son regard; ce fut le cas ce matin-là. « Tu insinues, dit-il (sans regarder Doug en face, ni même dans sa direction, mais en faisant bien comprendre qu'il s'adressait à lui), que cette merveilleuse manif à marquer d'une pierre blanche n'a absolument rien changé ?

— Faut croire que non, répondit James.

— Ben alors ? Ils ne lisent donc pas le *Evening Mail* à Munich ? Ça a pourtant fait la une, si je ne m'abuse. Rappelez-moi... qui c'est qui avait fait le papier ? »

Silence gêné, quelques gloussements timides.

« Il y a une offre concurrente », fit remarquer Doug d'une voix calme.

Le rédacteur en chef se tourna vers lui. « Je te demande pardon ?

— C'est pas encore dans la poche. Il y a une offre concurrente. »

Feignant la surprise, le rédacteur demanda : « Tu étais au courant, James ? T'as bien dû en entendre parler, si la nouvelle est parvenue jusqu'à notre correspondant au pays des belles lettres.

— Oui, reconnut James, il y a un groupe d'entrepreneurs locaux qui se sont baptisés le Phoenix Consortium. Ils croient pouvoir sauver l'entreprise et maintenir une production de masse. Des poids lourds, d'ailleurs. Avec à leur tête John Towers, l'ancien directeur général de Rover.

— Alors il faut les prendre au sérieux ? »

James secoua la tête. « Ça risque pas d'arriver. Ils n'ont pas eu assez de temps pour préparer leur offre, ils n'ont pas eu accès aux livres de comptes de BMW. Et surtout, ils n'ont sans doute pas assez d'argent.

— Stephen Byers les soutient », intervint Doug.

De nouveau le rédacteur pivota. « Pardon ?

— Le secrétaire d'État au commerce et à l'industrie les soutient, si on en croit la rumeur.

— C'est vrai, concéda James. Mais Blair a bien fait comprendre qu'il ne fallait pas compter sur leur aide. » Il consulta ses notes. « Lundi 3 avril, je cite : "Si par le passé les gouvernements des deux bords ont été tentés de 'sauver' une entreprise en difficulté, notre rôle nous paraît aujourd'hui d'aider à armer les personnes et les entreprises pour la nouvelle économie, d'encourager l'innovation et l'initiative, d'améliorer l'éducation et la formation et d'élargir l'accès aux nouvelles technologies."

— Bref, les conneries néotravaillistes habituelles, grommela le rédacteur. Ce qui en d'autres termes signifie : Allez vous faire foutre, vous n'aurez pas un sou. Bien. Donc c'est Alchemy qui va emporter le morceau, et cette semaine on publie un portrait de leur patron.

— Je ne m'avancerais pas... commença Doug.

— Douglas, on va rompre avec la tradition et continuer par ta rubrique, d'accord ? Je ne voudrais pas te retenir plus longtemps que nécessaire. À chaque courrier tu dois recevoir de nouveaux romans, et il y a sûrement des chefs-d'œuvre qui t'attendent. C'est quoi, l'ouverture de rubrique, cette semaine ? »

Doug prit une profonde inspiration et tenta de se calmer. Il se sentait prêt à en venir aux mains. Il savait qu'il était à bout, qu'il ne pouvait plus supporter tout ça, que dans quelques jours il ne serait plus là. Mais puisque c'était la fin d'une relation de travail de huit ans, il comptait sortir dignement, dans les formes. Il irait au terme de la conférence, puis il quitterait l'immeuble pour réfléchir à la suite des événements.

163

« Michael Foot, répondit-il d'une voix parfaitement maîtrisée. Michael Foot parle de Jonathan Swift. »

L'éditeur le dévisageait d'un œil vide.

« Un auteur du dix-huitième siècle, expliqua Doug. *Les Voyages de Gulliver*.

— Ça nous rajeunit pas, hein?

— C'est un classique intemporel.

— Non, je parle de Michael Foot. *Michael Foot?* Putain, il est *né* au dix-huitième siècle! Il avait déjà du mal à tenir debout quand il était président du parti travailliste, et ça remonte à vingt ans, merde! Et en musique, on titre sur quoi? La mode du ragtime? *Michael Foot?* Tu te fous de ma gueule. Et quoi d'autre?

— Une biographie de Francis Piper. J'attends l'article.

— Jamais entendu parler de lui. Ou d'elle. Dis-moi que c'est une femme. Dis-moi qu'elle a vingt ans, que c'est un canon et qu'on peut publier une photo sur une demi-page.

— C'est un poète. Un homme. Mort. Blanc. Plutôt respecté.

— "Plutôt respecté." Ça, c'est du gros titre. On va augmenter le tirage de 50 000. Qui c'est qui fait l'article?

— Benjamin Trotter.

— Connais pas.

— Le frère de Paul Trotter. »

Le rédacteur ouvrit la bouche, puis se ravisa. Il prit un stylo qu'il se mit à suçoter. Puis il finit par dire : « Tu sais, Doug, pendant une seconde, j'ai cru que tu allais être utile à quelque chose. J'ai cru que tu allais me dire que *Paul* Trotter avait fait un papier pour toi. Ça, ç'aurait été intéressant. On a tous entendu parler de Paul

Trotter. On l'a vu à la télé, on l'a entendu à la radio. Il est jeune, il est sexy, il est tendance. Paul Trotter, c'est de l'*actu*. Tu permets que je fasse un peu de théorie ? Le *frère* de Paul Trotter... » (et il arbora le plus courtois, le plus venimeux des sourires) « ... c'est pas de l'actu. Dans la séquence Culture, on va pas chroniquer une expo de la *sœur* de Damien Hirst. On va pas chroniquer un film de la *tante* de Tarantino. Dans les pages Éco, on va pas faire l'ouverture sur le *neveu* de Gordon Brown. Tu vois ce que je veux dire ? » Sa voix enfla jusqu'au cri : « Dans ce journal, on veut des personnalités. On veut des célébrités. On veut pas leur petite famille. D'accord ? »

Doug se leva, rassembla ses quelques papiers et dit : « Je les connais tous les deux. Benjamin est l'un des hommes les plus intelligents et les plus talentueux que j'aie jamais rencontrés, et il se trouve simplement que personne ne lui a donné sa chance. Paul Trotter, c'est un moins que rien. Un moins que rien célèbre, soit, mais si les gens qui ont voté pour lui apprenaient ses véritables opinions, il ne tarderait pas à retomber dans l'obscurité. Et Jonathan Swift est l'un des plus grands écrivains de toute l'histoire de la langue anglaise et Michael Foot connaît son œuvre mieux que quiconque et à mes yeux son papier c'est de l'*actu*. Et si incroyable que ça puisse te paraître, c'est justement le genre d'actu qui intéresse *tes* lecteurs : ils en ont rien à foutre qu'une chanteuse à peine pubère se fasse engrosser ou que Paul Trotter se tape ou non son assistante. »

Soudain, tous les regards qui s'étaient détournés de Doug convergèrent en chœur dans sa direction.

« Je n'ai rien dit, balbutia-t-il après un silence stupéfait.

— Qu'est-ce que tu viens de dire ? demanda le rédacteur en chef.

— Rien. Rien du tout.

— Tu as bien dit que Paul Trotter se tapait son assistante ?

— Non. »

Le rédacteur pivota dans son fauteuil et regarda droit dans les yeux sa principale commentatrice politique.

« Laura, est-ce que Paul Trotter a une assistante ?

— Il a une conseillère médiatique.

— Tu l'as rencontrée ?

— Oui.

— Elle est jeune ? Elle est jolie ?

— Oui.

— Débrouille-toi pour savoir s'il se la tape.

— O.K.

— C'est excellent, Douglas, dit le rédacteur en chef en re-pivotant, tu viens d'illuminer ma journée. »

Mais Doug n'était plus là pour recevoir le compliment.

*

Il découvrit à sa grande surprise que Malvina et lui étaient presque voisins. Il l'appela l'après-midi même et, alors qu'ils essayaient de choisir un lieu de rendez-vous, elle révéla qu'elle habitait Pimlico, à moins de deux kilomètres de son enclave de Chelsea. Comment une étudiante avait-elle les moyens de loger dans un tel quartier ? Chaque nouveau détail concernant Malvina ne faisait qu'aiguiser sa curiosité. Ils convinrent de se retrouver en fin de journée au sous-sol du café Oriel, à Sloane Square. Il se contenta de lui dire qu'il voulait discuter avec elle de sa nouvelle ; il se garda bien de dévoiler ses autres motifs. D'ailleurs, Doug lui-même n'était pas sûr de les comprendre.

Il arriva en avance et commanda un double whisky,

qui viendrait s'ajouter aux six ou sept qu'il avait déjà bus cet après-midi. Non qu'il fût ivre, ni même gris. Personne ne l'avait jamais vu ivre. Il n'était jamais saoul et n'avait jamais la gueule de bois. Jamais ; pas même quand il était au lycée. En revanche, l'alcool lui déliait la langue, et lui faisait dire des choses qu'il n'aurait jamais dites à jeun.

« Il faut que je te pose une question, lança-t-il avant même que Malvina ait pu enlever son manteau. Pourquoi tu m'as envoyé cette nouvelle ? Qu'est-ce qui t'est passé par la tête pour faire une chose pareille ? »

Sur quoi le visage de Malvina, si fin et si frêle et si mélancolique déjà en temps normal, n'exprima plus que l'abattement.

« C'est vraiment si nul que ça ? À ton avis ?

— Écoute, Malvina : la littérature, j'y connais que dalle. Si je suis à ce poste, c'est uniquement par punition. Je ne te parle pas de style ni de forme. Je te parle du contenu. C'est tellement... révélateur.

— C'est juste une histoire. Que j'ai inventée. » Mais elle vit aussitôt qu'il n'en croyait rien. « D'ailleurs, tout ce qu'on écrit est révélateur. C'est bien le but même de l'écriture, non ? On est censé exprimer sa vérité. Sans ça, quel est l'enjeu ?

— L'enjeu, c'est que suis journaliste. Si tu as une liaison avec Paul, c'est surtout pas à moi qu'il faut en parler.

— Mais je n'ai pas de liaison avec lui, se récria-t-elle.

— Mouais... bref, on y reviendra. » Il la regarda faire la grimace en buvant une gorgée. Elle aussi avait pris un whisky. « Est-ce que quelqu'un du journal t'a appelée cet après-midi ?

— Oui.

— Qui ça ? Laura ?

— Comment t'as deviné ? Elle est sympa, j'ai déjà eu affaire à elle.

— Qu'est-ce qu'elle voulait ?

— Un peu comme toi : qu'on prenne un verre ensemble. Elle n'a pas voulu me dire pourquoi. Je la vois demain.

— Mmm. » Il se cacha le visage dans ses mains ; il ne voyait pas comment aborder le sujet. Autant y aller de front. « Malvina... il y a des rumeurs qui circulent sur Paul et toi. C'est pour ça qu'elle veut te voir.

— Oh. » Elle se figea à mi-gorgée, reposa son verre. « Merde.

— Merde. C'est le mot.

— Comment c'est arrivé ? »

Malgré le whisky, Doug se révéla incapable de lui avouer son rôle dans cette affaire. « Ça t'étonne ? se contenta-t-il de dire. Les journalistes ont un sixième sens pour ce genre de trucs. Tu as donné à Paul un pro-fil médiatique : un vrai succès, je dois dire. Mal-heureusement, ça se paye. Les gens se mettent à... à fouiner.

— Mais on n'a pas de liaison.

— Tu as dormi chez lui. Alors que sa femme et sa fille étaient absentes, et qu'elles n'étaient même pas au courant.

— *Dormi. Dormi*, voilà le mot important. On n'a rien fait de mal.

— Allez, arrête... »

Il la quitta d'un air de reproche pour aller comman-der deux autres whiskys.

Malvina tenait moins bien l'alcool que lui. Au bout de quelques verres, sa voix se fit pâteuse, son regard vague et vitreux, perdu dans le lointain. Elle avait une main sous le menton, une cigarette dans l'autre. Le brouhaha environnant des branchés du quartier était si fort qu'ils devaient quasiment crier pour se faire entendre. La seule solution était de se pencher l'un vers l'autre, dans un simulacre d'intimité amoureuse. Ce qu'ils finirent par faire.

« Comment tout ça a commencé, d'ailleurs ? lui demanda Doug. Comment t'as été bombardée conseillère médiatique, à ton âge ?

— Tout ça n'est qu'une vaste blague. » (Une blague pas très drôle, à en juger par le ton de sa voix.) « Un horrible malentendu. C'est comment, la chanson ? "Ça n'était pas censé arriver." Qui c'est qui chante ça, déjà, Björk ? Bref, c'est l'impression que ça donne. Rien de tout ça n'était censé arriver. Et je ne suis pas sa "conseillère médiatique". Il ne devrait même pas me payer. J'ai juste réussi à le faire inviter à *une* émission de télé, et seulement parce que je connais le connard de producteur. Le reste, c'était une question de bon sens.

— Une denrée rare et précieuse, dans le cas de Paul. Il en est cruellement dépourvu. Mais comment ça a commencé ? Comment tu l'as rencontré ?

— Par Benjamin. » Elle prit une taffe, frotta du pouce son œil fatigué. « Je logeais... j'allais à Birmingham... assez régulièrement... je logeais chez des amis. Je me suis mise à fréquenter le coin café de Waterstone, et je voyais tout le temps Benjamin là-bas, et de fil en aiguille... on a commencé à discuter. D'abord de littérature, et puis il m'a parlé du livre qu'il écrit, et je lui ai parlé des trucs que j'écris, et puis... Un jour, il a fait allusion à son frère, et... j'avais dû voir la photo de Paul dans le journal... ou je l'avais vu à la télé, et... il faut croire que déjà à l'époque il me plaisait bien... Et Benjamin... Benjamin essayait toujours de me rendre service... Il essaie encore, d'ailleurs... Il espère qu'en m'aidant, il... Enfin, je ne sais pas ce qu'il espère. Benjamin a l'air de traverser une petite... crise... personnelle.

— Benjamin est amoureux d'une autre femme. C'est triste à dire, mais il est resté amoureux d'elle pendant toutes ses années de mariage. Une fille qu'il connaissait au lycée. »

Le regard de Malvina retrouva sa netteté et vint se fixer sur Doug, comme si c'était la première chose intéressante qu'il disait depuis le début de la soirée. « Il te l'a dit ? Il me l'a dit aussi.

— Oh, ce n'est un secret pour personne, malheureusement. Benjamin essayait de s'en remettre quand il a épousé Emily. Le problème, c'est qu'il ne s'en est toujours pas remis. Il essaiera encore de s'en remettre quand il aura soixante-dix ans, le pauvre couillon. S'il arrive jusque-là sans se foutre en l'air. » Il sourit sans joie, conscient qu'il n'aurait pas dû dire ça. « Continue.

— Donc, il me propose de me présenter à son frère... pour me rendre service. Ce n'est même pas moi qui lui ai demandé, je crois. Cela dit, l'idée m'a tout de suite plu. C'était censé m'aider à écrire mon mémoire... que je n'ai toujours pas réussi à écrire. Le moins qu'on puisse dire, c'est que ça ne m'a pas aidée. Ça m'aurait même plutôt handicapée... Bref, Paul et moi, on se rencontre, et... *bingo*... »

Elle eut un sourire gêné, gaffeur, comme pour dire je-l'ai-pas-fait-exprès. Doug fut incapable de le lui rendre.

« Je suppose, reprit-elle en rassemblant ses forces pour une révélation tonitruante, je suppose que je suis amoureuse de lui.

— Merde.

« — Merde. Encore une fois. C'est le mot de la soirée, hein ? » Doug paraissait éberlué, réduit au silence. « Tu dois trouver que j'ai mauvais goût.

— Hé ! On a tous besoin de quelqu'un à aimer. Le cœur a ses raisons, et cetera, et cetera. Et je comprends qu'on puisse le trouver pas mal.

— Ouais, mais... vous ne l'aimez pas, au fond. Personne ne l'aime. Avoue-le.

— Je n'aime pas ses opinions politiques, c'est tout. Et je trouve qu'il s'est laissé aller à la malhonnêteté, à cause de cette... situation bizarre où tout ce pays s'est laissé entraîner.

— Qu'est-ce que tu veux dire ?

— Je veux dire que si jamais les citoyens apprenaient ce qu'il pense vraiment... eh bien, ils comprendraient. Parce que la plupart d'entre eux croient encore avoir voté pour la gauche. Alors qu'en réalité ils ont voté pour cinq ans de thatchérisme. Dix ans. Peut-être même quinze. » L'ironie de la chose lui arracha un petit rire, mais parut échapper à Malvina. « En tout cas, c'est pour ça qu'il ne sait jamais quoi dire quand on lui fourre un micro sous le nez. Et c'est pour ça qu'il a besoin de toi. Sérieusement. Tu l'as transformé. Métamorphosé.

— Oh, c'est sûr, il a *besoin* de moi. Il a besoin de mes... *services*. Et pour couronner le tout, il a passionnément envie de coucher avec moi. Mais ce n'est pas ce que je veux.

— Tu veux la lune, hein ? »

Malvina tenta de boire, sans se rendre compte que son verre était vide. « Cette femme n'est pas faite pour lui. Ce n'est pas la femme qu'il lui faut. Tu n'es pas d'accord ? »

Ils se regardèrent fixement pendant quelques secondes.

« Je ne saurais en juger, finit par dire Doug. Et ce n'est pas à toi de le faire. »

Il s'efforça de déchiffrer son expression, qui paraissait totalement vide. Ses paupières tombaient. Et puis, d'un seul coup, il vit les larmes enfler, et Malvina fut secouée de sanglots.

« Je suis naze, ne cessait-elle de répéter. Je suis vraiment naze.

— Malvina...

— C'est toi qui as raison. Je n'aurais pas dû te faire lire cette nouvelle. J'ai vraiment fait une connerie.

— T'inquiète pas pour la nouvelle... Cette nouvelle...

— Va me chercher à boire.

— Je ne crois pas que ce soit une bonne idée.

— Un seul verre. S'il te plaît. Et après je rentre. »

Il soupira et dit, sachant qu'il commettait une erreur : « Un seul. Et pas un double.

— Merci. Je vais me calmer, maintenant. » Elle sortit un kleenex de son sac et se mit à s'éponger les yeux et les joues maculées de mascara.

Doug revint avec deux verres.

« Et tes parents, ils sont où ? demanda-t-il.

— Mes parents ? Qu'est-ce qu'ils viennent faire dans cette histoire ?

— Peut-être que tu devrais rentrer chez toi quelques jours. Prendre tes distances avec Paul. Te donner le temps de réfléchir.

— J'ai déjà pris mes distances. On s'est presque pas vus depuis trois semaines.

— Mais quand même. Ça te ferait du bien, la chaleur du foyer. »

Elle répondit sèchement : « Premièrement : l'endroit où habitent mes parents — ou plutôt l'endroit où habite ma mère, avec son cinquième ou sixième ou quatre-vingt-dix-septième petit copain à la con —, c'est pas mon foyer. Et deuxièmement : ça n'a rien de chaleureux.

— Et ils sont où ?

— En Sardaigne. Il tient un hôtel là-bas. Cinq étoiles, le genre d'endroit où descendent les stars de cinéma. Nous-mêmes, on y logeait, d'ailleurs. C'est comme ça qu'elle l'a rencontré.

— Tu n'as pas les moyens de te payer le billet d'avion ?

— Oh, je suis sûre qu'il me l'offrirait, au besoin. Après tout, c'est dans son appartement — *l'un* de ses appartements, plutôt — que j'habite en ce moment. Mais je ne vais pas y aller. Plutôt crever.

— Et ton père... ton vrai père ? »

Elle secoua la tête. « Je ne l'ai jamais connu. Tout ce que je sais de lui, c'est ma mère qui me l'a raconté. C'était un artiste, un décorateur de théâtre. Un génie absolu, selon elle. Ils se sont séparés avant même ma naissance, et puis, dans les années 80, elle a appris qu'il était mort du sida. » Elle avait déjà fini son whisky. Elle lança à son verre vide un regard perplexe, comme si elle ne se rappelait pas l'avoir bu. « Pourquoi je descends cette saloperie plus vite que toi ? Est-ce que tu es un de ces hommes qui font semblant de boire mais qui en fait attendent que la femme soit bourrée pour abuser d'elle ?

— Ce n'est pas moi qui abuse de toi. »

Elle le foudroya du regard, et il crut un instant qu'elle allait se remettre à pleurer. Mais elle s'avachit par-dessus la table et posa la tête sur son épaule. Il ne savait pas si c'était de la drague ou de l'épuisement.

« Malvina... commença-t-il. Qu'est-ce que tu fabriques, au juste ?

173

— Ça, murmura-t-elle en articulant chaque mot avec une précision d'ivrogne, c'est-la-question-du-super-banco.

— O.K. Je vais te ramener chez toi.

— Bravo. T'es un gentleman. Et ça se fait rare. »

Il se leva, non sans mal, car Malvina persistait à s'appuyer sur lui. Il prit leurs manteaux et, passant le bras autour de ses épaules étroites, presque squelettiques, il fit de son mieux pour l'acheminer jusqu'en haut de l'escalier. Elle trébucha sur la dernière marche et s'étala de tout son long. Doug la releva et l'épousseta en marmonnant des excuses aux clients, priant le ciel pour qu'il n'y ait parmi eux aucune amie de sa femme.

Une fois dehors, par miracle, il ne lui fallut que quelques secondes pour trouver un taxi.

« Pimlico », dit-il au chauffeur, et une fois monté il parvint à soutirer à Malvina l'adresse complète, qu'elle lui chuchota au creux de l'oreille.

Le trajet ne prit que cinq minutes. En descendant du taxi, Doug tenta de repérer d'éventuels journalistes aux aguets : apparemment, on n'en était pas encore là. Il paya la course, laissa un pourboire princier, puis drapa de son manteau une Malvina à peine consciente et fourragea dans les poches à la recherche des clefs.

Elle habitait, comme il s'y attendait, dans un luxueux immeuble résidentiel avec portier. Doug fit de son mieux pour éviter le regard curieux de ce dernier, tandis qu'il la guidait vers l'escalier en passant devant la réception. Le portier cria : « Bonne nuit, mademoiselle ! » lorsqu'ils entamèrent leur montée, mais Malvina ne répondit pas.

La déco du salon était coûteuse et neutre ; il n'y avait guère que quelques livres, et des piles vacillantes de journaux et de magazines, pour dissiper l'impression qu'ils se trouvaient dans un quelconque hôtel inter-continental. Malvina ne parlait plus, et Doug dut devi-ner l'emplacement de la chambre. Elle était beaucoup plus petite, plus intime, plus chaotique. Dans un coin, le bureau disparaissait sous les papiers, les disquettes et un ordinateur portable encore allumé : des pois-sons bariolés de dessin animé quadrillaient l'écran en escadres aléatoires, émettant des borborygmes synthé-tiques.

« Tu devrais boire un peu d'eau », lui dit Doug, mais dans un mouvement aussi brutal qu'inattendu Malvina lui lâcha la nuque et s'affala sur le lit. Les yeux hermé-tiquement clos, elle se roula en boule, en position fœtale, et puis plus rien. Plus rien jusqu'au matin.

Les jours suivants, Doug et Frankie eurent des invités.

Malvina l'appela le lendemain matin pour s'excuser et le remercier d'avoir pris soin d'elle si gentiment. Il renouvela sa suggestion : pourquoi ne partirait-elle pas quelque temps, chez ses amis de Birmingham par exemple ? Elle lui répondit qu'ils n'y habitaient plus, qu'ils avaient quitté l'Angleterre. Il n'y avait personne, vraiment personne à qui elle puisse imposer sa présence. C'est ainsi que Doug l'invita à passer quelques jours chez eux. Elle apporta un tout petit sac et ne resta que deux nuits, passant le plus clair de son temps dans la cuisine à siroter du café brûlant et à regarder Ranulph et Coriander semer le chaos autour d'eux. Elle discuta beaucoup avec Irina et les autres membres plus éphémères du personnel des Gifford-Anderton, moins avec Doug et Frankie. L'après-midi du jeudi 27 avril, apprenant qu'Irene, la mère de Doug, venait pour le week-end et idéalement souhaiterait coucher dans sa chambre, elle les remercia avec effusion, leur offrit un paquet de cellophane enrubanné contenant douze chocolats à la cardamome d'un confiseur local, au prix prohibitif, et s'en alla. Elle avait l'air d'avoir le moral. Pas une fois durant son séjour elle n'avait fait allusion à Paul.

Doug alla chercher sa mère à la gare de Euston le vendredi après-midi. Cela faisait quatre semaines qu'elle avait été opérée de la hanche, et elle semblait déterminée à prouver sa mobilité. En temps normal, ils auraient pris le métro jusqu'à Chelsea, mais cette fois Doug insista pour qu'ils rentrent en taxi ; elle garda l'œil rivé sur le compteur, incrédule, grimaçant chaque fois que le prix de la course montait d'une livre.

« Dix-sept livres ! répétait-elle encore et encore tandis que Doug remontait l'allée du jardin, sa valise à la main. Avec ça, j'avais de quoi vous nourrir une semaine, du temps où tu allais au lycée ! »

L'absurdité du coût de la vie dans ce quartier de Londres fut comme toujours un leitmotiv du week-end. Tous les pubs où naguère les personnes âgées venaient boire un verre dans un cadre familier s'étaient refait une beauté ces dernières années : on avait abattu les cloisons pour offrir de grands espaces ouverts où de jeunes cambistes et agents immobiliers pouvaient boire de la bière importée de Hollande ou de Belgique à quatre livres la pinte. Inutile de l'emmener dans des endroits pareils. Il restait une poignée de cafés sans prétention disséminés dans le voisinage, qui servaient de la friture et de grandes tasses de café instantané ; mais Irene pouvait encore le surprendre par son allant et sa curiosité, et, découvrant qu'un Starbucks venait d'ouvrir dans King's Road, elle proposa de l'essayer.

C'était un samedi après-midi, au lendemain d'un coup de théâtre dans la saga de Longbridge : la veille en effet, contre toute attente (notamment celles de James Tayler), Alchemy Partners, sans préavis ni explication, avait renoncé à racheter à BMW le groupe Rover. Ouvriers et militants, qui depuis le début s'opposaient à ce rachat, avaient jubilé en apprenant la nouvelle : on avait assisté à des scènes de liesse devant la porte Q de l'usine de Longbridge. Mais déjà l'avenir s'annonçait incertain : rien ne prouvait que l'offre concurrente du Phoenix Consortium soit prise au sérieux ; et c'était leur dernière chance. L'alternative était simple, et terrifiante : soit le rachat, soit la fermeture pure et simple.

Des exemplaires des quotidiens du jour étaient à la disposition des clients et, pendant que Doug faisait la queue au comptoir, sa mère prit le *Sun* et parcourut les pages Économie en fronçant les sourcils.

« C'est vraiment un torchon », dit-elle en abandonnant le journal à son fils, qui lui tendait un mug presque trop grand pour elle. Elle le contempla stupéfaite. « Qu'est-ce que c'est que ça ?

— Un grand café *latte*, expliqua Doug.

— Ils n'avaient pas de vrai café ? »

Il sourit et se mit à lire l'article du *Sun*.

> **Cinquante mille emplois voués à disparaître : tout espoir est perdu pour Rover.** Hier, jour de deuil pour l'industrie britannique, le groupe Alchemy a ANNULÉ son offre de racheter l'entreprise à BMW.
> Les ouvriers ont ACCLAMÉ la nouvelle, croyant que l'offre concurrente du Phoenix Consortium allait l'emporter, ce qui préserverait davantage d'emplois qu'un rachat par Alchemy. *Mais hier soir les cris de joie ont fait place à des larmes amères, lorsque des milliers de foyers des Midlands ont compris l'horrible vérité : il n'y aura* PAS *de sauvetage pour Rover, et ces milliers de familles vont devoir affronter le spectre du chômage.*

« Comment osent-ils, s'écria Irene indignée, comment osent-ils écrire des choses pareilles ? Personne ne sait ce qui va se passer. Comment vont réagir les familles des ouvriers en lisant ça ? Ils n'ont *pas le droit* de dire des choses pareilles. » Elle lui reprit le journal et feuilleta les premières pages avec une moue réprobatrice, particulièrement face à la pin-up en page 3. « Dire qu'autrefois c'était un journal socialiste. Jusqu'à ce que Murdoch mette la main dessus. Regarde-moi ça. C'est une honte. Du porno soft et... des cancans.

— C'est dans l'air du temps, maman. C'est dans l'air du temps.

— Peut-être, mais toi tu n'écris pas des choses pareilles, pas vrai ? Personne n'est *obligé* d'écrire ça. »

Doug réfléchit quelques instants, puis se pencha vers elle en disant : « Maman, je peux te poser une question ?

— Bien sûr.

— Eh bien... voilà, j'ai découvert un truc. À propos d'un député.

— Oui ?

— C'est une histoire de couple, de sexe et... enfin, tu vois, quoi, les trucs habituels.

— Oui, je vois.

— Je ne suis pas sûr que ça soit assez scandaleux pour détruire sa carrière — peut-être pas, après tout — mais ça lui ferait certainement beaucoup de tort. Qu'est-ce que je dois faire, d'après toi ? »

Irene répondit sans hésiter : « Les hommes politiques doivent être jugés sur leur politique. Tout le reste, c'est des potins et des bêtises. » Elle désigna le journal étalé sur la table. « Tu n'as pas envie de finir comme eux, quand même ?

— Bien sûr que non.

— Écoute. Les gens sont rarement irréprochables dans leur vie privée. Surtout les hommes. Ça ne change rien. » Elle ajouta, d'un ton détaché : « Tu sais, ton père n'était pas un saint. »

Doug en resta bouche bée. Jamais il ne l'avait entendue dire une chose pareille. « Qu'est-ce que tu veux dire ? »

Irene pesa ses mots, entourant de ses mains frêles l'énorme mug de café. « Il avait beaucoup de choses à se faire pardonner. Mais c'était quelqu'un de bien. Il avait des principes, et globalement il leur est resté fidèle. C'est impossible d'être fidèle à *tous* ses principes. » Regardant autour d'elle, elle ajouta, d'un ton joyeux : « Après tout, en tant que socialistes, on ne devrait pas fréquenter un endroit pareil, pas vrai ? Aujourd'hui, l'ennemi, c'est la mondialisation, non ?

— Si, apparemment. Lundi, c'est la Fête du travail. Il va y avoir des manifs partout dans Londres. Cet endroit sera sûrement une de leurs cibles.

— Tu vois : les gens recommencent à bouger. Il fallait bien que ça arrive, tôt ou tard. Tu vas y participer ?

— Peut-être. » Il sourit, se pencha vers elle et lui prit tendrement la main. Cela lui faisait chaud au cœur de la voir en pleine forme. « Et ton café, tu le trouves comment ?

— Délicieux. Ça coûtait combien ? » En entendant la réponse, elle dit : « J'espère qu'ils vont balancer une grosse brique dans la vitrine. »

*

Dans les faits, ce n'est pas Starbucks mais McDonald's qui fut pris pour cible par les manifestants : un petit McDo de Whitehall (fermé pour la journée), à côté d'un bureau de change, lequel fut également saccagé. Jusque-là, la manifestation avait été relativement pacifique, même si Doug, en sautant du bus près de la place

180

du Parlement, était tombé sur un spectacle pour le moins bizarre.

Le soleil était au zénith, et la place avait été investie par un millier de manifestants. Des percussionnistes tambourinaient, des gens étaient montés aux arbres, et une statue de Winston Churchill avait été agrémentée d'un casque de bobby renversé où était planté un géranium. Quant au square, on avait entrepris d'y substituer à la pelouse un potager improvisé : la terre était toute retournée, le gazon jonchait la chaussée, et la séance de jardinage consistait à planter de tout, de la citronnelle au romarin, des tournesols à la rhubarbe. Doug contempla la scène en repensant à la manif pour Longbridge, un mois plus tôt, et en se disant que l'esprit en était très différent. Lorsqu'il vit qu'on dressait un arbre de mai pour célébrer une danse de la fertilité, il se dit qu'il était temps de prendre congé.

Il était censé retrouver Paul dans les salons du Parlement à midi et demi, mais il n'eut pas à aller jusque-là. Il l'aperçut planté sur le Green, lieu de rassemblement rituel des journalistes désirant intercepter des parlementaires pour leur soutirer une déclaration; Paul pérorait sur les manifestations devant les caméras de Sky News et de BBC News 24. Doug resta à l'écart jusqu'à la fin de l'interview (ce qui ne prit que deux minutes), puis agita le bras pour attirer son attention.

« Alors, tu leur as dispensé ton infinie sagesse ? demanda-t-il tandis qu'ils s'acheminaient à pied vers Downing Street en esquivant les groupes toujours plus fournis d'anarchistes, d'écologistes et de policiers anti-émeute prêts à en découdre. Allez, dis-moi : c'était quoi, ton angle, cette fois ?

— Je leur ai dit qu'il ne fallait pas prendre ces gens au sérieux. S'ils veulent apporter leur contribution au processus politique, ils doivent renoncer à la violence et opérer à l'intérieur des structures existantes.

— Lumineux, comme toujours, à un léger détail près : au départ, c'est *vous* qui les avez exclus des structures existantes.

— Qu'est-ce que ça veut dire ?

— Ça veut dire qu'aujourd'hui tout le système n'est conçu que pour une frange très étroite d'opinions politiques. La gauche a largement glissé vers la droite, la droite a fait un tout petit pas vers la gauche, le cercle s'est refermé et les autres n'ont qu'à aller se faire foutre.

— Il suffit d'entendre les mots que tu emploies, Douglas, pour comprendre que tu es prisonnier du passé, dit Paul tandis qu'ils coupaient Horseguards Avenue et s'engageaient dans Whitehall Place. C'est ça, ton problème : tu es prisonnier du passé. Comme je crois te l'avoir déjà dit il y a plus de vingt ans, par une nuit de feux de joie, si je ne m'abuse. Où on va, au fait ? »

Doug le conduisit dans un bar à vins en sous-sol baptisé Gordon's, dans Villiers Street. C'était une cave étroite et longue comme un tunnel, et tous deux durent se courber pour atteindre leur table : Doug expliqua que c'était un ancien entrepôt fluvial, et qu'ils étaient assis à l'endroit même où accostaient jadis les péniches de la Tamise.

« C'est très intime, en tout cas », dit Paul d'un ton approbateur. Il ne connaissait pas l'endroit, mais déjà il se disait qu'il pourrait sans risque y amener Malvina.

« À vrai dire, je ne tenais pas à ce qu'on puisse surprendre notre conversation, dit Doug. Je voulais te parler d'un problème d'ordre privé. De quelque chose, ou plutôt de *quelqu'un*. »

Paul le regarda impassible. « Continue.

— J'imagine que tu vois de qui je veux parler.

— Je crois. Et alors ?

— Alors... » Doug fit tournoyer son jus d'orange dans son verre. Il avait décidé de rester parfaitement sobre pour mener cette discussion. « Je crois que tu devrais... réfléchir... très soigneusement... pour savoir dans quoi tu t'engages, à la fois en termes de... relation de travail et de relation personnelle.

— O.K. » Paul rumina ces paroles, puis avoua : « Je ne comprends pas très bien. Qu'est-ce que tu essaies de me dire au juste ? »

En toute honnêteté, Doug ne savait pas ce qu'il essayait de lui dire au juste. Après avoir longuement et très soigneusement réfléchi au résultat qu'il escomptait de cette rencontre avec Paul, il n'était parvenu qu'à une seule conclusion : dans l'intérêt de Malvina comme de Susan, il voulait forcer Paul à passer à l'action, à prendre une initiative. Et la seule façon d'y parvenir, à sa connaissance, c'était de lui faire peur.

« Paul, dit-il, j'ai une bonne et une mauvaise nouvelle. J'ai vu Malvina la semaine dernière, et au bout de quelques verres elle a commencé à me parler de ses sentiments pour toi et elle a dit... Bref, elle m'a dit qu'elle t'aimait.

— Oh putain. » Paul engloutit d'une traite la moitié de son verre de vin. « O.K. Très bien. » Il était tout pâle. « C'est un problème — je veux dire, c'est carrément un vrai problème — mais merci de me prévenir. Je te suis... très reconnaissant.

— À vrai dire, c'était ça la bonne nouvelle. »

Les yeux de Paul se mirent à tournoyer dans leurs orbites, furieux et paniqués. « Tu te fous de ma gueule ? Tu oses dire que c'est une bonne nouvelle ?

— C'est une femme très séduisante. On peut même dire une belle femme. Très intelligente. D'un caractère agréable, autant que j'ai pu en juger. N'importe quel homme serait fier qu'une telle femme tombe amoureuse de lui.

— Mais bon Dieu, je suis *marié*. J'ai une fille.

— On pourrait te rétorquer, Paul, que tu aurais dû y penser avant par exemple de l'inviter à passer la nuit sous ton toit. »

Douglas avait beau parler à voix basse, presque chuchoter, Paul regarda instinctivement autour de lui pour vérifier que personne n'avait entendu.

« Comment tu sais ça, bordel ?

— Ça, dit Doug, c'est ce qui m'amène à la mauvaise nouvelle. J'étais à une conférence de rédaction la semaine dernière et on a parlé de toi : apparemment, il y a des gens au journal — et sans doute aussi dans d'autres journaux — qui commencent à s'intéresser à toi et à Malvina.

— Et merde, fit Paul de plus en plus pâle. Merde merde *merde*. Qu'est-ce qu'ils savent au juste ? »

Doug changea brusquement de sujet. « Quelles sont tes relations avec Tony, en ce moment ? Complices ? Polies mais cordiales ? Distantes ?

— Allez, crache le morceau, Anderton. Dis-moi où tu veux en venir.

— Oh, je me disais juste que les partis politiques, et les Premiers ministres, ont des réactions variables dans ce genre de situation. Il y a des gens qu'on considère comme indispensables, par exemple, et même s'ils se sont déconsidérés les cadres du parti continuent à les soutenir qu'il pleuve ou qu'il vente. Et il y en a d'autres... disons, qu'on peut sacrifier, pour le dire crûment. Je me demandais dans quelle catégorie te ranger.

— Je ne me suis pas *discrédité*.

— Oh, de nos jours, tout dépend de la manière dont

c'est présenté par les médias, pas vrai ? À croire que tout dépend de ça. »

Paul décida d'ignorer ces provocations énigmatiques et réfléchit à haute voix : « Tony m'apprécie. J'en suis pratiquement sûr. Il me sourit chaque fois qu'il me croise dans le couloir ou au salon de thé. Et il m'a envoyé un mot très gentil quand j'ai posé ma question il y a quelques semaines.

— Ta question sur le chocolat britannique et l'Union européenne ?

— Oui.

— C'est très bien, Paul, mais je ne suis pas sûr que ça suffise à te faire entrer dans la catégorie des "indispensables". Non seulement il est de notoriété publique que tu ne t'entends pas avec ton ministre... » (Paul voulut protester, mais Doug poursuivit) « ... mais indépendamment de ça, ce n'est pas avec une prestation télévisuelle qui frisait la transparence, une chronique éphémère sur le vélo dans un journal gratuit et un numéro de lèche-cul caricatural déguisé en question sur le cacao que tu vas sauver ta peau, je le crains. Si cette histoire se sait, tu es bon pour l'abattoir.

— Mais je suis une étoile montante. Ils l'ont dit la semaine dernière dans l'*Independent*.

— Des mots, des mots, des mots, fit Doug dédaigneusement. Les mots, ça vaut que dalle dans ce genre de scénario. On continue à juger les gens sur leurs actes, plus ou moins : c'est bien la seule chose qui me laisse de l'espoir, d'ailleurs. Bref... » Il en éprouvait presque de la peine pour Paul, qui avait déjà l'air d'un condamné. « Ce que je comptais te proposer — et je suis sûr que ça te plaira, toi qui es si attaché aux valeurs traditionnelles —, c'était un bon vieux chantage à l'ancienne. Tu es d'attaque ? »

Paul le considéra avec méfiance, mais aussi un soupçon de soulagement. « Quel est ton prix ?

— Eh bien, je n'ai aucune intention de moisir aux pages littéraires, merci beaucoup, et dans quelques jours je compte offrir mes services à d'autres journaux en tant que chef du service politique. Et si je peux mettre ton histoire dans la balance, je suis sûr qu'ils n'y résisteront pas.

— Tu en serais capable, hein ? dit Paul d'une voix vibrante de mépris. Tu serais prêt à t'abaisser à ce point-là ? La simple... *dignité*, ça ne signifie rien pour toi ?

— Ah... je suis heureux que tu soulèves la question de la dignité. Car figure-toi que cet humble mot si vilipendé signifie beaucoup pour moi. Et c'est pour ça que je suis prêt à garder secrète toute cette histoire. À condition que *toi*, Paul, tu fasses preuve de dignité.

— En quoi faisant ?

— En cessant de faire souffrir Malvina. Et Susan, tant que tu y es. Certes, je ne suis pas sûr à proprement parler que Susan souffre aussi, mais ça me paraît une hypothèse probable. »

Paul s'attendait à tout, sauf à ça. « Et comment je suis censé faire ?

— À toi de voir.

— Tu crois que je devrais rompre avec elle ?

— C'est une solution. Sans doute la meilleure. *Toi*, qu'est-ce que tu voudrais, Paul ? Quels sont tes... sentiments dans cette affaire ? »

Paul siffla le reste de son vin, posa le menton sur ses mains et regarda pensivement droit devant lui. Maintenant que Doug lui posait la question, il lui paraissait absurde de n'avoir jamais cherché la réponse. Il s'était satisfait de sa relation avec Malvina telle qu'elle était, ambiguë, stagnante ; guère plus, en réalité, qu'un à-côté excitant de sa vie de couple, qui ne parasitait pas trop son travail, ne bouleversait pas trop sa carrière. Même l'absence de sexe, comprenait-il à présent, ajoutait au charme de la chose : cela lui évitait de devenir trop intense, trop réelle. Comment aurait-il pu se douter qu'entre-temps Malvina commençait à prendre tout ça au sérieux ?

« Je n'en suis pas sûr, finit-il par dire d'une voix étouffée. Il va falloir que j'y réfléchisse un petit peu.

— Elle est amoureuse de toi, Paul : c'est tout ce que j'ai à dire. Alors fais quelque chose. Résous le problème. À ce que j'ai cru comprendre, elle a vraiment eu une vie de merde. Et ce qu'elle cherche en toi c'est une issue, vers une vie meilleure. Il ne faut pas que tu deviennes pour elle un autre traumatisme à surmonter. »

Paul se leva. Il était pris d'un soudain accès de claustrophobie. « C'est bon. Message reçu, Doug. Je vais agir. Faire quelque chose. » Il tendit la main vers son manteau. « Ça te dérange pas si on sort ? Un peu d'air frais me ferait du bien.

— Je te donne deux semaines. Si rien n'a changé, je déballe tout à la presse. »

Paul y réfléchit, évalua ses options. « C'est honnête », finit-il par dire, et il gagna l'escalier.

Ils remontèrent ensemble vers le Strand. Doug se demandait ce que Paul avait en tête. Il venait d'exiger de lui un choix lourd de conséquences : soit il était perdu dans des abîmes de réflexion, soit il n'en avait pas encore assimilé toutes les implications ; à moins qu'il n'ait vraiment un vide à la place du cœur. Était-il possible d'être à ce point dénué de sentiments ?

Pendant leur conversation, la manif avait visiblement évolué. Toutes les rues menant à Trafalgar Square étaient bloquées par des cordons de police.

Apparemment, plusieurs milliers de manifestants étaient confinés sur la place, sans issue possible. Ailleurs, des groupes d'activistes couraient dans les rues en évitant les matraques et en hurlant des insultes à quiconque se mettait en travers de leur chemin. Des bagarres et des échauffourées éclataient de toutes parts. De violentes disputes opposaient les militants écolos aux partisans d'une confrontation. Doug entendit quelqu'un crier : « Allez planter vos légumes, espèces de hippies à la con, vous allez voir si ça change le monde. »

« Mais dans quel pays on vit ? maugréa Paul amèrement, tandis qu'ils évaluaient les dégâts, plus ou moins à l'abri sous le porche d'un magasin. Qui *sont* ces gens ? Qu'est-ce qu'ils veulent ?

— Ils ne le savent sans doute pas eux-mêmes. Ni toi non plus, apparemment. Ni personne, d'ailleurs, quand on y réfléchit.

— Le *Guardian* m'a ouvert ses colonnes pour une libre opinion dans le numéro de vendredi. Douze cents mots, sujet au choix. Je vais écrire là-dessus. Pour dire que c'est une honte. Ça devrait plaire, tu ne crois pas ?

— À tes administrés ? Qu'est-ce qu'ils en ont à foutre ? Ils sont à deux cents bornes d'ici.

— Non, je voulais dire : à Tony. »

Doug se tourna vers lui et s'écria, légèrement exaspéré : « Paul, c'est pas parce que je te lâche la grappe que tout le monde va en faire autant. Je te l'ai dit, d'ici une semaine ou deux, il va y avoir des fuites sur ton histoire avec Malvina. Oh, pas grand-chose — juste une allusion en passant dans les potins mondains, par exemple, sans citer de noms —, mais une fois que ça aura filtré, ça va faire boule de neige, et tu vas devoir te dépêtrer tout seul. Et faire de la lèche à Tony, ça va pas être suffisant. Je t'ai prévenu : dans ce genre de situation, il n'y a que les indispensables qui s'en tirent.

— Tu répètes ça sans arrêt, gémit Paul. Mais je ne peux quand même pas me rendre indispensable en deux semaines, pas vrai ?

— Non. Évidemment. » Doug décida de ne pas retourner le couteau dans la plaie. « Écris plutôt quelque chose sur Longbridge. Ton silence sur la question est carrément assourdissant. Ça n'est pas seulement un problème local, tu sais. Il y a cinquante mille vies en jeu. »

Paul opina : « Je vais peut-être faire ça », dit-il, sans grande conviction. Sur ce, une bouteille de vin lancée à toute force dans leur direction se brisa contre la porte du magasin, juste au-dessus de leurs têtes, et ils prirent leurs jambes à leur cou.

*

De retour dans son appartement de Kennington, Paul demeura dans un fauteuil, pratiquement immobile, pendant plusieurs heures.

Lorsque le jour faiblit, il resta assis dans le noir. Il resta assis dans le noir et pensa à Susan, et à sa réaction si l'histoire s'ébruitait.

Il pensa aussi à Malvina, qui lui était devenue indispensable. À la tendresse qu'elle lui inspirait depuis quelques semaines. Plus que de la tendresse, en fait. Bien plus.

Ces pensées n'étaient interrompues que par la sonnerie occasionnelle du téléphone. Il y eut des appels de tous les gens habituels : son ministre, des journalistes, des lobbyistes, Susan, son ami Ronald Culpepper, les chefs du groupe parlementaire. Et parmi eux, un coup de fil de Benjamin, ce qui était plutôt inhabituel. Paul n'en décrocha pas pour autant le téléphone.

À dix heures, il alluma la lumière et commanda une pizza. Il en mangea la moitié, jeta le reste, et but presque une bouteille de chablis pour faire passer tout ça. D'un seul coup, il se sentit incroyablement fatigué. Il se déshabilla, ne gardant que son caleçon, et s'assit sur le lit en se passant les mains dans les cheveux.

Il se coucha et allait éteindre la lumière lorsqu'il se demanda soudain : « Pourquoi mon frère a appelé ? »

Il se releva pour consulter le répondeur, zappa sans curiosité les neuf autres messages et enfin entendit la voix de Benjamin.

« Salut, Paul, c'est ton frangin. J'appelais juste pour... eh bien, pour savoir comment tu allais, et aussi pour te demander si tu avais vu le *Telegraph* d'aujourd'hui. Jette un coup d'œil à la photo page 7. Si le visage ne te rappelle rien, regarde la légende. On ne sait jamais, ça va peut-être remuer quelques souvenirs. Le monde est petit, hein ? Prends soin de toi et embr... et salue Malvina de ma part. »

Paul n'avait aucune envie d'aller dans la cuisine consulter son exemplaire du *Telegraph*, qu'il n'avait pas ouvert. Sur quel obscur fragment de leur histoire commune son frère s'excitait-il encore, indécrottable nostalgique ? Un vieux copain d'école complètement oublié, peut-être. Un lointain parent jamais revu depuis quelque sinistre Noël en famille...

À contrecœur, agacé de se laisser prendre au piège, Paul ouvrit le journal à la page 7, vit la photo, et effectivement — comme son frère l'avait prédit — le visage ne lui rappela rien. Au début, d'ailleurs, il ne sut même pas quel visage était censé lui rappeler quelque chose. Il y avait quatre hommes d'affaires en costume, qui se tenaient devant le siège de BMW à Munich. Aucun d'entre eux n'avait l'air familier, même de très loin.

Et puis il lut la légende ; et en voyant l'un des noms il se remit à scruter la photo, incrédule. C'était vraiment lui ? Ce quadragénaire dégarni fumant la pipe, à la grosse barbe bien taillée et à la brioche bien visible ?

D'après la légende, il s'agissait de Rolf Baumann, qui occupait le poste de « Directeur de la stratégie d'entreprise chez BMW ».

Paul emporta le journal au salon, s'affala dans le fauteuil où il venait déjà de passer tant d'heures, et laissa les souvenirs le submerger comme un raz-de-marée. Les vacances au Danemark — la seule fois où ses parents les avaient emmenés à l'étranger... La maison sur la plage de Gammel Skagen... Les deux jeunes prédateurs danois, Jorgen et Stefan... Les deux sœurs au physique ingrat, Ulrike et Ursula, et Rolf le maladroit, le malhabile, qui avait failli se noyer en essayant de nager jusqu'au large, jusqu'au point où se mêlaient les courants...

Et puis, sentant que lui-même allait se noyer dans ce tourbillon de mémoire, Paul refit surface en clignant des yeux à la lumière du présent, ayant enfin saisi toute la portée de cette découverte. Rolf était devenu un homme puissant. Il siégeait au conseil d'administration de BMW, l'entreprise qui autrefois employait son père. BMW était sur le point de vendre Rover. Le destin de l'usine de Longbridge était entre ses mains.

Il était là, le miracle tant espéré. Paul avait trouvé un moyen de se rendre indispensable, non en une semaine ou deux, mais en une poignée de jours. Le salut — son salut — l'attendait, simple comme un coup de fil.

Il était temps de réclamer une dette vieille de vingt-trois ans.

À la fin du voyage, Paul crut traverser un paysage lunaire. Une platitude sablonneuse s'étendait de toutes parts. Les intervalles entre les villages modestes et coquets se faisaient de plus en plus longs. Il vit une pancarte annonçant que Skagen n'était plus qu'à sept kilomètres.

Il était près de six heures du soir : mais il restait encore bien des heures de soleil, et le ciel était d'un extraordinaire bleu-gris translucide. C'était cette lumière, cette lumière douce et pourtant écrasante, qu'il se rappelait le plus nettement, bien plus que les dunes et les maisons basses couleur fauve et jaune citron. Il savait qu'elle était due en partie au reflet du soleil sur les eaux des deux mers qui se mêlaient à la pointe de la péninsule. Elle l'emplissait d'un mélange indescriptible d'excitation et de sérénité, et elle lui faisait comprendre qu'à Londres il n'y avait pas de lumière digne de ce nom. Pas comme celle-ci. Il fallait venir ici pour comprendre ce qu'était vraiment la lumière. Il chérissait ce savoir, et se sentait le fier gardien d'un précieux secret.

Paul avait l'impression d'être passé en quelques

heures non seulement dans un pays différent, mais dans une conscience différente, un nouvel état du cœur. Il était tout seul sur cette route. Il n'y avait pas un son, sinon le ronronnement presque inaudible du moteur tandis qu'il roulait en cinquième. Le glissement harmonieux des pneus sur le goudron. Le vent soufflait sans bruit, alimentant les turbines réparties en groupes de trois ou quatre dans toute la campagne, dont les énormes hélices tournaient en un majestueux unisson. Le monde entier paraissait silencieux, apaisé et satisfait, comme si rien ne s'était passé depuis mille ans, comme si jamais rien ne devait se passer.

Il suivit la pancarte jusqu'à l'église ensablée, et se rappela y être un jour venu à vélo avec Rolf. C'était le premier repère familier. Ils avaient dû parcourir cette route des dizaines de fois, et pourtant, ce soir, tout semblait étrangement neuf : impossible de s'imaginer à douze ans dans ce cadre, en train de pédaler derrière le jeune Allemand, cramoisi, essoufflé ; ou bien était-ce Paul qui menait le train ? En y repensant, il avait la forme à l'époque : sinon, il n'aurait jamais pu sauver Rolf de la noyade en cet ultime après-midi. Et n'avait-il pas apporté avec lui un Bullworker, soigneusement rangé dans la valise à côté des lectures studieuses de Benjamin ? Il était stupéfait d'avoir si peu repensé à son passé toutes ces dernières années, y compris à un épisode si décisif, si lourd de conséquences semblait-il à présent. Il avait vécu par intermittence.

Au bout de quelques kilomètres apparut le virage en épingle à cheveux qui menait vers la gauche jusqu'à Gammel. Paul l'emprunta, puis suivit en ralentissant la longue route d'accès rectiligne ; il ne roulait guère plus vite que les trois cyclistes âgés qui le suivaient comme son ombre sur la voie réservée. Dans deux minutes tout au plus, il parviendrait à la maison qu'ils avaient partagée avec les Baumann. Neuf personnes en tout, donc. Mais... Lois était-elle avec eux? Non, bien sûr que non : elle était à l'hôpital, cet été-là. Dans l'une de ses plus mauvaises passes. Il lui avait fallu des années — trois au moins, si ce n'est quatre — pour se remettre complètement du choc d'avoir vu mourir Malcolm. Au début, Sheila ne voulait pas la laisser toute seule ; il y avait eu de longues discussions à ce sujet. Et de fait, se disait-il, cela faisait long de passer deux semaines loin d'elle ; mais il n'était pas question qu'elle vienne — elle aurait été incapable de monter dans l'avion — et d'ailleurs ses grands-parents seraient là, à quelques kilomètres de l'hôpital. Mais Sheila était soucieuse, angoissée. Elle n'avait pas vraiment profité du séjour, à force de s'inquiéter pour Lois. Cela lui revenait à présent. Les souvenirs affluaient.

La route le mena enfin au minuscule hameau de Gammel Skagen, et il en suivit les dernières boucles imprévisibles, le long des hôtels et des boutiques de souvenirs, avant qu'elle le dépose au parking qui surplombait la plage. Il n'y avait que deux autres voitures, et la petite cahute qui vendait du café et des sandwiches fermait déjà. Paul avait plus d'une heure à attendre. Il avait pris un charter ce matin-là pour Aarhus, et s'était donné quatre heures pour rouler jusqu'à l'extrémité du Danemark : en fait, il lui avait fallu moins de deux heures et demie. Il avait oublié à quel point le pays était petit.

Avant de descendre à pied vers la mer, il jeta un dernier coup d'œil au fax qu'il avait reçu la veille de l'assistante de Rolf Baumann.

3 mai 2000

Cher M. Trotter,

M. Baumann me prie de vous faire savoir qu'il a été à la fois ravi et stupéfait de votre message téléphonique.

Il se réjouit que vous souhaitiez lui rendre visite à Munich en fin de semaine, mais il a une autre proposition à vous faire. Vous serait-il possible de le rencontrer au Danemark demain soir (4 mai) ? Il suggère de vous retrouver sur la plage de Gammel Skagen à 19 h 30 heure locale.

Merci de me faire savoir si cette proposition vous agrée, auquel cas je réserverai des chambres pour vous et pour M. Baumann dans un hôtel des environs, pour la nuit de demain à après-demain.

M. Baumann espère vivement que vous accepterez sa proposition et me prie de vous dire qu'il est impatient de vous revoir.

Bien cordialement,

Paul verrouilla la voiture et descendit le sentier sablonneux jusqu'à la plage. Son esprit aurait dû fourmiller de pensées — qu'allait-il dire à Rolf ce soir ? comment allait-il formuler sa requête ? — mais toutes les inquiétudes qu'il avait laissées derrière lui à Londres, et qui pourtant constituaient le prétexte de sa venue, commençaient à lui paraître hors de propos. En revanche, son regard était attiré vers les chalutiers lointains qui se découpaient sur l'horizon, et il n'avait d'ouïe que pour le bruissement du ressac. Déjà, en remontant la plage vers le nord, il distinguait les contours de la maison où ils avaient logé jadis. À cette vue, il s'arrêta net, suffoqué par le souvenir. Il désirait plus que tout savourer ce moment, et il jura dans sa barbe lorsque le double bip de son portable lui annonça l'arrivée d'un SMS. Mais, mû par la force de l'habitude, il ne put s'empêcher de le sortir de sa poche.

C'était un message de Malvina.

Désolée d'avoir **PT** les plombs hier soir : tu me fais tjrs **7** effet. Tu me manques beaucoup, ne m'en veux pas. **SMS** moi qd tu peux. **M xxx**

Il s'assit tant bien que mal sur un rocher à quelques mètres des brisants et, sans trop réfléchir à ce qu'il faisait, tapa à la hâte une réponse.

Je ne t'en voudrai jamais **P xxx**

Il poursuivit sa marche vers la maison.

Paul n'avait jamais lu le récit qu'avait fait Benjamin de leurs vacances danoises, et qui lui avait valu le prix Marshall 1976 de composition littéraire de l'école King William. Adolescent, il n'éprouvait aucune curiosité pour les velléités littéraires de son frère, et cela n'avait fait qu'empirer. Benjamin parlait des « brisants argentés qui venaient harceler une grève s'étirant à l'infini » et décrivait le « rugissement furieux » des vagues. Paul, maniaque du détail, se serait peut-être inscrit en faux. En traversant le sable qui cédait sous ses pas, il ne percevait aucune fureur, ni dans l'océan ni en lui-même. Tout s'était apaisé en une harmonie sereine, une joie de se trouver ici aujourd'hui, comme si c'était sa destinée. De la lumière s'échappait des fenêtres de la maison, et il évita de s'approcher davantage. Elle était repeinte en rose ; ou était-elle déjà rose à l'époque ? Il ne se rappelait plus. La maison voisine, plus petite — celle où Jorgen et Stefan logeaient avec leur grand-mère Marie —, paraissait inoccupée. Il s'y rendit et tenta de regarder par les carreaux en mettant ses mains en visière ; mais la vitre ne lui révéla rien, se contentant de lui renvoyer le reflet de l'eau ondulante et mouchetée de soleil. Il contourna la maison, contempla la pelouse sablonneuse où il avait tant joué au foot avec les autres garçons. Tous ? Non, Benjamin ne se joignait pratiquement jamais à eux. Il restait assis devant la fenêtre à lire ses romans, à ruminer ses pensées profondes, leur jetant de temps à autre ce regard exaspérant, maniéré, impénétrable. Ils s'étaient tous laissé avoir par son grand numéro de génie mystérieux. Et regardez le résultat ! Quinze ans à travailler dans la même boîte, sans même un haïku à exhiber. C'était triste, au fond, son obstination à jouer le jeu, à embobiner les gens, tous convaincus qu'un jour il accomplirait sa promesse : Emily, Lois, ses parents. Et triste aussi son obstination à saliver sur Malvina, à refuser de s'avouer vaincu...

Paul regagna le bord de l'océan scintillant et repensa à Malvina. Avait-il eu raison de dire ce qu'il lui avait dit hier soir ? Cette question effleura sa conscience sans presque la toucher, sans en rider la surface. Ces choses-là, on ne pouvait pas les rationaliser. Il avait parlé du fond du cœur, et c'était ça qui comptait. Bon Dieu, il y avait si longtemps que ça ne lui était pas arrivé. Il était grand temps de laisser parler son cœur, pour une fois, de le laisser comme qui dirait attirer l'attention du président de la Chambre. Non qu'il lui ait *promis* quoi que ce soit. Il ne s'était engagé à rien. Il s'était contenté de lui dire — en toute honnêteté — ce qu'il éprouvait pour elle, et du même coup il l'avait rendue heureuse : d'un bonheur transcendant. C'était déjà un exploit, non ? Depuis quand n'avait-il pas rendu quelqu'un heureux ? Depuis quand n'avait-il pas vu un visage s'illuminer comme celui de Malvina hier soir, en sachant qu'il en était responsable ? S'illuminer de gratitude, et d'amour, une expression si pénétrante et si puissante qu'elle s'était gravée dans sa mémoire en traits de feu, et qu'elle y demeurait avec une telle netteté qu'il avait du mal à croire que Malvina ne se trouvait pas auprès de lui sur la plage, tendant la main vers la sienne. Ça, c'était quelque chose. Quoi qu'il puisse advenir, il conserverait le souvenir de ce visage radieux. Ce qui voulait forcément dire qu'il avait agi comme il fallait ?

Il continua de marcher sur la plage en direction du nord, s'éloignant des maisons qu'il était venu revoir. Cela faisait sept ou huit heures qu'il était seul avec ses pensées — dans le taxi pour Stansted, l'avion pour Aarhus, la voiture jusqu'au Jütland — et elles commençaient à l'épuiser. Il s'efforça de se vider l'esprit.

*

À sept heures et demie pile, il regagna le parking et s'aperçut qu'il ne restait plus que sa voiture. Il attendit quelques minutes, appuyé au capot, scrutant la route. Des mouettes frôlaient la plage, atterrissaient sur les rochers avec des cris perçants. Paul ne voyait que quelques mètres de route avant le virage ; toute voiture qui arriverait surgirait brusquement. Mais rien ne vint. Un quart d'heure s'écoula.

Enfin il entendit un bruit. Mais pas le bruit de moteur auquel il s'attendait. En fait, le bruit ne venait pas de la route, mais du ciel. Un bourdonnement lointain qui enflait rapidement. Levant les yeux, Paul vit une lumière clignoter dans l'immensité bleu pâle, et un objet noir, informe, qui en se rapprochant revêtit la silhouette d'un hélicoptère. En quelques secondes le bruit devint assourdissant, et les hautes herbes derrière lui s'aplatirent sous le souffle de l'hélice tandis que l'appareil planait au-dessus des dunes, cherchant où atterrir.

Avant même qu'il ait touché le sol, la porte s'ouvrit, et un quadragénaire en costume sombre en descendit, courbé en deux pour échapper à l'attraction des pales tournoyantes, avec pour seul bagage un petit attaché-case. Il vit Paul venir du parking, et lorsqu'ils se serrèrent la main les premiers mots qu'il hurla par-dessus le hurlement du moteur furent : « Je suis vraiment désolé, Paul. Dix-sept minutes de retard. Zone de turbulences au-dessus de Lübeck. »

Et puis l'hélicoptère s'éleva de nouveau et disparut. Alors Rolf Baumann éclata de rire, ravi de se retrouver en présence de l'homme qu'il n'avait pas vu depuis vingt-trois ans, et lui assena une grande claque sur l'épaule en disant : « J'imagine que tu es en voiture ? »

L'assistante de Rolf leur avait réservé deux chambres simples à l'hôtel Brøndum de la rue Anchersvej. Le rez-de-chaussée était d'une élégance désuète et silencieuse : l'étage, avec ses douches et toilettes communes, se révéla plus spartiate. Ils n'avaient pas oublié que leurs familles étaient venues y dîner, un soir de l'été 1976, à une grande table au milieu du jardin feuillu, et s'étaient senties légèrement intimidées par la solennité du service et la complexité du menu, qui avait conduit Colin Trotter à feuilleter frénétiquement son dictionnaire anglais-danois dissimulé sous la nappe.

« Comme nous devions être naïfs, à l'époque ! gloussa Rolf tandis qu'ils quittaient l'hôtel et s'acheminaient vers le port en quête d'un restaurant.

— Dans le cas de ma famille, répondit Paul, ça ne fait pas de doute. Bon Dieu, ce sont les seules vacances de toute la décennie que nous n'ayons pas passées dans une caravane au pays de Galles, à attendre qu'il cesse de pleuvoir comme vache qui pisse. Pour nous, c'était vraiment l'aventure.

— Toi, en tout cas, tu t'es tout de suite adapté. Je me souviens de t'avoir trouvé complètement... imperturbable. Je crois que je n'ai jamais vu un garçon aussi maître de lui.

— Benjamin aussi est maître de lui, réfléchit Paul. À sa manière. Dans son cas, ça a causé sa perte. Alors que moi, ç'a été ma grande force. Enfin, c'est ce que je croyais. Maintenant, je commence à me poser des questions. Pourquoi ne pas se laisser... *maîtriser* par quelqu'un d'autre ? Plus je vais, plus je me dis que ça n'est pas forcément un défaut. »

Rolf lui lança un regard perçant, mais sans réclamer d'explications.

« Comment va ta sœur ? préféra-t-il demander. Elle n'était pas avec nous cet été-là. Elle était très malade, si je me souviens bien. Vous n'en parliez pas beaucoup : c'était très bizarre. Elle avait été blessée... dans un terrible accident. Peut-être même un attentat. C'est bien ça ? »

Paul lui raconta l'histoire de Lois, qui avait vu mourir son fiancé Malcolm. Ils remontaient Østre Strandvej, et aux allées paisibles et verdoyantes avait succédé un quartier commerçant hideux, flanqué d'énormes entrepôts gris empestant le poisson. Rolf écouta son récit avec gravité et resta silencieux ; il n'avait aucune consolation à offrir.

« Mais maintenant, elle va mieux ? finit-il par demander. Elle vit une vie normale ?

— Plus ou moins. Elle est bibliothécaire dans une université. Mariée à un avocat très gentil. Elle a une fille, Sophie. Je crois que de temps en temps elle a des... rechutes, mais je n'en sais guère plus. On n'a jamais été proches, Lois et moi. Je ne l'ai pas vue de l'année. » Ils arrivèrent au port. Il était plus de neuf heures, mais le ciel demeurait d'un bleu de porcelaine lumineux. Ils marchèrent en silence dans une ville morte. La saison touristique n'avait pas encore commencé : les paillotes qui vendaient de la bière et du poisson aux premiers vacanciers avaient déjà fermé, les parkings étaient vides, et on n'entendait que le tintement discret et irrégulier des mâts, ceux des dizaines de yachts et de bateaux de pêche amarrés le long du quai.

La réceptionniste de l'hôtel leur avait recommandé le restaurant Pakhuset, qui de fait semblait ce soir-là l'endroit le plus vivant et le plus accueillant de Skagen. Une serveuse blonde d'à peine vingt ans les mena à l'étage, par un escalier décoré de roues de gouvernail, de chronomètres et d'ornements nautiques de toutes sortes, jusqu'aux quelques tables disséminées sur la mezzanine de bois qui surplombait le bar du rez-de-chaussée, grouillant d'une trentaine de jeunes gens qui avaient l'air de fêter un anniversaire. Paul et Rolf s'assirent face à face à une table minuscule ; leurs genoux s'effleuraient ; ils se concentrèrent en pure perte sur leurs menus en danois.

« Quand la jolie serveuse reviendra, on va lui demander conseil, suggéra Rolf. Ça nous fera un prétexte pour engager la conversation. »

Paul acquiesça, bien qu'en l'occurrence il n'ait pas remarqué si la serveuse était jolie ou non. Il ne pensait qu'à Malvina, dont il venait de recevoir un nouveau SMS au moment même où il rassemblait son courage pour expliquer à Rolf les vraies raisons de leurs retrouvailles.

> Espère ne pas interrompre discussion cruciale. Juste pr te dire que je pense encore à toi. Toujours toujours toujours. Appelle-moi + tard si tu peux ? xxx

Paul le lut et rangea son portable dans sa poche, espérant que son sourire ne le trahissait pas trop.

« *Friske asparges*, ça doit vouloir dire asperges fraîches, dit Rolf en scrutant le menu par-dessus ses lunettes. Quant à *rødtunge*, ça ne peut être qu'une sorte de rouget... » Il lança un dernier coup d'œil à la carte puis la reposa. « Je me demande quel est le pourcentage de SMS qui sont de nature amoureuse ou sexuelle. 90 %? 95 %? Qu'en penses-tu? Je me demande s'il y a des études statistiques à ce sujet. »

Paul eut un rire gêné. « Tu ne crois quand même pas...

— Oh, j'imagine que c'est M. Tony Blair en personne qui t'envoie un message pour une affaire d'État. À moins que ta femme ne soit restée assez romantique pour t'envoyer des billets doux virtuels quand tu es en voyage d'affaires. Ça fait combien de temps que tu es marié?

— Cinq ans. Et toi?

— Douze. »

Rolf, se contentant de cette information brute, se mit à beurrer massivement une tranche de pain de seigle.

Paul demeura un instant au bord du précipice — il serait si facile de sauter — puis balbutia : « Je suis amoureux d'une autre. »

Rolf mordit dans sa tartine, laissant dans le beurre l'empreinte de ses dents en un demi-cercle parfait. « Ah, oui. Eh bien, ce sont des choses qui arrivent. Ça arrive souvent.

— Tu n'as pas l'air très surpris, fit Paul, quelque peu vexé que cet aveu déchirant soit accueilli avec une telle désinvolture.

— C'est qui? demanda Rolf.

— Elle s'appelle Malvina. C'est ma conseillère médiatique.

— C'est la même chose qu'une assistante ou une secrétaire particulière?

— Oui, je crois; plus ou moins.

— Mmm. » Rolf poussa un grognement. « Pas très original, Paul. Quel âge elle a?

— Vingt ans. »

Il leva les sourcils, fit la moue et se remit à mastiquer son pain. « Ben mon vieux...

— Je sais que ça a l'air caricatural. Mais c'est du sérieux. C'est... c'est vraiment du sérieux.

— Oh, je vois ça, l'assura Rolf.

— Tu vois ça ? À quoi tu vois ça ?

— À ton regard désespéré. C'est le regard d'un homme qui éprouve une euphorie momentanée, mais qui au fond de lui n'a pas la moindre idée de ce qu'il va faire. » Paul le dévisageait d'un air incrédule, et Rolf ajouta : « Je sais de quoi je parle, Paul. C'est un regard que je connais bien.

— Ah ouais ? Et où tu l'as vu ?

— Dans ma glace. Deux fois. »

La serveuse vint prendre leur commande, et Rolf passa aux choses sérieuses : choisir un plat, mais surtout lui faire du gringue. Il ne lui fallut que quelques minutes pour apprendre qu'elle étudiait la biologie à l'université d'Aalborg, qu'elle avait passé les trois mois d'été aux États-Unis, qu'elle avait deux frères mais pas de petit ami, qu'elle se maintenait en forme en faisant du yoga trois fois par semaine et qu'elle trouvait Radiohead surfait. Elle parvint aussi à les convaincre d'essayer la spécialité de la maison, le *Hvidvin med brombœrlikøk*, expliquant qu'il s'agissait d'un cocktail de vin blanc et de liqueur de groseilles. Elle leur en apporta deux grands verres et, après avoir englouti le sien d'un trait, Rolf en commanda deux autres.

*

Quand ils furent bien repus et bien saouls, Rolf dit à Paul : « Il y a une théorie qui me paraît tout à fait défendable, et qui dit que le mâle est une femelle ratée. Qu'est-ce que tu en penses ?

— Je ne connais pas cette théorie, dit Paul en fronçant les sourcils.

— Eh bien, d'un point de vue biologique, la simple présence du chromosome Y est en soi un défaut. Mais pas besoin de rentrer dans les détails. C'est une question de bon sens. Regarde la serveuse, par exemple.

— Lise.

— Lise. C'est comme ça qu'elle s'appelle ? Elle nous l'a dit ?

— Oh oui. Une bonne dizaine de fois.

— Ah bon. Bref, regarde-la : elle passe son temps à monter et descendre l'escalier et à charmer tout le monde sans aucun effort. Quel âge elle a, vingt et un, vingt-deux ans ? Regarde comme on la suit des yeux. Qu'est-ce qu'on sait d'elle ? Simplement qu'elle est jeune, et qu'elle a un corps qu'on trouve tous les deux désirable. À part ça, rien. Si ça se trouve, c'est une tueuse en série. Et pourtant, toi comme moi, après quelques verres, on serait prêt à mettre en péril notre vie de famille si elle nous demandait de venir dans sa chambre. C'est pas vrai ? C'est là un défaut pathologique du sexe masculin. Nous n'avons aucune loyauté, aucun sens du foyer, aucun instinct qui nous pousserait à protéger le nid : tous ces réflexes naturels et sains qui sont inhérents aux femmes. On est des ratés. Un homme, c'est une femme ratée. C'est aussi simple que ça.

— Sauf ton respect, je crois que tu dis des conneries. Et d'abord, pourquoi elle nous proposerait de venir dans sa chambre ? À ses yeux, on est des vieillards.

— Tu dis ça, Paul, mais apparemment tu as conquis le cœur d'une belle fille de vingt ans. Donc ce sont des choses qui arrivent.

— Ce n'est pas la même chose. Ce qui arrive entre Malvina et moi couvait depuis longtemps. Et hier soir la crise a éclaté. »

Rolf eut un petit rire. « La crise n'a même pas encore commencé, Paul. Loin de là.

— Je sais, les journaux vont sûrement en parler. C'est presque fait. Mais je peux affronter...

— Ce n'est pas de ça que je parle, l'interrompit Rolf. Ça, c'est rien. Rien du tout. » Ils en étaient au cognac : il fit tournoyer le liquide ocre dans son verre ballon, l'air soudain aigri et déprimé. « Mais bon, fit-il dans un effort pour se reprendre, en parlant de *crises*, il est grand temps de passer aux choses sérieuses. À moins que je ne sois censé attendre toute la nuit que tu daignes me dire ce que tu attends de moi ?

— Qu'est-ce qui te fait croire que j'attends quelque chose de toi ?

— Si tu m'as contacté cette semaine, Paul, ce n'est pas pour évoquer le bon vieux temps. Ne me fais pas cette injure. Je connais un tout petit peu la nature humaine, quand même. La dernière chose ou presque que je t'ai dite, il y a tant d'années — je ne me rappelle pas les mots exacts, mais toi peut-être —, c'est de te remercier de m'avoir sauvé la vie et de t'assurer que j'aurais toujours une dette envers toi. Pas le genre de chose que tu risques d'oublier... Et là, brusquement, sans crier gare, tu m'appelles après plus de vingt ans. *Cette semaine*, Paul. Pourquoi un député britannique, élu des West Midlands, a bien pu appeler un membre du conseil d'administration de BMW *cette semaine*, comme par hasard ? Hein ? C'est un grand mystère, non ? »

Paul ne put soutenir son regard. Mais Rolf insista : « Ça ne me dérange pas, tu sais. Je ne serais pas venu ici si je ne voulais pas t'aider. Mais je ne suis pas sûr de pouvoir faire grand-chose.

— Si je... » commença Paul d'une voix étranglée ; mais il bredouilla et recommença sa phrase. « Si, toi et moi, on pouvait simplement... discuter des options possibles. Il faut dire que... voilà, je crois que je suis un peu en froid avec le parti, et je n'ai pas été très actif sur le front de Longbridge ces dernières semaines ; j'avais un peu la tête ailleurs. Alors si seulement je pouvais leur montrer, d'une manière ou d'une autre, que je... que je suis dans le coup...

— Et ce "froid" dont tu parles, ça a quelque chose à voir avec ta conseillère médiatique ?

— Peut-être.

— Bien. Il faut toujours dire les choses franchement, Paul. Ça fait gagner du temps. Allez, dis-moi ce que tu veux. Ne te sens pas gêné. Va droit au but.

— D'accord. » Paul reposa son cognac et joignit les mains comme s'il priait. Des vagues de rires gutturaux leur parvenaient du rez-de-chaussée. Il attendit que le bruit s'estompe. « Il ne faut pas vendre Rover. BMW ne devrait pas vendre Rover. Vous devriez vous engager à garder l'usine de Longbridge et lui donner sa chance. »

Rolf parut sincèrement décontenancé, pour la première fois de la soirée. « Mais ce que tu me proposes, Paul — ou plutôt ce que tu me suggères —, va à l'encontre de la politique de ton gouvernement. Corrige-moi si je me trompe. Mais depuis qu'Alchemy a retiré son offre, on est en négociations avec un autre repreneur : le Phoenix Consortium. Et ces négociations se passent bien. Et votre M. Byers soutient l'offre d'achat de Phoenix. D'ailleurs, j'en parlais encore avec lui cet après-midi.

— C'est vrai. Mais selon mes sources, l'offre de Phoenix n'est pas crédible.

— Et quelles sont tes sources, au juste ? Les journaux, je suppose.

— Essentiellement, reconnut Paul.

— Mais tu sais comme moi qu'il ne faut pas croire tout ce qu'on lit dans les journaux.

— Tu veux dire que vous prenez cette offre au sérieux ?

— Est-ce qu'on a le choix ? Tu préfères qu'on licencie des milliers d'ouvriers, ce qui serait catastrophique pour notre image de marque ?

— Il y a une autre solution, beaucoup plus simple. Maintenir la production à Longbridge. »

Rolf eut un petit rire sarcastique. « Et perdre des millions de livres par semaine ?

— Les pertes ne sont pas si élevées que ça. Ce sont vos méthodes de comptabilité qui faussent les chiffres. »

C'était peut-être vrai ; ou peut-être Rolf fut-il impressionné par la passion et la sincérité soudaines de Paul. Toujours est-il qu'il garda le silence. Il paraissait étudier sérieusement la proposition.

« Que les choses soient claires, finit-il par dire. Tu veux que je persuade le conseil d'administration de changer d'avis — et même d'effectuer une volte-face complète — pour que tu puisses rentrer triomphalement en Angleterre et faire figure de héros auprès de ton M. Blair. L'homme qui a sauvé Longbridge.

— Vu comme ça...

— Dis-moi les choses franchement, Paul. Même si ça va contre ta nature. C'est ça que tu attends de moi ? »

À quoi bon feindre plus longtemps ? « Oui, avoua Paul, je crois que c'est ça. »

Rolf le regarda soudain comme s'il reconnaissait en lui un adversaire à sa taille. Mais son visage ne trahit pas ses intentions, non plus que ses paroles. « Très bien, dit-il en repoussant sa chaise. La nuit porte conseil. » Et il fit signe à Lise de leur apporter l'addition.

*

Le lendemain matin, Paul se réveilla avec une gueule de bois carabinée et manqua le petit déjeuner. Mais Rolf avait dû se lever tôt, car il était tout juste neuf heures quand il frappa vigoureusement à la porte en disant : « Tu es réveillé ? Dépêche-toi ! Je pars dans une heure et demie, et avant, on a un voyage à faire. »

Paul se passa la tête sous l'eau froide, avala deux paracétamols et descendit en traînant les pieds. Rolf l'attendait dans la rue, rayonnant, à côté d'un vélo léger non moins rutilant : un tandem, plus exactement.

« Qu'est-ce que t'en dis ? demanda-t-il. Il est beau, non ? »

Paul fit le tour de l'engin, l'examinant sous tous les angles d'un regard (pas entièrement usurpé) d'expert.

« Pas mal, finit-il par dire. Pas mal du tout. Tu l'as déniché où ?

— Il y a une boutique de location en ville. Je me suis dit que c'était le moyen le plus simple d'y aller.

— D'aller où, au juste ? demanda Paul.

— Au confluent des deux mers, bien sûr. Allez, monte : c'est toi qui mènes. J'ai mes bagages avec moi. »

Et les voilà partis. Ils tournèrent à droite sur Oddevej, passèrent devant le *Kunstmuseum* de Grenen et continuèrent jusqu'à Fyrvej, en direction de la pointe de la péninsule. Les rares passants en cette heure matinale devaient trouver le spectacle incongru, et le couple mal assorti. Du moins Paul était-il habillé pour l'occasion : chemise ouverte et jean bleu pâle impeccablement repassé, la tenue de loisir réglementaire du jeune député travailliste. En revanche, non seulement Rolf était en costume-cravate, mais il avait son attaché-case soigneusement accroché au guidon. Mais ni l'un ni l'autre ne s'en souciaient, s'abandonnant au plaisir — qui les submergea dès qu'ils laissèrent la ville derrière eux pour s'engager sur la longue route rectiligne qui menait à Grenen — de leurs douze et quatorze ans retrouvés.

« Ça rajeunit, hein ? » cria Rolf ; et quand Paul se retourna il vit que son visage, quoique déjà rougi par un effort pourtant modéré, était baigné d'une excitation enfantine qui semblait effacer les rides et tous les autres signes de vieillissement et de souci.

Puis ils se turent, et de nouveau Paul savoura ce silence absolu : comme si le temps était suspendu ; et tant qu'il était là il lui semblait possible non seulement de vivre dans l'instant (ce qu'il ne pouvait jamais faire à Londres, tant son existence y était *temporelle*, fondée sur des projets, des prévisions, des stratégies de survie) mais même de concevoir que ce moment puisse s'étirer à l'infini. Cette perspective, si fugitive soit-elle, lui procura une sensation délicieuse de luxe inouï ; et tandis qu'il pédalait dans le paysage sans repères, avalant les kilomètres, il eut une vision. Un souvenir se matérialisa devant lui : Marie, la grand-mère des deux jeunes Danois, tendant la main vers la cordelette des stores vénitiens à la fin de son long récit, les laissant remonter jusqu'en haut de sa grande fenêtre, et le salon inondé par la lumière de l'après-midi, gris-bleu comme ses yeux... Vision éphémère, évanescente, mais si vive, si réelle qu'il en eut le souffle coupé et qu'il oublia tout le reste : où il se trouvait, avec qui, ce qu'il espérait encore tirer de ces étranges et merveilleuses retrouvailles.

« Hé, l'Anglais ! s'écria soudain Rolf. Il ne s'agit pas de faiblir ! Il faut être deux pour faire avancer cet engin. »

Paul s'aperçut qu'il avait cessé de pédaler.

« Désolé ! » cria-t-il, et il se remit à la tâche en redoublant d'énergie.

La route suivit quelque temps la côte avant de s'en éloigner en un lent virage gracieux, près d'un phare aux couleurs festives, pour enfin les déposer délicatement sur un parking, à l'extrémité nord de la péninsule. Ils laissèrent le tandem dans l'un des nombreux porte-vélos, sans le cadenasser (la délinquance n'avait pas l'air d'être un problème dans cette partie du monde), et gagnèrent la plage pieds nus par les dunes en pente douce.

« Ha ! Tu te rappelles ? » demanda Rolf en désignant un point derrière eux. Au loin, un spectacle étrange s'offrait aux regards : un wagon de chemin de fer, tiré par un tracteur, emmenait sa première poignée de touristes matinaux tout au bout de la plage, tout au bout du Danemark, là où se rencontraient le Kattegat et le Skagerrak.

« Oui, je me rappelle », dit Paul ; il fit quelques pas et s'immobilisa pour lire les pancartes bien visibles qui avertissaient les visiteurs, en anglais, en danois et en allemand, que ce paysage apparemment accueillant et inoffensif recelait de terribles dangers.

« *Livsfare*, déchiffra-t-il à voix haute. Elles étaient déjà là, ces pancartes ?

— Oh oui, fit Rolf. Je crois bien.

— Si je me souviens, ta mère avait ensablé sa voiture sur cette plage, non ? Et il avait fallu que les pompiers interviennent pour la tirer de là.

— Absolument. Pauvre Mutti... elle est morte il y a deux ans, et jusqu'au bout elle a gardé son titre de plus mauvaise conductrice du monde. C'est ce jour-là... c'est cet incident qui a poussé Jorgen, si c'est bien comme ça qu'il s'appelait, à me taquiner si méchamment. Et moi, je lui ai répondu quelque chose de terriblement blessant. J'en rougis encore quand j'y pense.

— C'était il y a longtemps, dit Paul tandis qu'ils reprenaient leur marche. On était tous très jeunes. »

Rolf secoua la tête. « Je n'aurais pas dû dire ça. »

Ils marchaient à la lisière de l'eau, sur le sable sombre et ferme. Il était presque dix heures et les touristes commençaient à affluer, par groupes tapageurs de trois ou quatre, photographiant inlassablement la plage sous tous les angles imaginables. L'homme d'affaires aux pieds nus et son ami politicien passaient de moins en moins inaperçus.

Enfin ils atteignirent le bout de la péninsule ; se protégeant les yeux du soleil du matin, que l'eau leur renvoyait avec une intensité aveuglante, ils contemplèrent, avec un émerveillement renouvelé, les deux rouleaux de vagues qui se rejoignaient en formant d'étranges motifs triangulaires, se mêlant et se fondant en ce que Benjamin adolescent avait qualifié d'« étreintes d'écume ». Ils échangèrent un sourire, désireux de goûter ensemble cet instant, mais pendant de longues minutes l'un et l'autre restèrent silencieux. Un bip du portable de Paul lui signala qu'il venait de recevoir un nouveau SMS, mais il ne le consulta pas tout de suite. Il gardait ça pour plus tard.

Enfin Rolf prit la parole, très lentement, comme s'il repêchait les mots des abysses de ses pensées. « Bizarrement... commença-t-il, bizarrement, je ne garde aucun souvenir de ce que j'ai ressenti, perdu au milieu des eaux, entraîné vers le fond par la force des éléments. J'ai dû penser que j'allais mourir. Je ne me rappelle même pas que tu m'as sauvé. Enfin, je sais que c'est arrivé, mais je n'arrive pas à me le représenter : je... je n'arrive pas à retrouver cette sensation. » Il regarda l'horizon, plissant ses yeux éblouis. « L'esprit humain doit avoir des fusibles. Oui, je crois que c'est ça.

— Moi non plus, je ne m'en souviens pas très bien », dit Paul. Et il ajouta, conscient de dire une banalité : « On a fait du chemin depuis.

— Je me demande si tu as eu raison de me sauver, dit Rolf à brûle-pourpoint.

— Qu'est-ce que tu veux dire ? demanda Paul, sincèrement choqué.

— Le caractère sacré de toute vie humaine... murmura rêveusement Rolf. Je n'ai jamais bien compris cette notion. Ou plutôt je n'y ai jamais adhéré. Il faut croire que mon éthique personnelle a toujours tendu vers l'utilitarisme. Quand tu t'es précipité dans l'eau pour me sauver, tu as agi sans réfléchir, par réflexe animal. Je me demande si j'en aurais fait autant.

— Quand on voit quelqu'un se noyer, rétorqua Paul, on ne se demande pas s'il mérite d'être sauvé. On ne passe pas dix minutes à évaluer sa contribution à l'humanité. D'ailleurs, on n'a pas le temps. Alors on plonge et on y va.

— Bien sûr. Je comprends ça. Je disais simplement que, d'un point de vue rationnel, tu as peut-être eu tort.

— *Tort ?*

— Si je m'étais noyé ce jour-là... Eh bien, mes parents auraient eu du chagrin, cela va sans dire. Mais ensuite... » — il secoua la tête — « ... ma femme aurait rencontré quelqu'un d'autre, qui l'aurait rendue moins malheureuse que moi. Ça, c'est certain. Mes liaisons adultères, qui n'ont causé que de la souffrance à toutes les personnes concernées, n'auraient jamais eu lieu. Mes employeurs auraient trouvé sans peine quelqu'un d'aussi compétent pour me remplacer. » Il se tourna vers Paul, avec dans la voix des accents rageurs, presque agressifs. « Tu vois, je ne me fais pas d'illusions sur mon compte. J'ai fini par comprendre que je suis un égoïste. Je me fous éperdument du bonheur des autres.

— J'ai eu raison de faire ça, dit Paul d'une voix sourde, et tu n'arriveras pas à me persuader du contraire. »

Rolf mit les mains dans les poches et s'éloigna vers l'eau d'un pas nonchalant. Il demeura longtemps immobile, le dos tourné. Paul finit par le rejoindre, ce qui poussa Rolf à reprendre la parole : « Tu comprends bien, n'est-ce pas ? qu'il m'est impossible de faire ce que tu me demandes. Il y a des choses qui ne méritent pas d'être sauvées. Et même si pour toi ça ne s'applique pas aux êtres humains, en tout cas ça s'applique aux entreprises en difficulté. » Il le prit par l'épaule, mais d'un geste malhabile, et il laissa retomber sa main. « Je sais que j'ai une dette envers toi. Et je t'aiderai, je ferai tout ce que je pourrai. Je te donnerai de l'argent. Je te prêterai ma maison sur la côte : tu pourras y emmener ta maîtresse cet été. Je te donnerai le numéro de la meilleure prostituée du monde, qui d'ailleurs vit à Londres. Mais ça, même pour toi, je ne peux pas le faire. Je ne suis pas assez fort. Tu me demandes l'impossible.

— Tout ce que je te demande, c'est de soumettre la proposition aux autres membres du conseil d'administration, pour qu'ils puissent reconsidérer leur choix...

— Je sais déjà ce qu'ils répondraient. Il ne s'agit pas

de repêcher quelqu'un qui se noie, Paul. Il s'agit de quelque chose de bien plus fort que l'océan, de bien plus primitif. Le marché. Qui peut *aussi* être impitoyable, qui peut *aussi* être destructeur. Tu crois au marché, non? Vous y croyez, toi et ton parti? Alors il faut être honnête avec les gens. Il faut leur faire comprendre que parfois le marché engloutit les hommes et rejette leurs cadavres sur la plage et que tu n'y peux rien, que personne n'y peut rien. Ne leur mens pas. Ne les encourage pas à croire qu'ils peuvent avoir le beurre et l'argent du beurre. »

C'est alors que derrière eux, au loin, retentit un bruit de moteur. Ils se retournèrent et virent, comme Paul la veille, un point noir dans le ciel qui ne cessait de grossir. Rolf consulta sa montre et hocha la tête d'un air satisfait.

« Dix heures et demie. Pile à l'heure. Allez, Paul, dis-moi au revoir, si tu veux bien. »

Il courut vers l'hélicoptère, qui se posait sur la plage de l'ouest pour le bonheur des touristes; ils regardèrent bouche bée cette silhouette ventripotente et disgracieuse, en costume sombre taillé sur mesure, courir dans le sable, tenant d'une main son attaché-case, de l'autre ses chaussures et ses chaussettes, avec Paul sur ses talons. Certains prirent même des photos.

Paul et Rolf durent crier pour se dire adieu.

« Ç'a été merveilleux de te revoir, Paul, rugit Rolf tout ébouriffé par le souffle de l'hélice. Et de revoir cet endroit. Merci d'être venu, vraiment. Cette fois, on n'attendra pas vingt ans, d'accord?

— Promis, répondit Paul.

— Excuse-moi, dit Rolf. Excuse-moi de ne pas pouvoir faire ce que tu m'as demandé. Mais ne t'inquiète pas. Le problème s'arrangera tout seul.

— J'espère.

— J'en suis sûr. C'est plutôt ton autre problème qui m'inquiète.

— Je contrôle la situation. Ne t'en fais pas. »

Rolf balança ses affaires dans l'habitacle et serra Paul dans ses bras. Ils s'étreignirent avec ferveur. Rolf allait monter dans l'hélicoptère quand il se retourna et dit à l'oreille de Paul :

« Tout ce que j'ai à te dire, c'est que... il est rare qu'une femme se satisfasse d'être une maîtresse. Tu n'es pas quelqu'un de cruel, alors rappelle-toi : pour une femme, c'est vraiment un rôle inconfortable. L'une des miennes a fini par se suicider. » Pour finir, il l'embrassa sur les deux joues, de manière fort peu teutonne. « Je ne suis toujours pas convaincu que tu aies eu raison de me sauver. »

Sur quoi, dans un chaos de bruit et de sable tourbillonnant, Paul, les yeux brûlants, vit l'hélicoptère s'élever d'un bond vers le ciel et disparaître.

15

Benjamin était assis dans son bureau, au septième étage d'une tour surplombant St Philip's Place. Il travaillait à la même place depuis plus de dix ans, et il avait toujours adoré la vue, le panorama gris de cette ville qu'il persistait à aimer malgré tout son désir de s'en échapper. Mais aujourd'hui, il ne regardait pas la vue. Pour la seconde fois, il reprit le livre posé devant lui, relut incrédule les dernières phrases, puis le laissa retomber.

C'était la pause déjeuner, et il avait à portée de main un grand moka de chez Coffee Republic, ainsi qu'un sandwich ciabatta-feta-olives noires ridiculement cher acheté chez le nouveau traiteur de la galerie Piccadilly. La biographie de Francis Piper était ouverte à la page 567. Doug réclamait l'article pour la fin de la semaine dernier délai, et il fallait vraiment que Benjamin finisse le livre aujourd'hui. Il prenait consciencieusement des notes au fil de sa lecture.

Le biographe de Piper avait eu accès au journal intime du poète, et organisait son récit autour de citations de cette source inédite. Ce journal était exhaustif (interminable, pourrait-on dire), et manifestement l'éditeur n'avait pas procédé à des coupes très rigoureuses. Il avait donc fallu 550 pages pour arriver à l'année 1974, et il en restait encore au moins 200. Mais Benjamin avait acquis une vision d'ensemble : à ce stade de sa vie, la grande et féconde période poétique de Piper était révolue depuis trente ans, il n'écrivait plus rien de consistant (sinon cet intarissable journal) et — sexuellement inactif depuis près d'une décennie — il était la proie de fantasmes et d'obsessions sexuelles d'une morbidité lassante. La litanie de non-rencontres vaguement pathétiques (des ouvriers du bâtiment suivis sans espoir dans des rues de banlieue pendant des kilomètres, des attouchements dans des toilettes publiques avortés pour cause de panique) devenait franchement fastidieuse.

Durant cette période, Francis Piper tirait ses maigres revenus de rares conférences dans des lycées et des universités, et d'invitations occasionnelles dans quelque avant-poste de l'Institut britannique au fin fond de Bucarest ou de Dresde. Le 7 mars 1974, il était ainsi venu lire et commenter ses poèmes à l'école King William de Birmingham. Benjamin était dans le public. Il avait remarqué que l'école était mentionnée dans l'index, mais il tenait à lire le livre dans l'ordre, et d'ailleurs cette visite, supposait-il, ne ferait l'objet que d'une brève allusion. C'est pourquoi il fut pris de court en arrivant enfin au récit de cette journée.

Après avoir relu une nouvelle fois le passage, il laissa tomber le livre par terre et sortit de son bureau en titubant, sans un mot à ses collègues ni à Judy la réceptionniste. Elle le regarda bizarrement, mais sans comprendre — comment aurait-elle pu ? — qu'en quelques secondes la vie de Benjamin venait d'être ébranlée jusque dans ses fondations.

Benjamin s'engagea parmi les voitures qui filaient sur Colmore Row, provoquant un concert de klaxons, puis erra, comme en transe, aux alentours de St Philip, remarquant à peine les gros titres de l'*Evening Mail* placardés devant les kiosques : « *C'est gagné! Longbridge sauvée par Phoenix.* » Qu'est-ce que ça pouvait bien lui faire que les vies de dizaines de milliers d'inconnus aient retrouvé un sens et un espoir, alors que tout sens et tout espoir venaient de lui être brutalement arrachés ?

Son portable sonna. C'était Philip Chase.

« Salut, Ben... t'as entendu la nouvelle ? Rover est sauvé. BMW a accepté l'offre de Phoenix. C'est fantastique, non ? Je vais aller à Longbridge tester l'ambiance à la porte Q. Tu veux venir ? Je peux t'emmener. » Faute de réponse, il demanda : « Allô ? Benjamin ? Tu es là ? »

Au bout de quelques secondes, et au prix d'un immense effort, Benjamin dit : « Je ne peux pas, Phil. Merci, mais j'ai du travail.

— Oh. D'accord. » Et Phil raccrocha, déconcerté et déçu, moins par le prétexte que par le ton de la voix.

Mais Benjamin ne retourna pas travailler. Certes, il repassa brièvement au bureau, le temps de récupérer la biographie, mais aussitôt il repartit, moitié en marchant, moitié en courant, vers la gare de New Street, où il parvint juste à temps pour monter dans le 13 h 48 à destination de Londres-Euston, qui avait du retard.

*

Irina ouvrit la porte et parut embarrassée quand Benjamin lui demanda : « Ils sont là ?

— Euh, oui, ils sont là, mais je ne crois pas qu'ils puissent...

— Qui c'est ? » fit la voix de Doug. Il descendit l'escalier, sans pantalon, essoufflé, se débattant avec les boutons de sa chemise.

« Benjamin... c'est toi ? » Cette fois, c'était Frankie qui appelait. Elle était penchée par-dessus la balustrade, nue sous un drap. Elle était merveilleusement ébouriffée, et si Benjamin n'avait été en proie à une panique aveugle il aurait été certainement parcouru, comme à son habitude, de bouffées de désir brûlant. Dans la cuisine, on entendait Ranulph hurler, de plus en plus fort, de plus en plus indigné.

« Je m'occupe de lui, dit Irina en tournant les talons.

— Benjamin ? s'étonna Doug parvenu au bas des marches. Qu'est-ce que tu fais ici ?

— J'ai compris, dit Benjamin, je tombe mal.

— Pas vraiment. C'est juste que... tu vois... j'ai évité les gros mots ces derniers temps. » Il le prit par le bras et le conduisit vers le salon du rez-de-chaussée. « Allez, viens, assieds-toi. Tu as l'air bouleversé. Qu'est-ce qui s'est passé ? »

« Je descends tout de suite ! » leur cria Frankie avant de disparaître pour s'habiller.

« Qu'est-ce que tu fabriques à Londres ? demanda Doug tandis que Benjamin s'effondrait sur l'un des canapés. Pourquoi tu n'es pas au boulot ?

— Il est arrivé quelque chose. Quelque chose de... terrible.

— Emily et toi, vous vous êtes séparés », dit Doug instinctivement, sans pouvoir se retenir.

Benjamin le dévisagea. « Mais non.

— Non, bien sûr que non. Excuse-moi... je ne sais vraiment pas pourquoi j'ai dit ça. Tu veux un thé ou quelque chose ? Je vais demander à Irina de mettre de l'eau à chauffer.

« — Un truc plus fort, ça serait pas de refus.

— O.K. » Cela ne lui ressemblait pas — et il n'était que quatre heures et quart —, mais Doug lui servit un grand whisky. « Tiens. Avale ça, et après tu me raconteras ce qui ne va pas. »

Benjamin vida son verre d'un trait, grimaça en sentant le liquide âcre lui brûler le fond de la gorge, et dit : « C'est à propos de l'article. »

Doug poussa un soupir à la fois incrédule et soulagé. « T'as fait tout ce chemin, s'exclama-t-il, pour me parler de cet *article* ? Mais bon Dieu, Benjamin, à quoi ça sert, le téléphone ?

— Je ne pouvais pas t'en parler au téléphone.

— Écoute... ne t'en fais pas pour ça. Si tu l'écris, tant mieux. Sinon, c'est pas grave, de toute façon, d'ici deux ou trois semaines j'aurai changé de boulot. C'est pas comme si tu me mettais dans le pétrin.

— Il ne s'agit pas de ça. J'ai découvert quelque chose dans ce livre. Quelque chose qui me concerne.

— Le livre parle de *toi* ?

— Enfin, pas directement. Je veux dire, je ne suis pas cité. Mais dedans il y a une histoire et... ça me concerne, je le sais. »

Doug s'inquiéta d'entendre Benjamin parler ainsi. Des années de journalisme, et des dizaines de lettres de lecteurs chaque semaine, lui avaient appris — entre autres choses — que les maladies mentales plus ou moins bénignes étaient plus répandues qu'on ne le croyait généralement, et pouvaient prendre les formes les plus inattendues. Il connaissait la notion d'« illusion référentielle » : ceux qui en étaient atteints se persuadaient que des articles parfaitement anodins sur des sujets généraux renfermaient en fait un sens caché qu'eux seuls savaient déchiffrer. Cela pouvait prendre un tour tragique. Récemment encore, à Chalfont St Giles, un homme qui avait tenté d'assassiner sa femme avait plaidé non coupable, affirmant qu'il en avait reçu l'ordre par des messages codés dissimulés dans le programme télé.

Il poussa un nouveau soupir et se passa la main dans les cheveux. C'était peut-être une mauvaise idée d'avoir confié cet article à Benjamin ?

Par bonheur — car Doug ne savait absolument pas quoi dire — deux choses arrivèrent en même temps. Frankie entra dans la pièce, et le téléphone sonna.

Elle se pencha vers Benjamin, l'embrassa sur la joue et le serra dans ses bras. « Je suis si contente de te voir ! » s'écria-t-elle, en donnant, comme toujours, l'impression d'être sincère. Elle avait enfilé un pull en cachemire à col V qu'elle portait à même la peau, sans soutien-gorge, et Benjamin sentit sur son cou l'odeur encore chaude du plaisir. Elle s'assit à côté de lui et ils écoutèrent Doug dans son monologue téléphonique.

« Je sais, David, c'est une super nouvelle. À Longbridge, apparemment, ils ont du mal à y croire. Personne dans la presse londonienne ne prenait cette offre au sérieux. Ils n'en avaient rien à foutre de l'usine : ils préféraient titrer sur 50 000 chômeurs. Ils trouvaient ça plus vendeur. Bien sûr que je veux. Combien de mots ? Mille cinq cents ? Je m'y mets tout de suite. Tu l'auras pour six heures. C'est bon, je m'en charge. »

En raccrochant, il se tourna vers Benjamin et lui dit d'un air penaud : « J'ai changé de crémerie, comme tu peux le constater. Je reviens aux choses sérieuses. Techniquement, je suis encore sous contrat avec les autres, mais... qu'ils aillent se faire foutre, putain. » Voyant le regard réprobateur de Frankie, il se reprit : « Je veux dire... il faudra bien qu'ils s'en accommodent.

Bref, t'es au courant, pour Longbridge, hein? Incroyable mais vrai: ton frère s'est déjà débrouillé pour passer à la radio en disant que c'est qu'il espérait depuis le début. Ce qui en surprendra beaucoup, je dois dire. À commencer par moi. » Il consulta sa montre. « Excuse-moi, Ben, mais il faut que je me mette au boulot. Ils veulent le papier pour six heures. On en discutera au dîner, d'accord?

— Pas de problème, dit Benjamin d'un air sombre.

— Ne t'inquiète pas, intervint Frankie, je m'occupe de lui. » Doug disparut à l'étage; elle resservit Ben et s'assit dans le fauteuil en face de lui, penchée en avant, l'air attentif, les mains jointes. « Bien, fit-elle d'une voix presque tremblante de gentillesse (dont Benjamin ne parvenait jamais à mettre en doute la sincérité). Et maintenant, dis-moi ce qui ne va pas. »

Benjamin ne savait par où commencer. Mais tout bien considéré, il n'y avait qu'une seule façon de le dire:

« Je ne crois plus en Dieu. »

Il fallut du temps à Frankie pour digérer cette information. « Waouh » fut tout ce qu'elle trouva à dire; et elle se renfonça dans son siège, comme sous l'effet d'une force irrésistible. « Mais comment... je veux dire... depuis quand?

— Depuis environ une heure dix de l'après-midi.

— Waouh, répéta-t-elle. Excuse-moi, j'ai un peu de mal à faire des phrases. Mais franchement, Benjamin, c'est... Enfin, tu ne parles pas sérieusement?

— Si, je suis sérieux. On ne peut plus sérieux. » Il se leva, fit les cent pas, puis prit la biographie posée sur la table basse et montra à Frankie le portrait de Francis Piper en couverture. « Tu connais ce type?

— Non, avoua-t-elle.

— Bien. C'est — ou plutôt c'était, puisqu'il est mort — un poète. Assez connu. Il était célèbre dans les années 30, et ensuite de moins en moins ; et quand il est venu nous faire une conférence au lycée en 1974, personne n'avait entendu parler de lui. Et voilà que quelqu'un a écrit sa biographie et que Doug m'a demandé de la chroniquer. Et aujourd'hui, je suis arrivé au passage où il est question de sa visite à notre lycée. Le 7 mars 1974. »

Il se rassit et tenta de reprendre une contenance. Il devait raconter à Frankie une histoire longue et complexe, à des années-lumière sans doute de ce qu'elle avait vécu. Comment lui faire comprendre les angoisses d'un garçon de treize ans, au seuil de la puberté, terrifié à l'idée de perdre le respect fragile et capricieux de ses amis ? Des angoisses qui à présent semblaient remonter à la préhistoire : sauf que parfois (et aujourd'hui plus que jamais) Benjamin avait l'impression d'en être resté prisonnier, tandis que le reste du monde allait de l'avant...

« À l'époque, tu vois, commença-t-il en respirant un grand coup, j'étais assez timide, et pas très sûr de moi... comment dire... physiquement, et j'avais plutôt... honte de mon corps, je crois. » Il eut un sourire sans joie. « Ça n'a pas beaucoup changé. » Il attendit un sourire d'approbation — ou peut-être de contradiction —, mais le visage de Frankie demeura solennel et attentif. « Or, à King William, le règlement disait — je ne sais pas si Doug t'en a jamais parlé — que si on oubliait d'apporter son maillot de bain il fallait quand même aller nager. Tout nu.

— Bigre, dit Frankie. Vous deviez avoir froid.

— Euh, oui... il fallait prendre en compte le facteur thermique, bien sûr, mais le plus grave, c'était l'*humi-*

liation. À cet âge-là, tu dois le savoir, les garçons sont très cruels, et très... *compétitifs*, dans certains domaines. Et très mal à l'aise dans leur corps, comme je l'ai dit. Si bien que c'était le pire châtiment imaginable. Et je vivais dans la terreur — littéralement, une terreur absolue, quotidienne, abrutissante — que ça m'arrive.

— Et un jour, c'est arrivé?

— Un jour, c'est arrivé. Mon père m'a emmené au lycée en voiture et j'ai oublié mon sac de gym sur la banquette arrière. Et en quelques minutes, je ne sais pas comment, tout le lycée était au courant que Trotter avait oublié son maillot. À croire que c'était la blague du siècle. Je soupçonne un gamin de ma classe, Harding, Sean Harding, d'avoir lancé la rumeur. C'est marrant : c'était mon ami, et même l'un de mes meilleurs amis, mais il voulait m'humilier. Comment expliquer ça? Je ne sais pas. Il y a un drôle de mélange chez les gamins : entre la cruauté et l'amitié, il ne semble pas y avoir de contradiction.

— J'ai entendu parler de Harding, glissa Frankie. Quand Duggie a fait son speech l'an dernier au Queen Elizabeth Hall, il a parlé de lui. De lui et de ton frère.

— Oui. » Benjamin éclata de rire. « Ils faisaient la paire, à bien des égards. Même si on ne s'en rendait pas compte, sur le moment. Bref, j'étais au fond du trou. Ce type, ce poète, Francis Piper, donnait une conférence ce matin-là, et j'ai eu un bref moment de répit en pensant que le cours de natation allait être annulé. Mais ça n'a pas été le cas. Alors, à la récré, juste avant le début du cours, je me suis isolé aux vestiaires et j'ai... j'ai craqué. Et c'est à ce moment-là que c'est arrivé.

— Je sais ce que tu vas dire, intervint Frankie, d'une voix palpitante d'émotion. Tu as prié, pas vrai? Tu t'es tourné vers le Christ.

— Comment tu le sais ? demanda Benjamin.

— Parce que c'est ce que j'aurais fait.

— Tu vois, avant ce jour, je ne pensais guère à Dieu, reconnut Benjamin. Mais soudain, presque sans y penser, je suis tombé à genoux et je me suis mis à prier. À Le supplier. Ou plus exactement à Lui proposer un marché.

— Un marché ?

— Oui. Donnant donnant. Je Lui ai dit que s'Il m'envoyait un maillot de bain, je croirais en Lui. Pour toujours et à jamais. »

Frankie parut impressionnée par cette tactique audacieuse. Et demanda, inévitablement : « Et ça a marché ?

— Oui. » Benjamin regardait droit devant lui, hypnotisé par l'éternelle clarté de ce souvenir. « Les vestiaires étaient absolument silencieux. Et puis j'ai entendu le bruit d'un casier, le battement d'une porte. Je me suis relevé et je me suis dirigé vers le bruit. La porte du casier était ouverte. Et à l'intérieur, il y avait...

— ... un maillot de bain, dit Frankie dans un murmure. C'était un miracle, Benjamin ! Tu as été témoin d'un miracle. »

Elle s'approcha, s'agenouilla devant lui, posa les mains sur ses genoux. À cet instant, il aurait aimé pardessus tout l'embrasser. Mais le geste semblait inadapté à la situation.

« Et après ça... demanda-t-elle, tu as respecté le marché ?

— Oui, parfaitement. Je me suis mis à aller à l'église, et j'ai continué à y aller malgré les sarcasmes de mes amis et de mes contemporains. Fidèlement, pendant vingt-six ans. Et quand enfin j'ai rencontré une femme qui partageait ma foi, je... à vrai dire, je ne crois pas être tombé amoureux d'elle, à proprement parler, mais plutôt j'ai... je me suis rapproché de son orbite. Enfin, j'avais connu Emily au lycée, et on avait un peu discuté de religion, mais c'est seulement quand je suis allé passer un week-end chez elle à la fac — on était en troisième année, je crois : moi à Oxford, elle à Exeter — que... qu'on s'est mis à en parler sérieusement. C'est aussi la première fois qu'on a couché ensemble, dans mon souvenir. Elle était vierge. Pas moi, parce que trois ans plus tôt, dans la chambre de mon frère... »

Sa voix se perdit, et il s'aperçut que Frankie essayait d'attirer son attention.

« Tu te disperses, Benjamin. Tu te disperses.

— D'accord. Pardon. Bref... ce que j'essaie de dire, c'est que la foi — ou ce que j'ai toujours pris pour de la foi — est au centre de ma vie, et également au centre de mon couple. Et aujourd'hui, il y a exactement... » (il consulta sa montre) « ... trois heures et vingt minutes, je l'ai perdue. Ma foi m'a quitté.

— Mais pourquoi ? insista Frankie. Dieu aussi a respecté le marché, non ?

— C'est ce que j'avais toujours cru. Écoute ça. » Il prit la biographie et se mit à lire, à la lumière de la baie vitrée. « "C'est vers cette époque que la vie sexuelle de Piper semble avoir atteint son nadir. Le tournant, d'après son journal, s'est produit lors d'une visite de deux jours à Birmingham, à l'occasion d'une conférence à l'école King William. C'est ce jour-là qu'il a compris qu'il devait renoncer à ces pratiques auxquelles il s'était résigné, s'il voulait conserver un tant soit peu de dignité." »

Benjamin jeta un coup d'œil à Frankie pour vérifier qu'elle l'écoutait, ce qui était le cas : quoique, à ce stade, sans guère comprendre.

« Dans une minute, tout va s'éclairer, l'assura-t-il. Écoute ça : "Piper a retranscrit ses impressions de Birmingham avec sa sévérité proverbiale : 'Un innommable étron urbain, écrivait-il, comme si un soir Dieu s'était gavé de tandoori horriblement épicé et s'était empressé au matin de se délester les entrailles sur les West Midlands. Une population exsangue, cadavérique, crétinoïde ; une architecture d'une laideur propre à donner des nausées à l'infortuné spectateur.' " Suivent quelques remarques du même acabit. Puis Piper raconte qu'après avoir passé la nuit à l'hôtel Britannia (où "la nourriture était indigne d'une soupe populaire des pires taudis du Londres victorien"), il s'est rendu, avant sa conférence, à la piscine municipale pour sa séance quotidienne d'exercices.

« "Cette coutume, nous le savons, visait moins à préserver sa forme physique qu'à lui offrir l'occasion de se rincer l'œil en toute impunité sur les corps des autres nageurs. Et en l'occurrence, il ne fut pas déçu. 'Je n'étais dans l'eau que depuis quelques minutes, écrit-il, lorsque la hideur pestilentielle des bains publics — sans doute conçus par un médiocre au sens esthétique atrophié, dans un accès de rage vindicative à l'encontre de ses concitoyens — fut soudain transcendée, *sublimée* par une *vision*, une *apparition* : la virilité sous sa forme la plus glorieuse, la plus *sur-naturelle*. Un jeune homme de couleur de vingt ans à peine, aux cuisses musclées et fermes comme de jeunes arbres, aux fesses plus tendues que la peau d'un...'" Bref, tu vois le tableau. Ça continue dans cette veine un bon moment. Je te fais grâce des détails. » Benjamin sauta une page et remarqua que Frankie suivait ses moindres gestes, attentive, fascinée, les yeux écarquillés. « Il suit ce mec pendant quelques longueurs de bassin — même si évidemment il a du mal à tenir le rythme — et puis il le file au train quand il sort pour se rhabiller. Là, on a droit à un grand numéro de haine de soi lorsqu'il décrit son corps — "la peau tavelée qui pendait à mes os poudreux tel le scrotum d'un libertin sénile et syphilitique au dernier stade de la décrépitude", et cetera, je suis sûr que tu peux t'en passer — et puis on arrive au moment décisif. L'autre mec enlève son maillot et se met sous la douche — "révélant à mes yeux transportés un organe de plaisir si lourd et si encombrant qu'il m'a rappelé un prodigieux salami milanais que j'avais vu un jour accroché aux poutres d'une trattoria, dans les montagnes au-dessus de Bagni di Lucca..." Bon Dieu, il ne sait vraiment pas s'arrêter — et c'est alors que Piper succombe à un moment de faiblesse : "Soudain, il me parut intolérable, insoutenable, que cet être divin ne fasse dans ma vie qu'un passage éphémère, sans laisser d'autre trace que l'image de son inaccessible beauté gravée dans ma conscience douloureuse. Il me fallait, à tout le moins, un souvenir. Cela ne dura qu'un instant, le temps d'un geste impulsif, d'une folle hardiesse. Un instant, pas plus : mais il ne m'en fallut pas davantage pour dérober le slip de bain bleu marine qu'il avait laissé sur le banc, l'essorer au-dessus du carrelage, laisser mes narines ardentes (oui, je l'avoue !) inhaler rien qu'une seconde l'odeur grisante de ces contrées sombres et mystérieuses avec lesquelles le tissu (ô heureuse fibre !) s'était trouvé en contact, et enfin le dissimuler dans le cartable où j'avais rangé non seulement mes affaires de bain, mais également les recueils de poésie grâce auxquels j'espérais vainement impressionner, en fin de matinée, les élèves sans nul doute bovins et hébétés de King William." »

Benjamin referma lentement le livre, d'un air songeur, puis se laissa retomber sur le canapé. Il regarda fixement la fenêtre sans la voir, tandis que Frankie, à court de mots, attendait qu'il termine son histoire.

« C'est donc de là que venait ce maillot, finit-il par dire.

Lorsqu'il est arrivé à l'école, le désir s'était estompé, et il ne ressentait plus que de la honte, du dégoût, et la hantise d'être percé à jour. Alors, avant d'aller trouver le proviseur, il s'est précipité dans les vestiaires et a balancé le maillot dans le premier casier venu. Et c'est là que je l'ai trouvé, *moi*, quelques secondes plus tard. » Benjamin secoua la tête, submergé par l'amertume d'avoir été si crédule. « "Le souffle de Dieu!" *Le souffle de Dieu*, j'appelais ça! Un vieux gâteux frustré qui s'empare des dépouilles de son dernier fiasco et qui s'en débarrasse à la première occasion. *Le souffle de Dieu...* Quelle rigolade. Quelle dérision. »

Il n'avait plus rien à dire. Dans le long silence accablé qui suivit, on entendit les hurlements lointains de Ranulph qui, dans la cuisine, protestait bruyamment contre la dernière tentative d'Irina pour le nourrir ou l'habiller.

Enfin Frankie revint s'asseoir à côté de Benjamin et lui prit les mains.

« Tu sais, Benjamin, les voies de Dieu sont multiples. Multiples et impénétrables. Ce n'est pas parce qu'il y a une explication rationnelle à ce qui s'est passé que ça... que ça en perd tout son sens.

— Je croyais que c'était un miracle, dit Benjamin comme s'il n'avait rien entendu. Mais les miracles, ça n'existe pas. Il n'y a que des circonstances aléatoires, des coïncidences dénuées de sens.

— Mais ça a *pris* un sens, pour toi...

— Il n'y a que du chaos, poursuivit-il en se levant. Du chaos et des coïncidences. C'est tout. »

Et rien de ce que Frankie ou Doug trouvèrent à dire ne le fit changer d'avis, ni ce jour-là, ni dans la nuit lorsque, à trois reprises, ils le surprirent à arpenter la maison d'un pas silencieux de somnambule.

14

Qui aurait visité le hameau de Little Rollright, dans les Cotswolds, par cet après-midi torride du lundi 22 mai 2000, aurait sans doute été mû, comme tant d'autres visiteurs, par un intérêt pour l'architecture religieuse. Cette femme (supposons qu'il s'agit d'une femme) aurait remonté la route en lacets à voie unique jusqu'à l'église du quinzième siècle, un exemplaire de Pevsner à la main, pour une orgie de cimaises, de contreforts, d'arcs redentés et de corniches crénelées. En chemin, peut-être aurait-elle remarqué, assis sur un banc contre le mur sud, dominant les maisons blotties en une masse dorée, un homme de trente-cinq ans et une femme d'une vingtaine d'années, qui discutaient en chuchotements passionnés mais hachés. À supposer que son intérêt pour l'architecture excède une curiosité superficielle — à supposer en fait qu'elle ne soit jamais rassasiée de niches, de quadrilobes et de baldaquins —, elle aurait pu passer une bonne heure dans l'église, son carnet à la main, son crayon à l'affût, et en émergeant, éblouie, au soleil toujours plus féroce, elle aurait remarqué que l'homme et la femme étaient encore là, et parlaient toujours. Un peu plus distants peut-être, et assurément plus échauffés et plus mélancoliques. Mais toujours là. Et en sortant par la porte du cimetière, elle leur aurait peut-être lancé un dernier regard, remarquant que l'homme était penché en avant, la tête dans les mains, et marmonnait quelques mots accablés qu'aucune brise, par ce jour étouffant, ne pouvait porter jusqu'à ses oreilles soudain curieuses. Alors elle aurait regagné sa voiture, et n'aurait jamais su le fin mot de ce drame qui se jouait sous ses yeux ce jour-là au cimetière, jamais su qu'au moment où elle refermait le portail derrière elle, dans un couinement et un cliquetis, Paul Trotter disait à Malvina : « Je ne peux pas croire qu'on en arrive là. Je ne peux pas croire qu'on en soit là. »

*

Paul ne savait pas à quoi s'attendre. Tout ce qu'il savait, c'est qu'il était impatient de revoir Malvina. Ils ne s'étaient pas revus depuis près de trois semaines, depuis la veille de son départ pour Skagen. Pendant son absence — le matin même de sa conversation avec Rolf sur la plage de Grenen —, le chroniqueur d'un journal national avait fait allusion à lui et à Malvina. Les termes étaient soigneusement pesés afin d'éviter tout procès en diffamation, mais les insinuations étaient claires pour tout lecteur ; or, parmi les lecteurs figurait Susan.

Malgré ses menaces répétées, elle ne l'avait pas foutu à la porte en apprenant que Malvina avait passé une nuit sous son toit à son insu. Mais elle lui avait fait promettre de ne plus la revoir, et à dater de ce jour Malvina cessa d'être sa conseillère médiatique et de toucher son salaire. Dans un e-mail du 8 mai, il écrivait :

* Ne pas * te voir est impensable. Ce n'est même pas envisageable, en ce qui me concerne. Mais il vaut peut-

être mieux pour le moment que tu gardes un profil bas. Et
qu'on ne se voie pas pendant une semaine ou deux.

Malvina avait répondu :

Je ne suis pas sûre que ça me plaise de devoir rester
cachée. Même si je crois comprendre ta logique. J'ai sans
doute peur que tout ce qu'il y a entre nous parte en eau
de boudin, que ces sentiments qu'il nous a fallu tant
d'efforts pour exprimer enfin soient étouffés dans l'œuf
par des complications, par tout le cauchemar qu'implique
de tenir le monde à distance...

Depuis lors, Paul s'était montré pour le moins circonspect. Il avait ordonné à Malvina de ne pas lui
envoyer de mails, de ne pas lui envoyer de SMS, de ne
pas lui rendre visite. Jamais il ne se demandait comment elle pouvait remplir ses journées uniquement
occupées par ses cours et ses rêves d'un avenir à deux ;
ce n'était pas son problème. Pour sa part, il se plongea
dans son travail de parlementaire, se portant volontaire
pour tant de rapports et de corvées protocolaires que
ses relations avec son ministre de tutelle (au bord de la
rupture depuis des mois) en devinrent — brièvement —
presque cordiales. Il passa plus de temps à la maison, à
jouer avec Antonia, avant de s'apercevoir qu'il ne pouvait pas tenir plus de dix minutes sans risquer de mourir d'ennui. Pour la première fois depuis des années, il
contacta son frère de sa propre initiative et discuta avec
lui au téléphone, après avoir appris par Susan que Benjamin avait un comportement étrange : il n'allait plus à
l'église, disait-on, et avait de violentes disputes avec
Emily. (Paul au demeurant ne réussit guère à en savoir
davantage, et ne poussa pas la sollicitude jusqu'à voir
Benjamin en personne.) Et il écrivit plusieurs articles
sur la crise de Longbridge, son issue heureuse, l'atti-

tude magistrale du gouvernement dans toute cette affaire. Il s'invita même à l'usine pour une séance photo avec les dirigeants victorieux du Phoenix Consortium — même si en fin de compte il ne rencontra que leur porte-parole, et si le cliché ne fut retenu par aucune agence de presse.

Dans cette frénésie d'activités, pourtant, il n'aspirait qu'à revoir Malvina.

Vint enfin le moment où il jugea qu'ils pouvaient le faire sans risque. Il ne voulait pas que cela se passe à Londres ; il était convaincu que ses moindres allées et venues étaient espionnées par la presse. Mais ce jour-là il devait rentrer de sa circonscription en voiture, et il proposa à Malvina de prendre le train à Paddington et de le retrouver à mi-chemin, à Moreton-in-Marsh. Ils pourraient passer quelques heures ensemble, déjeuner dans un pub, se promener dans la campagne. Ce serait tranquille, discret, et le changement d'air leur ferait beaucoup de bien à tous les deux. La météo était prometteuse. Tout le week-end, Paul compta les heures qui le séparaient de cette journée.

Il ne tenait pas à l'accueillir à la descente du train — trop de gens à la gare — et préféra l'attendre dans sa voiture, garée devant l'hôtel White Hart. Avec un quart d'heure de retard, elle tapa à la vitre et, lorsqu'il l'ouvrit, se pencha pour l'embrasser. Respirer son odeur à cet instant était en soi un miracle. Pourquoi oubliait-il toujours de lui demander le nom de son parfum ? S'il le connaissait, il pourrait s'en acheter un flacon, le garder à son chevet et ainsi la humer à sa guise. Il se sentit enveloppé par elle, emmêlé dans sa chevelure, tandis qu'elle tendait les bras pour le prendre par la nuque. Leurs lèvres faillirent se rejoindre, mais au dernier moment une incertitude se présenta, une ambiguïté concernant

234

leur relation — amis ? collègues ? amants ? — et finalement ils se contentèrent d'un baiser sur la joue. Mais cela n'eut pas l'air de les gêner. Ils éclatèrent de rire ; Malvina, toujours cramponnée à lui, dit : « Salut, tu m'as manqué » et monta dans la voiture.

Au déjeuner, la conversation garda un ton léger. Il y avait des dizaines de pubs réputés dans les environs, recommandés par les guides pour leurs menus abondants et variés et leur charme désuet, mais Paul ne voulut pas en entendre parler : en cette saison, ils seraient bondés de touristes, et il risquait d'être reconnu. Ils se rabattirent donc sur un routier en bord de nationale, avec une hideuse façade en galets et une nourriture sortie tout droit des années 70. Tout en se débattant avec son hamburger, Malvina se montra très gamine, nerveusement bavarde, apparemment aussi réticente que lui à aborder le sujet de leur hypothétique avenir commun. Elle préféra parler de ses cours, d'un long devoir de fin d'année à rendre sous peu, et d'un de ses profs qui, lors d'une séance de tutorat, lui avait fait des avances timides mais sans équivoque.

« Ma pauvre, dit Paul. Tu n'as vraiment pas besoin de ça, d'un vieux satyre baveux.

— À vrai dire, il est plus jeune que toi. Et presque aussi mignon », répondit-elle les yeux rieurs, excitée par cette intimité qui l'autorisait à flirter ainsi avec lui.

Ils partirent vers l'est, par la route de Banbury, mais au bout de quelques minutes Paul aperçut un panneau indiquant un sentier ouvert au public et se gara sur l'aire de repos.

« On est où ? demanda Malvina. L'endroit me dit vaguement quelque chose. »

Paul n'en avait aucune idée. Il y avait deux ou trois autres voitures stationnées là ; un portail ménagé dans une haie grossière menait à une quelconque attraction touristique. Malvina lut l'écriteau fixé sur le portail et s'aperçut qu'il s'agissait des célèbres Pierres levées de Rollright, un site préhistorique marquant sans doute une antique sépulture, mais également associé, dans le folklore local, à des histoires de sorcellerie.

« Je crois que je suis déjà venue ici, dit-elle. J'en suis même sûre. On peut aller jeter un coup d'œil ? »

Paul n'était pas très chaud. Il y avait déjà une bonne douzaine de visiteurs occupés à photographier ces pierres grêlées, incrustées de lichen, aux formes étranges.

« Désolé, fit-il. C'est trop risqué. Allons plutôt nous balader ailleurs.

— Oh, s'il te plaît ! Rien que quelques minutes.

— On va laisser la voiture ici. On peut revenir plus tard, quand il y aura moins de monde. »

Ils longèrent la route puis bifurquèrent vers la gauche sur un sentier. Le sol ne tarda pas à s'étager, et le village de Little Rollright se déploya sous leurs yeux, tapi dans une vallée entre des collines de pâturages. Le clocher trapu de l'église resplendissait au soleil de l'après-midi. Tout était silencieux et immobile, sans vie. Pas un bruit, pas un touriste. Ils avaient le monde pour eux.

Près de la porte de l'église se trouvait un banc donnant sur le village. Après une courte visite de l'édifice, sans conviction (mais qui du moins eut pour effet de les rafraîchir), et une inspection des pierres tombales — généralement trop usées pour être lisibles —, ils s'y réfugièrent et rassemblèrent leurs forces pour une discussion qu'ils ne pouvaient plus éluder.

« Alors, dit Malvina, qui savait depuis le début que ce serait à elle d'aborder la question, les choses ont évolué ces derniers mois, pas vrai ? L'équilibre des forces a changé. Quand on a commencé, j'avais l'impression — je peux me tromper — que tu avais simplement envie de coucher avec moi. Ça me donnait l'impression d'exercer un pouvoir sur toi, et je crois que ça me plaisait bien. Mais j'ai senti un changement en moi... quand ça ?... le jour de la manif. Enfin, le soir. Le soir où j'ai couché chez toi. Je me rappelle... je me revois assise avec toi sur le canapé, après le dîner, devant la cheminée, avant d'aller dormir. On n'osait même pas se toucher et, bizarrement, c'est pour ça que ça m'a paru si intime : en tout cas, ça m'a obligée à reconnaître la situation. On était au bord du gouffre et on ne s'en rendait même pas compte. Et puis... Et puis je crois que pour la suite il faut remercier Doug. C'est lui qui t'a expliqué ce que je vivais. Et ensuite tu es venu me trouver la veille de ton départ pour le Danemark. Et... eh bien, j'étais surprise, je dois dire. Et même carrément stupéfaite. Tu t'es vraiment lâché ce soir-là. Tu as dit beaucoup de choses...

— Je les pensais, se hâta de répondre Paul. Je pensais tout ce que j'ai dit.

— Je sais. Je n'en doute pas une minute. Mais je ne veux pas que tu te sentes tenu à quoi que ce soit. » Elle lui lança un regard. « Tu le sais, non ? »

Paul ne dit rien. Le soleil lui faisait mal aux yeux et il sentait sa chemise poisseuse de sueur. S'il ne prenait pas de précautions, il allait finir par attraper des coups de soleil. Et comment les justifier auprès de Susan ?

« Pendant un jour ou deux, j'étais sur un petit nuage, reprit Malvina. Jusqu'à ce que cet article me fasse redescendre sur terre. Et maintenant, tout n'a plus l'air aussi rose. Ces dernières semaines ont été horribles. J'ai l'impression d'avoir perdu le contrôle de ma vie. Je me sens complètement impuissante. Tu connais ce sentiment ? Sans doute pas. »

Paul posa sa main sur la sienne et voulut se montrer rassurant. « Je sais que ce n'est pas facile, dit-il, mais il n'y en a plus pour très longtemps...

— Qu'est-ce que ça veut dire ? éclata soudain Malvina. Comment tu peux dire ça ? Pourquoi il n'y en a plus pour très longtemps ?

— Parce qu'au bout d'un moment la presse va s'en désintéresser.

— T'occupe pas de la presse. Et *toi*, alors ? Qu'est-ce que tu vas faire, *toi* ? Qu'est-ce que tu vas décider par rapport à moi ? C'est *ça*, la question, non ? Les journaux, on s'en fout.

— Oui, dit-il dans un profond soupir, comprenant enfin, confusément, de quoi elle parlait. Oui, tu as raison. C'est ça la question. »

Et il sombra dans un silence morose. Il n'était même pas à court de mots : il était à court de pensées. Brusquement, il se sentait privé de repères, à la dérive, sans la moindre idée de ce qu'il était censé croire ou éprouver.

« Je ne peux pas être ta maîtresse, dit Malvina, désespérant qu'il reprenne jamais la parole. C'est au-dessus de mes forces. Pour commencer, je ne veux pas faire de mal à Susan, ni à ta fille. Et je ne peux pas passer mon temps à marcher sur des œufs, sans jamais savoir si j'ai le droit de te voir, sans jamais savoir quand je te reverrai. Ça n'a pas l'air de te gêner. On dirait même que ça t'excite. Mais... on ne peut pas passer notre vie à se retrouver dans des cimetières de campagne, où tu regardes derrière toi toutes les cinq minutes, des fois qu'il y ait un photographe, où tu passes ton temps à vérifier sur ton portable que Susan n'a pas appelé. » L'exaspération lui donnait une voix suraiguë. « Vrai ou pas ?

— Bien sûr... Je t'ai dit... je t'ai dit, dans un e-mail,

que c'est juste un mauvais moment à passer, le temps que les choses se calment, que les choses... s'arrangent.

— Mais elles ne vont pas s'arranger toutes seules, Paul. C'est à *toi* de les arranger. » Et d'une voix différente, plus sourde, plus triste, elle ajouta : « Je sais que c'est beaucoup demander. Mais en fait ce n'est pas moi qui te demande ça. Si tu y réfléchis, c'est *toi* qui te demandes ça. Moi, je dis simplement qu'on en est arrivés à un point où il faut choisir.

— Entre ?

— Entre être amis et être amants. »

Bien sûr, c'est exactement ce qu'il s'attendait à entendre. Il n'en fut pas moins ébranlé par la brutalité de l'expression.

« Ah » fut tout ce qu'il trouva à dire.

Mais il lui vint peu à peu à l'idée que ce choix était peut-être moins drastique qu'il n'en avait l'air. Qu'est-ce que ça voulait dire, d'abord, l'« amitié » ? C'est ce qui existait déjà entre eux. Une amitié certes exceptionnellement intense et passionnée, mais c'était justement là sa grande qualité, ce qui la rendait si neuve et si excitante pour lui. Bon, ils n'avaient pas couché ensemble : eh bien, ils pouvaient s'en féliciter, ils avaient su rester maîtres de leurs désirs. En fait, Malvina et lui avaient entrepris une expérience radicalement nouvelle : ils étaient en train d'inventer un *nouveau type* d'amitié, lequel (commençait-il confusément à comprendre) se révélait particulièrement adapté à ses besoins affectifs, compte tenu de son ancrage conjugal et familial. Pour l'heure, il ne voyait pas la nécessité de faire des vagues. Ce qu'il vivait avec Malvina lui suffisait. Peut-être même, au fil de leur amitié, trouveraient-ils moyen d'y ajouter une composante sexuelle : au bout de quelque temps, ils se sentiraient prêts... Tout était possible. Tout était possible, tant qu'ils continueraient à se voir en abordant les choses posément.

« Dans ce cas, finit-il par dire, ce sera l'amitié. Si c'est tout ce qu'on peut avoir, alors... c'est comme ça. »

Prononcés à haute voix, ces mots lui parurent moins triomphants qu'il ne l'espérait. Et ils n'eurent pas sur Malvina l'effet escompté. Il sentit un champ magnétique se former autour d'elle, un mur d'énergie protectrice. Tout son corps se raidit. Elle ne fit pas un geste, mais il eut l'impression qu'un immense fossé venait de se creuser entre eux.

Sa voix se brisa lorsqu'elle dit, après des siècles de silence : « Alors pourquoi tu m'as dit tout ça ? La veille de ton départ pour Skagen ? À quoi bon ?

— Je... il le fallait, répondit Paul désemparé. C'était ce que je ressentais. C'était la vérité. Je ne pouvais plus garder ça pour moi.

— Je vois. »

Elle se leva et gagna lentement l'autre extrémité du cimetière. Elle y demeura quelque temps, le dos tourné, à contempler les champs brûlés par le soleil. Elle portait une robe d'été bleu pâle sans manches, et une fois de plus Paul fut frappé par sa *maigreur*, l'incroyable légèreté de ses os, sa terrible fragilité. L'espace d'un instant, il ressentit envers elle plus d'élan paternel et protecteur qu'il n'en avait jamais éprouvé pour Antonia. Et au même instant il se rappela, avec une bouffée de remords, le fantasme ridicule qu'il avait eu en venant : l'emmener dans un cimetière isolé comme celui-ci et lui faire l'amour passionnément parmi les tombes. Il semblait peu probable, tout compte fait, que le fantasme devienne réalité. Il se demanda s'il devait la rejoindre, la prendre dans ses bras, lui dire quelque chose. Mais voilà qu'elle se mouchait, tournait les talons, revenait vers lui. Elle se rassit sur le banc en reniflant. Le soleil disparut derrière un grand cyprès qui les enveloppa de son ombre fraîche.

Enfin elle parvint à dire :

« Très bien, alors. Va pour l'amitié. Mais il y a quelque chose que tu dois comprendre.

— Quoi donc ? »

Elle déglutit et dit solennellement : « On ne peut plus se voir. »

Lorsque Paul entendit ces mots, il ne leur trouva littéralement aucun sens. Il se demanda si elle n'avait pas fait un lapsus.

« Qu'est-ce que tu veux dire ?

— Je veux dire qu'il ne peut pas y avoir d'amitié entre nous — d'amitié normale, d'amitié réussie — tant que ces sentiments existeront. Tant qu'on sera obsédés l'un par l'autre. »

Paul avait l'estomac noué. Il sentait monter la panique. « Mais... c'est censé prendre combien de temps ?

— Comment tu veux que je le sache ? dit-elle en frottant ses yeux rougis. Dans ton cas, je ne peux pas m'avancer. Longtemps, en tout cas. Sacrément longtemps. » Elle détourna le regard en tortillant une mèche de ses cheveux. Au soleil, ils avaient l'air moins noirs, presque auburn. « D'ailleurs, c'est moi la plus mordue. C'est la vérité, quoi que tu puisses en dire. Donc c'est à moi de décider quand on pourra reprendre contact. Quand je me sentirai prête à ce qu'on redevienne amis. Et d'ici là, je ne veux pas que tu essaies de me joindre. Ce serait au-dessus de mes forces. »

Encore abasourdi par l'accélération des événements, Paul demanda : « Là, on parle de... de semaines ? De mois ?

— Je n'en sais rien. Mais comme je t'ai dit, je crois que ça va prendre très longtemps.

— Mais... » Ce fut son tour de se lever et de faire les cent pas entre les pierres branlantes. « Mais c'est de la folie. Hier encore on...

— Non. Ce n'est pas de la folie. Ce qui est de la folie, c'est la manière dont on a essayé de vivre ces dernières semaines. Réfléchis-y, Paul. C'est moi qui ai raison. C'est horrible, mais je sais que j'ai raison. »

Il y réfléchit. Et ils en parlèrent, longtemps encore, dans une discussion qui n'allait plus nulle part, qui tournait en rond, en boucles perpétuelles, oscillait, se répétait, et finissait toujours par buter sur le cœur de la proposition de Malvina, qui, même aux yeux de Paul, semblait avoir acquis une terrible mais incontestable nécessité. Si bien que, défait, paralysé, il en fut réduit à se pencher en avant, la tête dans les mains, et à répéter les mêmes mots épuisés :

« Je ne peux pas croire qu'on en arrive là. Je ne peux pas croire qu'on en soit là.

— Moi non plus, franchement, dit Malvina. Mais c'est comme ça.

— Je me dis que... il doit bien y avoir une autre approche, une autre...

— Paul, écoute-moi. » Elle le regarda dans les yeux. « Dans une situation pareille, *il n'y a pas de troisième voie*. Tu comprends ça ? Tu piges ? Alors n'essaie pas de te convaincre du contraire. » Elle se leva, et il vit que de nouveau elle avait les yeux luisants de larmes. « Bien, fit-elle d'une voix tremblante. On retourne à la voiture ? »

Ils remontèrent la colline dans un silence presque total. Au début, ils se tenaient par la main. Puis Paul passa le bras autour de l'épaule de Malvina, qui se serra contre lui. Ils marchèrent ainsi cinq ou dix minutes ; jamais ils n'avaient connu une telle intimité physique. Et puis Malvina se dégagea, partit en avant et parcourut les cent derniers mètres à grands pas. Elle attendait Paul au portail, à côté de la voiture.

« Je vais aller jeter un coup d'œil aux pierres, dit-elle. Tu veux qu'on se dise au revoir maintenant ?

— Non, je vais venir avec toi. » Et il la suivit.

Il n'y avait personne à part eux. Malgré l'absence de vent, le site était bruyant, car proche d'une autoroute, et toutes les cinq secondes une voiture passait en trombe. Néanmoins, dès qu'ils entrèrent dans le cercle, ils perçurent un grand silence, qui n'était peut-être que la conscience de se trouver dans un lieu millénaire, créé dans un dessein sacré mais désormais insondable.

Ils se tenaient tout près l'un de l'autre, sans parler, sans bouger.

« Je suis déjà venue ici », finit par dire Malvina. Elle s'éloigna de quelques pas. « C'est ma mère qui m'avait amenée. Je ne sais pas ce qu'on foutait dans cette partie du monde. Elle venait de se séparer de son mari ; son premier mari. C'était un Grec, il n'avait rien à voir avec cette région, je ne comprends pas. Bref : je me rappelle maintenant, très nettement. Ma mère pleurait. Elle faisait une crise de larmes, horrible, exhibitionniste, elle s'accrochait à moi, et elle me disait qu'elle était vraiment lamentable et qu'elle me gâchait la vie. Je devais avoir... six ans, peut-être ? Sept ? Non, six. C'est bien ça. Je revois encore ce couple qui nous regardait, ce couple de quinquagénaires qui se demandait vraiment ce qui se passait. La femme portait un foulard vert autour de la tête. C'était l'hiver. » Elle parcourut des yeux les pierres érodées, déformées, comme si elle découvrait leur présence. « C'est marrant de se retrouver ici. »

Sans réfléchir, Paul dit : « Malvina, je ne sais pas ce qui va se passer entre moi et Susan. Je ne sais même pas si notre couple va survivre à cette histoire. Si un jour je viens te chercher... »

Elle sourit. « Bien sûr, libre à toi. Mais je ne sais pas où je serai.

— Mais tu vas rester à Londres, non ?

— Je veux dire : je ne sais pas où j'en serai émotionnellement. J'espère que je n'en serai plus là. Que je serai allée de l'avant. » Avec tendresse, elle ajouta : « Paul... tu avais un choix à faire, et tu l'as fait. C'est ça l'important. Bravo. Et maintenant, vas-y. Je rentrerai à la gare toute seule.

— Ne dis pas de bêtises. C'est dangereux.

— Il fait un temps superbe. Je vais marcher. Allez, qu'on en finisse. »

Il comprit qu'elle ne céderait pas, même sur ce point. Alors Malvina lui prit les mains et l'attira à elle.

« Allez, viens, fit-elle. Un tendre baiser d'adieu, comme dit le poète. »

Mais même cette fois ils ne s'embrassèrent pas. Ils se contentèrent de s'enlacer, et Paul respira l'odeur de ses cheveux, la chaleur de son crâne, et ce parfum dont il ne connaissait toujours pas le nom, et la paix surnaturelle du cercle de pierres lui rappela Skagen et ses silences ininterrompus, et il comprit qu'on lui offrait un autre de ces moments qui ne finiraient jamais, qui seraient toujours en lui. Il s'y cramponna farouchement, tentant d'accéder à l'intemporel. Mais il sentait Malvina pousser, le repousser délicatement. Il finit par la lâcher et par briser l'étreinte.

Paul ne regarda qu'une seule fois en arrière en regagnant le portail. Il lui vint à l'esprit, dans un spasme de désespoir, que c'était peut-être la dernière vision qu'il aurait jamais de Malvina. De nouveau le dos tourné, contemplant les champs, seule, dans une robe d'été bleu pâle, au centre du cercle : le cercle de pierres qui veillait sur elle, se refermait sur elle, comme les démons qu'elle avait fuis toute sa vie et dont jamais, comprenait-il enfin, il n'avait percé la nature.

Il tourna les talons et regagna le parking.

*

Il était encore sous le choc lorsqu'il rentra dans son appartement de Kennington. Il siffla les deux tiers d'une bouteille de whisky, puis la moindre goutte d'alcool qu'il put trouver dans la cuisine. À dix heures, il perdit connaissance sur le canapé, tout habillé. Il se réveilla à trois heures du matin, pris d'une soif dévorante, la vessie en feu. Sa tête palpitait comme le pouce d'un personnage de dessin animé pris dans une souricière. Il avait envie de vomir. Et puis, en comprenant ce qui l'avait réveillé, il faillit pousser un cri de joie. C'était le double bip d'un SMS sur son portable. Elle l'avait recontacté. Forcément. Elle ne pouvait pas se résigner, elle non plus. Tout ça n'était qu'une terrible erreur, et au matin ils se reverraient. Il lut le message : son fournisseur d'accès l'informait qu'il avait gagné 1000 £ lors d'un grand tirage au sort. Pour récupérer son gain, il lui suffisait d'appeler un numéro spécial facturé 50 pence par minute.

13

Paul tint parole. Il ne sut jamais si Malvina faisait ça pour le punir ou parce qu'elle y voyait sincèrement le seul moyen de survivre à leur histoire sans perdre toute raison et toute dignité. En tout cas, il respecta sa volonté et ne fit aucune tentative pour la contacter. Les jours sans elle étaient un interminable supplice. Il vérifiait obsessionnellement son répondeur, sa messagerie. Rien.

Au fil du temps, les jours lui parurent plus courts, le supplice moins pénible.

Il prit des mesures immédiates pour mettre un terme aux ragots sur sa vie privée, et le 1er juin il fit une déclaration à la presse, prononcée comme il se doit sur le seuil de la maison familiale, tandis qu'Antonia s'agrippait à ses genoux et que Susan, debout à ses côtés, arborait un sourire crispé et furieux.

« Après avoir agi de façon indéfendable et irresponsable, disait-il, je m'engage solennellement à me consacrer de nouveau tout entier à mon couple et à ma famille... »

Malvina lut ces mots le lendemain dans le journal, alors qu'elle se trouvait à la bibliothèque universitaire.

Prise de nausée, elle courut vers les toilettes, mais s'évanouit en chemin ; le bibliothécaire adjoint dut l'emmener dans son bureau pour lui faire boire un verre d'eau.

Un an plus tard presque jour pour jour, dans la nuit du 7 au 8 juin 2001, elle regardait à la télévision les résultats des élections législatives lorsqu'on retransmit en direct des images de la circonscription de Paul. Il venait d'être réélu à une majorité légèrement moindre. Son visage rayonnant et béat emplit quelques instants l'écran, et Susan, debout à ses côtés, se pencha pour l'embrasser sur la joue en gros plan. Tandis qu'il s'avançait pour prononcer son discours de victoire, sa voix fut couverte par celle du commentateur, qui soulignait la vive opposition qu'avait rencontrée Paul de la part des libéraux démocrates. La caméra fit un zoom arrière, et Malvina remarqua non seulement Antonia à l'arrière-plan mais, dans les bras de Susan, un bébé — sans doute une deuxième fille, à en juger par la grenouillère rose — qui ne devait guère avoir plus de deux ou trois mois. C'était donc ainsi qu'ils avaient résolu la crise. Et pourquoi pas, après tout ? Sait-on jamais comment marche un couple ? Une phrase lui revint soudain en mémoire, surgie de nulle part : *Tu es morte depuis bien longtemps...* Ça sortait peut-être d'une chanson, d'une chanson entendue l'an dernier, quand elle travaillait encore pour Paul. C'est ainsi qu'elle se sentait ; et ça n'avait pas l'air de jamais devoir finir. Et puis merde. Elle leur souhaitait bonne chance : elle décréta qu'elle en avait marre de regarder ça, se resservit un Coca Light et se mit à zapper.

12

Le 12 juin 2001

Cher Philip,
Je ne sais pas si tu te souviens de moi, mais nous étions ensemble à King William dans les années 70. Ça paraît tellement lointain !

Si je t'écris ainsi, de but en blanc, c'est parce qu'il m'arrive de lire le Birmingham Post et que j'apprécie tes articles.

J'habite à Telford à présent — avec mon épouse Kate et nos deux filles, Allison et Diane — et je travaille au département Recherche et Développement d'une entreprise locale spécialisée dans les matières plastiques. (Je n'ai jamais pu poursuivre d'études de physique après avoir raté cet examen. J'ai fini par faire chimie à Manchester. Ma spécialité, maintenant, c'est les polymères, si ça évoque quelque chose pour toi. Sans doute pas.) Cela fait tout juste neuf ans qu'on vit ici et tout se passe bien.

On a parlé de Telford dernièrement dans les médias. Je suis sûr que tu es au courant de l'affaire Errol McGowan, dont il a été longuement question dans les journaux nationaux. Errol était vigile au pub de l'hôtel Charlton. Il s'est disputé avec un Blanc qui avait été interdit d'accès et il a commencé à être la cible d'insultes racistes — par courrier, au téléphone. Des lettres et des appels anonymes. Ce harcèlement s'est fait de plus en plus menaçant; Errol était persuadé d'être sur une liste noire d'hommes à abattre, comme celles du groupuscule Combat 18. Il a fini par faire une sorte de dépression nerveuse et, il y a un peu plus de deux ans, on l'a retrouvé mort chez quelqu'un, pendu à une poignée de porte. Il avait trente-quatre ans.

La police a décrété d'emblée qu'il s'agissait d'un suicide, et fondamentalement n'a rien voulu entendre, excluant toute autre hypothèse. Même quand son neveu Jason a été retrouvé pendu à la grille d'un autre pub six mois plus tard! La colère grondait, et il y a quand même eu une enquête. Ça s'est passé le mois dernier, tu as dû en entendre parler. L'instruction a de nouveau conclu à un suicide. La police a reconnu que Errol leur avait parlé des menaces de mort mais qu'elle n'avait rien fait.

Si je t'écris aujourd'hui, c'est parce que moi aussi j'ai reçu des choses par la poste ces dernières semaines. Deux lettres et un CD, un CD horrible dont je n'ai pu écouter que dix secondes. (Et encore, seulement en voiture, parce que je savais à quoi ça allait ressembler et que je ne voulais pas que ma famille l'entende.)

*Tout ça ne me fait pas peur. Mais je crois qu'il y a
là une histoire à raconter, et que personne ne
veut la raconter. Bien sûr, nous vivons dans une
société multiculturelle qui a fait ses preuves.
Une société tolérante. (Qu'ai-je fait, au demeurant,
pour que les gens doivent me « tolérer » ?) Mais il reste
encore des gens comme ça. Je sais qu'ils ne sont
qu'une minorité. Je sais que pour l'essentiel ce ne sont
que des crétins et des mauvais plaisants. Mais regarde
ce qui s'est passé ces dernières semaines à Bradford
et à Oldham. Des émeutes raciales, des émeutes
raciales pures et simples. On a encore traité les Noirs
et les Asiatiques comme les boucs émissaires de tout
ce qui ne va pas dans la vie des Blancs. Alors
je commence à me dire que cette « tolérance » n'est
peut-être qu'un masque dissimulant une réalité
hideuse et pourrie qui menace d'exploser à tout
moment.*

*Je m'arrête là. J'imagine que les journalistes
n'aiment pas qu'on leur dicte ce qu'ils doivent
écrire. Il me semble simplement révélateur que des
gens comme moi n'aient pas le droit de vivre leur
vie, de vivre en paix. Même aujourd'hui, au
vingt et unième siècle ! Dans le Meilleur des Mondes de
Blair.*

*Bref. Contacte-moi si tu peux, ne serait-ce qu'en
souvenir du bon vieux temps.*

Amitiés,

Steve (Richards). (Astell House, 1971-79)

Deux jours plus tard, vers sept heures du soir, Philip partit pour Telford. La circulation vers le nord sur la M6 était épouvantable, comme d'habitude — il y avait toujours au moins une voie barrée pour des travaux inexistants —, et il était huit heures passées lorsqu'il se gara devant chez Steve, à l'entrée de l'allée. Les maisons du quartier étaient encore plus neuves que dans le reste de Telford : c'était une ville nouvelle, après tout, une des grandes expériences d'urbanisme des années 60, mais le lotissement où habitait Steve ne devait pas avoir plus de deux ou trois ans. Les maisons étaient spacieuses, apparemment confortables, de style néo-géorgien. Des Fiat, des Rover, parfois des BMW étaient stationnées dans les allées. L'endroit n'était pas sans âme, à proprement parler, mais endormi, sans ambition, et très, très silencieux. Philip voulait bien croire qu'il faisait bon y vivre. Mais il lui paraissait bizarre (il lui avait toujours paru bizarre, depuis qu'il avait découvert cette région, enfant, en rendant visite à ses grands-parents) que cette ville sans qualités et si ostensiblement neuve ait surgi si récemment, sans crier gare, sans préambule, sans histoire, et se soit parachutée au cœur d'un des comtés les plus anciens, les plus méconnus, les plus mystérieux, les plus obscurs de toute l'Angleterre. Elle n'avait pas sa place ici, et ne la trouverait jamais. C'était un terreau d'exil et d'aliénation.

Cela dit, Steve n'avait l'air ni exilé ni aliéné lorsqu'il ouvrit la porte avec un grand sourire et fit signe à Philip d'entrer. Il avait des lunettes et les tempes grisonnantes, mais le sourire n'avait pas changé, et il montra un enthousiasme juvénile, une jubilation enfantine à traîner Philip au salon pour lui présenter ses deux filles, qui éteignirent la télé sans rechigner et semblèrent sincèrement intriguées par la vision de ce modeste fantôme surgi du passé paternel.

« Les filles ont déjà mangé, expliqua Steve. Impossible de les faire patienter. Allez, vous deux, montez. Plus de télé tant que vous n'aurez pas fini vos devoirs. Ensuite, vous pourrez redescendre et boire un verre avec nous.

— Du vin ? demanda Allison, l'aînée, qui paraissait avoir quatorze ans.

— Peut-être. Si tu es sage.

— Super. »

Elles filèrent à l'étage ; sur quoi Steve conduisit Philip dans la cuisine pour lui présenter sa femme et pour dîner.

Kate avait préparé deux pizzas maison — très épicées, avec du bœuf haché et des piments — et une salade de cresson et de roquette. Parmi les étagères à bouteilles installées sous l'escalier, Steve choisit un merlot chilien capiteux et velouté, même si Philip, après un seul petit verre, dut à regret se contenter d'eau minérale.

« Bien. Kate va trouver ça mortellement ennuyeux, dit Steve en lui lançant un regard contrit, mais il faut que je te demande : tu es resté en contact avec des anciens du lycée ?

— Un ou deux. Claire Newman, par exemple : tu te souviens d'elle ?

— Oui, je me souviens. Une fille très sympa. Elle travaillait avec toi au journal du lycée.

— Exactement. Eh bien, je l'ai épousée quelques années plus tard.

— C'est vrai ? C'est merveilleux ! Félicitations.

— Euh... ne te réjouis pas trop vite. Ensuite on a divorcé.

252

— Oh.

— Il n'y a pas de mal. Ça s'est très bien passé. On avait juste fait le... mauvais choix. On a un fils, Patrick. Il vit avec moi et ma deuxième femme, Carol, pour diverses raisons assez compliquées. Claire a passé quelques années en Italie, mais elle vient de se réinstaller à Malvern, et on se verra peut-être un peu plus souvent. On pensait aller bientôt passer quelques jours à Londres, et emmener Patrick avec nous.

— Vous m'avez l'air d'un "couple" tout à fait adulte et libéré, dit Steve. Je ne suis pas sûr que je pourrais en faire autant. »

Kate intervint d'un ton taquin : « Steve devient de plus en plus conservateur en vieillissant. Ça fait des années que j'essaie de le persuader de vivre en couple libéré, mais il ne veut rien entendre. »

Il éclata de rire, puis revint aux choses sérieuses. « Et Benjamin, alors ? Est-ce que tu sais par hasard ce qu'est devenu Benjamin ? Tu vois, je sais que ça a l'air idiot, mais de temps en temps, quand je vais dans une librairie, chez WH Smith par exemple, je regarde les livres de poche à la lettre T, et je m'attends toujours à voir son nom. Tu sais, on était tous persuadés qu'en l'an 2000 il serait prix Nobel.

— Oh, je suis toujours en contact avec Ben. On se voit même souvent, genre tous les quinze jours. Il est resté à Birmingham. Il travaille chez Morley Jackson & Gray. »

En piquant une feuille de roquette, Steve remarqua : « On dirait le nom d'un cabinet d'experts-comptables.

— C'est exactement ça.

— Benjamin est devenu *comptable* ?

— Après tout, T. S. Eliot était bien employé de banque, pas vrai ? J'ose affirmer que c'est le genre de précédent glorieux dont se réclame Benjamin.

253

— Ça me revient, à présent. Benjamin a travaillé dans une banque, non ? Pendant quelques mois, avant d'aller à l'université.

— Tout à fait. Et ensuite... Eh bien, quand il a eu son diplôme, il venait de commencer son roman, et il voulait le terminer, alors il a préféré ne pas s'engager tout de suite dans un vrai boulot. La banque était prête à le reprendre quelques mois, ce qui a dû lui sembler la solution idéale pour gagner du temps et finir d'écrire. Mais... je ne sais pas, il n'arrivait toujours pas au bout de son roman, et entre-temps il s'était lié avec un mec de la banque et ils avaient formé un groupe — tu sais que Benjamin composait aussi de la musique — et ça occupait de plus en plus son temps, et au milieu de tout ça il a dû prendre goût aux comptes d'apothicaire, parce que du jour au lendemain il a passé l'examen d'expert-comptable en disant qu'il mettait son roman de côté et qu'il lui fallait une longue période de stabilité avant de pouvoir s'y remettre. » Philip prit une gorgée d'eau et reprit : « Et là-dessus, bien sûr, voilà qu'il épouse Emily.

— Qui ça ?

— Emily Sandys. Elle était au lycée avec nous, tu ne te rappelles pas ? Elle faisait partie du groupe de jeunes chrétiens. »

Steve secoua la tête. « Je ne les fréquentais pas trop, à vrai dire. J'avais toujours pensé qu'il épouserait... tu sais... Cicely. »

Il baissa la voix en prononçant ce nom, et Philip ne put s'empêcher de se demander si, aujourd'hui encore, Steve n'éprouvait pas une sorte de remords sexuel d'avoir eu une brève aventure avec Cicely lorsqu'ils avaient joué ensemble *Othello* (cela dit, aventure était un mot bien fort pour ce qui n'avait guère été qu'un pelotage adolescent lors de la fête de la troupe), ce qui avait provoqué une rupture avec sa première véritable petite amie. Philip ne manquait jamais d'être surpris qu'à vingt ans de distance certaines personnes aient du mal à prononcer ce nom sans susciter une sorte de frisson illicite : c'était le cas de Benjamin, évidemment, mais aussi de Claire, allez savoir pourquoi, et donc, apparemment, de Steve. Comment pouvait-on laisser derrière soi un tel héritage, un tel sillage d'énergie, en si peu de temps et sans même y penser ?

« Personne ne sait vraiment ce qui est arrivé à Cicely, dit-il prudemment. Elle est retournée en Amérique et elle a... laissé tomber Benjamin. Il lui a fallu longtemps pour s'en remettre.

— Il s'en est *vraiment* remis ? » demanda Steve après un silence.

Philip sauça son assiette puis répondit : « Benjamin m'a raconté un jour — je ne sais pas si c'est vrai — que si elle était repartie en Amérique c'était pour rejoindre cette femme, Helen, et qu'elles étaient devenues... tu vois quoi, amantes. »

Steve écarquilla les yeux. « *Cicely ?* Une gouine ?

— Je te l'ai dit, je ne sais pas si c'est vrai. »

Kate se leva et se mit à débarrasser la table.

« On devrait peut-être changer de sujet, glissa Steve quand elle fut près de l'évier, hors de portée de voix. Mais il y a encore une chose que je voudrais savoir : qu'est devenue la sœur de Benjamin ? Celle dont le fiancé avait été tué dans l'attentat du pub. »

Ce fut au tour de Philip d'être saisi de mélancolie.

« Ouais... Lois... Tu sais, Benjamin n'en parle pas beaucoup. Il ne la voit pas beaucoup non plus, je crois. Pour autant que je sache, elle vit quelque part dans le Nord, à York, par là. Je crois qu'elle a été malade très longtemps, après ces événements. Et puis elle a rencontré un type et elle s'est... jetée là-dedans à corps perdu. Elle s'est mariée, elle a eu une fille... Son nom m'échappe.

— Et Benjamin, il a des gamins ?

— Non. Ils n'ont pas pu en avoir. Je ne sais pas pourquoi. Eux non plus, d'ailleurs, je crois. » Philip se rappelait à présent la dernière fois qu'il avait parlé à Lois. « C'était à un dîner, évoqua-t-il à haute voix tandis que Steve fronçait les sourcils, faisant de son mieux pour suivre le fil erratique de ses pensées. Et Lois portait cette robe. Elle ne devait pas avoir plus de seize ans. Je craquais vraiment pour elle. On avait terriblement mal mangé : bon Dieu, tu te souviens de ce qu'on *bouffait* dans les années 70 ?

— Je sais. » Steve éclata de rire en désignant les reliefs du repas. « On est devenus de vrais gourmets.

— ... Et c'est ce soir-là... Je crois que c'est ce soir-là que j'ai commencé à soupçonner que ma mère envisageait d'avoir une liaison avec M. Plumb... Plume-dans-le-cul, tu te rappelles ?

— Je risque pas de l'oublier. Ce vieux satyre ! »

Philip sourit en secouant la tête. « Mes parents ont failli se séparer à cause de lui. Tu te rends compte ? Ça m'a vraiment bouffé la vie pendant quelque temps. » Steve proposa de le resservir et il tendit son verre de vin, sans se préoccuper du long trajet en voiture qui l'attendait en fin de soirée. « Merci.

— Mais ta mère et lui, ils n'ont jamais... tu vois ?

— Ça dépend de ce que tu entends par là, dit Philip en faisant tournoyer son vin. Quand elle est morte, il y a cinq ans, j'ai trié ses affaires. Papa n'en avait pas le courage. Et j'ai trouvé toutes ces lettres. Des lettres de lui. Vraiment passionnées — même s'il fallait un dictionnaire pour les comprendre. Et elle les a gardées toutes ces années. Je ne sais pas quoi en penser. Je ne sais pas comment interpréter ça...

— N'empêche qu'elle est restée avec ton père », lui rappela Steve. Et, faute de réponse, il demanda : « Il tient le coup ? Maintenant qu'il est seul ?

— Oh... » Philip eut un nouveau sourire, plus secret. « C'est un grand lecteur, mon père, il ne faut pas l'oublier. Toujours le nez dans un bouquin. Sa vue faiblit, mais il continue à lire. Tous les jours. Des romans, de l'histoire, tout ce qui lui tombe sous la main. »

Kate revint en apportant un cheesecake aux fraises, et les deux amis se forcèrent à parler d'autre chose que de leurs souvenirs scolaires. Philip apprit ainsi que Kate et Steve s'étaient rencontrés pendant leur dernière année d'études à l'université de Manchester, que Kate avait arrêté de travailler pour élever les filles mais qu'elle espérait reprendre l'enseignement dès que possible, et que Steve avait fait son trou dans le laboratoire de recherches d'une entreprise locale située dans une zone industrielle à la sortie de Telford, et travaillait à la mise au point de plastiques biodégradables.

« Le service Recherche et Développement, foncièrement, c'est moi. J'ai juste un assistant à temps partiel. C'est frustrant de ne pas avoir plus de moyens, mais c'est une chouette entreprise : on est sur la même longueur d'onde.

— Malheureusement, intervint Kate en coupant des parts de cheesecake, ils paient des clopinettes. C'est ça le problème.

— Je ne pensais pas que le plastique était biodégradable, dit Philip, se sentant un peu idiot.

— Il ne l'est pas, effectivement, dit Steve. C'est un produit de synthèse. Mais à moyen terme on *pourrait* le rendre biodégradable, ou photodégradable. On a déjà mis au point des plastiques solubles dans l'eau chaude, par exemple. La cellophane, c'est biodégradable : tu savais ça ? Le problème, pour le moment, c'est que cette dégradation prend trop de temps.

— Et le recyclage ? Ce n'est pas une solution ?

— C'est pas facile, parce que les gens balancent tous leurs déchets plastiques sans faire le détail, alors qu'ils se recyclent différemment. Donc il faut bien que quelqu'un les trie. Par exemple, on ne recycle pas de la même façon les polymères thermoplastiques et les polymères thermodurcissables.

— J'ai comme l'impression, glissa Kate, que Philip ne comprend rien à ce que tu racontes. Et moi non plus, je dois l'avouer.

— C'est vrai, admit Philip, mais je sens que ce que tu fais est important.

— Trop important pour ma boîte, à vrai dire. Trop ambitieux.

— Et tu ne pourrais pas aller ailleurs ? Dans une entreprise plus grande, qui aurait plus de moyens pour financer ce genre de recherches ?

— Mes employeurs sont des gens bien, mais... c'est vrai que ça m'a effleuré l'esprit. » Steve tendit le bras vers la machine à espresso et servit le café. « Disons que je garde un œil sur les offres d'emploi. »

*

Juste avant que Philip prenne congé, Steve lui tendit un grand sac en plastique. Il contenait un CD et quelques feuilles manuscrites, griffonnées au bic bleu d'une écriture irrégulière et maladroite, mêlant minuscules et majuscules, et maculées de taches d'encre. Le CD semblait tout aussi artisanal : la pochette en noir et blanc avait l'air d'une simple photocopie et arborait l'inévi-table iconographie néonazie à base de têtes de mort et de croix gammées. Le disque s'appelait *Auschwitz Carnival* et le groupe Unrepentant. Sans remords.

« Charmant », dit Philip en parcourant les titres des morceaux.

Conscient qu'Allison et Diane traînaient dans le couloir, leur curiosité aiguisée, Steve dit : « Philip, merci d'être venu, on a passé une excellente soirée. C'était super de te revoir. On va pas tout gâcher en parlant de trucs pareils.

— D'accord. Je vais faire ma petite enquête.

— Ça serait bien si tu pouvais écrire un article.

— Je vais essayer. »

Ils échangèrent un sourire et Philip tendit la main ; mais Steve le serra dans ses bras en lui tapotant doucement le dos.

« Cette fois, on reste en contact, d'accord ?

— Promis. »

Philip fit la bise à Kate et aux deux filles ; en regagnant sa voiture, il se retourna et les vit agiter la main. Il y avait beaucoup d'amour et d'harmonie dans cette famille, se dit-il pendant le trajet de retour ; il n'en fut que plus dégoûté et furieux le lendemain en lisant les lettres reçues par Steve, leurs allusions à sa « salope blanche » et à ses « enfants dégénérés et mal blanchis ». Il n'écouta que quelques minutes du CD, n'ayant pas la force d'aller au bout du deuxième morceau. Il n'eut même pas à réfléchir : il sut aussitôt qu'il se devait d'enquêter. Il devait bien ça à Steve. Il fallait qu'il écrive un article. Une série d'articles. Peut-être même davantage.

11

MINUTES
de la réunion du
CERCLE FERMÉ
tenue au restaurant Rules, Covent Garden
Mercredi 20 juin 2001

Strictement Privé et Confidentiel

La réunion inaugurale du CERCLE FERMÉ s'est tenue au lieu et à la date mentionnés ci-dessus. Étaient présents les membres suivants :

Paul Trotter, député à la Chambre des Communes
M. Ronald Culpepper, ingénieur diplômé de l'École des Mines
M. Michael Usborne, Compagnon de l'Ordre de l'Empire britannique
Lord Addison
Le professeur David Glover (London Business School)
Mme Angela Marcus

L'apéritif a été servi dans un salon privé à 19 h 30. Les présentations se sont révélées inutiles, tous les membres se connaissant déjà. Le dîner a été servi à 20 h et la réunion proprement dite a débuté à 21 h 45.

La nature des activités du CERCLE et ses méthodes de travail excluant, de l'avis unanime, la désignation d'un président de séance, c'est de manière informelle que M. CULPEPPER a ouvert la séance par quelques remarques préliminaires. Ces brèves remarques ont consisté avant tout à féliciter M. TROTTER de sa récente réélection, et à proposer un toast à la carrière parlementaire de M. TROTTER. Les autres membres du CERCLE se sont chaleureusement associés aux sentiments de M. CULPEPPER.

Le reste de la réunion a été consacré pour l'essentiel à une allocution de M. TROTTER.

Dans cette allocution, M. TROTTER s'est proposé d'exposer les principaux objectifs et initiatives du CERCLE FERMÉ. Il a tout d'abord rendu chaleureusement hommage à M. CULPEPPER, son ami et compagnon de route depuis plus de vingt ans. Il a informé les autres membres que le CERCLE FERMÉ avait été ainsi baptisé en commémoration d'un groupe auquel M. CULPEPPER et lui-même appartenaient pendant leurs études secondaires, et dans le cadre duquel ils avaient fait connaissance.

Il a ensuite rappelé les circonstances qui l'avaient conduit, en début d'année, à fonder la Commission pour les initiatives financières et sociales (CIFS), à commencer par sa décision solennelle de démissionner, en janvier dernier, de ses fonctions de sous-secrétaire d'État. M. TROTTER a démenti les rumeurs colportées par la presse selon lesquelles ses relations de travail avec son ministre de tutelle auraient dégénéré jusqu'à la rupture. Il a au contraire souligné à quel point, au bout de trois ans, il se sentait bridé par cette fonction, et a expliqué qu'il avait décidé de trouver une manière plus constructive d'exprimer ses idées, qui se sont toujours inscrites dans le courant le plus radical du parti.

Une fois libéré des contraintes que lui imposait son allégeance envers son ministre de tutelle, il lui a paru approprié de mettre sur pied une Commission. Même s'il a tenu à rappeler à ses collègues du Parlement que la CIFS jouissait du soutien total de la direction du parti (autrement dit de ses deux ailes ou, comme certains préfèrent les désigner, de ses deux camps), M. TROTTER a insisté sur le fait que dans son esprit la Commission devait demeurer totalement indépendante et souveraine. Ce n'est qu'ainsi, à ses yeux, qu'elle pourrait atteindre son but : faire en sorte d'encourager la participation des entreprises au secteur des services publics, plus encore que sous le premier gouvernement travailliste.

LE CERCLE FERMÉ, a réaffirmé M. TROTTER, entend soutenir le travail de la Commission, non le saper ou le circonvenir. Néanmoins, c'est pour une raison bien précise que les six membres du CERCLE ont été choisis parmi les dix-huit membres de la Commission. Celle-ci est fondamentalement un organe public, dont la composition est connue et dont les travaux sont suivis par la presse. Il a donc été nécessaire d'y faire figurer des représentants de toutes les sensibilités politiques. Cela en fait bien évidemment un lieu de débats dynamiques, débats que le CERCLE n'entend aucunement étouffer, loin de là. Toutefois, il est permis de suggérer, comme l'a fait M. TROTTER, que soit créé à l'intérieur de la Commission un lieu de débat plus restreint : une sorte de cercle dans le cercle, où les membres de la Commission en phase avec les tendances décisionnelles les plus progressistes pourraient exprimer librement leurs vues, de manière informelle et spontanée, sachant que leur auditoire partagerait leur sensibilité, et sans craindre que leurs propos ne soient censurés ou mal interprétés.

Le CERCLE a donc pour but de créer au sein de la Commission un espace permettant de formuler les idées les plus novatrices et les plus radicales. Son caractère confidentiel ne vise qu'à offrir à ses membres une liberté d'expression accrue, et non pas restreinte. M. TROTTER a rappelé à ses homologues que les initiatives de financement privé du secteur public connaissaient un essor encore impensable il y a dix ans, lorsque les conservateurs étaient au pouvoir. Des secteurs entiers des services de santé, de l'éducation publique, des collectivités locales, de l'administration pénitentiaire et même du contrôle aérien sont désormais entre les mains d'entreprises privées, qui n'ont de comptes à rendre qu'à leurs actionnaires plutôt qu'à l'ensemble des citoyens. Pour développer encore ce programme, pour « faire reculer les frontières de l'État » jusqu'à un point dont même l'auteur de cette expression (Margaret Thatcher) n'aurait osé rêver, les membres du CERCLE FERMÉ vont devoir penser l'impensable, imaginer l'inimaginable. Quant à M. TROTTER lui-même, en sa qualité d'ordonnateur, il a simplement pour tâche de leur offrir les moyens de rendre possible cette réflexion.

C'est ainsi que M. TROTTER a conclu son allocution. Il a alors demandé aux autres membres du CERCLE s'ils avaient des questions.

Mme MARCUS a demandé si le Premier ministre connaissait l'existence du CERCLE. M. TROTTER a répondu par la négative. Le Premier ministre suit avec intérêt les travaux de la CIFS, mais ignore que certains de ses membres se sont constitués en organe complémentaire. Il n'est pas à l'ordre du jour de l'en informer.

Lord ADDISON s'est enquis de la fréquence des futures réunions du CERCLE. M. CULPEPPER a suggéré que le CERCLE se réunisse deux fois plus souvent que la Commission proprement dite : à savoir après chaque réunion de la Commission pour y réagir de concert, et avant la réunion suivante pour élaborer une stratégie. Cette proposition a été unanimement approuvée.

M. TROTTER a rappelé aux autres membres du CERCLE que la Commission consacrerait sa prochaine réunion à la question des chemins de fer, à la lumière de la crise affectant actuellement le réseau Railtrack. Le boycott public consécutif à une série d'accidents mortels a provoqué pour la compagnie des pertes s'élevant à 534 millions de livres. La rumeur a couru que, pour apaiser une opinion publique indignée, le gouvernement allait renationaliser les chemins de fer, mais M. TROTTER a exclu une telle option. Selon lui, il est plus probable que l'entreprise sera placée sous la tutelle de l'État, même si aucune solution de remplacement n'a encore été clairement définie. Lord ADDISON a estimé qu'il s'agissait là d'une situation tout à fait « anormale ». Il a demandé à M. USBORNE, dont l'une des entreprises s'était vu confier la gestion d'une partie du réseau sud-est, si cette information lui avait été confirmée. M. USBORNE a répondu qu'il était un peu « hors du coup » car il a démissionné il y a deux mois de son poste de PDG de Pantechnicon, à la suite du scandale provoqué par des violations des règles de sécurité, par le nombre croissant de licenciements et par l'effondrement du cours des actions.

Le professeur GLOVER a demandé à M. TROTTER de clarifier sa position à ce sujet : il se rappelait en effet avoir lu l'an dernier dans la presse des remarques qui lui étaient attribuées, et qu'on pouvait interpréter comme une critique de la privatisation des chemins de fer.
M. TROTTER a répondu qu'on avait déformé ses propos en les citant hors contexte, et que ces remarques ne reflétaient pas la réalité de ses opinions.

C'est alors que M. TROTTER a dû s'absenter pour recevoir un fax. Il a expliqué aux autres membres du CERCLE qu'un journal national venait de lui confier une chronique hebdomadaire sur les joies de la paternité, et que le nègre qu'il avait engagé avait promis de lui faxer son texte au restaurant pour approbation. Il s'est excusé de cette interruption auprès des autres membres du CERCLE, et leur a promis de ne s'absenter que quelques minutes.

Pendant son absence, M. CULPEPPER a adressé à M. USBORNE ses condoléances tardives pour avoir été contraint de démissionner de son poste à Pantechnicon. M. USBORNE l'a remercié de sa compassion et s'est avoué déçu que les efforts qu'il avait fournis pour l'entreprise aient été mésestimés, et son comportement caricaturé dans certains journaux de la presse financière et populaire.

Pour sa part, il était fier d'avoir dégraissé l'entreprise et permis des économies substantielles de capital humain. Toutefois, il a tenu à rassurer M. CULPEPPER : il a été somme toute convenablement dédommagé du préjudice subi, et s'est vu offrir par la suite d'autres postes de président et de directeur général, entre lesquels il lui reste à faire son choix. Mme MARCUS a déclaré espérer qu'il avait intelligemment investi les sommes reçues, et M. USBORNE l'a informée qu'il les avait employées à enrichir son portefeuille immobilier.

Cette discussion a donné lieu à un échange informel sur la question des indemnités de départ, et la réunion s'est achevée à 22 h 55 dans la joie et la bonne humeur.

Il a été convenu que la prochaine réunion du CERCLE FERMÉ aurait lieu au même endroit le mercredi 1er août 2001.

10

Claire était accroupie dans l'allée du jardin quand Benjamin arriva ; elle taillait sans pitié les pousses d'une plante épineuse gris-vert que, comme d'habitude, il fut incapable d'identifier. Le grincement du portail lui fit lever les yeux. Elle sourit et se releva avec une souplesse juvénile. Le soleil déclinant baignait son visage, révélant les rides et les pattes-d'oie. Mais sa peau — plus fauve, plus méditerranéenne que dans le souvenir de Benjamin — restait tendue sur ses pommettes osseuses, et la coupe au carré de ses cheveux grisonnants n'était ni stricte ni même neutre : elle épousait la courbe de sa mâchoire, suivant la dernière mode, et la rajeunissait de huit, de dix ans.

« Salut, Ben », dit-elle d'une voix brusque en lui faisant une petite bise sur la joue. Il tenta de la retenir dans ses bras, mais cette étreinte ne dura pas. Ils reculèrent chacun d'un demi-pas.

La main en visière, Claire l'étudia froidement, cliniquement.

« Tu as bonne mine, fit-elle. Tu t'es remplumé. Avant, tu étais squelettique.

— Ce sont des choses qui arrivent. Toi aussi, tu as bonne mine. Très bonne mine, même. »

Le compliment lui inspira un sourire mi-flatté, mi-poli. « Entre donc », dit-elle, et elle le précéda dans la maison.

C'était un minuscule cottage de briques rouges, dans un lotissement sans prétention blotti à flanc de colline en contrebas de Worcester Road ; les maisons dominaient avec une indifférence feinte un grand parc mal entretenu. La porte d'entrée donnait directement sur un salon encombré de cartons en parfait désordre, même s'il était possible, avec un peu d'ingéniosité, de se frayer un passage jusqu'à la cuisine, puis à une cour pavée et enfin à un bout de jardinet en friche.

« Ça a dû être l'enfer, remarqua Benjamin, d'emménager ici toute seule.

— J'ai pris des déménageurs. Cela dit, je me suis habituée à me débrouiller toute seule. On s'y fait très vite.

— Mais quand même... » Il parcourut du regard la demi-douzaine de caisses qui emplissaient le salon et menaçaient de déverser leur contenu par terre. « ... il va bien te falloir un jour ou deux pour reprendre ton souffle, après un truc pareil ? Avant de commencer à ranger.

— Ça fait quatre mois que j'ai emménagé. Tu oublies que j'ai toujours été bordélique. » Elle lui fit de la place sur le canapé en enlevant une assiette où gisait une tartine entamée, ainsi qu'un supplément « Société » du *Guardian* vieux d'une semaine. « Heureusement, ajouta-t-elle, j'habite avec quelqu'un qui ne s'en formalise pas.

— Je croyais que tu habitais seule.

— Justement. » De nouveau ce sourire tendu. « Alors ? Thé, café ? Ou tu préfères qu'on aille au pub ? »

En entamant l'ascension de Church Street vers Great Malvern, Benjamin dit, songeur : « J'essaie de me rappeler quand on s'est vus pour la dernière fois.

— C'était à Birmingham, il y a à peu près dix-huit mois, lui rappela Claire. On s'est rencontrés par hasard au coin café de Waterstone.

— C'est exact. Excuse-moi, je n'ai pas été très causant, ce jour-là. À vrai dire, c'était une telle surprise de te voir là que... eh bien, je ne savais pas trop quoi dire.

— Tu as eu quand même la présence d'esprit de me donner un flyer pour ton concert. »

Il ne parut pas remarquer la nuance de sarcasme. « C'était une bonne soirée. Dommage que tu n'aies pas pu venir.

— En fait, j'étais là, une partie de la soirée.

— C'est vrai ? Je ne t'ai pas remarquée.

— Non, je suis... restée en retrait. » Elle lui lança un regard : il paraissait blessé par cette révélation. « Excuse-moi, Ben : c'est vrai que j'aurais dû venir te saluer. Mais je me sentais un peu déphasée — je venais tout juste de rentrer en Angleterre — et... oh, je ne sais pas. C'était une soirée bizarre. Tu avais l'air ailleurs.

— C'était un grand soir pour moi. »

Benjamin fronça les sourcils, rajustant ses souvenirs de cet événement doux-amer.

« S'il te plaît, ne me juge pas, Ben. C'était très, très étrange de te revoir comme ça. J'aurais sans doute mieux fait de ne pas venir.

— Qu'est-ce que ça avait de si étrange ? Je n'ai quand même pas changé à ce point-là !

— Bon Dieu, soupira Claire excédée. Si vraiment tu ne devines pas, c'est que... Dans ce cas... » (et cette fois son sourire était sincèrement amusé, et empreint de tendresse) « ... dans ce cas, effectivement, c'est que tu n'as *absolument* pas changé. »

Ils approchaient du sommet de la côte — Benjamin n'avait cessé de gémir : « On n'aurait pas pu prendre la voiture ? » — lorsqu'un pub appelé La Licorne se profila soudain et, derrière lui, spectaculaire, presque verticale, la colline au manteau de bruyère. Benjamin, qui n'était pas venu à Malvern depuis son enfance, fut ému par la vue de cet escarpement gris se détachant sur le ciel du soir bleu pâle et semé de nuages. L'espace d'un instant, il éprouva, lui qui s'était senti déprimé par les nouvelles conditions de vie de Claire, une jalousie inattendue à l'idée qu'elle avait choisi de s'établir ici.

« J'aime beaucoup cet endroit, dit-il. Il a quelque chose de majestueux. À sa manière modeste, comme les West Midlands.

— Il y a pire, effectivement, admit Claire, qui lui prit le bras pour l'éloigner du pub et l'emmener dans le virage de Worcester Road. Honnêtement, je n'avais pas prévu d'échouer ici. À Milan, à la rigueur. À Prague. À Barcelone. Voilà le genre d'endroit que j'avais en tête, obscurément. Ce soir, on pourrait être attablés au... au Café Alcantara de Lisbonne, par exemple : un endroit fabuleux, j'y suis allée un jour avec un petit ami potentiel, entièrement Art déco — le café, pas le petit ami —, à quelques pas de l'océan Atlantique. Mais finalement, on est ici. » Elle s'arrêta devant une porte. « L'hôtel Foley Arms de Malvern. Tout est dit, pas vrai, Benjamin ? On n'a que ce qu'on mérite. »

Ils s'assirent en terrasse, où ils jouissaient d'un panorama vertigineux sur la vallée de la Severn, sans limites, embrumée de chaleur, et Benjamin se dit qu'il n'échangerait pas cette vue contre toutes les beautés de

Lisbonne. Mais il garda cette réflexion pour lui. Lorsque Claire revint du bar avec une bouteille de vin blanc tiède et deux verres, il se contenta de dire, sans pouvoir masquer son irritation : « Au fait, comment tu oses dire que j'ai bonne mine ? Je vais très mal. Ça fait plus d'un an que je traverse une crise épouvantable.

— Benjamin, toute ta vie n'est qu'une crise épouvantable. Ça a toujours été comme ça, et ce sera toujours comme ça. Rien de nouveau sous le soleil, j'en ai bien peur. Et c'est vrai que tu as bonne mine. Désolé, mais c'est la vérité. » Elle lui tendit un verre plein et ajouta, d'une voix plus douce : « Allez, dis-moi ce qui ne va pas. C'est quoi, cette fois-ci ?

— Emily et moi », dit Benjamin, qui détourna les yeux et se mit à siroter son vin en contemplant le paysage d'un œil distrait.

Claire but sans rien dire.

« Mon couple part en lambeaux », ajouta-t-il, au cas où elle n'aurait pas compris. Toujours pas de réponse. « Alors, tu ne dis rien ?

— Qu'est-ce que tu veux que je dise ? »

Benjamin la foudroya du regard, puis secoua la tête. « Je ne sais pas. Tu as raison. Il n'y a rien à dire.

— J'ai vécu la même chose avec Philip, tu sais. Je connais le sentiment. C'est horrible, atroce. Et je suis désolée pour toi, Ben, vraiment, sincèrement désolée. Mais je ne peux pas dire que ce soit une surprise. »

Benjamin se pencha en avant, le regard de plus en plus plaintif. « Je me sens tellement... tellement... comment dire ?

— Coupable.

— Oui. » Il lui lança un regard étonné. « Je me sens coupable. Je passe mes journées à me sentir coupable. Comment tu as deviné ?

— Parce que, comme je l'ai dit, tu n'as absolument pas changé. Et j'ai toujours su que, le jour où un truc comme ça arriverait, tu choisirais la culpabilité. C'est ta grande spécialité. Il faut croire que tu as un don pour ça. Jusqu'à présent, il était latent, mais là tu vas pouvoir rattraper le temps perdu.

— Mais pourquoi je devrais me sentir coupable ? Coupable de quoi ?

— C'est à toi de me le dire.

— Je n'ai jamais trompé Emily.

— Ah non ?

— Je n'ai jamais couché avec quelqu'un d'autre, en tout cas.

— Ce n'est pas tout à fait la même chose. » Elle soupira. « Qu'est-ce qui s'est passé ? Ça a commencé quand ?

— L'an dernier. » Et Benjamin lui raconta l'épisode du journal de Francis Piper, qui lui avait révélé la vérité prosaïque qui se dissimulait derrière le « miracle » auquel il avait cru, avec une ferveur secrète, pendant vingt-six ans.

Claire eut du mal à assimiler la nouvelle. « Tu veux dire... que tu ne crois plus en Dieu ?

— Non, dit solennellement Benjamin.

— Eh bien, putain, c'est un *gros* soulagement. Allez, ça s'arrose ! » Elle voulut trinquer, mais Benjamin refusa de jouer le jeu.

« Tu n'as pas l'air de comprendre, dit-il. Ce n'est pas seulement une illusion qui s'effondre, ce qui en soi est déjà assez terrible. Le pire, ce sont les conséquences pour Emily et moi. On ne peut plus partager ça. Elle est croyante, moi pas. Or c'était la seule chose qui nous unissait, qui nous faisait tenir.

— Mais vous avez tenu. Pas vrai ? Ça fait déjà un an.

C'est quand même pas rien. Ça veut dire que vous avez d'autres choses en commun.

— On pourrait le croire. Mais ça ne s'est pas passé ainsi. L'année a été horrible. Épouvantable. C'est à peine si on s'adresse la parole. À la maison, ça va encore, parce qu'on est au boulot toute la journée, et puis le soir il y a la télé, et je peux toujours m'isoler à l'étage pour écrire, tu vois. Mais le mois prochain on part en Normandie pour quinze jours et ça me *terrifie*. Essayer d'avoir une vie commune avec quelqu'un alors qu'on ne ressent aucune... complicité, aucune intimité : il n'y a rien de pire.

— Rien ? fit Claire, sèchement. Même pas la famine ? Ou se faire déchiqueter dans un attentat-suicide ? » Elle baissa les yeux avec un petit sourire. « Ouais, je sais. Toujours aussi moralisatrice. Moi non plus, je n'ai pas beaucoup changé. »

Benjamin voulut lui prendre la main ; mais là encore, son geste tourna court ; elle ne le remarqua même pas.

« Pourquoi tu restes avec elle, alors ? demanda-t-elle.

— C'est une bonne question.

— Je sais. Après tout, il n'y a... je veux dire, il n'y a pas d'enfants à prendre en compte.

— C'est vrai. » Il secoua la tête. « Je ne connais pas la réponse, Claire. Pourquoi je reste avec elle ?

— Je vais te le dire, si tu veux, dit-elle en le resservant. Peut-être parce que tu as peur ? Peut-être parce que ça fait dix-huit ans que tu es avec elle et que tu ne sais pas vivre autrement ? Parce que ça te convient, à bien des égards ? Parce que tu as ton petit bureau à toi au fond de la maison, avec ton ordinateur et ton home studio, et que ça serait dommage d'y renoncer ? Parce que tu as oublié comment on se sert d'une machine à laver ? Parce que regarder à deux une émission de merde sur le jardinage, c'est quand même moins déprimant que de la regarder tout seul ? Par tendresse pour Emily ? Par loyauté envers elle ? Par peur de finir ta vie tout seul ?

— Aucun risque que je finisse ma vie tout seul, se défendit Benjamin. Je trouverais sûrement quelqu'un d'autre.

— Comme ça, d'un claquement de doigts ?

— Je ne sais pas... en quelques mois, disons. »

Claire eut l'air impressionnée, ou fit semblant. « Tu m'as l'air bien sûr de toi. Tu as quelqu'un en vue ? »

Benjamin hésita un instant, puis se pencha vers elle. « Il y a quelqu'un, effectivement, lui confia-t-il. Elle travaille tout près de chez nous. Elle est coiffeuse.

— Coiffeuse ?

— Oui. Elle est magnifique. Elle a un visage vraiment... angélique. À la fois angélique et sophistiqué, si tu vois ce que je veux dire.

— Et elle a quel âge ?

— Je ne sais pas... vingt-cinq, vingt-huit ans, dans ces eaux-là.

— Elle s'appelle ?

— Je ne sais pas. À vrai dire, je ne lui ai...

— ... jamais adressé la parole, compléta Claire d'une voix lasse. Putain, Benjamin, regarde-toi un peu ! Tu as plus de quarante ans, merde...

— À peine.

— Et tu as le béguin pour une *coiffeuse* à qui tu n'as jamais adressé la parole ? Tu crois vraiment que tu vas faire ta vie avec elle ?

— Je n'ai pas dit ça. » Claire remarqua qu'il avait au moins la décence de rougir. « Et il ne faut pas avoir de préjugés sur les gens. Elle a l'air très intelligente. Je suis sûr qu'elle prépare une thèse et que pour elle c'est juste un petit boulot.

— Je vois. Donc tu envisages d'avoir avec elle quelques discussions profondes sur Proust et Schopenhauer entre deux shampooings, c'est ça? »

Si elle espérait le voir mordre à l'hameçon, elle fut déçue. Il se contenta de prendre un air de plus en plus accablé. « À quoi bon? finit-il par marmonner amèrement. J'ai complètement perdu la main. Je ne saurais même pas comment engager la conversation.

— C'est pas difficile d'engager la conversation avec une coiffeuse, lui fit remarquer Claire. Tu entres et tu lui demandes de te couper les cheveux et de te tailler les pattes. »

À sa grande surprise, Benjamin médita longuement cette phrase, comme si Claire venait de lui révéler une formule magique donnant accès à un monde secret, aux possibilités insoupçonnées.

« C'était juste une idée comme ça, se crut-elle obligée d'ajouter, un peu gênée. Honnêtement, ça ne te ferait pas de mal de changer de coiffure. » Elle eut une hésitation, sentant qu'il était temps de passer aux choses sérieuses. « Benjamin... » commença-t-elle timidement. (Ça allait être laborieux.) « Tu connais le problème, non? Je veux dire, le vrai problème.

— Non, répondit-il. Mais je suis sûr que tu vas te faire un plaisir de me le dire.

— Pas vraiment, non. » Elle but une longue gorgée, nerveusement. « Le problème, c'est que... tu penses toujours à elle, hein? Après vingt-deux ans, tu penses toujours à elle. »

Benjamin la regarda intensément. « Quand tu dis elle, je suppose que tu veux dire... »

Claire hocha la tête. « Cicely. »

Il y eut un nouveau silence, interminable, comme si ce nom — ce nom prohibé, imprononçable — flottait littéralement entre eux. Enfin, Benjamin articula un mot, un mot unique, avec ferveur et solennité.

« Foutaise.

— Non, c'est pas de la foutaise, loin de là. Et tu le sais très bien.

— Bien sûr que si, c'est de la foutaise, rétorqua-t-il. Bon Dieu, on parle d'un truc qui remonte à nos années de *lycée*.

— Exactement. Et tu ne t'en es toujours pas remis. Tu ne t'en es toujours pas remis, bordel ! Et le pire, c'est qu'Emily le sait, qu'elle l'a toujours su, pendant toutes vos années de mariage, et que ça a dû la démolir complètement. »

Et elle lui raconta ce qu'elle avait remarqué au concert : la métamorphose de Benjamin lorsqu'il s'était mis à jouer les premières mesures de *Marine n° 4*, son regard soudain lointain, aveugle à tout ce qui l'entourait mais intensément fixé sur lui-même, sur le passé, et le changement qui s'était opéré dans celui d'Emily, qui avait dévisagé Benjamin avant de baisser les yeux, soudain dépouillée de toute la joie, de toute la fierté que lui inspirait le spectacle de Benjamin, réduite à une coquille vide, le visage creusé par la solitude et le regret.

« Et au fait, ajouta Claire, qu'est-ce qui s'est passé entre toi et cette femme ?

— Une femme ? Quelle femme ?

— Celle qui était avec toi quand on s'est rencontrés à la librairie. Celle que tu m'as présentée comme ton "amie".

— Malvina ? Quel rapport ?

— Eh bien, vous m'aviez l'air bien intimes. Et *elle*, elle était tout à fait dans la lignée de Cicely, je l'ai bien remarqué.

— Qu'est-ce que tu racontes ? s'écria Benjamin incrédule. Elle est brune ! »

Ils restèrent silencieux, le temps de reprendre contenance.

« Ce n'était pas... une critique ni rien de ce genre »,
commença Claire, contrite.

Benjamin maugréa : « Ça n'a rien donné », et ses
regrets étaient palpables. Cette amitié fugace demeurait pour lui l'un des événements affectifs qui définis-
saient son existence récente.

« Qu'est-ce qui s'est passé ? Vous avez cessé de vous
voir ?

— Pire encore. Elle a entamé une liaison avec Paul. »

Claire fit la grimace et secoua la tête. « Mais c'est terrible !

— Je sais, fit Benjamin, en se remettant à boire pour
alimenter sciemment son misérabilisme.

— Ce n'est pas ça, rectifia Claire. Je veux dire : c'est
terrible pour *elle*. Putain, je ne souhaiterais pas ça à
mon pire ennemi. » Elle s'interrompit, puis prononça
une sentence définitive : « Il faut que tu en parles à
Emily.

— Lui parler de Malvina ? À quoi bon ? Il ne s'est rien
passé. Et je ne l'ai pas revue depuis des siècles.

— Pas forcément d'elle. Mais lui expliquer comment
tout a commencé. Ce qui t'a poussé à faire une chose
pareille. Manifestement, il y a en toi un besoin, un
besoin affectif qu'Emily est incapable de satisfaire pour
le moment, et c'est... eh bien, c'est un problème dont
vous devriez discuter, non ? Parce qu'elle éprouve sans
doute la même chose. Elle sera encore éveillée quand tu
rentreras tout à l'heure ?

— Sans doute. Généralement, elle lit toute la soirée
et elle se couche tard.

— Alors il faut que tu me promettes une chose, Ben. Promets-moi qu'en rentrant ce soir, avant de t'endormir, tu lui diras simplement : "Emily, il faut qu'on ait une discussion bientôt." C'est tout. Tu crois pouvoir faire ça ? »

Benjamin haussa les épaules. « Je suppose.

— Promets-moi que tu lui diras.

— Je te le promets. »

Là-dessus, ils parlèrent d'autre chose. De la décision de Claire de s'établir comme traductrice technique en free-lance, de son soulagement d'avoir échappé à ses colocataires étudiantes de Londres, des besoins inattendus en traduction professionnelle italien-anglais dans la région de Worcester et de Malvern. D'ailleurs, Claire pouvait tout aussi bien travailler via Internet, si bien que les contacts qu'elle avait noués à Londres et à Lucques se révélaient utiles, et qu'elle gagnait déjà plus qu'assez pour payer les traites dérisoires de son prêt immobilier : parfois elle trouvait sa situation encore un peu précaire, et à l'occasion se réveillait paniquée en pleine nuit, mais dans l'ensemble tout allait bien. Et ils parlèrent de son fils Patrick. De ses silences, de son introversion. Claire commençait à penser que le divorce de ses parents l'avait traumatisé bien plus qu'elle ne l'aurait cru. Il parlait sans cesse, obsessionnellement, de sa tante Miriam — qu'il n'avait jamais connue, puisqu'elle avait disparu en 1974, tout juste âgée de vingt et un ans, et qu'on n'avait jamais retrouvé sa trace malgré tous les efforts (apparents) de la police des West Midlands. Comme si, supposait Claire, la séparation de ses parents avait laissé en lui une béance, obscure mais insondable, qu'il tentait de combler en se raccrochant à cette figure mythique et perdue, qui faisait office de totem pour toute la vie de famille dont il avait été privé. Il collectionnait ses photos, réclamait sans cesse à sa mère des souvenirs et des anecdotes.

« Il a quel âge, maintenant ? demanda Benjamin.

— Dix-sept ans. Il passe ses examens à la fin de l'année. Ensuite, il veut s'inscrire en fac de biologie. Je ne sais vraiment pas s'il aura d'assez bonnes notes. »

Il perçut un soupçon d'angoisse dans sa voix et dit : « Ne t'inquiète pas. Je suis sûr qu'il va très bien s'en tirer.

— Je sais », répondit Claire, qui ne risquait guère d'être rassurée par ce que Benjamin pouvait lui dire, sur ce sujet ou sur tout autre. Ils étaient arrivés à la porte du jardin ; il était près de minuit. La lune de juillet, presque pleine, flottait dans le ciel. Benjamin la regarda et se souvint — il s'en souvenait toujours — que c'était aussi la pleine lune ce soir-là, le soir du jour où il avait fait l'amour avec Cicely dans la chambre de son frère. Une lune jaune comme le ballon jaune de son souvenir d'enfance. Il s'était assis dans le jardin et il avait regardé la lune en essayant une fois encore de savourer son moment de bonheur parfait, et déjà, obscurément (ou n'était-ce là que sagesse rétrospective ?), il l'avait senti lui échapper. Il n'avait jamais revu Cicely, n'avait plus jamais posé les yeux sur elle depuis qu'elle l'avait laissé au Grapevine en compagnie de Sam Chase, après avoir parlé à sa mère au téléphone et appris qu'une lettre d'Amérique l'attendait, une lettre d'Helen. Le lendemain, il avait lui-même appelé sa mère qui lui avait dit une chose incroyable, impossible : Cicely était déjà en route pour New York. Qu'est-ce qu'il pouvait bien y avoir dans cette lettre ? Il l'ignorait, préférait ne pas y penser, ne pouvait se résoudre à repenser au reste de la conversation, si bien que son dernier vrai souvenir de Cicely, ou relatif à Cicely, était celui de cette demi-heure passée dans le jardin de ses parents à regarder la lune jaune, et depuis lors il avait toujours mesuré sa vie en pleines lunes, n'avait jamais pu voir la pleine lune sans repenser à ce soir-là, et il calcula rapidement, sans effort, que c'était aujourd'hui la 265e pleine lune depuis cette date. Et il n'arrivait pas à décider si le temps écoulé était immense, ou inexistant, ou les deux...

« Benjamin ? disait Claire. Ça va ?

— Hein ?

— Je t'ai perdu, je crois.

— Excuse-moi. » Il s'aperçut qu'ils étaient sur le point de se dire bonsoir, et il lui offrit un autre baiser avorté.

« T'es un brave garçon, dit-elle. Allez, amuse-toi bien en Normandie. Ça vous fera peut-être le plus grand bien. C'est peut-être exactement ce qu'il vous faut. »

Benjamin n'était pas convaincu. « Peut-être. Mais j'en doute.

— Allez donc à Étretat.

— Où ça ?

— C'est sur la côte, près du Havre. Il y a des falaises incroyables. J'y étais, un hiver, il y a deux ans : juste avant de rentrer en Angleterre. On se gelait les miches, mais la vue est extraordinaire. J'y ai passé des heures, sur le sommet de craie... » Sa voix se fit lointaine. « Bref. C'est juste une suggestion.

— Très bien. On ira.

— Et n'oublie pas... n'oublie pas ce que je t'ai demandé. Ce que tu dois lui dire.

— Je n'ai pas oublié. "Est-ce que vous pouvez me couper les cheveux et me tailler les pattes, s'il vous plaît ?" »

Claire crut d'abord à une plaisanterie. Puis soupira en comprenant qu'il n'en était rien, et décida qu'il serait vain de le corriger.

« Parfois, je me demande pourquoi je prends la peine de te parler, Ben. Je me demande vraiment. Pas toi ? »

Il n'y avait rien à répondre. Mais même Benjamin remarqua dans la voix de Claire (et il en fut touché) une sincérité mêlée d'autodérision et, quelques minutes plus tard, en quittant Malvern pour les phares nocturnes de la M5, il eut une mini-épiphanie. Il régla l'autoradio sur Radio 3 et reconnut la musique : c'était le « Cantique des vierges » de *Judith*, l'oratorio d'Arthur Honegger. De tous les dons inutiles dont la vie l'avait encombré, le plus inutile, se disait-il parfois, était sa capacité à identifier au bout de quelques notes la moindre œuvrette d'un compositeur mineur du vingtième siècle ; et pourtant, en l'occurrence, il en fut heureux, car il s'aperçut qu'il y avait au moins dix ans qu'il n'avait pas écouté son antique enregistrement cassette de cette œuvre, et, même si dans l'ensemble elle n'était guère mémorable, ce passage avait été jadis l'un de ses morceaux favoris, un refuge pour lui lorsqu'il avait soif du réconfort que lui procurait immanquablement la simplicité éthérée de sa mélodie enfantine et impalpable. Et à présent, en voyant dans le rétroviseur le reflet de la lune jaune, et en dessous les lumières de Malvern (dont l'une, il le savait, était celle du salon de Claire), et en réentendant cette mélodie qui autrefois avait été pour lui si importante et si familière, il ressentit une bouffée de plaisir, de bien-être, à l'idée que Claire et lui étaient restés amis après plus de vingt ans. Mais pas seulement : car à cet instant il s'avoua, pour la première fois, qu'il y avait toujours eu chez Claire un désir que ce soit davantage que de l'amitié, une perspective qui jusque-là avait dû le terrifier, sinon pourquoi l'aurait-il refoulée si longtemps, si violemment ? Mais ce soir, d'un seul coup, il n'avait plus peur. Il ne voulait pas pour autant faire demi-tour et passer la nuit avec elle. Le sentiment qui l'envahit n'était pas aussi simple. Mais l'association de la mélodie limpide d'Honegger avec cette lune jaune qui symbolisait ses rêves les plus profonds prenait, ce soir, l'allure d'un signe : un présage de son avenir, au cœur duquel, lointaine mais toujours présente, toujours fidèle, brillait la lampe du foyer de Claire. Et tandis que cette certitude radieuse le submergeait, Benjamin se surprit à frissonner, et il dut se garer sur le bas-côté pour essuyer les larmes qui lui brûlaient les yeux.

Il resta immobile jusqu'à ce que la musique s'achève, en respirant profondément, avant de redémarrer et de reprendre son périple vers le nord ; vers la ville, la maison, la chambre où veillerait Emily, bâillant et faisant semblant de lire. Tout son être — le moindre regard, le moindre geste — un lexique de vagues reproches.

9

Étretat, le 18 juillet 2001

Très cher Andrew,
Je t'avais promis une carte postale de Normandie.
Eh bien, heureux homme, tu vas recevoir mieux que
ça. J'ai réservé mon billet de retour sur un ferry qui ne
part que dans deux jours, et franchement j'en ai marre
de vadrouiller dans la campagne pour admirer des
monastères et des cathédrales, donc d'ici là je vais
rester à l'hôtel, histoire d'y voir plus clair et de me
calmer. J'ai beaucoup de trucs en tête et il faut que je
fasse le tri, mais ne t'inquiète pas pour moi : je vais
bien. Quoi qu'il puisse arriver — et je sais qu'il va y
avoir beaucoup de souffrances à endurer les prochains
jours, les prochaines semaines, beaucoup de
« difficultés » comme dirait mon psy bien-aimé —, j'ai
pris une décision et je vais m'y tenir.
Au cas où tu te demanderais pourquoi ce paragraphe
était écrit à la première personne du singulier, la
réponse est simple : je suis toute seule. Benjamin est
parti. Il est parti hier. Je crois qu'il est allé à Paris,
mais je n'en suis pas sûre et d'ailleurs, honnêtement, je

m'en fous. Il a éteint son portable et ça me convient tout à fait. Je m'en veux, même, d'avoir essayé de l'appeler hier. Qu'est-ce qu'on trouverait à se dire ? Je n'ai rien à lui dire pour le moment. Absolument rien.

C'est fini entre nous.

Sur ce, laisse-moi te raconter un peu les vacances de l'enfer.

« Enfer » est peut-être un mot un peu fort — au moins en ce qui concerne les dix premiers jours. Disons « purgatoire ». Sauf que toute l'année écoulée a été pour moi une sorte de purgatoire. Ça remonte même plus loin. Je suppose que la souffrance s'est accumulée et intensifiée jusqu'au moment où elle est devenue insoutenable. Insoutenable pour moi, en tout cas. Parfois je me demande s'il arrive à Benjamin de ressentir de la souffrance : une vraie souffrance. Non, je suis injuste : il a connu ça, par le passé, je le sais, à cause de ce qu'il m'a raconté, il y a bien des années, quand on était encore au lycée : il m'a parlé de ce qui était arrivé à Lois et de ses efforts pour l'aider à s'en remettre. Je ne doute pas un seul instant qu'il en ait souffert, qu'il ait intimement partagé ses souffrances. Il lui rendait visite toutes les semaines sans faute, je me souviens, et cela a dû le marquer. Il est donc capable de ressentir des choses au plus profond de lui-même ; simplement, il a le don de le dissimuler. C'est le roi du self-control, Benjamin — une qualité typiquement britannique, diraient certains, et sans doute l'une des choses qui m'ont attirée chez lui. (Benjamin est convaincu que notre couple s'est construit sur une foi commune, mais ce n'est pas le cas, c'est absurde, c'est juste une histoire bien commode à laquelle il veut croire pour s'expliquer pourquoi les choses ont mal tourné.) Mais bref, quelque chose a changé en

283

Benjamin depuis ce jour où, au bord du canal, il m'a raconté l'histoire de Lois et de Malcolm. (Je t'en ai parlé, tu te rappelles ? Bon Dieu, j'ai l'impression de t'avoir raconté toute ma vie — et celle de tous les gens que je connais — en moins de deux ans, et tu as été tellement patient, tellement attentif ! Tu sais écouter, mon cher Andrew. Et ça se fait rare !) On dirait qu'il est resté figé dans le passé, immobilisé à un instant précis, et qu'il est incapable d'en bouger, d'aller de l'avant. Je crois même savoir ce qui l'a rendu ainsi — ou plutôt qui l'a rendu ainsi —, mais ce sera pour une autre fois.

Si cette lettre était un e-mail (et combien d'e-mails j'ai pu t'envoyer en dix-huit mois ? Plus d'une centaine, je dirais), j'effacerais presque tout ce que je viens d'écrire pour me concentrer sur ce que je comptais te dire. Le fin mot de l'histoire. Mais me voilà revenue à l'âge héroïque de la plume et de l'encre, et obligée de réfléchir à même le papier — ce qui ressemble d'ailleurs plus à un luxe qu'à une contrainte. C'est sans doute une excellente thérapie pour moi que d'écrire tout ça, voilà ce que je veux dire. Après tout, je pourrais toujours te téléphoner ; et on va forcément se voir dans quelques jours, pas vrai ? Donc, en fait, je n'aurais même pas besoin de poster cette lettre. Mais je pense quand même le faire.

Reprenons : ma dernière semaine de purgatoire, par Emily Trotter. Ou Emily Sandys, que je vais sans doute redevenir très bientôt. Par où commencer ?

Les dix premiers jours, comme je le disais, ont été au moins supportables. Je n'ai pas grand-chose à te raconter car ils se confondent dans mon esprit. Trajet en voiture, visite, trajet en voiture, déjeuner, trajet en voiture, balade, trajet en voiture, nouvel hôtel, dîner, et

ainsi de suite et ainsi de suite et ainsi
(interminablement!) de suite. Je crois que c'est les
trajets en voiture que je détestais le plus, car les routes
ici sont droites et tranquilles, et il y a quelque chose de
singulièrement déprimant (tu ne peux pas t'en rendre
compte, puisque tu n'as jamais été marié) à savoir
qu'on est en train de devenir un de ces couples de
quadras qu'on s'était promis justement de ne jamais
devenir, qui roulent pendant des heures côte à côte, les
yeux fixés sur la route, sans un mot à se dire.
Plusieurs fois j'ai failli m'écrier : « Oooh, regarde! Des
vaches! », rien que pour briser ce silence lugubre. Bon,
je ne suis pas allée jusque-là, mais tu vois le tableau.

Bref, on a fait Rouen, on a fait Bayeux, on a fait
Honfleur, on a fait le Mont-Saint-Michel, et en chemin
on s'est gavés de bouillabaisse et de brandade de
morue et de châteaubriant. Sans parler du vin rouge,
car on s'est vite aperçus au fil de la semaine que seule
la perspective de se bourrer la gueule tous les soirs
nous empêchait de laisser tomber cette cause perdue et
de faire nos valises. Ou de nous entre-tuer. Et pendant
tout ce temps — c'est ça qui a rendu la chose si
épuisante pour moi — je m'efforçais d'égayer
l'atmosphère en faisant mon grand numéro d'Emily-
l'heureuse-nature. Un numéro qui dure plus ou moins
depuis dix-huit ans, sous diverses formes; et égayer
Benjamin, c'est du boulot, même dans les bons jours.
Or on traverse des mauvais jours. Les douze derniers
mois ont été les pires qu'on ait connus. Et ça ne s'est
pas arrangé. Benjamin et ses silences interminables,
accablés. Les yeux fixés sur le lointain, les pensées
fixées sur... sur quoi? Je n'en ai pas la moindre idée,
même aujourd'hui, même après dix-huit ans de
mariage! Régulièrement je me résignais à lui

demander, en désespoir de cause : « Quelque chose te déprime ? » Et invariablement il me répondait : « Pas vraiment. » Ignorant cette réponse, j'insistais : « C'est ton livre ? », et le plus souvent ça le faisait sortir de ses gonds et il se mettait à hurler : « Bien sûr que non, ce n'est pas mon livre ! », et ainsi de suite...

Je vais te dire ce qui m'a vraiment rendue furieuse. C'est de comprendre qu'il n'y a qu'avec <u>moi</u> qu'il se comporte de cette façon. Quand il est avec ses autres amis — Philip Chase, par exemple, ou Doug et Frankie —, d'un seul coup il reprend vie, d'un seul coup il réapprend, Dieu sait pourquoi, à être drôle et sociable et à avoir une <u>conversation</u>. Ces dernières semaines, ça a vraiment commencé à m'exaspérer. Un exemple insignifiant : pourquoi est-ce que je me trouve à Étretat ? Parce que Benjamin voulait venir ici. Et pourquoi il voulait venir ici ? Parce que Claire lui en a parlé, lors du petit tête-à-tête si intime qu'ils ont eu il y a quelques semaines, et dont il est rentré vers une heure du matin, bien éméché et l'air très content de lui. Or Claire est <u>mon</u> amie autant que la sienne. <u>Plus</u> que la sienne, en un sens. Mais est-ce qu'il m'a invitée ? Non. Et ils ont discuté au moins cinq heures. Depuis quand n'a-t-il pas discuté avec moi pendant cinq heures, ou même une heure, ou même cinq minutes ? C'est ce genre de choses qui m'a fait comprendre que, la plupart du temps, je n'<u>existe</u> même plus pour Benjamin. Son radar ne me détecte même pas.

Tout ça va peut-être te paraître trivial. Mais quand ça dure depuis des mois, depuis des années, ça n'a plus rien de trivial. Ça devient énorme, envahissant. (Et ça n'a rien à voir avec le fait qu'il croie ou non en Dieu, quoi qu'il puisse en dire.) Et avant-hier, je crois que c'est devenu trop écrasant pour moi.

Voilà ce qui a mis le feu aux poudres.

Ironiquement, on venait de passer la journée la plus agréable de toutes les vacances. Pour moi, en tout cas : jusqu'à ce que je comprenne mon aveuglement. On avait déjeuné au Bec-Hellouin, et c'était assez plaisant (mieux que ça, même : la tarte aux pommes était à périr), puis roulé jusqu'à Saint-Wandrille, un superbe petit village de la vallée de la Seine, qui abrite un célèbre monastère bénédictin du dixième siècle. On s'est garés dans le village et on est partis pour une longue balade le long du fleuve — trois heures en tout, je crois. Et à mi-chemin, nous sommes tombés sur une vieille bâtisse absolument <u>magique</u>. On aurait dit la dépendance d'une ferme, à ceci près que le reste de la ferme avait disparu depuis des siècles, et que le bâtiment s'élevait, isolé, à une vingtaine de mètres de la berge. Il était presque entièrement en ruine et semblait menacer de s'écrouler, mais nous avons quand même glissé la tête par la fenêtre; en découvrant que la porte n'était pas fermée à clef, nous nous sommes aventurés à l'intérieur pour jeter un coup d'œil. La bâtisse était envahie par les orties et les mauvaises herbes, mais on devinait à quoi elle pourrait ressembler si quelqu'un la remettait en état. J'ai regardé Benjamin, et j'aurais juré qu'il pensait la même chose. On avait souvent parlé (sauf peut-être récemment) de fuir la grande ville et d'acheter une maison en France ou en Italie, un endroit où il pourrait trouver la paix et la tranquillité et enfin achever son maudit livre. Et cette bâtisse avait beau être en ruine, on sentait qu'une fois restaurée elle serait parfaite. On a même commencé à imaginer quelle pièce servirait de salle à manger, à quel endroit il installerait ses ordinateurs et son home studio et tous ses trucs.

Pour une fois, on a eu une vraie conversation. Et quand on est repartis vers Saint-Wandrille par le chemin de halage, on a jeté un dernier coup d'œil à la maison (je commençais à y voir une maison), et le soleil s'enfonçait derrière le toit, et l'eau avait l'air fraîche et scintillante dans la lumière du crépuscule, et on n'aurait pu rêver lieu plus merveilleux, plus romantique, et j'ai pris Benjamin par la main et — ô miracle ! — il n'a pas lâché la mienne pendant au moins cinq minutes, voire dix, avant de la laisser retomber mollement et de continuer tout seul. (Il fait toujours ça.)

Il était environ huit heures quand on est rentrés au village : trop tard pour visiter l'intérieur du monastère. Benjamin était tout excité, parce qu'il avait lu dans un guide qu'on pouvait y séjourner en retraite spirituelle, mais la réception était fermée et il n'y avait personne pour le renseigner. En revanche, il était encore possible d'assister aux complies de neuf heures. Je ne pensais pas que Benjamin souhaiterait m'y accompagner car, comme tu sais, il n'a plus mis les pieds dans une église depuis plus d'un an ; mais, à ma grande surprise, il était partant. Peut-être (c'est ce que j'ai pensé sur le moment) que la découverte de cette maison magique, et nos vagues projets de contacter le propriétaire et de l'acheter et de la restaurer, l'avaient enfin rapproché de moi.

Bref, on est entrés et on s'est assis dans la chapelle. Une superbe chapelle, je dois dire, une ancienne grange reconvertie, avec un fabuleux plafond à poutres apparentes et un décor d'une absolue simplicité. Aucun éclairage artificiel. Il avait beau faire encore très clair dehors, la chapelle était déjà envahie par les ombres, et seules quelques traces de soleil infiniment pâles,

dorées, rougeoyantes luisaient aux abords des fenêtres.
(Sans vitraux.) Nous étions une trentaine de fidèles, et
au bout de dix minutes les moines sont entrés en file
indienne. Ils étaient complètement absorbés par le
rituel, fervents, ne semblaient même pas s'apercevoir de
notre présence. Mais je peux me tromper. Les capuches
grises de leurs bures étaient relevées et on ne voyait
guère leurs visages. Ils devaient être une bonne
vingtaine. Quand on parvenait à apercevoir leurs traits,
ils avaient l'air à la fois très sérieux et très joyeux. Et
ils avaient des voix merveilleuses. Quand ils se sont
mis à psalmodier, ces longues et admirables lignes
mélodiques semblaient émaner d'eux, couler
naturellement, oscillant de l'aigu au grave comme s'ils
improvisaient, jusqu'à ce qu'on se rende compte, en
écoutant attentivement, qu'elles obéissaient à une
logique miraculeuse. C'est la musique la plus
apaisante, la plus spirituelle, la plus pure que j'aie
jamais entendue. Benjamin a dit ensuite que, comparés
à elle, même Bach et Palestrina paraissaient décadents !
J'ai gardé la brochure comportant le texte des
cantiques. En voici un (qu'ils chantaient en latin, bien
sûr) :

Avant la fin du jour, nous te demandons,
Créateur de toutes choses,
Dans ton infinie bonté,
De veiller sur nous et de nous protéger.

Éloigne de nous
Rêves et cauchemars de la nuit,
Emprisonne nos ennemis
Afin que rien ne souille la pureté de notre corps.

Exalte-nous, Père tout-puissant,
Par Jésus-Christ notre Maître,

289

Qui règne à jamais avec Toi
Et avec l'Esprit-Saint. Amen.

Et tandis qu'ils chantaient je sentais Benjamin se rapprocher, et, l'office achevé, nous avons quitté la chapelle dans le crépuscule pour regagner la voiture, main dans la main. Et j'étais convaincue que tout allait s'arranger.

On est donc rentrés à l'hôtel — cet hôtel d'où je t'écris, cet hôtel recommandé par Claire — et on est descendus dîner; en attendant les entrées, j'ai regardé Benjamin et je l'ai trouvé transfiguré. Il y avait de nouveau une lueur dans ses yeux, comme une étincelle d'espoir, qui m'a fait comprendre à quel point depuis des mois son regard était <u>vide</u>, éteint, sans vie. Je me suis demandé si c'était l'effet du service religieux qui aurait ranimé sa foi — car il me paraît impossible d'entendre ces chants sans éprouver une révélation, même vague, sans entrevoir l'existence du divin. Mais je n'ai fait aucun commentaire. Je me suis contentée d'une question neutre : « Tu as passé une bonne journée ? », et ça a suffi. Enfin il s'est ouvert à moi.

« Excuse-moi, a-t-il répondu. J'étais assez déprimé ces derniers temps. » Et il a expliqué que pendant des mois il avait été incapable d'envisager un quelconque avenir, qu'il ne trouvait plus rien à espérer. Mais aujourd'hui, il avait vu quelque chose : il savait qu'il ne l'obtiendrait jamais, mais au moins il savait que c'était <u>réel</u>, que ça <u>existait</u>, ce qui lui donnait de l'espoir, lui rendait le monde plus supportable, même si ça restait hors de portée.

« Un genre de symbole ? » ai-je demandé.

Il a eu l'air dubitatif, mais a répondu : « Oui. »

*Alors je me suis penchée vers lui en disant : « Ben,
ça peut devenir autre chose qu'un symbole. Autre
chose qu'une chimère. Tout est possible, tu sais.
Vraiment. »*

*Et je parlais sérieusement. Même d'un point de vue
pratique. Ça fait des années qu'on a remboursé
le prêt de la maison de Birmingham, et on pourrait
la revendre une fortune. On aurait très bien pu
acheter cette ruine et la restaurer, il nous serait resté
assez d'argent pour vivre des années. Voilà ce que je
pensais.*

Mais Benjamin a dit : « Non. C'est impossible. »

*Et moi : « Allez, réfléchis un peu, étape par étape.
Qu'est-ce que ça impliquerait ?*

*— Eh bien, tout d'abord, il faudrait que j'apprenne
le français.*

*— Ton français est déjà très bon. Et il s'améliorerait
encore si tu le parlais tout le temps.*

— Et j'aurais besoin d'une sacrée formation. »

*C'est vrai que Benjamin est nul en bricolage. Il lui
suffit de quelques notes pour reconnaître César Franck
ou Gabriel Fauré, mais il serait incapable de fixer au
mur un portemanteau, même si sa vie en dépendait.
Mais je n'allais pas me laisser décourager. Comme je
l'ai dit, aujourd'hui, j'avais l'impression que tout était
possible.*

*« Tu pourrais suivre des cours. Il y a des cours du
soir pour ce genre de choses.*

— Tu crois ? À Birmingham ?

— Bien sûr. »

*Il a réfléchi quelque temps, et puis il s'est mis à
sourire, et son œil s'est illuminé, et il m'a regardée en
disant : « À cet instant, je crois que rien ne pourrait
me rendre plus heureux.*

— Alors d'accord, j'ai dit, le cœur gonflé d'une joie stupide. On y va. »

Il m'a dévisagée en disant : « Quoi ? Tous les deux ?

— Bien sûr, tous les deux. Je ne voudrais quand même pas que tu habites cette maison sans moi ! »

Il a continué à me dévisager : « Je ne parle pas de la maison. »

J'ai attendu quelques secondes avant de demander : « Tu parles de quoi, alors ? »

Et il a répondu : « Je parle de me faire moine. »

*

Désolée, j'ai dû faire une pause. Ça fait deux heures que je gribouille cette lettre comme une malade, et j'en avais bien besoin.

À l'instant, en couchant cet incident sur le papier, il m'a paru presque comique. Mais je t'assure que sur le moment je n'avais pas envie de rire.

Qu'est-ce que j'ai répondu ? Je ne m'en souviens pas. Je crois que j'ai d'abord été trop éberluée pour parler. Enfin, d'une voix très douce — comme toujours quand je suis en colère, vraiment en colère —, j'ai dit à peu près : « Autant que je ne sois pas là, hein, Benjamin ? En fait, tu préférerais que je ne sois pas là. » Alors je me suis levée, je lui ai balancé un verre d'eau à la figure — curieusement, ça m'a fait un bien fou — et je suis remontée dans la chambre.

Deux minutes plus tard, il a frappé à la porte. C'est alors que la bagarre a commencé. Et c'était une vraie bagarre. On n'en est pas venus aux mains, mais on a carrément hurlé — à tel point qu'un employé de l'hôtel est monté nous demander si tout allait bien. J'ai dit à Benjamin tout ce que j'avais sur le cœur depuis des années : qu'il ne me témoignait aucun _respect_, qu'il ne m'accordait aucune _attention_... Il a même eu le culot de détourner la discussion sur _toi_, en disant qu'on se voyait trop souvent, et je lui ai crié : Il fallait t'y _attendre_, mon mari m'ignore comme si j'étais _invisible_, il fait comme si je n'étais pas _là_ !

J'ai fini par lui dire que je ne voulais plus le revoir. Il a mis quelques affaires dans une valise et je crois qu'il a pris une chambre simple pour la nuit. En me couchant, je pensais qu'au matin j'aurais envie de lui parler, d'arranger les choses. Mais sitôt réveillée, j'ai compris qu'il n'en était rien. C'était vrai : je ne voulais plus jamais le revoir. D'ailleurs, je ne l'ai pas vu au petit déjeuner ; la réceptionniste m'a appris ensuite qu'il avait quitté l'hôtel et laissé un message disant qu'il allait à Paris. Où il peut pourrir tout son soûl. Il a du moins eu la décence de me laisser la voiture, ce qui veut dire que je peux rentrer à la maison.

À la maison. Qui me paraît soudain désirable.

Je serai très heureuse de te voir à mon retour, mon cher Andrew. Au moins, je n'aurai pas à te raconter de vive voix cette histoire pathétique.

Autrefois, je croyais que les choses seraient différentes si on avait eu un enfant, ou si on avait insisté auprès de l'agence d'adoption. Mais je n'y crois plus : un enfant aurait simplement été pris entre deux feux, déchiré entre nous ; la pauvre créature l'a échappé belle.

Quel gâchis. Dix-huit ans : dix-huit ans de vie commune pour finir comme ça.

Mais je suppose que c'est toujours un gâchis. Peut-être même qu'en l'occurrence on s'en tire à bon compte.

S'il te plaît, pourras-tu dès que possible m'emmener prendre un verre et faire en sorte que je me bourre sauvagement la gueule ?

Je t'embrasse très fort.

Amicalement,

Emily.

xxx

Le mercredi 1er août 2001 marquait le treizième anniversaire de divorce de Claire et de Philip. Ce n'était pas une occasion qu'ils avaient coutume de célébrer, mais cette fois, puisqu'ils se trouvaient à Londres — pour deux jours, avec Patrick, dans un hôtel de Charlotte Street —, ils décidèrent de faire une exception. Comme ils ne connaissaient ni l'un ni l'autre les restaurants londoniens à la mode, ils optèrent pour Rules, à Covent Garden, qui était mentionné dans plusieurs guides touristiques. À huit heures, ils s'installèrent sur les lourdes banquettes de velours, étudièrent le menu et se préparèrent à une soirée de viande rouge, de légumes d'hiver, de sauces épaisses et de bordeaux couleur rouille. Dehors, dans les rues de Londres, l'atmosphère était étouffante, et le soleil continuait à chauffer les pavés de la place et les tables des terrasses. Mais dans la pénombre guindée de la salle, ils auraient pu se croire dans un club de gentlemen, par un soir d'automne des années 30.

Patrick avait préféré rester à l'hôtel pour regarder la télé. Ils n'avaient pas l'habitude de discuter sans lui, d'avoir le luxe de choisir n'importe quel sujet de conversation; et ils réagirent à cette liberté comme beaucoup de couples mariés — ou divorcés.

« Tu es sûr que Patrick va bien ? demanda d'emblée Claire. Il n'a pas l'air de travailler très dur. Il aborde ses examens de façon très décontractée.

— C'est parce qu'il est en vacances ! D'ailleurs, il a encore des mois pour se préparer.

— Et il a l'air tellement *maigre*.

— On le nourrit, tu sais. Depuis déjà un bail. » Philip ajouta, d'un ton plus grave : « Claire, ne cherche pas des problèmes qui n'existent pas. La vie est déjà assez compliquée comme ça. »

Claire médita ce conseil d'un air dubitatif avant de demander : « Est-ce qu'il lui arrive de te parler de Miriam ? »

Philip disséquait la carte des vins. « Il ne me parle pas de grand-chose, à vrai dire.

— Je crois qu'il est obsédé par elle. »

Philip leva les yeux. « Comment ça, obsédé ?

— Eh bien, l'an dernier, le jour de la manif pour Longbridge, il a tenu à sortir toutes ses affaires du grenier, chez papa. Et ensuite on a parlé de sa... disparition. On en a parlé pendant des plombes. Bien sûr, je ne lui ai pas tout dit ; je ne lui ai pas parlé de l'homme qu'elle fréquentait... » Elle s'interrompit. « Excuse-moi, Philip, mais si je t'ennuie, dis-le-moi. »

Philip était distrait. Il regardait s'éloigner un homme brun, assez jeune, au costume impeccable, qui avait traversé le restaurant en trombe, d'un air décidé, avant de disparaître dans l'escalier qui menait aux salons privés.

« C'était Paul, dit-il. Paul Trotter. J'en suis sûr. »

Claire n'avait pas l'air très intéressée. « C'est sûrement le genre d'endroit où il vient tout le temps. Tu veux aller lui dire bonjour? Moi, en tout cas, je n'ai aucune envie de lui parler.

— Non, dit Philip en se retournant vers elle. Excuse-moi... Je t'écoute.

— Je disais, reprit Claire passablement agacée, que ce jour-là on avait parlé de la disparition de Miriam, et... eh bien, ça a remué beaucoup de choses, en ce qui me concerne. Des choses auxquelles j'essaie de ne plus penser, pour ne pas devenir folle, entre autres, parce que je suis déjà passée par là, il y a bien longtemps, et ça n'a abouti qu'à... Phil, est-ce que tu m'*écoutes*, enfin?

— Bien sûr, dit Philip en se ressaisissant.

— T'as un problème? Tu as les yeux dans le vague.

— Excuse-moi. C'est simplement que... » Il ôta ses lunettes et se frotta distraitement les yeux. « En voyant Paul, à l'instant... Et en t'entendant parler de Miriam... Je ne sais pas, ça a déclenché quelque chose. J'ai ça dans la tête, mais c'est très vague... un lien entre les deux. Je n'arrive pas à mettre le doigt dessus... Une impression de déjà vu, tu comprends?

— Quel genre de lien? demanda Claire d'une voix soudain fébrile.

— Je ne sais pas. Comme je t'ai dit, je n'arrive pas à mettre le doigt dessus. » Il reprit la carte des vins. « Ne t'en fais pas, je suis sûr que ça va me revenir. »

*

« J'ai presque fini l'article, disait Philip quelques heures plus tard. Mais pour le moment, je ne fais qu'effleurer la surface des choses. Le problème avec ces groupes néonazis, c'est que... c'est facile de les ignorer en disant qu'il ne s'agit que de quelques marginaux illuminés. Tu vois, les négationnistes, ce genre de gens, foncièrement, c'est des tarés. Mais regarde ce qui s'est passé dans le Nord ces derniers mois. Pas seulement les émeutes raciales, mais le nombre de sièges que le British National Party a gagnés aux élections municipales en capitalisant sur toute cette agitation. C'est intéressant de voir comment le BNP vend son image. Je crois qu'ils copient les néotravaillistes : ils ciblent les femmes et les classes moyennes. La moitié de leurs candidats sont des femmes. Mais il suffit de gratter un peu et on vient buter sur des trucs beaucoup plus troubles, comme ce CD par exemple. Mais les électeurs blancs de Burnley et de Bradford ne s'en rendent pas compte. On s'est trop habitués à prendre les choses pour argent comptant. Il n'y a plus de curiosité, d'esprit critique, on est devenus des *consommateurs* de la politique, on gobe tout ce qu'on nous donne. Donc, en un sens, c'est une réflexion sur l'évolution du pays, de toute notre *culture*. Tu comprends ? Voilà pourquoi je dois en faire un livre. Je peux prendre l'extrême droite comme point de départ, mais ça va bien au-delà.

— Ça a l'air passionnant. Et tu as le temps d'écrire un livre ?

— Il faudra bien que je trouve le temps. Je dois aller de l'avant. Je ne vais pas passer encore vingt ans à me contenter d'écrire "Les Choses de la ville, par Philip Chase". Il est temps de passer à autre chose. Tout le monde doit aller de l'avant.

— On ne tient vraiment pas en place, hein ? fit Claire, presque agressive, comme si d'un seul coup toute sa génération l'énervait. Nos parents ont gardé le même boulot pendant quarante ans. Mais maintenant, tout le monde a la bougeotte. Doug a changé de boulot. Moi, j'ai changé de boulot, et de pays. Steve veut changer de boulot, apparemment. » Elle réfléchit un instant avant d'ajouter : « À ma connaissance, il n'y a qu'une seule personne qui n'ait pas l'air de vouloir aller de l'avant.

— Benjamin, dit aussitôt Philip.

— Benjamin, répéta-t-elle d'une voix plus douce en sirotant son café.

— Oh, même lui, il est passé à autre chose, au moins en ce qui concerne son couple. »

Claire éclata d'un petit rire sec. « Mais ce n'est pas lui qui a franchi le pas. Il s'est fait jeter. Ça, c'est du Benjamin tout craché. Il crée une situation impossible, et ensuite... il la laisse *pourrir* et il s'y complaît jusqu'à ce que quelqu'un d'autre fasse le sale boulot et décide de changer les choses. » Sa colère (si colère il y avait) s'épuisa vite, et elle demanda plus tendrement : « Comment il va, d'ailleurs ?

— Oh, ça va, dit Philip (qui hébergeait Benjamin depuis trois jours). Il passe le plus clair de son temps au boulot, ce qui est un grand soulagement. Comme on pouvait s'y attendre, il a un peu pété les plombs, mais je crois que ça ne durera pas. Il n'arrête pas de dire qu'il veut se faire moine.

— Moine ? Il n'a quand même pas retrouvé la foi ?

— Non... je crois que c'est plutôt le mode de vie qui l'attire.

— Pauvre Benjamin. Combien de temps il va rester chez vous ? Et Carol, ça ne la dérange pas ?

— Disons qu'elle n'est pas enthousiasmée. Mais il peut rester autant qu'il veut, je crois.

— Je m'inquiète pour lui », dit Claire ; ce qui, aux yeux de Philip, n'était pas exactement une surprise. « Tu crois vraiment qu'un jour il va finir son livre ? » Puis elle formula une autre question, plus périlleuse encore : « Tu crois vraiment qu'il *existe*, ce livre ?

« — Eh bien, on n'a qu'à demander à son frère », dit Philip en se levant pour intercepter Paul, qui retraversait la salle. « Paul ! lança-t-il joyeusement en tendant la main. Philip Chase. Du *Birmingham Post*. Et, il faut bien l'avouer, de King William. On s'est parlé au téléphone l'an dernier. Comment ça va ? »

Paul lui serra mollement la main, visiblement décontenancé par cette rencontre inattendue. Il était flanqué de deux hommes. L'un était grand, grisonnant, imposant : il était habillé comme un homme d'affaires, mais ses traits burinés, paradoxalement, évoquaient plutôt un bourlingueur. Sûrement un habitué des clubs de yachting et des plages de Jamaïque. Il avait au moins vingt ans de plus que Paul. Quant à l'autre homme, non seulement il avait l'air encore plus vieux — d'autant qu'il était presque complètement chauve —, mais son embonpoint était impressionnant, son estomac protubérant, d'une circonférence royale, et ses yeux attentifs enfoncés, presque noyés dans les replis de chair de son visage adipeux. Jamais Philip ne l'aurait reconnu, et c'est lui qui s'écria, tout heureux :

« Chase ! Philip Chase ! Je veux bien être pendu ! Mais qu'est-ce que tu fous ici ? »

Lentement, la vérité se fit jour, et Philip tendit une main incertaine. « Culpepper ? fit-il d'une voix hésitante. C'est bien toi ?

— Bien sûr que c'est moi. Bonté divine, j'ai vraiment changé tant que ça ? »

Était-ce le même homme qui jadis avait férocement disputé à Steve Richards le titre de *Victor Ludorum*, la plus haute distinction sportive du lycée ? La métamorphose était hallucinante.

« Pas vraiment, c'est juste que...

— Oh, je sais. J'ai pris un peu de brioche, au fil du

temps. Comme tout le monde. Je peux me joindre à vous quelques instants ? »

On leur présenta l'autre homme comme étant Michael Usborne, mais avant qu'ils n'aient pu s'asseoir Paul Trotter, qui avait l'air de plus en plus mal à l'aise, jeta un coup d'œil impatient à sa montre et annonça qu'il devait partir. Sur ce, Culpepper suggéra de quitter la table et d'aller plutôt prendre un digestif au bar de son hôtel, qui n'était qu'à quelques minutes de marche. Claire et Philip acceptèrent, mus presque exclusivement (comme ils se l'avouèrent plus tard) par une curiosité morbide pour la bête noire légendaire de leurs années d'école.

Paul prit congé sur le trottoir, réservant à Culpepper le mot de la fin : « Eh bien, passe une bonne soirée avec ton ami *journaliste*. »

S'il y avait un sous-entendu, Culpepper sut le saisir, car il serra solennellement la main que Paul lui tendait.

*

Plus tard, en remontant Charing Cross Road vers Centrepoint, la conversation s'orienta aussitôt vers l'extraordinaire métamorphose de Culpepper.

« C'est *incroyable*, répétait Philip. Ce type, au lycée, c'était un athlète, quoi qu'on puisse penser de lui par ailleurs.

— Qu'est-ce qui lui est arrivé, alors ? Des années de déjeuners d'affaires ?

— Sûrement. Il doit siéger au conseil d'administration d'une bonne douzaine d'entreprises, ce qui doit vouloir dire qu'il bouffe douze fois plus. Cela dit, ajouta-t-il d'un air de tendre reproche, tu aurais pu lui poser la question directement, si tu n'avais passé une heure en grande discussion avec le glorieux capitaine d'industrie. De quoi vous avez bien pu parler ?

— Je l'ai trouvé plutôt sympa. Un peu doucereux, mais pas trop lourd. Il m'a raconté des tas de trucs. Il traverse une mauvaise passe. Il n'a même pas de boulot.

— Claire, ne me dis pas que tu ne connais pas Michael Usborne, quand même. Tu ne lis donc jamais les pages Économie ?

— Bien sûr que non, je ne les lis jamais. Personne ne les lit. Mon chat s'en sert pour faire ses besoins.

— Michael Usborne, dit Philip en esquivant un trio d'ados éméchés qui hélaient bruyamment un chauffeur de taxi, lequel n'avait aucune intention de les prendre, était PDG de Pantechnicon jusqu'en début d'année. Il était responsable de la moitié du réseau ferré du Sud-Est. C'était son deuxième poste à la tête d'une compagnie de chemin de fer privatisée : sa grande spécialité, c'est de réduire la main-d'œuvre, d'économiser sur la sécurité et de foutre le camp avant que ça merde, ce qui ne prend généralement que quelques mois. Il a mis la compagnie sur la paille, et je crois qu'ils l'ont payé trois millions et demi de livres pour se débarrasser de lui. Avant ça, il était dans les télécommunications, et il a fait exactement la même chose. Et pareil avant avec une distillerie. Ce type, c'est un tueur en série d'entreprises. »

Claire ne répondit rien. Elle s'arrêta devant la vitrine d'un magasin d'électronique et regarda les étagères rutilantes de chaînes hi-fi, d'ordinateurs portables et de lecteurs de DVD. Le magasin était encore ouvert malgré l'heure tardive, et un jeune homme en jean, qui n'avait pas vingt ans, se chargeait d'une pile de cartons tandis que son ami signait la facture de carte bleue. Visiblement, la consommation était toujours en plein boom.

« Pourquoi toutes les boutiques de la rue vendent la même chose ? s'interrogea Claire. Ce n'est pas bon pour les affaires. »

Philip soupira et lui demanda : « Il ne t'a pas fait d'avances, au moins ?

— En quoi ça te regarde ? Tu es devenu mon ange gardien ?

— Il a été marié au moins quatre fois, tu sais.

— Deux fois, le corrigea-t-elle. Et il m'a dit qu'il était toujours en quête de traducteurs techniques compétents, alors je lui ai donné ma carte. » Un souvenir lui revint. « Oh... il m'a aussi proposé de monter dans sa chambre. Mais je lui ai dit que je n'étais pas d'humeur.

— Le vieux dégueulasse, marmonna Philip. Enfin, au moins il ne pourra pas te harceler à Malvern.

— Eh bien, détrompe-toi : par une extraordinaire coïncidence, il a une maison dans le coin, à Ledbury. Je suis invitée le week-end prochain.

— Tu ne vas quand même pas y aller ? »

Ils étaient dans le hall de l'hôtel. Claire entra dans l'ascenseur, appuya sur le bouton du troisième étage et se tourna vers Philip, la voix lasse mais résolue : « J'ai quarante et un ans, tu sais, et je suis assez grande pour prendre une décision toute seule. Par ailleurs, je suis célibataire, et, pour être franche, ça ne m'arrive plus si souvent de me faire draguer. Tu as peut-être oublié ce que c'est. Alors, si un beau mec, qui en plus est de bonne compagnie, et qui *en plus* a une maison tout près de chez moi avec non pas une, mais *deux* piscines couvertes, m'invite à y aller, c'est à moi de décider si j'y vais ou pas. Et pour couronner le tout, je n'ai pas baisé depuis... euh... » Sa voix se perdit. L'ascenseur s'arrêta. Ils sortirent ensemble, sans que Claire ne termine sa phrase. Elle se contenta de dire : « Tu sais, il y a des choses qu'on ne raconte pas, même à son ex-mari. »

Philip lui adressa un sourire tendre et contrit, et ils se dirigèrent en silence vers leurs chambres respectives. Claire partageait une chambre double avec Patrick.

« En tout cas, fit-elle en fouillant dans son sac à la recherche de sa clef électronique, j'ai passé une très bonne soirée. Merci beaucoup.

— Moi aussi, ça m'a fait plaisir. Passe le bonjour à Patrick. Je le verrai au petit déjeuner.

— Promis. S'il ne dort pas déjà. »

Ils ne pensaient pas qu'il était aussi tard : presque 1 h 30.

« Merde ! s'écria Philip. Je comptais appeler Carol ce soir. Pour prendre des nouvelles de Benjamin. » Et en prononçant ce nom, quelque chose lui revint à l'esprit : « Au fait... quand tu l'as vu, il y a quelques semaines, est-ce que par hasard il t'a parlé d'une coiffeuse ? »

Claire se figea.

« Oui, en effet. Pourquoi, il t'en a parlé aussi ?

— Pas directement... Enfin, il m'a raconté qu'il était allé la voir la semaine dernière et qu'il avait essayé d'engager la conversation, mais que ça s'était très mal passé. Apparemment, non seulement il n'a *pas* réussi à l'inviter à boire un verre, non seulement il ne s'est *pas* fait couper les cheveux, mais le patron lui a interdit de remettre les pieds dans le salon de coiffure.

— *Interdit* ? répéta-t-elle incrédule. Mais pourquoi ? Qu'est-ce qui s'est passé ?

— Il était un peu nerveux, je crois. Et tu sais, parfois, quand on est nerveux... les mots sortent de travers.

— Mais il devait juste lui demander de lui couper les cheveux et de lui tailler les pattes.

— Oh, "couper les cheveux", ça n'a pas posé problème, répondit Philip sérieux comme un pape. C'est "tailler les pattes" qui est sorti de travers. » Il ouvrit la porte de sa chambre. « Il faut croire qu'il avait la tête ailleurs. »

Et pendant une demi-heure, à travers la cloison, Claire et Philip s'écoutèrent rire de bon cœur.

7

– – – – – Message original – – – – –
De : P_Chase
À : Claire
Envoyé : Jeudi 9 août 2001 10:27
Sujet : Déjà vu

C'était super de te voir la semaine dernière. On devrait célébrer plus souvent la rupture douloureuse et dévastatrice de notre lien conjugal. Et quelle incroyable coïncidence d'être tombés sur Culpepper ce soir-là ! Il avait l'air tellement content de nous voir que, pendant un instant, je n'ai vu en lui qu'un vieux croûton inoffensif — jusqu'à ce que je me rappelle le salopard qu'il était au lycée et qui avait pourri la vie de Steve, entre autres choses. Ce qui prouve à quel point la nostalgie peut être dangereuse, à force de brouiller les contours, d'arrondir les angles coupants des faits pour en faire quelque chose de plus digeste, noyé dans le flou artistique...

Mais bref : je t'envoie ce mail pour une raison un peu bizarre, à savoir que je viens tout juste de me rappeler ce que je * n'arrivais * pas à retrouver l'autre soir concernant Paul et Miriam. Et maintenant que ça me revient, je trouve ça un peu gênant, trop insignifiant, en un sens, pour valoir la peine de te le dire. En outre, je ne suis pas sûr que ce soit une bonne idée de t'encourager (toi ou Patrick) à ruminer toute cette affaire. Il y a des choses qu'il faut savoir laisser reposer en paix. Il faut savoir tirer un trait.

Bref (bis). Voici de quoi il s'agit. Un jour au lycée, lors d'une séance de l'option « Pratiquer la marche », on s'est perdus, Benjamin et moi — comme chaque fois ou presque, dans mon souvenir. Je ne peux pas dire qu'on ait fait beaucoup d'efforts pour rejoindre les autres : je crois me rappeler qu'on avait emporté à manger, et peut-être même de la bière, si bien qu'on a fini par s'asseoir pour pique-niquer. C'est alors que Paul a surgi sur son vélo. Il n'était pas allé en cours, soi-disant parce qu'il était malade, ce qui ne l'empêchait pas de s'entraîner pour le Tour de France dans les collines du Lickey.

Benjamin et moi étions absorbés dans une conversation d'hétérobeaufs (je ne crois même pas que le terme existait à l'époque) sur les femmes. On venait de s'avouer mutuellement, à contrecœur, qu'on n'avait jamais vu de femme nue, à part à la télé. Et c'est alors (du moins dans mon souvenir) que Paul a mis son grain de sel et nous a réduits au silence en disant qu'il * avait * vu une femme nue : et il a parlé de ta sœur.

Je n'y attacherais guère d'importance — il pouvait très bien affabuler, ou faire référence à une vision fugitive qu'il aurait eue de Miriam en espionnant les filles dans les douches des vestiaires (il était capable de tout, ce petit monstre) — s'il n'y avait un détail troublant. N'oublie pas qu'on parle d'une conversation qui remonte à environ vingt-cinq ans ; je n'en garde donc qu'un souvenir confus. Mais comme je n'y ai jamais (au grand jamais) repensé, je n'ai pas eu l'occasion de déformer et de réécrire ce souvenir. Or, dans mon souvenir, il disait l'avoir vue au bord d'un réservoir, près de Cofton Park. Je suppose donc qu'il s'agit de celui que longe Barnt Green Road.

Ce serait quand même bizarre d'inventer un détail pareil, pas vrai ? Ben et moi avons pensé qu'il se foutait de notre gueule ; on n'a pas vraiment prêté attention à ce qu'il disait, alors que s'il n'avait pas été un parfait emmerdeur on aurait au moins * remarqué *, j'imagine, que c'était une drôle d'anecdote. Ce que j'essaie maintenant de retrouver, c'est la date de cet incident. Je n'ai aucun moyen de savoir à quand remontait cette vision de Paul (si tant est qu'il ait effectivement eu cette vision) ; mais je crois pouvoir dater avec une certaine précision le récit qu'il nous en a fait. Quand il nous est tombé dessus à vélo, il chantait "Anarchy in the UK" — je m'en souviens comme si c'était hier — ce qui signifie qu'on était au moins à l'automne 76. Deux ans après la disparition de Miriam. Peut-être même quelques mois plus tard, car j'ai l'impression que Benjamin était déjà engagé dans sa relation à éclipses avec Cicely, donc après la parution de sa célèbre critique d'"Othello", au début du semestre de printemps 1977.

Benjamin lui-même garde peut-être de tout ça un souvenir plus précis. Je lui demanderai ce soir, quand il rentrera du boulot. (À vrai dire, c'est difficile de le faire parler d'autre chose que de ses malheurs présents.) Ou bien tu peux toujours contacter Paul directement, pour une version de première main. J'aime autant que ce soit toi qui t'en occupes.

Attention, je suis sûrement en train de monter en épingle quelque chose d'insignifiant. Je me sens même coupable de t'envoyer ce message. J'espère ne pas te lancer sur une fausse piste ni rouvrir toutes les blessures que tu essaies de panser depuis des années. Surtout, Claire, ne te précipite pas, d'accord ? Considère d'abord dans quoi tu t'engages. Prends quelques jours de réflexion pour décider si tu veux vraiment replonger là-dedans.

Dans tous les cas, prends soin de toi, et gros bisous de Phil XX.

– – – – – Message original – – – – –
De : Claire
À : P_Chase
Envoyé : Jeudi 9 août 2001 11:10
Sujet : Re : Déjà vu

Salut Phil, et merci beaucoup.

Peux-tu me filer le numéro de Paul Trotter s'il te plaît?

Je t'embrasse très fort Claire x

*

— Allô?
— Allô... je voudrais parler à Claire Newman.
— C'est elle-même.
— Paul Trotter à l'appareil.
— Oh. Bonjour.
— Je ne vous dérange pas? Vous êtes seule?
— Euh... non, vous ne me dérangez pas. Et oui, je suis seule.
— J'ai trouvé votre message sur mon répondeur.
— Très bien... Effectivement, c'est là que je l'avais laissé.
— Tout à fait.
— C'était sympa de se revoir, l'autre jour.
— Pardon?
— À Londres... il y a deux ou trois semaines... au restaurant? C'était sympa de se revoir.
— Ah, oui! Pour moi aussi. On s'était... déjà rencontrés, alors?
— Eh bien... au lycée, forcément.
— Ah! Au lycée! Bien sûr. Je vous prenais pour..

— On ne s'est pas revus depuis, à ma connaissance. J'ai beaucoup vécu à l'étranger...

— Le message que vous m'avez laissé était assez inhabituel.

— Euh... Oui, je sais, je suis désolée. Ç'aurait peut-être été une bonne idée... une meilleure idée de vous expliquer les choses de vive voix.

— Je ne suis pas sûr de pouvoir vous aider.

— Non. Eh bien, je comprends, naturellement.

— Votre mari, Philip...

— Ex. C'est mon ex-mari.

— Ah. Ex-mari. Je n'avais pas réalisé. J'avais l'impression que vous fêtiez votre anniversaire de mariage.

— Eh bien... oui, d'une certaine façon. C'est une longue histoire. Un peu hors sujet.

— Votre mari est journaliste, n'est-ce pas ?

— Je ne suis pas mariée.

— Je veux dire : votre ex-mari.

— Oui. Effectivement. Il est journaliste.

— Et c'est lui qui vous a donné mon numéro ?

— C'est exact.

— Il est auprès de vous ?

— Non, il n'y a personne auprès de moi. Je suis toute seule. Je ne suis plus mariée. Philip habite à Birmingham, moi à Malvern. Il n'y a personne ici à part moi.

— Pardonnez-moi si j'ai l'air parano. J'ai eu quelques problèmes avec les journalistes.

— Ça n'a rien à voir avec Philip. Si j'essaie de savoir quelque chose, c'est uniquement par... intérêt personnel.

— Je vois.

— Est-ce que ça vous rend les choses plus simples ?

— Peut-être. Possible. Mais comme je vous l'ai dit, je ne crois vraiment pas pouvoir vous être d'une grande utilité.

— Vous vous souvenez de ma sœur, j'imagine ? Vous vous souvenez de sa disparition ?

— Bien sûr.

— Ce qui se passe, c'est que Philip s'est rappelé quelque chose que vous lui aviez dit. Comme quoi vous l'auriez vue...

— Oui. J'ai entendu votre message. Je n'ai aucun souvenir d'avoir dit ça. Absolument aucun.

— Non. Forcément. Ça remonte à très longtemps.

— Mais je me rappelle le... l'incident en question.

— Ah bon ? Comment ça ?... quel incident ?

— Je me rappelle avoir vu votre sœur... près du réservoir.

— Est-ce que vous pouvez me dire quoi que ce soit qui... ?

— Je dois d'abord vous demander de mettre les choses au point, Claire. Vous ne comptez pas rendre public ce que je pourrai vous dire ?

— Pas le moins du monde.

— J'ai votre promesse solennelle ?

— Absolument. Si je fais ça, c'est pour ma satisfaction personnelle. Uniquement.

— Très bien. Donc, effectivement, j'ai vu... je crois avoir vu votre sœur un jour, en début de soirée. La nuit tombait et je faisais du vélo tout seul près de Cofton Park. C'était après les cours, je rentrais à la maison.

— Vous étiez déjà à King William ?

— Je ne crois pas. Je crois que j'étais encore à l'école primaire.

— Elle était... dans quel état ?

— Elle ne portait pas de vêtements.

— Aucun ?

— Aucun. Dans mon souvenir.

— C'était quand ? À quelle époque de l'année ?

— En hiver.

— Elle était seule?

— Non. Il y avait un homme avec elle.

— Un homme?

— Oui. La nuit tombait, comme je l'ai dit, et je n'y voyais pas grand-chose. C'est la pâleur de son corps parmi les buissons qui a attiré mon regard. Je suis descendu de vélo pour m'approcher. C'est alors que je me suis aperçu qu'il y avait un homme avec elle; il s'est retourné et m'a regardé droit dans les yeux. J'ai eu peur et j'ai couru vers mon vélo et je suis rentré à la maison.

— Vous n'en avez parlé à personne? Pourquoi?

— J'avais peur.

— Ma sœur était... Elle était vivante?

— Je ne sais pas. Sur le moment, c'est ce que j'ai cru. Je croyais qu'elle et cet homme étaient en train de faire l'amour, que c'est pour ça qu'ils étaient venus près du réservoir.

— Il était déshabillé, lui aussi?

— Non. Je ne crois pas.

— Pourquoi vous n'en avez pas parlé après la disparition de ma sœur?

— Je n'ai appris sa disparition que bien plus tard. Au moins deux ou trois ans après, je crois. On n'en parlait pas à la maison. À l'époque, on avait notre propre tragédie à surmonter.

— Est-ce que vous vous souvenez de m'avoir rencontrée avec Miriam un matin au café de Rednal, près du terminus du 62? Vous sortiez de l'église avec votre frère.

— Non, ça ne me dit rien.

— Je me demandais si c'était avant ou après l'incident du lac.

— Je n'ai jamais parlé à votre sœur après l'avoir vue près du lac.

— Vous en êtes bien sûr?
— Sûr et certain.
— Donc c'était forcément avant.
— Oui. Je suppose.
— O.K. O.K., j'ai beaucoup de choses à mettre en ordre dans ma tête...
— Je vous ai dit tout ce que je savais.
— Oui. Je vous remercie.
— Je ne vois pas la nécessité de prolonger cette conversation. Et vous?
— Non. Non, ce n'est pas nécessaire. Merci encore. Vous avez été très...
— Toute cette conversation s'est déroulée dans la confidentialité la plus absolue. Vous avez bien compris?
— Oui, bien sûr.
— Tant mieux. Je vous prends au mot. Alors, au revoir.
— Au revoir. Est-ce que vous...?

*

– – – – – Message original – – – – –
De : Doug Anderton
À : Claire
Envoyé : Lundi 20 août 2001 20:53
Sujet : Papiers

Chère Claire

Eh bien, pour une surprise, c'est une surprise : avoir des nouvelles de toi, surtout pour une requête aussi inattendue.

Je suis désolé d'avoir tardé à te répondre. C'est drôle, parce que je me trouvais justement chez ma mère. Enfin, ça n'a rien de drôle, à vrai dire. Il y a une dizaine de jours, elle a eu une attaque, assez grave. On était en

313

vacances en Ombrie et j'ai dû rentrer en catastrophe. Elle avait tout un côté paralysé et elle ne pouvait plus ni parler ni bouger. Elle est restée allongée par terre dans le salon pendant dix-huit heures. Heureusement que sa voisine avait prévu de passer le lendemain. C'est une dure à cuire, maman, une battante, mais elle a vraiment eu les foies, comme tu peux l'imaginer.

Elle est sortie de l'hôpital il y a quatre jours (ils sont de plus en plus pressés de se débarrasser des patients) et depuis je suis resté avec elle. Je viens tout juste de rentrer à Londres, il y a quelques heures, et de lire mes mails. Maman n'est pas vraiment en état de recevoir qui que ce soit. Peut-être que dans une quinzaine de jours elle pourra de nouveau avoir des visites. Pour le moment, il y a juste l'aide-soignante qui passe la voir l'après-midi ; et moi, je vais faire la navette.

Quand elle sera prête à voir du monde, je te le ferai savoir. Mais je dois te prévenir que les papiers dont tu me parles n'ont pas été classés depuis la mort de mon père : tout est à l'étage, dans mon ancienne chambre. (Tu y es déjà montée ? Non, je ne crois pas. Je n'ai jamais réussi à t'entraîner dans ce lieu de stupre et de dépravation. Ah, les occasions manquées !) Et je doute fort que tu y trouves le moindre indice concernant ta sœur. Je ne savais pas qu'elle faisait partie du même comité d'œuvres sociales que mon père. Il se peut qu'il y ait quelques paperasses qui s'y rapportent. J'ignore ce que tu cherches exactement — et toi aussi, peut-être. J'imagine que le moindre détail pourrait se révéler un indice inattendu.

En tout cas, essaie de refréner ta curiosité encore quelque temps, et je te recontacterai dès que ma mère pourra te recevoir. En attendant, est-ce qu'il t'arrive de venir à Londres ? Ce serait super de prendre un verre ensemble. Comme tu le sais, je suis heureux en ménage, donc ce serait en tout bien tout honneur, sauf demande expresse de ta part.

Bisous bisous
Doug.

*

– – – – – Message original – – – – –
De : Doug Anderton
À : Claire
Envoyé : Vendredi 7 septembre 2001 22:09
Sujet : Visite à Rednal

Chère Claire

Je viens tout juste de passer quelques jours chez ma mère.
Elle est encore assez diminuée, mais en bien meilleure
forme que la dernière fois que je t'ai écrit. Je lui ai dit
que tu souhaitais lui rendre visite et elle a répondu (autant
que je sache : c'est vachement dur de la comprendre
quand elle parle) qu'elle serait ravie de te voir. Je lui ai
expliqué que tu voulais consulter les papiers de papa et
elle a dit qu'elle te souhaitait bien du plaisir. Je suis
monté regarder et c'est effectivement un cauchemar. Une
bonne cinquantaine de cartons bourrés à craquer. Tu
peux y jeter un coup d'œil si tu veux, mais ça va être
l'enfer : RIEN n'est classé. Ça fait des années que je parle
d'en faire don au Centre d'Archives contemporaines de
l'université de Warwick — ils ont déjà un fonds syndical
important — et du coup je me suis décidé à passer à
l'acte. Je les ai appelés, et ils vont envoyer quelqu'un à la
fin de la semaine prochaine pour évaluer l'ensemble.

Si tu veux y jeter un œil avant lui, pourquoi ne pas y aller
en début de semaine ? Le médecin vient lundi, mais mardi
me semble parfait. À n'importe quelle heure de l'après-
midi.

Donne-moi des nouvelles. Et dis-moi comment tu la
trouves !

Je t'embrasse très fort
Doug xx

315

*

– – – – – Message original – – – – –
De : Claire
À : Doug Anderton
Envoyé : Mardi 11 septembre 2001 23:18
Sujet : Re : Visite à Rednal

Cher Doug

Tu avais raison : aucune chance de trouver quoi que ce soit dans ces cartons, pas tels qu'ils sont rangés actuellement. Ce n'est même plus l'aiguille dans la botte de foin. Il ne m'a fallu qu'un quart d'heure pour comprendre que c'était sans espoir. Merci quand même de m'avoir laissée les consulter. Je vais devoir attendre qu'ils aient été classés et archivés, et ensuite je jetterai un nouveau coup d'œil, si ça ne pose pas de problème.

Mais bon, ça paraît bien insignifiant, tout d'un coup. Tout paraît insignifiant, maintenant, pas vrai ? Est-ce que comme moi tu as passé la soirée collé à la télé ?

Ta mère avait l'air en forme. Compte tenu de ce que tu m'as raconté, je trouve son rétablissement spectaculaire. Parfois, elle avait l'air un peu perdue. Quand je suis redescendue de ta chambre vers quatre heures, on commençait à recevoir les premières images, et au début elle a cru que c'était un de ces téléfilms merdiques qui passent l'après-midi. En voyant les gens se jeter par les fenêtres, elle a fait la grimace en disant qu'on ne devrait pas montrer ce genre de choses avant neuf heures, quand les enfants sont couchés. Mais au bout d'un moment elle a compris que ce n'était pas du cinéma.

On a regardé les infos ensemble pendant environ deux heures. Je dois dire qu'elle a réagi beaucoup plus calmement que moi. Je ne sais pas pourquoi, j'ai craqué, j'ai fondu en larmes. Mais ta maman s'est contentée de dire qu'elle était triste pour toutes les victimes, et que la vengeance de l'Amérique allait être terrible. Je lui ai demandé ce qu'elle entendait par là, mais elle n'a pas répondu. Finalement, elle s'est bornée à dire qu'elle ne serait pas là pour connaître la suite et que c'était un soulagement.

J'ai répondu qu'elle disait des bêtises. Mais que répondre en pareil cas ?

Terrible époque.

Je t'embrasse
Claire.

6

Le secret, c'était peut-être de vivre dans l'instant. Ou de s'y efforcer. Après tout, n'était-il pas parvenu jadis à se convaincre qu'« il y a des instants qui valent des mondes » ? Et n'était-il pas en train de vivre un tel instant, d'un certain point de vue ? C'était une matinée radieuse et froide de la fin octobre. Le soleil se reflétait sur l'eau, projetant dans l'air des éclats de lumière en un ballet de figures fantastiques tandis que les vagues s'écrasaient sur les galets. Il n'était que dix heures, et il avait devant lui la perspective d'une journée de loisir. Et, pour couronner le tout, il était assis à une table de bois qui dominait la plage, serrant entre ses mains une tasse de cappuccino, en compagnie d'une superbe et élégante jeune femme de dix-huit ans qui depuis plusieurs jours était suspendue à ses lèvres, et qui en cet instant le couvait des yeux avec un amour et une admiration sincères. Il sentait sur lui le regard envieux de tous les autres quadragénaires du café. Certes, il était dommage — d'un certain point de vue — qu'il s'agisse de sa nièce et non de sa compagne. Mais bon, on ne pouvait pas tout avoir ; et la vie n'était jamais parfaite. Benjamin avait appris depuis bien longtemps ces vérités toutes simples.

C'était l'automne 2002 ; il y avait quinze mois qu'il était séparé d'Emily.

« Trois semaines, il ne lui aura fallu que trois semaines, se plaignait-il à Sophie. Trois semaines pour qu'elle commence à sortir avec ce bedeau à la con. Et du jour au lendemain, le voilà qui s'installe chez elle. Dans *ma* maison. »

Au lieu de répondre, Sophie se contenta de siroter son cappuccino en le gratifiant d'un sourire chaleureux de ses yeux noisette, ce qui aussitôt, inexplicablement, l'apaisa.

« Je sais, elle mérite d'être heureuse, monologua Benjamin en contemplant la mer. Loin de moi l'idée de lui refuser ce droit. Et il est clair que je ne la rendais pas heureuse. Pas à la fin, en tout cas.

— Et toi aussi, tu es heureux, non ? demanda Sophie. Ça te plaît d'être seul. C'est ce que tu as toujours voulu.

— Oui, concéda Benjamin du bout des lèvres. Oui, c'est vrai.

— Évidemment que c'est vrai, insista Sophie face à son manque de conviction. C'est ce qu'on a toujours dit de toi. C'est l'une des choses qu'on t'a toujours enviées. Déjà, au lycée. Ce n'est pas Cicely qui t'a dit ça un jour ? Comme quoi elle n'aimerait pas être coincée dans un train avec toi parce que tu n'étais pas bavard, ce qui ne l'empêchait pas d'être convaincue que tu étais un génie et qu'un jour le monde saurait te reconnaître comme tel.

— Oui, dit Benjamin, pour qui le souvenir de cette conversation ne s'était jamais estompé. Ça aussi, c'est vrai. »

Il avait cessé de s'étonner que Sophie ait une connaissance exhaustive, et une mémoire apparemment infaillible, du moindre événement jamais vécu par lui au lycée. Au début, il en avait été stupéfait ; à présent, il y était habitué, et n'y voyait plus qu'une facette remarquable parmi tant d'autres d'une personnalité qui se révélait chaque jour plus remarquable à tous égards. Elle lui avait récemment expliqué comment elle était au courant de toutes ces anecdotes sur son enfance. Elle les avait entendues de la bouche de sa mère quand elle avait neuf ou dix ans. Lois venait d'être embauchée à l'université de York ; son mari Christopher continuait d'exercer au barreau de Birmingham. Pendant plus d'un an, ils avaient vécu séparément et, presque tous les vendredis, Lois et sa fille descendaient en voiture jusqu'à Birmingham et ne rentraient à York que le dimanche soir, juste à temps pour que Sophie puisse aller à l'école le lundi matin. C'est pendant ces trajets de trois heures, à l'aller et au retour, que Lois, pour tuer le temps, avait raconté à sa fille tous ses souvenirs de Benjamin et de sa scolarité.

« Mais *Lois*, comment elle savait tout ça ? s'était étonné Benjamin. Enfin, elle n'était même pas là. Elle est restée à l'hôpital pendant des siècles.

— Justement ! avait répliqué Sophie, les yeux brillants. Tu ne te rappelles pas ? C'est *toi* qui lui avais raconté tout ça. Tous les samedis, tu lui rendais visite, et tu l'emmenais en promenade, et tu lui racontais tout ce qui s'était passé à l'école pendant la semaine.

— Tu veux dire... qu'elle m'entendait ? Qu'elle assimilait tout ? Je ne pensais même pas qu'elle écoutait. Elle n'a jamais dit un mot pendant ces promenades.

— Elle entendait tout. Et elle se souvient de tout. »

Benjamin avait souvent médité ces paroles pendant les longues nuits d'insomnie qui marquaient, entre autres caractéristiques déprimantes, sa nouvelle vie de célibataire. Il avait honte d'avoir oublié à quel point Lois et lui étaient proches, à l'époque. C'était là le grand paradoxe, le plus troublant : alors que sa sœur était en plein stress post-traumatique, éternellement silencieuse, apparemment insensible, jamais leur lien n'avait été aussi fort. Si perdue, si inaccessible qu'elle ait pu paraître, jamais elle ne lui avait été plus dévouée, plus présente. Le Rotters' Club, ils s'étaient baptisés : Berk le Roteur, et Lois la Roteuse. Mais une fois Lois rétablie, ils s'étaient éloignés l'un de l'autre ; et dès qu'elle avait rencontré Christopher, le fossé s'était élargi, jusqu'à ce que leurs rapports deviennent aussi distants et froids qu'entre... non, ça ne pouvait pas être pire qu'entre lui et Paul. Pour autant, il ne ressentait plus d'affinité particulière avec sa sœur ; malgré tous ses efforts volontaristes, il ne pouvait retrouver cette intimité d'antan. Peut-être un subtil processus de transfert s'était-il effectué à son insu : peut-être sa complicité d'autrefois avec Lois était-elle peu à peu remplacée par une affection toujours croissante pour Sophie. Ce serait satisfaisant, d'une certaine façon ; il y aurait là un peu de la symétrie qu'il passait tant de temps à traquer en vain dans la vie, le sentiment d'un cercle qui se referme...

« C'est incroyable que tu te rappelles tous ces trucs, lui dit-il. Tu es une encyclopédie ambulante de mon passé.

— Il faut bien que quelqu'un garde une trace », répondit-elle avec un sourire énigmatique.

Ils finirent leur café et se dirigèrent vers la plage. Ils se trouvaient à Hive Beach, dans le Dorset, à quelques kilomètres au sud de Bridport. Benjamin avait repéré la plage, et le café, en longeant la côte en voiture, la veille, avec toute la famille (y compris Lois et leurs parents). « Un endroit idéal pour le petit déjeuner », avait-il lancé à la cantonade ; mais c'était Sophie qui l'avait réveillé le lendemain à huit heures en disant : « Allez, viens : petit déjeuner à la plage ! » ; et c'est ainsi qu'ils s'étaient retrouvés tous les deux — deux fugitifs, deux *compadres* — laissant les autres se débattre dans leur location, les yeux chassieux, avec des grille-pain inconnus et des plomberies récalcitrantes.

« Ça t'arrive d'aller sur le site *AmisRetrouvés* ? demanda Sophie tandis que Benjamin, fou de ricochets, traquait sur la plage des galets appropriés.

— De temps en temps », répondit-il d'un air désinvolte. En fait, il visitait le site au moins une fois par semaine, et parfois une fois par jour, au cas où Cicely s'y serait inscrite. « Pourquoi cette question ?

— Oh, je me demandais juste si tu savais ce qu'étaient devenus ces gens. Dickie, par exemple, ce gars dont le sac subissait un viol collectif tous les matins.

— Richard Campbell... se remémora Benjamin à haute voix, s'approchant du bord pour réaliser un score honorable de douze ricochets au premier galet. Il doit en être à sa dixième psychanalyse. » Il se tourna vers Sophie, pelotonnée dans son long manteau rouge vif contre les assauts du vent d'automne, le cou protégé par une écharpe de cachemire bleu. « Tu sais... je crois bien que ce sera toi, l'écrivain de la famille. Je n'ai jamais connu personne qui soit aussi fasciné par les histoires. Tu as... » (nouveau ricochet) « ... un sens très poussé du récit. »

Sophie éclata de rire. « Je parie que tu dis ça à toutes les filles.

— C'était un compliment.

— Venant de toi, Benjamin, je n'en doute pas une seconde. » Elle lui prit un galet dans sa paume ouverte et tenta un ricochet. Le galet coula aussitôt dans un clapotis sonore. « D'ailleurs, ce n'est pas vrai. Je m'intéresse aux gens, c'est tout. Comme tout le monde.

— Non, ça va plus loin que ça. Par exemple, combien

de temps tu as passé hier soir à lire ces livres d'or ? Impossible de t'en arracher. »

Benjamin et Lois passaient une semaine avec leurs parents et Sophie dans un château du quinzième siècle, loué par la Direction du Patrimoine, à quelques kilomètres à l'est de Dorchester. En arrivant, ils avaient trouvé dans un tiroir, outre les habituels puzzles, jeux de cartes et brochures touristiques, quatre épais livres d'or reliés de vélin bleu, comptant chacun plusieurs centaines de pages et consignant depuis vingt ans les aventures de tous les visiteurs. Ces derniers semblaient correspondre peu ou prou au même profil : conservateurs dans leurs valeurs, intellectuels jusque dans leurs loisirs.

Sophie n'avait ouvert ces livres que par curiosité distraite, mais n'avait pas tardé à les trouver fascinants, ne serait-ce qu'au titre de documents sociologiques.

« Si jamais je deviens psychanalyste, dit-elle, je vais m'en servir comme documents de travail. Ce qu'on a là, c'est le compte rendu de décennies de sévices systématiques. Des enfants sans défense livrés aux caprices de parents qui pendant une semaine les condamnent à... à faire de la tapisserie et à chanter des madrigaux. Non mais tu te rends compte ? Il y en a un qui raconte qu'il a forcé son fils de huit ans à s'habiller en costume Tudor et à répéter *Greensleeves* à la saquebute pendant quatre jours jusqu'à ce qu'il le joue correctement. Qu'est-ce qu'il va *devenir*, ce gamin, quand il sera grand ? Ils n'ont jamais entendu parler de Gameboy et de Playstation ? Ils ne font donc jamais rien de normal, regarder la télé, aller au McDo ?

— Et ce couple, là... dont tu me parlais hier soir ?

— Le type branché SM ? Celui qui se plaignait qu'il n'y ait pas d'oubliettes dignes de ce nom, et qui donnait l'adresse d'une boutique à Weymouth où on vend des cottes de mailles et des fers rouges ?

— Et sa femme qui avait l'air tellement adorable. Elle a laissé des fleurs séchées entre les pages, et écrit un petit poème : "Sonnet au Château". Qui faisait vingt-trois vers.

— Il faut de tout pour faire un monde, Benjamin. Dans ces livres, on trouve toute l'humanité.

— J'espère bien que non. Sans ça, on est mal barrés. »

Il attendit la pause entre deux vagues écumantes avant de faire un dernier ricochet ; sur quoi, tournant le dos au café et au parking, ils repartirent vers l'ouest et la falaise friable et striée. La démarche erratique, fouettés par les rafales, trébuchant sur les galets, ils se retrouvaient parfois l'un contre l'autre, et en de tels instants Benjamin aurait trouvé tout naturel de prendre Sophie dans ses bras et de l'étreindre tendrement. Une étreinte neutre d'oncle à nièce, naturellement. Mais pouvait-il en être sûr ? Il devait constamment se répéter que sa nièce — qui lui apparaissait comme une femme adulte et sophistiquée — n'était encore qu'une lycéenne. C'étaient ses vacances d'automne. Il ne devait pas l'oublier. Ni oublier que Sophie et Lois remontaient à York vendredi, que dans deux jours elles seraient parties. En attendant, il devait s'efforcer de savourer le luxe — le luxe éphémère — de sa compagnie. C'était ça l'important. De savourer l'instant.

*

Le château qu'ils avaient loué pour la semaine s'organisait autour d'un énorme salon caverneux qui manquait toujours de lumière et de chaleur. C'est là que

Colin, le père de Benjamin, passait le plus clair de son temps à lire le journal ou à jouer au Scrabble ou au Monopoly avec Lois, tandis que Sheila s'affairait dans la cuisine, lavant la vaisselle, mettant de l'eau à bouillir, préparant le thé, faisant à manger, bref, occupant ses journées comme elle les occupait depuis cinquante ans. Parfois, ils partaient en promenade, avaient très froid et rentraient ; alors ils allumaient un feu, buvaient du thé, avaient très chaud et ressortaient. Benjamin avait souvent l'impression que ses parents s'étaient délibérément construit une existence où les seuls incidents possibles étaient des changements de température.

Sur les six chambres disponibles, il en avait déjà colonisé deux : l'une pour y dormir, l'autre pour abriter ses papiers et son matériel d'enregistrement. Ses parents s'étaient contentés de le fixer d'un air incrédule quand il avait surgi, le lundi après-midi, dans une voiture bourrée à craquer de cartons et d'étuis à instruments. Il avait emporté son iBook Apple, une table de mixage numérique seize pistes Yamaha, deux micros, des guitares acoustiques et électriques et quatre claviers Midi avec leurs consoles respectives. « Je croyais que tu écrivais un livre, avait dit Colin. De quoi tu peux avoir besoin, à part de papier et d'un crayon ? » Benjamin avait répondu : « C'est un peu plus compliqué que ça, papa », mais n'avait pas pris la peine de s'expliquer davantage. Il avait renoncé à leur faire comprendre.

En fin d'après-midi, après une promenade sur la plage, Sophie monta le rejoindre dans son studio en annonçant : « Je suis à la moitié du deuxième livre d'or. Je sature. Ces gens me prennent la tête.

— Attends une seconde », dit Benjamin. Il cliquait obstinément sur sa souris, les yeux rivés à l'écran, qui affichait un logiciel de séquençage. « On entend un drôle de petit "pop" sur le sample de flûte. J'essaie de le repérer pour m'en débarrasser. » Il parcourut l'écran encore plusieurs fois, puis se renfonça dans son siège en soupirant. « Tant pis. Ça peut attendre.

— Alors, commença Sophie, est-ce que tu vas enfin me dire ce que tu trafiques ? Moi, je suis un peu comme papy : je croyais naïvement que tu travaillais à un livre.

— C'est un livre, répondit Benjamin. Tiens, regarde, si tu ne me crois pas. »

Il désigna un coin de la pièce où deux gros cartons débordaient de pages manuscrites. Sophie s'accroupit devant les cartons et, après avoir obtenu l'approbation qu'elle quêtait dans son regard, prit une liasse de feuilles qu'elle se mit à parcourir.

« Il doit bien y avoir dix mille pages, dit-elle émerveillée.

— C'est parce que j'ai gardé toutes les versions successives. Cela dit, ça va être un gros livre. Et puis il y a toutes mes sources, mes documents de travail — des trucs que j'ai écrits quand j'étais étudiant, mes journaux intimes de ces dernières années. Il y a même des trucs qui remontent à mes années de lycée.

— Donc ça parle de toi, ce livre ? Une sorte d'autobiographie ?

— Non, pas vraiment. En tout cas, j'espère que non.

— Alors... (elle éclata de rire) « ... enfin, je sais que c'est une question idiote, et ça doit t'énerver qu'on te la pose tout le temps, mais de quoi ça *parle* ? »

En temps normal, ça énervait effectivement Benjamin qu'on lui pose tout le temps cette question. (On ne la lui posait plus très souvent.) Mais, curieusement, il fut ravi de l'expliquer à Sophie.

« Eh bien... eh bien, ça s'appelle *Agitation*, et ça parle des événements politiques des trente dernières années, et de leur rapport avec... les événements de ma propre vie, je dirais. »

Sophie hocha la tête d'un air hésitant.

« C'est plus facile de parler de la forme, en un sens. Je veux dire... ce que j'essaie d'accomplir, formellement — je sais que ça paraît très ambitieux, voire délirant —, c'est une articulation nouvelle entre le texte (le texte écrit) et l'oralité. C'est un roman avec accompagnement musical, tu comprends.

— Et comment ça marche ?

— Eh bien, en plus de ça, dit Benjamin en feuilletant le manuscrit, il va y avoir un CD-Rom. Et des passages à lire sur l'écran, sur ordinateur. Le texte se déroule à un rythme que j'ai programmé : parfois à vitesse de lecture normale, parfois un ou deux mots seulement sur l'écran ; et certains passages écrits déclenchent des extraits de musique à écouter également sur ordinateur.

— Tu as aussi écrit la musique ?

— Exactement. » Ébranlé par son silence, par la solennité avec laquelle elle le dévisageait, il finit par dire : « Ça paraît fou, non ? Je le sais bien. Peut-être que c'est un projet fou. Peut-être que *moi* je suis fou.

— Non, non, pas du tout. Je trouve ça absolument fascinant. Mais c'est difficile de se faire une idée sans... sans en lire des extraits, j'imagine.

— Je ne suis pas encore prêt à en montrer des extraits, dit Benjamin en tendant instinctivement une main protectrice vers le bout de manuscrit, qu'elle lui céda.

— Je comprends ça. »

Mais elle avait l'air tellement déçue ; et Benjamin ne pouvait supporter de la décevoir. Cela faisait des années que personne ne lui avait témoigné autant d'intérêt. Il ressentait une gratitude et une dette profondes envers elle, et il savait qu'il lui faudrait payer sa dette.

« Je peux te faire écouter un peu de musique, si tu veux, dit-il d'un air hésitant.

— C'est vrai ? Ça me ferait tellement plaisir.

— Alors on y va. »

Quelques clics de souris suffirent à faire apparaître un répertoire de fichiers.wav. Il fit défiler les titres, en sélectionna un et doublecliqua. Il monta le volume des haut-parleurs puis se renfonça dans son siège, les bras croisés, tendu. Il se rappelait le jour où il avait fait écouter sa musique à Cicely et où tout ce qu'elle avait remarqué, c'était le miaou du chat à l'arrière-plan.

Mais Sophie était meilleure auditrice. « C'est très beau », dit-elle au bout de deux minutes. C'était un morceau complexe et obsédant, inspiré par la musique répétitive, mais avec davantage de changements d'accords. Il n'y avait pas de ligne mélodique : de temps à autre perçaient des fragments de mélodie, à la guitare ou sur des samples de cordes ou de bois, avant d'être de nouveau engloutis et absorbés par la densité du tissu de contrepoints. Ces airs avortés obéissaient à la gamme modale, comme des bribes de folklore oublié. Les harmonies privilégiaient les septièmes et neuvièmes mineures, conférant à l'ensemble une tonalité mélancolique ; mais parallèlement, la structure sous-jacente d'accords en gamme ascendante suggérait un certain optimisme, un œil plein d'espoir fixé sur un lointain avenir.

Sophie finit par dire : « Ça ressemble un peu au disque que tu avais offert à maman, il y a bien longtemps.

— Oh, tu veux parler de Hatfield and the North ? Oui, sans doute. J'aurais pu choisir d'imiter un style musical un peu plus à la mode.

— Mais sérieusement, ça fonctionne. Dans ton cas, ça fonctionne. Ça a l'air... triste et joyeux à la fois. » En entendant l'irruption d'une nouvelle idée mélodique, elle reprit : « Je connais ça. C'est pompé sur un air connu, non ?

— C'est Cole Porter, "I Get A Kick Out Of You". » Il baissa un peu le volume et expliqua : « Ça doit accompagner un passage sur les attentats de Birmingham. Je ne sais pas si ta mère te l'a dit, mais... c'est la chanson qui passait. Quand la bombe a explosé.

— Non, fit Sophie en baissant les yeux. Non, elle ne me l'avait jamais dit.

— Pendant des années, elle ne supportait plus de l'entendre. Ça la faisait vraiment flipper. Je pense qu'elle s'en est remise. » Benjamin tendit la main vers la souris et interrompit la musique. « Voilà, ça devrait suffire à te donner une idée. »

Il s'agenouilla auprès des cartons et rangea soigneusement les papiers. Pendant qu'il lui tournait le dos, Sophie dit : « Ça va être génial, Ben. Je le sais. Ça va faire un tabac. Simplement, ce qui m'inquiète, c'est que c'est tellement... énorme. Tu es sûr que tu vas le finir un jour ?

— Je ne sais pas. Je pensais qu'en emménageant tout seul il y aurait moins de choses pour me parasiter. Mais tout ce que j'arrive à faire, c'est surfer sur Internet et regarder la télé. Cet été, j'ai fini par quitter mon boulot, mais ça ne m'a pas aidé non plus. Au contraire, du coup ma vie a perdu toute structure.

— Tu peux tenir encore longtemps sans salaire ?

— Quelques mois.

— Il *faut* que tu le finisses. Ça fait combien de temps que tu travailles dessus ? Il le *faut*.

— Et si personne ne veut le publier ? dit Benjamin en

s'affaissant sur son siège. D'ailleurs, est-ce que je dois l'envoyer à un éditeur ou à une maison de disques ? Et qui ça va bien pouvoir intéresser ? Qui ça peut bien concerner ? Je suis un homme, blanc, d'âge moyen, de classe moyenne, un pur produit des écoles privées et de Cambridge. Le monde n'en a pas marre des gens comme moi ? Est-ce que je n'appartiens pas à un groupe qui a fait son temps ? Est-ce qu'il ne vaudrait pas mieux fermer notre gueule et laisser la place aux autres ? Est-ce que je me fais des illusions en croyant que ce que j'écris est important ? Est-ce que je me contente de remuer les cendres de ma petite vie et d'en gonfler artificiellement la portée en plaquant dessus des bouts de politique ? Et le 11 septembre, alors ? Comment je vais caser un truc pareil ? Après les attentats, pendant des mois, je n'ai pas écrit une ligne. Pareil après l'intervention américaine en Afghanistan. D'un seul coup, tout ce que je faisais paraissait encore plus insignifiant, encore plus vain. Et voilà qu'on parle d'intervenir en Irak. Le problème... » (il se pencha en avant, croisant et décroisant les doigts) « ... c'est qu'il faut que j'essaie de me *rappeler*. De me rappeler ce que j'éprouvais quand j'ai commencé. De retrouver un peu de cette énergie. J'avais tellement de foi, de confiance en moi-même. Je croyais associer les mots et la musique, la littérature et l'histoire, l'intime et le politique, comme jamais personne ne l'avait fait avant moi. J'avais l'impression d'être un pionnier.

— Tu *es* un pionnier », dit Sophie ; et il sentait qu'elle était sincère. « Un pionnier. N'oublie jamais ça, Benjamin. Pas pour te vanter ou pour plastronner. Mais parce que c'est la vérité. Jamais personne n'a rien fait de pareil.

— Oui. Tu as raison, dit-il lorsqu'il eut assimilé ses

paroles. Je ne vais pas perdre ma foi dans ce projet. Je ne suis pas au bout du rouleau. Si le travail est plus lent et plus dur, c'est parce qu'il est meilleur. Je sais plus de choses, je comprends plus de choses. Même ce qui s'est passé entre Emily et moi, je peux en tirer quelque chose. Tout, tout ce qui m'arrive va nourrir ce livre et l'enrichir et l'améliorer. C'est très bien que ça m'ait pris si longtemps. Maintenant, je suis prêt à le finir. Je ne suis plus un novice. J'ai mûri. Je suis dans la plénitude de mes moyens. »

Il aurait pu continuer encore longtemps dans cette veine ; mais on frappa à la porte. C'était sa mère, un torchon sur le bras, le visage exprimant un mélange de reproche et de sollicitude.

« Ça fait des heures que tu n'as rien mangé, dit-elle à son fils. Descends, je t'ai fait un œuf dur et des tartines. »

Le regard de Benjamin croisa brièvement celui de Sophie. Elle lui sourit, d'un sourire secret. Il se sentit fondre.

*

À deux heures du matin, il ne dormait pas. Dehors, le vent hurlait, et les murs et les dalles du château ne faisaient que lui renvoyer le froid ambiant, mais Benjamin était en sueur, fiévreux. Ses poils pubiens, où sa main fourrageait sans trêve, étaient tout moites. Son érection n'avait rien à voir avec le désir, mais tout à voir avec l'habitude, lassante, déprimante. La perspective de se masturber — sans doute son seul espoir de trouver le sommeil — lui paraissait incroyablement lugubre. Il prit le téléphone portable sur la table de chevet, l'alluma et apprit qu'il était 02 h 04. Il poussa un grognement et alluma la radio. C'était le deuxième mouvement de la quatrième symphonie de Bruckner : le mouvement qu'il aimait le moins de l'œuvre qu'il aimait le moins du compositeur qu'il aimait le moins. Il éteignit la radio. Dans la chambre voisine, il entendit son père tousser. Sa mère se leva pour aller chercher un verre d'eau dans la salle de bains. Quelques bribes de conversation. Lois dormait dans une aile lointaine du château. Sophie, à sa connaissance, devait encore être au salon, en pyjama et robe de chambre, fraîche et pimpante, plongée dans le troisième livre d'or à la lumière d'une banale lampe, le feu réduit à un tas de cendres rougeoyantes. C'est ainsi que Benjamin l'avait laissée, lui qui, fatigué, espérait pour une fois s'endormir facilement... Peine perdue. C'était toujours la même histoire. Il ne s'habituait pas à dormir seul.

Il ferma les yeux, serra les paupières, crispa le poing et tenta d'invoquer un fantasme plausible pour se mettre en train. En désespoir de cause, il visualisa la nouvelle présentatrice des infos de six heures de la BBC, et rassemblait ses forces en vue du long travail devant le conduire à l'orgasme lorsqu'il fut brusquement distrait par l'image de ces milliers de spermatozoïdes sans joie qui allaient échouer sur les draps, suffoquant, expirant sans avoir accompli leur destin. D'où ça sortait encore, cette vision, bon Dieu ? Et quelle importance ? Pendant vingt ans, des millions de pauvres bougres identiques avaient épuisé leur énergie en vaines rencontres avec les ovules de sa femme, et au bout du compte ils étaient Gros-Jean comme devant. Que dalle. Peau de balle. Benjamin était un cas désespéré. Un raté, un raté. Autant qu'ils terminent sur les draps. C'était tout ce qu'ils méritaient.

En tout cas, après cinq minutes d'exercice purement

mécanique, il n'était pas plus avancé. Il allait abandonner, renoncer à cette cause perdue et rallumer la radio quand il entendit des pas dans l'escalier de pierre près de sa chambre.

Puis une voix à la porte.

« Benjamin ? » C'était Sophie. « Tu dors ?

— Non, cria-t-il en se tournant sur le côté. Tu peux entrer. »

La poignée s'abaissa et Sophie apparut sur le seuil, toujours en robe de chambre, un livre d'or sous le bras. Elle entra et s'assit sur le lit à côté de lui. Elle avait le souffle court et bruyant, à cause de la montée, ou de l'excitation, ou des deux.

Benjamin alluma la lampe de chevet.

« Qu'est-ce qui se passe ?

— Ton ami Sean, haleta Sophie. Sean Harding. Il avait bien un pseudonyme ?

— Quoi ? fit Benjamin en se frottant les yeux, essayant de s'adapter à cette bifurcation soudaine.

— Ce n'était pas Pusey-Hamilton ? demanda Sophie. Sir Arthur Pusey-Hamilton ?

— Tout à fait. C'était comme ça qu'il signait ses articles délirants pour le *Bill Board*. C'était son nom de plume.

— Eh bien, dit Sophie triomphante, rayonnante. Voilà. Regarde-moi *ça*. »

Elle lui tendit le livre d'or et désigna une entrée qui commençait en milieu de page. Benjamin mit ses lunettes et poussa un petit cri en reconnaissant l'écriture jadis si familière ; et il se mit à lire.

5

Claire fréquentait Michael Usborne depuis plus d'un an, et pourtant elle ne comprenait toujours pas la nature de leur relation. Mais en fin de compte, elle décréta que ça n'avait pas d'importance ; que c'était peut-être même l'un des charmes de la chose. En tout cas, ça ne ressemblait en rien à ses liaisons passées. Leur relation était extrêmement sporadique, guère passionnée (malgré une dimension sexuelle tout à fait satisfaisante en qualité comme en fréquence), et aucune des parties en présence ne semblait avoir la moindre idée de l'évolution future de leur couple, ni le moindre intérêt pour une quelconque perspective d'avenir. Elle savait qu'il voyait d'autres femmes (plus jeunes), elle savait qu'il couchait avec elles, elle le soupçonnait même de payer parfois cette faveur. Et alors ? Si elle avait été amoureuse, cela l'aurait dérangée ; mais elle n'était pas amoureuse, donc cela ne la dérangeait pas. Elle savait également qu'il ne la considérait pas comme une épouse potentielle (pas tout à fait assez jeune, pas tout à fait assez jolie, pas tout à fait assez classe, pas tout à fait assez maigre) ; mais il était indéniablement en quête d'épouse, et, lorsque celle-ci se matérialiserait, le bref mandat de Claire arriverait sans doute à son terme. C'était une pensée un peu moins enthousiasmante. Il lui manquerait. Un peu. Au début. Mais elle ne pouvait guère prétendre s'être engagée ; ce n'était pas un scénario à la Stefano, loin de là. Elle était contente de voir Michael, en ces (rares) occasions où il n'était pas à l'étranger, ou à Londres, ou retenu par son travail, ou pris pour le week-end. Elle était contente qu'il la sorte, contente d'utiliser sa salle de sport et sa piscine, contente de partager son lit. Elle aimait le taquiner et le contredire dans des discussions politiques où elle jouait à fond le cliché de la lectrice du *Guardian* féministe et vaguement gauchiste, telle qu'il l'avait cataloguée. (Et qui lui donnait apparemment l'impression, en la fréquentant, de commettre une transgression terriblement audacieuse, une atteinte aux conventions follement amusante.) Il y avait, en d'autres termes, bien des avantages en nature quand on occupait le poste de petite amie temporaire de Michael Usborne — si c'est bien cela qu'elle était — et, mieux encore, il faisait en sorte qu'elle en profite sans pour autant se faire l'effet d'une pute, sans avoir l'impression d'être exploitée, l'impression de vendre son âme. Voilà, se disait-elle, qui était tout à son honneur, et de cela au moins elle lui serait toujours reconnaissante.

D'où venait donc, alors, ce sentiment nouveau de frustration ? Elle le ressentait même à présent, dans un cadre qui à tous égards aurait dû être fort agréable — le salon VIP de British Airways à Heathrow —, en regardant Michael fouiller dans ses dossiers (son attaché-case était ouvert, posé sur le siège voisin) tout en poursuivant une conversation sur son portable, calé contre son épaule. Il y a encore quelques semaines, ce spectacle lui aurait inspiré un amusement attendri, rien de plus : quel fou, ce Michael, aurait-elle pensé, toujours sur la brèche, toujours en action, incapable de tenir en place dès lors qu'il y avait de l'argent à gagner. Et pourtant, ce matin, son comportement l'énervait. Parce qu'ils étaient censés partir en vacances — leurs premières vacances ensemble — et que jusqu'à présent il n'avait manifesté aucun signe, aucune envie de détente ? Parce que Patrick était là, que c'était la première fois qu'ils se rencontraient, et que Michael ne lui avait pas adressé plus de trois mots une fois les présentations faites ? Ou bien (comme elle le soupçonnait, au fond de son cœur) est-ce qu'il y avait une raison plus profonde ?

Le problème fondamental était le suivant : cela faisait presque trois ans qu'elle avait quitté Stefano à Lucques ; presque trois ans que, en haut des falaises de craie d'Étretat, elle avait regardé l'horizon par-delà les eaux grises de la Manche, vers ce pays qu'elle s'était résignée à regagner, avec la démarche traînante des vaincus. Elle s'était persuadée, ce jour-là, qu'il valait mieux être seule que malheureuse en amour ; mais aujourd'hui, trois ans plus tard, elle n'en était plus aussi sûre. Sa relation avec Michael l'avait amusée, au début. C'était inédit, en tout cas, et un moyen sans douleur de retrouver les réflexes (si faciles à oublier) de l'intimité. Mais elle avait quarante-deux ans, et plus guère de temps à perdre avec un homme qui n'éprouvait pour elle qu'un intérêt si superficiel. Elle voulait autre chose, à présent, quelque chose qui ne soit ni superficiel ni sporadique : elle voulait un compagnon. Si banal que ça puisse paraître, elle voulait quelqu'un qui aille au supermarché avec elle, qui l'aide à choisir une vinaigrette, à évaluer les mérites respectifs des marques de lessive et de shampooing. (Avec quelle jalousie, ces temps-ci, elle épiait les couples ayant ce genre de discussions triviales dans les allées du Tesco ou du Safeway !) Et elle se demandait : est-ce que Michael allait parfois au supermarché ? Est-ce qu'il avait mis une seule fois les pieds dans un supermarché depuis vingt ans ? Elle avait remarqué, chaque fois qu'elle se trouvait dans sa maison de Ledbury, que le frigo (à peu près grand comme sa chambre d'amis) était toujours rempli de légumes frais, de viande rouge bio, de jus d'orange pressée, de bouteilles de champagne. D'où ça venait, tout ça ? Depuis son dernier divorce — et peut-être même avant —, il employait au moins deux gouvernantes, dont l'une devait avoir pour mission d'assurer le renouvellement des stocks. Claire n'imaginait pas faire sa vie avec quelqu'un qui menait une telle existence. Si pour Michael c'était manifestement une réalité concrète, elle ne pouvait s'empêcher de voir en son mode de vie une sorte de fantasme, d'illusion absurde. Comme ces vacances, par exemple : une semaine aux îles Caïmans, aller retour en première classe, et une villa sur la plage — la propriété, apparemment, d'un associé américain — à leur disposition pour toute la semaine, avec jardinier, gouvernante, chauffeur et cuisinier. Ce n'était pas comme ça que *vivaient* les gens. C'était irréel. Mais il refusait de voir les choses ainsi. Pour lui, c'était tout naturel, pas de quoi en faire un plat. Il avait étendu l'invitation à Patrick sans même y penser. (Après tout, il y avait de la place pour quinze.) Il avait même dit que Patrick pouvait amener sa petite amie : Rowena, avec qui il sortait depuis six semaines, occupée pour l'heure à lire *Vanity Fair* en sirotant du vin blanc glacé, et qui n'en revenait toujours pas.

Claire soupira sous le poids de ces considérations. L'incompatibilité qui existait entre eux — entre leurs modes de vie et leurs systèmes de valeurs diamétralement opposés — la frappait ce matin avec une clarté aveuglante. Et lui, il ne remarquait rien ? Ça ne le dérangeait pas, ou il préférait l'ignorer ? Peut-être auraient-ils l'occasion d'aborder le sujet pendant ces vacances. Mais les vacances avaient déjà commencé ; et jusqu'à présent, les présages n'étaient pas favorables.

« Pourquoi ne pas faire valoir que c'est notre secteur d'activité qui connaît la croissance la plus rapide et qui offre les marges bénéficiaires les plus fiables ? » disait Michael dans son portable. S'il y avait dans sa voix de l'urgence ou de l'irritation, elle était presque impossible à déceler. Il semblait toujours parler de la même façon — douce, mélodieuse, persuasive —, qu'il commande à manger dans un restaurant ou (comme à présent, apparemment) qu'il passe un savon à un subalterne.

« Eh bien, ce sont des frais exceptionnels. Personne ne cherche à dissimuler le fait qu'il y aura des frais exceptionnels... »

Patrick se leva et gagna la machine à café. Claire le suivit des yeux.

« "Synergies", c'est un bon terme, oui. Ça ne me pose pas de problème. Tant qu'il est bien clair qu'il ne s'agit pas d'économies, mais de croissance. » Il soupira. « Enfin, est-ce que Martin est dans le coup ou pas ? Parce que j'ai l'impression de rédiger ce truc tout seul. »

Claire rejoignit Patrick et lui tendit sa tasse vide.

« Ce n'était pas la peine de te lever, tu sais, lui fit-elle remarquer. La serveuse aurait pu venir.

— Ça va plus vite comme ça », dit-il laconiquement.

Claire tenta de masquer sa nervosité en demandant : « Alors, comment tu trouves Michael ? »

Patrick réfléchit un moment. « Il est exactement comme je m'y attendais.

— C'est-à-dire ? »

En lui tendant son café, il expliqua : « Maman, tu es sûre de bien le connaître, ce type ? Parce que, s'il y a quelqu'un avec qui je ne t'aurais jamais imaginée, c'est bien lui. »

Elle but une gorgée ; le café était bouillant. « Tu ne le vois pas sous son meilleur jour. Il est très préoccupé. » Tandis qu'ils regagnaient leurs sièges, elle ajouta : « Il faut que tu apprennes à dépasser les apparences, Patrick. L'important, ce n'est pas ce que font les gens. C'est leurs qualités humaines. »

Il ne répondit pas ; elle-même eut l'impression de vouloir se convaincre de l'invraisemblable.

Patrick se rassit à côté de Rowena et lui resservit du vin. Elle avait fini *Vanity Fair* et était passée à *Condé Nast Traveller*. Il se pencha pour jeter un coup d'œil à l'article, illustré d'une flamboyante photo couleur : dans un paysage français pastoral et idyllique se dressait un grand château.

« Ça a l'air cool, fit-il. Qui c'est qui y habite ?

— C'est un monastère. Quelque part en Normandie. On peut y séjourner, tu sais. Les moines acceptent tout le monde. Ça fait partie de leur philosophie : offrir l'hospitalité à quiconque en a besoin.

— Oh putain ! Alors comme ça, les retraites spirituelles, c'est les dernières vacances à la mode pour cadres stressés ? Plus rien n'est à l'abri du capitalisme.

— Je ne vois aucune raison de préciser le chiffre, disait Michael. J'ai vu plusieurs estimations qui oscillaient entre neuf et vingt-quatre. Selon Alan, c'est plus près de vingt-quatre, et je serais enclin à le croire.

— Il faut embarquer, dit Patrick en levant les yeux vers le tableau des départs.

— On ne peut pas tabler sur un redressement du marché. Tout le monde sait ça. Dites que c'est à cause de la "conjoncture géopolitique incertaine". Les gens n'ont que cette expression à la bouche.

— J'arrive pas à croire qu'on voyage en première, dit Rowena en glissant le magazine dans son sac. C'est tellement excitant.

— Alors, on y va ? » demanda Patrick en se levant. Quelques journaux étaient mis à la disposition des voyageurs, et il fit main basse sur le *Times*, l'*Independent* et le *Guardian*. Claire reconnut un visage familier en médaillon au-dessus du gros titre du *Guardian*. Le chapeau disait : « *Paul Trotter : Faut-il vraiment faire la guerre à l'Irak ?* »

« J'ai l'impression que personne ne contrôle la situation », poursuivit Michael. Claire tentait d'attirer son regard. Il lui jeta un coup d'œil et leva un doigt, lui indiquant de patienter une minute. « On essaie de restaurer la rentabilité : c'est si difficile à faire passer, comme message ? » Cette fois, on percevait un soupçon d'énervement.

« Allez-y, dit Claire à son fils. On vous rejoint à la porte d'embarquement. » Elle les accompagna jusqu'à la sortie du salon VIP, et avant de les laisser partir elle rassura Patrick : « Ne t'en fais pas, il ne va pas être comme ça pendant toutes les vacances.

— Qu'est-ce que tu en sais ?

— Parce que je vais lui dire que c'est hors de question. »

Patrick sourit, ravi de voir sa mère retrouver sa combativité. C'était sa plus grande qualité, se disait-il parfois : une qualité qu'elle n'avait guère mise en valeur depuis son retour en Angleterre.

« Elle ne plaisante pas, dit-il à Rowena en la suivant dans le corridor. Elle va l'engueuler comme du poisson pourri.

— Mais qu'est-ce qu'il fait, Michael, au juste ? Je n'ai pas compris un seul mot de ce qu'il racontait au téléphone.

— Je ne me rappelle plus exactement quelle entreprise il dirige en ce moment. Ça s'appelle Meniscus. Ils font des matières plastiques, je crois. » Patrick fouilla dans ses poches, soudain inquiet, jusqu'à ce que ses doigts effleurent son passeport. « On aurait dit qu'ils rédigeaient un communiqué de presse. Je l'ai entendu parler de restructuration et de rationalisation. C'est la langue de bois des patrons. En clair, ça veut dire fermer des usines et mettre des gens au chômage. J'imagine qu'ils cherchent une formulation diplomatique pour annoncer ça aux journaux. »

*

Tandis que Michael poursuivait une nouvelle conversation téléphonique, accompagnée d'une consultation de plus en plus fébrile de ses dossiers et de quelques calculs rapides tapotés sur son agenda électronique, Claire gardait un œil sur le tableau des départs (qui annonçait que l'embarquement pour leur vol était théoriquement terminé depuis cinq minutes) en répétant mentalement le speech dont elle allait le gratifier.

C'est ridicule, commencerait-elle. Comment veux-tu qu'on apprenne à se connaître, comment veux-tu qu'on ait une *relation* digne de ce nom, si même en vacances tu es incapable d'oublier un peu ton travail, si tu ne prends même pas cinq minutes pour discuter avec mon fils alors que tu le rencontres pour la première fois ? Et elle tenterait, en le menaçant de ne plus le voir après leur retour, de lui extorquer un engagement : il ne passerait pas ses vacances au téléphone, il ne resterait pas terré dans son bureau pendant une semaine, à envoyer des fax et à soupeser des bilans financiers pendant que tout le monde ferait de la plongée sous-marine. Elle lui présenterait un ultimatum, convaincue que c'était un langage qu'il pouvait comprendre. Convaincue aussi — sans savoir pourquoi, sinon par instinct, et son instinct la trompait rarement — qu'une telle attitude ne l'effaroucherait pas, ne le mettrait pas en colère. Il y avait entre eux un noyau dur de sentiments authentiques qu'il savait apprécier, fût-ce obscurément, fût-ce à son insu. Elle en était certaine.

« Alors, comment ça s'est passé ? » demanda Patrick quelques minutes plus tard, lorsqu'elle arriva au comptoir d'embarquement.

Seule.

« Je n'ai même pas pu placer un mot. Il est retourné au bureau. Il a dit que les jours qui viennent allaient être décisifs, et qu'il ne pouvait rien déléguer à personne. Il nous rejoint mardi.

— Des promesses, toujours des promesses. D'ailleurs, on sera déjà repartis, Rowena et moi. » (Ils ne devaient rester que trois jours.) Il prit Claire par l'épaule en lui disant : « T'en fais pas, maman. »

Elle lui rendit son étreinte et sourit avec effort. « Que veux-tu, c'est la vie. Nous, en tout cas, on va s'offrir du bon temps, d'accord ? Et prendre quelques couleurs au soleil des Caraïbes. »

4

Ayant décrété qu'il allait consacrer non un simple article, mais tout un livre à l'extrême droite anglaise et à son regain de popularité durant le deuxième mandat de Blair, Philip passa près de quinze mois à amasser de la documentation. Et puis, un beau matin de septembre 2002, il se mit au travail sur le premier chapitre ; trois jours plus tard, après avoir écrit 243 mots et disputé 168 parties de Freecell sur son ordinateur, il se rendit à la triste vérité : il n'y arriverait jamais. En vingt ans, il n'avait jamais rien écrit qui dépasse les 2 000 mots ; jamais choisi un sujet si complexe qu'on ne puisse le résumer à un rédacteur en une poignée de secondes. « Les Choses de la ville, par Philip Chase » était peut-être un concept épuisé dont il voulait désespérément s'échapper, mais c'était aussi, hélas, la seule chose qu'il était capable d'écrire. Un homme doit connaître ses limites et s'y tenir, conclut-il.

Une fois le projet abandonné, il ne consulta plus ses notes de travail pendant deux mois, jusqu'à la deuxième semaine de novembre. C'est une lettre de Benjamin qui le poussa à rallumer son ordinateur, un matin au bureau, et à rouvrir le répertoire intitulé *Livre BNP*.

Quel chaos ! Comment avait-il pu espérer élaborer quoi que ce soit de cohérent à partir de cette sélection aléatoire de coupures de presse, de photos et d'interviews enregistrées ? Il y avait trois sous-répertoires, baptisés *Néolibéralisme, Fondamentalisme* et *Nationalisme*. Tels étaient, dans son souvenir, les trois fils conducteurs qu'il tentait de tisser et de rassembler dans le cours de sa démonstration. Il avait espéré prouver que ces trois courants émanaient d'une source commune, que les partisans de chaque système étaient mus par une pulsion archaïque et régressive : la tentation de vivre en vase clos, à l'abri de tous ceux dont les croyances ou le mode de vie les mettaient mal à l'aise.

Les néolibéraux [avait-il écrit] *sont en quête de pureté au même titre que les fondamentalistes ou les néonazis. La seule différence, c'est qu'ils ne visent pas à créer un État-nation fondé sur des principes religieux ou génétiques. L'État qu'ils sont en train de bâtir (et qui ne cesse de se développer au moment même où j'écris ces lignes) est de nature supranationale : le tourisme international en est l'une des caractéristiques fondatrices. Géographiquement, il se définit par les palaces, les plages privées, les lotissements hors de prix interdits aux non-résidents. Ses habitants refusent d'emprunter les transports publics, d'aller dans les hôpitaux publics. La pulsion qui les anime est une* <u>hantise</u> *du contact — et de la contamination — du reste de l'humanité. Ils veulent bien vivre parmi leurs semblables (à vrai dire, ils n'ont pas le choix) mais emploient leur argent à installer un système de filtrage, à édifier autant de* <u>barrières</u> *que possible, afin de n'entrer en contact digne de ce nom qu'avec des gens du même type qu'eux, économiquement et culturellement. La façon dont les néotravaillistes se sont acoquinés avec ces gens-là — au niveau national, à travers les Initiatives de financement privé par exemple, et international, via le soutien apporté à Bush et aux néoconservateurs américains — prouve que fondamentalement ils poursuivent les mêmes objectifs élitistes et factieux. Quelques initiatives d'inspiration sociale-démocrate à l'échelle locale, dans les domaines de la santé et de l'éducation, ne sont qu'un écran de fumée, une concession de pure forme au gauchisme à l'ancienne, visant à camoufler la vraie nature du projet néotravailliste.*

Il avait ajouté un mémento : *Demander à Claire pourquoi son petit ami dînait avec Paul Trotter !*

Philip soupira en relisant ces lignes. C'était bien beau, ce dernier paragraphe, mais c'était censé être la conclusion du livre, et il ne se rappelait jamais comment il était supposé y parvenir. Par quel cheminement avait-il espéré rattacher les horribles lettres reçues par Steve à cette condamnation sans appel de la pensée dominante et du parti au pouvoir ? Son raisonnement s'appuyait sur la nature du fascisme moderne, sur l'éclatement du mouvement nationaliste en Grande-Bretagne, qui se fondait non plus seulement sur les vieilles haines raciales, mais sur un ensemble de convictions beaucoup plus embrouillé, beaucoup plus fuyant. Les lignes de partage, si claires, si manichéennes dans les années 70, étaient devenues virtuellement impossibles à identifier avec précision. Chez les nouveaux fascistes anglais, par exemple, il avait constaté que de nombreux « théoriciens » (au sens le plus généreux du terme) n'appelaient plus à la violence envers la population noire ou asiatique, ne parlaient plus de rapatriement forcé ou de restriction à l'immigration, mais soutenaient plutôt que les racistes blancs devraient se regrouper en petites communautés rurales soudées, vivre en autarcie, établir une symbiose quasi mystique avec la nature et « la terre », bref rompre tous les liens avec une société moderne décadente, urbanisée, multiculturelle. Ce qui certes ne risquait guère de séduire les jeunes skinheads qui constituaient toujours une fraction importante de la base du mouvement, dont le milieu naturel était les cités, et dont les penchants pour la violence et le hooliganisme étaient idéalisés, avec un romantisme nauséeux, par ces théoriciens, qui voulaient y voir une version moderne de l'esprit « guerrier » inhérent aux peuples aryens. Cela signifiait en revanche qu'il se dessinait d'étranges et troublantes affinités entre certains courants de pensée néonazis et certaines franges du mouvement écologiste.

De même, à la grande surprise de Phil, le gouffre séparant le fascisme britannique de l'islamisme militant ne semblait plus aussi infranchissable. La haine des Noirs, des Asiatiques et des Arabes semblait éclipsée par l'antisémitisme : on ne parlait que de renverser le Gouvernement d'occupation sioniste, une société secrète de Juifs influents censée régir le monde en s'appuyant sur les entreprises et les troupes américaines (et britanniques). Peut-être n'était-il donc guère surprenant, après tout, de découvrir que les racistes blancs étaient prêts à faire cause commune avec des groupuscules révolutionnaires issus d'autres cultures mais ralliés à la même cause, et que Oussama Ben Laden était leur héros dès avant les attentats du 11 septembre. Ainsi certains avançaient-ils (essentiellement sur Internet, dans les forums de discussion nationalistes) que le véritable national-socialisme n'avait rien à voir avec le racisme, mais était simplement un système politique permettant à tous les peuples de retourner (séparément) à leurs racines culturelles (distinctes) et de vivre en harmonie avec la nature et avec Dieu ; et que le seul obstacle — l'actuel « ordre mondial établi » fondé sur le capitalisme, la décadence et le matérialisme impie — devait donc être renversé par la violence ou la subversion.

Philip trouvait la logique de ces théories du complot sournoise et pernicieuse. En suivant leur raisonnement, il se surprenait sans cesse à atteindre des conclusions qu'il approuvait (l'idée que la société occidentale était décadente et dépourvue de valeurs, par exemple) ; il devait alors revenir sur ses pas et s'appuyer sur de simples faits, des objets concrets provoquant chez lui une réaction viscérale digne de confiance : le langage raciste, odieux et ordurier des lettres anonymes adressées à Steve, les paroles haineuses du CD *Auschwitz Carnival*. Face à l'incompatibilité absolue entre ces horreurs et les épanchements mystiques et pseudo-poétiques des néonazis les plus éloquents, leur rhétorique de la Culture ancestrale, du Sol et de l'Honneur, il s'efforçait de définir sa propre morale. Il avait pour impression dominante que chaque système de valeurs était en pleine fluctuation, à la limite de l'informe, et que d'une certaine façon le néotravaillisme en était le symptôme parfait, martelant une rhétorique de l'idéalisme et des principes, mais adepte d'un pragmatisme dont la brutalité n'avait rien à envier à personne, et vénérant son Dieu (le libéralisme économique) avec la même ferveur qu'un musulman fanatique. Philip était hanté par la figure de Paul Trotter.

Mais tout cela était bien trop complexe pour être mis en mots. Parfois, il rédigeait au brouillon un ou deux paragraphes et, en les relisant, s'apercevait qu'il commençait à argumenter comme un sympathisant de l'extrême droite ; une demi-heure plus tard, à la seconde relecture, il avait l'impression d'avoir sous les yeux un tract d'extrême gauche. Toute différence semblait abolie entre les deux points de vue, entre tous points de vue. Parfois, l'entreprise lui paraissait si écrasante et exhaustive qu'il se croyait dans la peau de Benjamin, avec son grand œuvre en perpétuel devenir et perpétuellement inachevé, dont le projet de fusion entre les mots et la musique n'avait comme précédent que le concept wagnérien de *Gesamtkunstwerk*, lequel ne s'accordait que trop bien avec l'idéologie nazie. Encore des complications ! Philip n'avait aucune prise sur son sujet. Autant se remettre aux « Choses de la ville ». Il avait en tête une série d'articles sur le Bassin de Gas Street, dont le réseau de canaux entrecroisés témoignait de la concurrence brutale entre les entreprises au début du dix-neuvième siècle. Là au moins, il était dans son élément : c'était le genre de complexité qu'il maîtrisait. Il trouverait refuge dans ce qu'il comprenait ; ce qu'on pouvait connaître.

*

Un soir, durant la période où il était le plus profondément embourbé dans ses recherches, Carol avait fait une remarque intéressante.

« Qu'est-ce qui te fascine tellement dans tous ces trucs ? » lui avait-elle demandé.

Et Philip décrivit, pour la énième fois, la chaleur et l'harmonie du foyer de Steve, et son propre dégoût en découvrant les horreurs qu'une main anonyme avait écrites à ce sujet.

« D'accord, mais à quoi bon s'appesantir sur tout ça ? Les gens qui font ce genre de trucs sont juste des voyous, la lie de la terre. Parler d'eux, c'est leur conférer du prestige.

— Tu sais, le racisme est un problème persistant. Ces lettres le prouvent. L'affaire Errol McGowan le prouve. Alors il faut que quelqu'un en parle.

— Mais en un sens, ton investigation ne concerne pas le racisme. Je veux dire, le racisme est partout, mais il n'est pas *proclamé*. Si tu veux du racisme, va dans l'Angleterre profonde et incruste-toi dans un dîner du Rotary. Tu trouveras tout un tas de gens, anglais, blancs, bourgeois, qui fondamentalement *n'aiment pas* les Noirs, qui n'aiment *personne* en dehors de leur petit monde, mais qui sont bien lotis, qui mènent leur vie comme ils l'entendent et qui donc n'ont pas besoin de passer à l'acte, à part peut-être en lisant le *Daily Mail* et en déblatérant entre eux au bar après une partie de golf. Ça, c'est du racisme. Alors que les gens dont tu parles, ceux qui s'organisent, qui vont dans des manifs et qui provoquent des bagarres, ceux qui en parlent ouvertement... ça, c'est autre chose. Ce sont aussi des victimes. Des perdants. Leur peur et leur sentiment d'impuissance sont si forts qu'ils sont incapables de les dissimuler. En fait, c'est même pour ça qu'ils font des choses pareilles : *ils veulent qu'on sache qu'ils ont peur.*

— Qu'est-ce que tu veux dire... que les menaces de mort, les listes noires de Combat 18, c'est un appel au secours ?

— Ce que je veux dire, Phil, répondit Carol en lui posant une main sur l'épaule tandis qu'il mâchonnait un crayon, assis à son bureau, c'est que je te connais. Tu n'es pas fait pour parler de politique, tu n'es pas fait pour parler de théorie. C'est trop abstrait pour toi. Ce qui t'intéresse, ce sont les *gens*. C'est de ça que devrait parler ton livre, si jamais tu l'écris : qu'est-ce qui pousse les gens à de tels extrêmes ? Et si ça te fascine, c'est peut-être parce qu'au milieu de tout ça tu espères découvrir quelque chose.

— Quelque chose ? Quel genre de chose ?

— Je ne sais pas. La réponse à une énigme. La réponse à quelque chose qui t'intrigue depuis des années. C'est pour ça qu'il te dévore, ce livre. »

Il avait froncé les sourcils, sans bien comprendre ce qu'elle voulait dire ; mais ses paroles l'avaient hanté pendant des mois, et elles lui revinrent à l'esprit en ce matin de novembre lorsqu'il ouvrit la lettre de Benjamin et apprit ce qu'il avait découvert dans le Dorset.

Cher Phil [écrivait Benjamin],

Harding est vivant !

Ou du moins il l'était il y a sept ans.

La semaine dernière, je suis allé en vacances dans le Dorset avec papa et maman, et Lois et sa fille Sophie. On logeait dans un vieux château où il y avait des tas de livres d'or remplis par les précédents visiteurs. Et un soir, en en consultant un, voilà ce que Sophie a découvert ! Qu'en penses-tu ? Tu crois que c'est notre homme ?

Amitiés
Benjamin.

Il y avait quatre pages photocopiées :

13-17 mars 1995

On dit que tout Anglais est châtelain en son foyer, et j'aimerais tant que cela soit vrai. Malheureusement, à l'heure où j'écris ces lignes, mon foyer (que je dois regagner, le cœur lourd, dans quelques heures) est une roulotte en ruine échouée dans un champ battu par les vents, dans les paysages lugubres du nord-est de l'Angleterre, à vingt mètres d'une centrale nucléaire, et dotée des installations sanitaires les plus éprouvantes (physiquement et psychologiquement) que je crois avoir jamais rencontrées en soixante-quinze ans d'une existence (rétrospectivement) futile et complètement pathétique.

Oh, voir le dernier des Pusey-Hamilton réduit à de telles extrémités !

Quelle joie, au contraire, d'avoir occupé ce noble édifice durant trois jours ! Si seulement j'avais pu la partager avec Gladys, feu ma regrettée tendre et chère épouse ! Feu mon ex-épouse, devrais-je dire. Non parce qu'elle aimait jouer avec le feu (même si, je l'avoue, j'ai pu, en deux ou trois occasions mémorables, la convaincre de manier le fer rouge, au temps béni où j'officiais comme secrétaire du Cercle des Esclaves et Dominatrices de Sutton Coldfield, une association de citoyens et de contribuables hautement respectables et <u>parfaitement consentants</u>, association qui n'en fut pas moins scandaleusement dissoute par la brigade des mœurs des West Midlands, dont le commissaire divisionnaire était pourtant l'un de nos membres les plus fervents. O tempora, o mores !). Où en étais-je ? Ah, oui... si je décris Gladys comme feu mon ex-

épouse, ce n'est pas pour cette raison, mais pour deux autres : d'abord parce qu'elle est décédée (tuée, je suis au regret de le dire, quelques jours avant son 67ᵉ anniversaire, par la chute d'un arbre de mai, lors d'un rite de fertilité païen qui avait quelque peu dégénéré) ; ensuite parce que — et aujourd'hui encore il m'en coûte de coucher ces mots sur le papier — elle avait décidé de me quitter, moi qui étais son loyal compagnon depuis près de quarante ans, juste avant nos noces de rubis.

Les circonstances entourant ce départ ont été abondamment relatées par les journaux de l'époque. Notre différend conjugal était né d'un malentendu trivial. Cet été-là, lors de vacances par ailleurs idylliques consacrées à chasser le blaireau en Cornouailles, je l'avais emmenée visiter une crique à l'abri des regards (en réalité, nous avons rendu visite à un de mes vieux amis, le major Harry « Chevrotines » Huntington-Down, qui mettait sur pied une milice privée dans une ferme isolée de la région), après quoi nous avons fait une promenade sur la plage. C'est alors que je l'ai persuadée d'ôter la quasi-totalité de ses vêtements — à vrai dire, je n'ai pas eu à me montrer très persuasif : elle était toujours prête à se donner à n'importe qui pour une demi-pinte de bière et une poignée d'oignons en saumure ; ce n'était pas à proprement parler une femme de petite vertu, sa vertu était simplement invisible à l'œil nu — et de poser pour une série de clichés artistiques d'un goût très sûr que j'ai pris avec mon fidèle Brownie (dont pour l'heure le nom m'échappe).

Or, Gladys croyait ces clichés exclusivement destinés à mon plaisir personnel, et non à un quelconque usage public — à moins peut-être d'en encadrer quelques-uns et de les exhiber sur la cheminée du salon de Hamilton Towers, pour fournir un sujet de conversation aux amis venus faire un bridge autour de quelques canapés au pâté de lièvre, au cas où l'ambiance retomberait. Mais un examen du résultat me fit changer d'avis. Certes, il serait assurément abusif de qualifier Gladys de séduisante, surtout à ce stade avancé d'une vie difficile et dissolue, alors que les ravages du temps avaient accompli leur œuvre sur un corps qui, même dans sa prime jeunesse, m'avait toujours inspiré une curiosité incrédule d'ordre clinique plutôt qu'une excitation de nature sexuelle. Néanmoins, il me vint à l'esprit que certains individus misérables à l'esprit dérangé — détenus à perpétuité d'un quartier de haute sécurité, bénédictins vieillissants à la vue déclinante — étaient susceptibles, après quelques alcools forts, de trouver dans les formes dénudées de Gladys de quoi titiller leur palais desséché et oublier les rigueurs du quotidien. C'est ainsi que je décidai de publier les clichés : et bientôt j'en sélectionnai un pour la double page centrale du premier numéro de mon nouveau projet journalistique, un magazine intitulé Chaudes Aryennes, qui visait à combiner la pornographie hardcore haut de gamme avec les dernières nouvelles, infos et réflexions du mouvement néonazi, et qui inexplicablement (aujourd'hui encore, le mystère subsiste) ne rencontra pas les faveurs du lectorat de masse.

Le magazine dut s'interrompre après trois numéros, dans des circonstances me semble-t-il assez désagréables, incluant une descente de police et la confiscation de mon ordinateur et de mes disquettes. Puis, après avoir purgé mes trois ans (auxquels vinrent s'ajouter quatre ou cinq mois pour quelques délits sexuels mineurs commis en détention), je m'apprêtais à goûter ma liberté retrouvée lorsque je découvris que Gladys m'avait quitté. Oui ! Elle s'était envolée hors du nid conjugal après avoir vidé la maison de son contenu. Elle avait même emporté mon bien le plus précieux : la photo encadrée de notre couple serrant la main de « Benny » Mussolini. (D'aucuns ont insinué que nous avions été victimes d'une supercherie, et qu'il était impossible que nous l'ayons rencontré au Jardin d'hiver d'Eastbourne en 1972. Jalousie. Pure jalousie.)

Cela dit, j'ai le plaisir d'ajouter que cette triste histoire connut un dénouement heureux : vers la fin de sa vie, une Gladys repentante revint à de meilleurs sentiments et à notre vie commune. Jamais peut-être notre couple ne connut de félicité comparable à son crépuscule (le crépuscule avantageait Gladys, presque autant que la nuit noire). Mais cette félicité ne fit que rendre mon deuil ultérieur plus pénible encore à supporter, et je suis le premier à reconnaître que sans elle je mène une existence bien misérable. Plusieurs semaines après sa mort, je ne m'habituais toujours pas à la froideur et au silence qui émanaient de son côté du lit ; deux sensations qui n'ont fait qu'empirer quand ils ont fini par emporter le corps. Certes, je ne me déplace jamais sans mon matériel de spiritisme, grâce auquel chaque soir je communique avec elle. Parfois nous nous livrons à une partie de Scrabble spectral, sur le coup de minuit, et les flammes des chandelles vacillent lorsqu'elle me transmet ses mots depuis l'autre rive du grand fleuve Léthé. J'essaie d'égayer l'atmosphère par quelques plaisanteries (« C'est un peu raide ! », « Je m'inscris en faux ! », « Tu n'y vas pas de main morte ! »), mais ce n'est plus pareil, plus pareil...

Ô Gladys. La vie est si cruelle sans toi.

354

J'ai essayé d'occuper mon séjour ici de façon productive, en prenant des notes destinées à mon grand œuvre, Le Déclin de l'Occident, que j'ai l'intention de publier à compte d'auteur en quatre volumes reliés pleine peau couleur taupe. De fait, cette semaine, j'ai accompli un pas décisif en ce sens : en effet, le domaine est infesté de taupes, et hier matin à l'aube, après une nuit particulièrement agitée et pénible, j'ai réussi à écrabouiller une bonne trentaine de ces bougresses à coups de tisonnier. Une fois l'ouvrage achevé, j'en ferai don à l'admirable bibliothèque du château : je l'accompagnerai d'un court récit autobiographique, modeste évocation d'une enfance chétive mais heureuse en Afrique équatoriale sous la tutelle de mon père, homme d'honneur généreux, sévère mais juste, comme l'indique le titre : Quarante coups de cravache avant le petit déjeuner. Enfin, j'y joindrai le fruit de ma maturité littéraire, un manuel bref mais utile intitulé L'Onaniste malgré lui : Guide illustré de 100 positions sexuelles en solo pour les divorcés, les veufs et les franchement repoussants. En espérant que les futurs visiteurs trouveront dans ces ouvrages de quoi s'instruire et se distraire.

Cela fut un réel plaisir, quoique bien solitaire, de passer quelque temps dans ce fier paysage anglais ; un plaisir de hisser le drapeau de St Georges au-dessus de ces vénérables remparts ; un plaisir de penser, si fugacement que ce soit, qu'un jour peut-être il redeviendra possible de mener dans ce pays la même existence que nos ancêtres, sur une terre qui peut et qui doit demeurer libre, immaculée, telle que la conçoivent tous les hommes d'honneur.

Arthur Pusey-Hamilton, Honorable Membre de
l'Empire britannique

Scellé du sceau
noble et vénérable
des Pusey-Hamilton

« ALBION RESURGENS ! »

Philip lut ce texte avec des sentiments mêlés. Il raviva bien des souvenirs d'adolescence, de ces articles chaque fois plus provocateurs que Harding soumettait anonymement au *Bill Board*. Parfois, l'opportunité de les publier avait donné lieu à des débats longs et houleux au sein du comité de rédaction; mais ils finissaient toujours par succomber à l'humour de Harding, et à la conviction que personne ne pouvait prendre ces textes au sérieux, y voir autre chose qu'une ironie délibérée. Une ironie souvent trop grinçante pour ne pas susciter un malaise : car souvent le milieu qu'il évoquait — l'univers fantasmatique et solitaire des Pusey-Hamilton, avec leur fils traumatisé et leurs convictions politiques délirantes — semblait nourri d'une profonde et authentique tristesse. Mais jamais Philip ni les autres rédacteurs n'avaient douté d'une chose : pour Harding, il ne s'agissait que d'un canular.

Vingt ans plus tard, s'agissait-il encore d'un canular?

Quant à la devise « Albion Resurgens »... eh bien, elle aussi provoquait chez Philip un frisson de malaise. Certes, c'était là une locution que tout nationaliste britannique un tant soit peu cultivé serait susceptible d'employer, et qui viendrait naturellement sous la plume du satiriste désirant ridiculiser le mouvement. Mais c'était également, il s'en souvenait à présent, le nom de la maison de disques qui avait publié le CD de Unrepentant.

Simple coïncidence ? Sans doute. Mais c'était plus fort que lui : il devait en avoir le cœur net. Après avoir relu la prose de Harding, il ouvrit directement sa messagerie et envoya un e-mail. Destiné aux rédacteurs de la revue antifasciste qui l'avaient déjà aidé dans ses recherches. Philip leur dit qu'il devait absolument venir à Londres pour consulter une nouvelle fois leurs archives photos.

3

Pour une fois, les rôles étaient inversés : c'était Doug qui venait quêter auprès de Benjamin un peu de réconfort. Il était monté à Birmingham rendre visite à sa mère, et le jeudi soir ils allèrent dîner en ville dans un restaurant japonais de Brindley Place. Benjamin était hypnotisé par les bols de nourriture qui défilaient lentement sur un tapis roulant ; perchés sur des tabourets chromés, ils savouraient un gewurztraminer glacé dans des flûtes en cristal.

« Tu imagines comme ça aurait changé la vie si on avait eu des endroits pareils à notre disposition dans les années 70 ? dit-il en noyant ses *tempura* aux crevettes dans la sauce soja. J'aurais sûrement fini par épouser Jennifer Hawkins. Pas étonnant qu'elle m'ait plaqué. Je me rappelle un rendez-vous galant : je l'ai invitée à la friterie, après quoi on a passé la soirée sur le quai 11 de la gare de New Street. Je ne savais pas où aller. D'ailleurs, il n'y avait nulle part où aller, à l'époque.

— Autant que je me souvienne, corrigea Doug, ce n'est pas elle qui t'a plaqué. C'est toi qui l'as plaquée. Pour être auprès de Cicely. Cela dit, c'est intéressant, cette façon de réécrire l'histoire. Je ne sais pas trop quoi en penser. » Il remarqua que Benjamin hésitait à prendre une assiette de *maguro maki*. « Au fait, c'est moi qui régale, ce soir. Si c'est ça qui t'inquiète.

— Oh. Merci. » Vaguement penaud, Benjamin saisit l'assiette, qui vint s'ajouter à la longue série déjà posée devant lui. « À charge de revanche.

— C'est pas pressé. »

Benjamin se lança dans des efforts laborieux pour prendre son rouleau de riz avec les baguettes. Le riz n'arrêtait pas de glisser, et retombait si souvent dans l'assiette qu'il menaçait de se désintégrer. Cédant à la faim, il se résolut à le prendre avec les doigts et n'en fit qu'une bouchée. « Alors, c'est quoi, cette histoire avec Claire ? tenta-t-il de dire, les joues gonflées.

— Eh bien... » Doug se pencha vers lui. Les tabourets étaient disposés en rang serré autour de la table centrale, si bien que les autres convives pouvaient entendre tout ce qu'ils disaient. Ce n'était peut-être pas l'endroit idéal pour faire des confidences. « On n'est pas brouillés ni rien. Simplement, hier soir, elle a dit quelque chose qui m'a... choqué, je crois. Enfin, c'est surtout ce qu'elle n'a *pas* dit. »

Benjamin suivait des yeux un saladier de *tori nambazuki*, espérant qu'il en resterait quand il parviendrait à sa portée. « Continue, dit-il.

— Je crois que toute cette histoire a commencé il y a deux ans. Maman était venue à Londres pour le week-end, et un après-midi on est allés au Starbucks — je sais, c'est bizarre — et on a discuté de tout un tas de trucs. De ton frère, entre autres choses. »

Benjamin, bâillonné par une cuisse de poulet, émit un grognement de surprise.

« C'était l'époque où il voyait Malvina. J'envisageais d'en parler dans le journal. »

Les grognements se firent plus expressifs, culminant par une déglutition et par ces mots : « Tu n'aurais pas fait une chose pareille, quand même ?

— Non, sans doute pas. » Doug décida de ne pas s'appesantir sur le sujet. À présent que Malvina semblait avoir disparu de la circulation, et en tout cas disparu de leurs vies, ça n'aurait pas grand sens. Il se hâta de poursuivre. « Maman m'en a dissuadé. Elle m'a expliqué que personne n'était parfait et qu'il ne fallait pas toujours juger les gens sur leur vie privée. »

Benjamin acquiesça. Des beignets de légumes se profilaient à l'horizon.

« Et c'est alors qu'elle m'a dit, pour illustrer son propos, que papa la trompait.

— Oh mon Dieu, fit Benjamin en raflant quelques beignets et en tendant la main vers la sauce soja. Et tu ne te doutais de rien ?

— De rien.

— Est-ce qu'elle t'a dit... de qui il s'agissait ?

— Non. En fait, j'ai cru comprendre que ça s'était produit plus d'une fois. Mais je n'ai pas demandé qui c'était. Il ne m'est jamais venu à l'esprit que ça pouvait être quelqu'un de ma connaissance. Bref, hier soir, en parlant avec Claire, j'ai su la vérité.

— Ne dis rien, intervint Benjamin entre deux bouchées. C'était la mère de Claire.

— En l'occurrence, non.

— Pas la mère de *Phil*, quand même ?

— Non. »

Benjamin pâlit et reposa ses baguettes. « Tu veux dire... *ma* mère ? »

Doug secoua la tête d'un air agacé. « On n'est pas en train de jouer aux devinettes, Benjamin. Tu veux bien écouter la suite ? Voilà : l'an dernier, juste après que maman a eu son attaque, Claire m'a envoyé un mail. Elle me demandait si elle pouvait venir à la maison consulter les papiers de mon père. Et je crois bien qu'elle a fini par le faire, sauf que c'était un tel fouillis qu'elle n'a rien trouvé.

— Qu'est-ce qu'elle cherchait ?

— Je ne sais pas au juste... mais je crois qu'elle recommence à se poser des questions sur Miriam. »

Benjamin fut navré de l'apprendre. « Elle va se rendre folle, dit-il en secouant la tête. Dieu sait quelle souffrance ça doit être de perdre sa sœur dans ces circonstances, sans jamais savoir ce qui lui est arrivé... Mais ça fait... combien ? Plus de vingt-cinq ans, non ? Elle n'a plus aucune chance de découvrir quoi que ce soit. Il faut qu'elle laisse tomber.

— Plus facile à dire qu'à faire, je crois, dit Doug pensivement. Mais bon... » (il inspira profondément) « ... tu as deviné la suite, j'imagine. »

Mais apparemment Benjamin n'avait rien deviné du tout.

« Eh bien, si elle voulait consulter les papiers de mon père, reprit Doug en mettant les points sur les i, c'est parce que c'était *elle*. Miriam. La maîtresse de mon père.

— Oh putain... » Benjamin reposa son verre de vin, interloqué, à court de mots. Il finit par demander : « Quand est-ce qu'elle te l'a dit ?

— Hier soir. » Doug jouait distraitement avec sa nourriture. Il n'avait pratiquement rien mangé. « J'ai fini par faire don des archives de papa à l'université de Warwick, où elles ont été classées et cataloguées. La semaine dernière, j'ai appelé pour savoir si on pouvait les consulter et on m'a dit oui, alors j'ai envoyé un mail à Claire, car j'avais promis de la prévenir aussitôt

Comme je n'avais pas eu de réponse, je lui ai téléphoné hier soir. Apparemment, elle était en vacances ; elle venait tout juste de rentrer. » Il fronça les sourcils. « Au fait, tu es au courant qu'elle a un nouveau copain ? Tu sais qui c'est ?

— Pas vraiment. D'après Phil, c'est plus ou moins un homme d'affaires. Haut de gamme. Plein aux as, apparemment.

— Ça, je veux bien le croire, parce qu'il l'a emmenée en vacances aux îles Caïmans. Incroyable mais vrai. Et ça n'a pas dû très bien se passer, parce que Claire m'a dit qu'elle était rentrée toute seule, plus tôt que prévu. Elle venait d'arriver quand j'ai appelé, et elle n'avait pas encore lu mon mail. Bref, je lui ai dit qu'elle pouvait aller à Warwick consulter les archives si elle était toujours intéressée. Visiblement, c'est le cas, puisqu'elle a tout de suite répondu qu'elle irait dès cette semaine. » Il se tut, le temps que Benjamin lui resserve du vin. Il en but une grande gorgée. « Elle avait l'air tout excitée, alors je lui ai demandé : "De quoi il s'agit, au juste, Claire ? Est-ce que tu vas enfin me le dire ?", mais elle est restée silencieuse, et puis elle m'a rétorqué : "D'après toi, Doug, de quoi il s'agit ?" Je crois qu'à ce stade j'avais déjà compris. Alors j'ai dit : "Il s'agit de mon père, hein ? Il couchait avec ta sœur." Et elle a répondu : "Ouais, c'est ça..." »

Dans le long silence qui suivit, Benjamin remarqua le bruit qui régnait dans le restaurant : les vagues de musique tonitruante en fond sonore, le battement et le cliquètement fiévreux des boîtes à rythmes, les envolées de synthé ; la joie tapageuse des autres convives, qui riaient aux éclats, s'envoyaient des vannes, vivaient dans le présent, vivaient pour l'avenir, au lieu de rester prisonniers du passé comme lui, comme tous ses amis ;

ce passé qui ne cessait de les rattraper sournoisement dans ses tentacules chaque fois qu'ils tentaient de s'en arracher pour aller de l'avant. Des affaires jamais classées. De vieux comptes à régler.

« Mais ce n'est pas tout, reprit Doug d'une voix lente. Elle a dit qu'elle était arrivée à une conclusion. »

Benjamin attendit. « Oui ?

— Elle dit qu'elle sait que Miriam est morte. Cette fois, elle en est convaincue. Elle n'a plus aucun espoir de la retrouver. Elle veut juste savoir la vérité. »

D'une voix hésitante, Benjamin demanda : « Quel est le rapport avec les archives de ton père ?

— C'est ce que j'ai voulu savoir. Je lui ai demandé.

— Et qu'est-ce qu'elle a dit ?

— Rien, d'abord. Alors j'ai insisté : "Je présume que d'après toi ta sœur n'est pas morte de mort naturelle. D'après toi, elle a été... assassinée." Et elle a fait "Oui", d'une toute petite voix. Presque inaudible. Je me suis demandé si... tu vois, si elle avait jamais employé ce mot. Dans ce contexte. Même si elle y pensait.

— Peut-être pas, dit Benjamin pour dire quelque chose.

— Bref... » Doug baissa les yeux vers son verre et fit tournoyer le liquide doré, lentement, distraitement. « ... il a bien fallu que je lui pose la question. Il a bien fallu que je lui dise : " Claire, tu ne crois tout de même pas que c'est mon père qui a fait ça ? Tu ne peux *pas* croire une chose pareille. C'est impossible." » Il reposa son verre, se cacha le visage dans ses mains. Lorsqu'il releva la tête, Benjamin remarqua son regard épuisé. « Et tu sais ce qu'elle a répondu ? »

Benjamin secoua la tête ; même si à présent il devinait la réponse.

« Rien. » Doug sourit. Il n'y avait pas de sourire plus

dur ni plus sombre. « Elle n'a pas dit... un seul misérable mot. »

Juste derrière lui, un jeune homme en costume, aux cheveux en brosse, raconta la chute d'une histoire drôle et fut récompensé par le rire en cascade de ses deux interlocuteurs. On aurait dit des VRP en goguette, bien décidés à faire la bringue. Le bruit arracha une grimace à Benjamin, qui se sentit presque emporté par le souffle.

« Oh merde, dit-il à Doug, tendrement, en lui posant la main sur le bras.

— Alors j'ai raccroché, conclut Doug. Je me suis contenté de dire : "Bye, Claire", et j'ai reposé le combiné. » Il leva les yeux vers Benjamin et, malgré une ébauche de sourire, son regard était plein de tristesse. Comme fixé, par-delà les années, sur cette adolescence qui persistait à les hanter : sur ce passé qui refusait de les laisser en paix. « J'ai toujours su que Claire me détestait, dit-il. Maintenant, je sais pourquoi. »

*

Ils décidèrent qu'il n'y avait qu'une chose à faire : se saouler. Ils étaient venus jusqu'à Brindley Place dans la voiture de Doug, mais elle était bien à l'abri dans un parking ouvert 24 heures sur 24, et ils pouvaient toujours partager un taxi. Doug comptait d'ailleurs le passer en note de frais. Ils abandonnèrent donc leurs tabourets et la ronde sans fin des plats pour des coussins carrés et durs de part et d'autre d'une table basse ; les genoux à la hauteur du visage, ils commandèrent une nouvelle bouteille de vin pour se mettre en train.

Benjamin raconta à Doug la découverte qu'il avait faite dans le Dorset. Il avait relu tant de fois l'extrait du livre d'or qu'il pouvait pratiquement le réciter mot pour mot. Cela fit beaucoup rire Doug, mais d'un rire non exempt de malaise. Il rappela à Benjamin que Harding avait jadis participé à une simulation d'élection locale au lycée, et s'était présenté comme le candidat du National Front.

« Il trouvait ça hilarant de se foutre de la gueule de ces mecs. Mais ça a fini par virer à l'obsession. Et ça n'a fait qu'empirer, dirait-on.

— Et encore, ça remonte à sept ans, lui fit remarquer Benjamin. On ne sait toujours pas ce qu'il fait maintenant, ni où il est.

— Je te l'ai dit cent fois : si on le savait, on serait forcément déçus. Mais à propos... » Il prit Benjamin par l'épaule. Sa voix était un peu pâteuse. « ... tu ne vas pas me dire que tu fantasmes sur ta nièce, quand même ? Tout le monde s'inquiète pour toi, mon pote. Ça fait un bail que tu as quitté Emily. Il serait temps que tu trouves quelqu'un d'autre. Quelqu'un *de ton âge*. Et de préférence quelqu'un qui ne soit pas de la famille.

— Je ne *fantasme* pas sur Sophie. Pas au sens strict du terme. On s'entend bien, c'est tout. Elle m'accepte comme je suis. Elle fait des efforts pour comprendre ce que j'essaie de faire, elle ne me prend pas en pitié, elle ne me prend pas pour un taré. D'ailleurs, c'est pas ma faute si tous les gens sympas et intéressants que je rencontre sont plus jeunes que moi. J'aime bien les jeunes : j'ai davantage d'affinités avec eux. »

Doug émit un gloussement sarcastique. « Ouais, c'est ça.

— C'était pareil avec Malvina. » (En entendant ce nom, Doug se contenta de lever les yeux au plafond.) « Je me fous de ce que tu peux penser : j'avais une vraie complicité avec cette femme, une complicité incroyable. Je ne crois pas avoir jamais ressenti un lien affectif aussi fort avec qui que ce soit. Un vrai lien affectif, direct, immédiat. Pas depuis...

— Je t'en prie. » Doug leva la main pour l'arrêter. « Est-ce que tu crois qu'il serait possible de passer la soirée sans prononcer le mot de six lettres ? » Benjamin se tut, et Doug repensa à une autre soirée, deux ou trois ans plus tôt, où il avait emmené Malvina prendre un verre à Chelsea, et où il avait commencé à comprendre à quel point elle était malheureuse. D'un malheur authentique, si profond qu'il faudrait des années d'analyse pour en connaître les racines. Cette idée le glaça. « Je me demande ce qu'elle est devenue, d'ailleurs. Après que ton frère l'a brutalement larguée. »

Et Benjamin dit, de façon totalement inattendue : « On est restés en contact. »

Doug leva les yeux. « C'est vrai ?

— Eh bien... plus ou moins. Je ne l'ai pas revue ni rien. Mais de temps en temps je lui envoie un SMS.

— Et alors ? Elle te répond ?

— Quelquefois. » Benjamin n'en dit pas davantage. À dire vrai, il ne savait absolument pas où vivait Malvina, ni ce qu'elle faisait. Tout ce qu'il savait, c'est que son numéro de portable n'avait pas changé en deux ans. Pendant quelque temps, il avait essayé de l'appeler, mais généralement il tombait sur la messagerie, et les rares fois (trois tout au plus) où ils avaient effectivement échangé quelques mots, Malvina s'était montrée monosyllabique et évasive, et la conversation avait été terriblement laborieuse. Depuis lors, il avait pris l'habitude de lui envoyer un SMS toutes les deux ou trois semaines. Il s'efforçait de rendre ses messages spirituels et amusants, tout en lui donnant les dernières nouvelles de sa vie, sans dépasser (contrainte formelle qui le réjouissait) 149 signes. C'était l'équivalent d'un poème de forme fixe particulièrement laconique et rigide. Parfois elle répondait, parfois non. Parfois les réponses lui parvenaient la nuit, aux heures les plus indues. Il avait remarqué qu'il avait plus de chances d'obtenir une réponse s'il terminait son message par une question, si neutre et stéréotypée soit-elle, du genre *Koi d'9?* ou *Kes tu dvi1?*, à laquelle elle offrait le plus souvent une réponse encore plus générale et vague. Mais c'était au moins un contact. Un signe de vie. Et son frère ne pouvait pas en dire autant : ce qui, pour Benjamin, revêtait une importance cruciale. C'était *lui* qui avait découvert Malvina ; elle était *son* amie, jusqu'à ce que Paul la lui vole. Mais Paul avait tout foutu en l'air. Paul ne la reverrait jamais. Dans ce duel, au moins, Benjamin avait remporté la victoire. Une victoire infime peut-être, aux yeux de certains : mais aux yeux de Benjamin, un triomphe.

« Je vais sans doute partir quelques jours, très bientôt », annonça-t-il, avant d'ajouter (tout en sachant au fond de son cœur que c'était pur fantasme de sa part) : « Je pensais lui demander de m'accompagner.

— C'est vrai ? Pour aller où ? »

Et Benjamin parla à Doug de l'abbaye de Saint-Wandrille en Normandie : il lui expliqua qu'il s'y était rendu avec Emily, et qu'aussitôt entré dans la chapelle il avait compris, en entendant les moines chanter les complies, qu'un jour peut-être il s'y sentirait complètement et bienheureusement chez lui.

Doug était perplexe. « Mais Malvina est une femme.

— Il y a un dortoir pour les femmes. En dehors de l'enceinte. Et les visiteuses n'ont pas le droit de prendre leurs repas avec les moines, ce genre de choses. Mais tu sais, c'est quand même un endroit sympa. »

Doug le dévisagea, manifestement partagé entre stupéfaction et amusement. « Benjamin, finit-il par dire, je ne sais pas comment tu fais. Même quand je crois que rien ne peut plus m'étonner venant de toi, tu arrives encore à sortir un lapin de ton chapeau.

— Pourquoi tu dis ça ?

— Il n'y a que toi, Benjamin, il n'y a que *toi* pour inviter une femme à passer un week-end de débauche dans un putain de *monastère* ! »

Il riait si fort qu'il en tomba de son coussin et se cogna la tête contre un coin de table, tandis que Benjamin continuait de siroter son vin, l'air vexé. Il ne voyait pas ce qu'il y avait de si drôle. Mais il était content d'avoir un peu déridé son ami.

2

Une fois installée à son pupitre, Claire resta plusieurs minutes sans ouvrir le premier des dossiers empilés par dizaines devant elle. Elle avait préparé deux crayons bien taillés, ainsi qu'un carnet A 5 à reliure bleue, aux pages épaisses et grossièrement coupées, qu'elle avait acheté à Venise quelques années plus tôt, et qui pour l'instant ne renfermait qu'un texte : la longue lettre adressée à Miriam et décrivant son retour en Angleterre pendant l'hiver 1999. Quant au dossier, elle n'y touchait pas. Pas encore. Non par manque de courage, mais plutôt parce qu'elle attendait d'avoir les idées claires. Elle voulait avoir l'esprit en éveil pour lire ces documents, ne laisser échapper aucun détail, si minime soit-il ; et le moins qu'on puisse dire, c'est que pour le moment elle ne se sentait guère éveillée. Le trajet de Malvern à Coventry avait été cauchemardesque : une heure trois quarts sous une pluie battante. Le campus de Warwick était beaucoup plus fréquenté qu'elle ne l'aurait cru, et elle avait eu du mal à trouver une place de stationnement, même dans les immenses parkings à étages. Elle était arrivée au Centre d'archives contemporaines avec cinquante minutes de retard sur l'heure convenue au téléphone avec la bibliothécaire. Ce qui n'avait pas l'air de poser problème : mais elle-même se sentait énervée, déphasée, guère en état de se mettre à la tâche.

Peut-être qu'un café lui ferait du bien.

La cafétéria de la Maison des arts n'était qu'à une minute de marche du Centre d'archives, mais elle eut amplement le temps de se faire tremper. Elle demanda un double express, et prit également un chocolat chaud pour se réchauffer les mains. Assise dans un coin, elle regarda la vie de l'université se dérouler mollement devant elle en ce mardi midi. Il n'y avait pas beaucoup d'étudiants, remarqua-t-elle ; c'était plutôt un endroit fréquenté par les profs et le personnel administratif. L'air était lourd d'une odeur de vêtements mouillés et fumants, de cheveux dégoulinants. De jeunes maîtres de conférences pâlots ouvraient des paquets de chips, qu'ils partageaient avec des thésardes en un timide rituel de séduction. Des femmes seules, quinquagénaires, consultaient leurs filofax et extrayaient des sachets de thé de leurs gobelets en carton, les tenant en l'air maladroitement avant de les poser sur des serviettes en papier où ils répandaient aussitôt des auréoles brunâtres.

Pas de doute : elle était de retour en Angleterre. Comment ne pas se sentir déphasée, elle qui, quarante-huit heures plus tôt, se prélassait sur une plage privée près de Bodden Town, sous le soleil des tropiques ? Deux jours plus tôt, elle était aussi (plus ou moins) en couple ; ce matin, elle était célibataire.

Et ne s'en portait que mieux.

*

Les vacances avaient bien commencé, quoique de façon assez irréelle. N'ayant jamais voyagé en première classe, Claire, Patrick et Rowena s'en donnèrent à cœur joie, buvant plus d'une bouteille de champagne chacun et se gavant de caviar bélouga et de truffes italiennes avant de regarder sept à huit heures de film sur leurs écrans vidéo. Moyennant quoi ils arrivèrent fin saouls, alourdis et épuisés, tandis que les autres passagers qui, plus expérimentés, avaient passé l'essentiel du vol à dormir, descendaient de l'avion frais comme des gardons. Ils furent accueillis par George, le chauffeur du mystérieux associé de Michael (dont ils ne surent jamais le nom), qui les conduisit à la villa Proserpine, à vingt-cinq kilomètres de l'aéroport, sur la côte sud.

Était-ce l'effet de l'alcool ou de la fatigue ? Toujours est-il qu'en pénétrant dans la villa, une fois délestés de leurs bagages par le majordome, et de leurs manteaux par la femme de chambre, ils furent saisis d'un irrépressible fou rire. C'était la seule réaction possible : une telle opulence avait quelque chose de comique.

La taille même des pièces était vertigineuse. Le grand salon, vaste comme un hall d'hôtel, comprenait six canapés, deux bars, d'innombrables haut-parleurs camouflés, reliés à une chaîne hi-fi Bang & Olufsen, et une baie vitrée qui donnait sur 500 mètres de plage privée. La plus petite des chambres comportait un lit où cinq personnes auraient pu dormir à l'aise, monté — comme tous les autres lits — sur une estrade, et doté d'un baldaquin aux moulures de chêne façonnées à la main. Il y avait des télés partout, des bars partout (même, paradoxalement, dans la salle de sport). Michael disposait d'un bureau grand comme une table de billard, face à un mur de vingt-quatre écrans vidéo qui pouvait servir soit à surveiller toutes les pièces de la maison, soit à regarder simultanément toutes les chaînes d'infos boursières du satellite. Et pour ceux qui n'auraient pas le courage de parcourir la bonne vingtaine de mètres les séparant de la plage, il y avait des piscines intérieures et extérieures. D'ailleurs, la baignoire creusée dans le sol de la salle de bains avait largement la taille d'une piscine.

Claire passa les deux premiers jours à bronzer, à nager, ou à lire sur l'une des terrasses. Il n'y avait pas de livres dans la maison, à l'exception d'une vitrine fermée à clef et dotée d'une alarme renfermant des éditions originales (Thornton Wilder, Scott Fitzgerald, Steinbeck) et des volumes des dix-septième et dix-huitième siècles, qui n'avaient pas l'air destinés à être lus ; heureusement, elle avait apporté ses provisions. Elle ne voyait guère Patrick et Rowena, qui disparaissaient pendant des heures pour faire de la plongée sous-marine. Ils ne se retrouvaient qu'aux repas, qui posaient de gros problèmes d'étiquette. Le premier soir, le dîner avait été préparé par le chef cuisinier employé à demeure. Cela les mit mal à l'aise ; inversement, le personnel qui les servait parut si gêné par leurs efforts pour se montrer aimables, engager la conversation et les traiter comme des êtres humains plutôt que comme des meubles que Claire refusa de renouveler l'expérience. Les deux soirs suivants, ils dînèrent dans des restaurants de Bodden Town. George n'en insista pas moins pour les y emmener et les attendre dans la voiture jusqu'à ce qu'ils se décident à rentrer. Claire fit de son mieux pour rompre la glace avec Rowena, mais la trouva froide et distante, voire désagréable. Elle n'avait rien en commun avec Patrick ; toute complicité entre eux semblait inexistante, sinon évidemment sur le plan physique. Claire se dit que le couple ne passerait pas Noël.

Au bout de trois jours, Michael n'était toujours pas là, et déjà Patrick et Rowena devaient repartir. C'était pour tous les deux une année de battement entre le bac et l'université, et dans deux jours Rowena devait commencer un stage dans le cabinet d'architecte de son oncle, à Édimbourg. Galamment, Patrick avait offert de l'y conduire en voiture. Claire agita la main tandis que George les emmenait à l'aéroport, puis passa trente-six heures, plus étranges encore, seule dans la maison, sans autre compagnie qu'une demi-douzaine d'employés qui semblaient avoir pour consigne stricte de ne pas lui adresser la parole, mais qui n'en rôdaient pas moins constamment aux abords de la pièce où elle se trouvait, toujours prêts à remplir son verre ou à débarrasser son assiette.

Elle se sentait de plus en plus bizarre. Elle n'arrivait pas à concilier son impression de solitude absolue avec sa conscience d'être sous surveillance permanente (celle du personnel aussi vigilant que silencieux, celle des caméras qui se déclenchaient en cliquetant et en ronronnant, et qui traquaient ses moindres gestes dès qu'elle entrait dans une pièce). Elle se demandait ce qu'elle faisait là. Moins une invitée qu'une prisonnière. Son identité commençait à se craqueler. Elle se prenait pour le personnage de Catherine Deneuve dans un remake hollywoodien à gros budget de *Répulsion*.

L'arrivée tant attendue de Michael améliora un peu les choses, mais pas autant qu'elle ne l'espérait. Ils se baignèrent ensemble, firent de la plongée ensemble, dînèrent ensemble au bord de la piscine. Un soir, il l'emmena en hors-bord dîner sur le yacht d'un ami, ancré à quelques milles, en face de Long Coconut Point. Ils firent l'amour sur la plage, dans la chambre et même (une seule fois, précaire et désastreuse) sur le rameur de la salle de sport. Bref, ils firent un tas de choses ensemble, sauf discuter. Toutes les bonnes résolutions de Claire, décidée à interpeller Michael sur l'avenir désespérément incertain de leur relation, venaient achopper sur son air constamment préoccupé, majestueusement inaccessible. Il pouvait être volubile quand l'envie lui en prenait : ils se livrèrent à leurs éternelles joutes politiques, mi-sérieuses mi-facétieuses ; il évoqua l'actualité, la conjoncture économique, le spectre d'une guerre contre l'Irak (à laquelle il s'opposait), voire, à l'occasion, des sujets plus prosaïques tels que la cuisine antillaise ou l'éducation de ses enfants (tous en pension). Mais toute tentative pour amener la conversation sur le terrain des sentiments se heurtait à un mur.

Claire recommençait à se demander ce qu'elle faisait là. Dans le grand salon, en regardant Michael, d'une simple pression de la télécommande, faire surgir du sol un téléviseur géant à écran plasma digne de *Star Trek*, puis zapper entre Bloomberg et les autres chaînes d'infos boursières, elle se demandait, encore et encore : qu'est-ce que je fais là ?

Non qu'il passât tout son temps à travailler. La mystérieuse crise qui l'avait retenu à Londres semblait victorieusement surmontée. Il ne passait qu'une heure ou deux par jour dans le bureau. Quand on l'appelait sur son portable, il vérifiait le numéro et ne répondait qu'une fois sur quatre. Parfois même, si Claire lui demandait de quoi il s'agissait, il essayait de lui expliquer. Elle ne maîtrisait pas le jargon des affaires, et elle avait toujours l'impression qu'il lui distillait les informations au compte-gouttes ; mais au moins il faisait un effort pour l'aider à comprendre ce qui le préoccupait. Elle ne se sentait pas abusée ni exclue. Elle savait que l'entreprise envisageait de se défaire de terrains et d'usines superflus : il y eut des allusions répétées au site de Solihull, à la sortie de Birmingham. L'affaire avait l'air d'être bien engagée, et de se présenter sous les meilleurs auspices. Pour Claire, c'était ça l'important. Ça voulait dire que Michael serait de bonne humeur.

Un matin vers dix heures, en sortant de la douche, elle vit Michael assis sur le balcon de la chambre qui surplombait la plage. On avait servi le petit déjeuner et, tout en parlant sur son portable, il buvait son café et picorait ses œufs Benedict. Encore en peignoir, elle s'assit en face de lui, se versa du café dans une fine tasse de porcelaine et reprit le roman qu'elle avait commencé la veille. Michael lui fit comprendre d'un regard qu'il n'allait pas s'éterniser au téléphone. Elle se désintéressa de son livre au bout de deux phrases et se contenta d'admirer la vue, éblouie jusqu'à l'ivresse et hypnotisée par le mouvement subtil des palmiers sur fond d'azur tandis que la brise matinale agitait leurs feuilles.

« Donc, ça ne bouge plus ? disait Michael. Cent quarante-six, c'est le chiffre définitif ? » Il y eut quelques mots de confirmation à l'autre bout du fil et il hocha la tête d'un air approbateur, ravi de la nouvelle. « Très bien. Excellent. Bon, je crois qu'on pourra annoncer ça dans quelques semaines sans qu'il y ait trop de retombées. Non... après Noël, impérativement. Juste après. »

Il ne tarda pas à raccrocher, sourit à Claire et se pencha par-dessus la table pour lui offrir le premier baiser de la journée.

« Bonnes nouvelles ? demanda-t-elle en lui reservant du café.

— Très satisfaisantes. »

Elle attendit qu'il développe, mais apparemment ce n'était pas dans ses intentions. Elle en fut bizarrement contrariée, mais parvint à conserver un ton léger pour demander : « Alors comme ça, c'est cent quarante-six, hein ? Millions ? »

Il leva les yeux. « Mmm ?

— C'est ce que tu vas gagner ? En vendant le site de Solihull ?

— Oh. » Il eut un petit rire. « Non. Pas du tout.

— Laisse-moi deviner : c'est ta prime de Noël ? »

Nouvel éclat de rire, parfaitement détendu. Quoi qu'on ait pu lui confirmer au téléphone, il n'en éprouvait manifestement aucune gêne, aucune nécessité de lui dissimuler la vérité.

« Tu es loin du compte, dit-il. Désolé de te décevoir, mais c'est cent quarante-six tout court, j'en ai bien peur. On va fermer le service Recherche et Développement. C'est pas rentable. On le ferme et on vend l'usine. Ce qui veut dire qu'on va licencier cent quarante-six personnes.

— Oh, fit Claire. Je vois. Et en quoi c'est une bonne nouvelle ?

— Parce que je craignais que le chiffre ne soit plus élevé. Au-dessus de deux cents, ç'aurait été catastrophique pour l'image de l'entreprise. Mais cent quarante-six, c'est rien du tout, pas vrai ? Personne n'y prêtera attention.

— Non, dit Claire, songeuse. Tu as sûrement raison. »

Peu après, il s'éclipsa pour prendre une douche, laissant Claire méditer ces propos. Cette fois, elle ne tenta même pas de reprendre sa lecture. Elle se sentait prise d'une sorte d'engourdissement. Une sensation familière qui n'avait cessé de grandir au fil de la semaine. Et en un sens, ce que Michael venait de lui apprendre ne changeait rien : ce n'était ni un tournant ni une révélation. Peut-être l'engourdissement commençait-il simplement à prendre forme : peut-être était-il devenu si lancinant qu'elle ne pouvait plus l'ignorer. Quoi qu'il en soit, elle se sentit brusquement très malheureuse, suffoquée d'être installée sur ce balcon inondé de soleil face au scintillement de l'océan, à des milliers de kilomètres du monde qu'elle connaissait, du monde qu'elle comprenait. Elle éprouva un spasme de nostalgie presque insoutenable pour sa petite maison à flanc de colline de Great Malvern.

Quelques minutes plus tard, elle rentra, enfila son maillot de bain et quitta la maison sans un mot à Michael. Elle descendit jusqu'à la plage.

Elle n'était pas scandalisée par ce qu'elle venait d'entendre ; elle n'était pas naïve ; elle connaissait fort bien la nature du travail de Michael. Tous les jours, des gens perdaient leur emploi ; il fallait bien que quelqu'un, quelque part, prenne la décision qui aboutissait à ces licenciements. Mais en l'occurrence, la décision avait été prise ce matin, devant elle, sur une île des Caraïbes, par un homme avec lequel elle avait choisi de se lier, sur le balcon de la chambre qu'elle partageait avec lui. Et alors ? Qu'est-ce que ça changeait ? Michael avait raison. Cent quarante-six, c'était un chiffre dérisoire. Régulièrement, les journaux annonçaient des milliers de licenciements d'un coup.

Alors pourquoi cette nausée soudaine ?

C'était peut-être bien là le problème. Cinq mille aurait été un chiffre inimaginable. Complètement abstrait. Alors que cent quarante-six avait quelque chose d'obscènement précis et concret. Tandis que Claire jetait sa serviette sur le sable blanc surchauffé et entrait dans l'eau jusqu'à la ligne des brisants, elle pensa aux cent quarante-six familles qui apprendraient la nouvelle juste après Noël. Sans doute Michael avait-il raison d'agir ainsi. Et c'était une délicate attention de sa part d'attendre que Noël soit passé. Il n'était pas méchant, elle s'en rendait bien compte : mais elle ne pouvait pas l'aimer. Elle ne pouvait pas aimer un homme qui prenait de telles décisions et qui en tirait satisfaction. Une autre femme, peut-être. Elle l'espérait pour lui.

L'eau tiède écumait autour de ses cuisses, de sa taille. Elle prit une inspiration et plongea à la rencontre de la vague. Le choc lui brûla le visage, lui fit bourdonner les oreilles, et quand elle refit surface, quelques secondes plus tard, la lumière était insoutenable. Elle protégea ses yeux éblouis et replongea, encore et encore, se précipitant contre chaque nouvelle vague, et chaque plongeon était comme une paire de claques, un réveil brutal administré par un ami impitoyable mais bienveillant.

Peu après, elle regagna la maison. Par bonheur, Michael était introuvable. Elle fit ses bagages et laissa simplement un mot : « Merci pour tous les bons moments, mais il vaut mieux arrondir à cent quarante-sept. » Puis elle demanda au fidèle George de la conduire à l'aéroport.

*

Claire finit son café, renonça au chocolat chaud et repartit en courant au Centre d'archives contemporaines en s'abritant sous son imper. D'ailleurs, la pluie commençait à faiblir.

Le café l'avait ragaillardie. Elle se savait assez forte à présent pour consulter les dossiers, et affronter n'importe quelle révélation. (La seule chose qu'elle redoutait, à vrai dire, c'est qu'ils n'aient rien à lui révéler.) Le souvenir de ses vacances lui avait fait comprendre, plus

clairement que jamais, qui elle était et ce qu'elle faisait
ici. La pluie, le gris du ciel anglais, le grouillement âcre
et inquiet d'une humanité détrempée : voilà ce qui la
définissait. Si sa vie depuis vingt-huit ans avait un sens
et un but, c'était d'aboutir à cet instant, à ce campus, à
cette bibliothèque. Tout le reste, elle le savait à présent,
était hors de propos. Jamais elle ne pourrait aller de
l'avant sans avoir affronté au préalable ce que cet
endroit avait à lui apprendre.

Elle se mit à lire.

*

Avant de lire les archives de Bill Anderton, elle s'attendait à tout, sauf à les trouver si fascinantes. Au lieu
de documents froids, arides, de comptes rendus officiels aussi laconiques que possible, c'était tout un
monde, et toute une époque, qui revivaient sous ses
yeux.

En tant que président du Comité d'entreprise, Bill
était bien plus qu'un porte-parole de la base. Il était
tout à la fois agitateur politique, médiateur, confident
privilégié et épaule compatissante. Les gens lui écri-
vaient pour toutes les raisons imaginables : cela allait
du délégué syndical de l'atelier métallurgique se plai-
gnant qu'on déduise du salaire des ouvriers le temps
passé à se doucher en fin de service (une plainte qui
avait abouti à un débrayage) au père de famille égaré
affirmant, en cinq pages bien serrées, que sa fille était
séquestrée et torturée par des bonnes sœurs dans un
couvent du Gloucestershire. Bill ne répondait peut-être
pas à toutes ces lettres, mais au moins à une bonne partie d'entre elles, ce qui devait l'accaparer. Claire n'aurait jamais cru les années 70 si lointaines, mais le ton et

la teneur de cette correspondance la frappaient par leur archaïsme émouvant : Bill utilisait sans ironie aucune le terme de « camarade » pour désigner ses co-syndiqués, et terminait chaque lettre par « Fraternellement ». Elle fut également frappée par l'abondance des allusions au National Front, et par les tentatives répétées de divers groupes d'extrême droite pour infiltrer l'usine. Une lettre de Bill, au ton glacial, qui refusait à un membre du National Front la permission d'utiliser les locaux syndicaux pour un meeting politique ; la photocopie d'un message au style d'illettré invitant les ouvriers (Claire n'en croyait pas ses yeux) à célébrer à Birmingham l'anniversaire d'Hitler, le 20 avril 1974 ; et un communiqué du Comité d'entreprise condamnant

> [...] les actes révoltants commis à Birmingham dans la nuit du jeudi 21 novembre 1974. Nous appelons nos membres à faire preuve de retenue et à ne pas laisser les instigateurs de ces actes créer des divisions au sein des travailleurs. La manière la plus constructive d'apporter notre contribution et d'exprimer notre sympathie est de participer à la collecte organisée dans toute l'usine, non de nous joindre à de quelconques manifestations émanant de groupes extérieurs au syndicat.

Mais Miriam, dans tout ça ?

Claire ne s'attendait pas à trouver des lettres d'amour. Il n'y aurait rien d'aussi flagrant : l'archiviste avait dû mettre de côté les éventuels documents d'ordre personnel pour les restituer discrètement à la famille Anderton. Si elle devait trouver une quelconque référence directe à sa sœur, ce serait sans doute dans le dossier intitulé « Comité d'entraide ». Bill en était le président, Miriam la secrétaire. C'était ainsi, dans son souvenir, qu'ils s'étaient rencontrés. Mais elle n'avait pas encore ouvert ce dossier. Elle l'avait posé soigneusement à part, décidée à le garder pour la fin. Elle tenait à examiner ces documents dans l'ordre, patiemment.

Mais sa résolution fut de courte durée. Au bout de vingt minutes, sitôt refermé le premier dossier, elle ouvrit celui du Comité d'entraide.

Cette fois, les papiers n'étaient pas classés par ordre chronologique. Ils commençaient par une épaisse liasse de documents officiels concernant un certain Victor Gibbs, apparemment trésorier du Comité, pris par Bill en flagrant délit de faux en écriture et de détournement de fonds. Selon les notes de Bill, il avait été licencié en février 1975, mais aucune poursuite pénale n'avait été engagée contre lui.

Claire reconnut ce nom ; en tout cas, il lui semblait familier. Miriam, dans son journal intime, n'avait-elle pas fait allusion à un « Victor la Vipère » ? Il devait s'agir du même. Claire essaya de se rappeler ce qu'elle en disait, mais rien ne lui revenait en mémoire. Et pourquoi « la Vipère » ? Certes, ses activités de faussaire et d'escroc ne suggéraient pas quelqu'un de particulièrement sympathique ; mais ne s'agissait-il que de cela ? Avait-il fait quelque chose à Miriam — l'avait-il persécutée en quelque manière — pour lui inspirer un tel dégoût ?

Puis venaient les minutes des réunions du Comité, interminables. Elles n'avaient aux yeux de Claire que l'intérêt d'avoir été retranscrites par sa sœur. Pour le reste, elles ne lui apprenaient pas grand-chose. La liste des membres lui révéla que le Comité ne comprenait aucune autre femme. Elles avaient du mal à se faire une place, à l'époque. Claire essaya d'imaginer l'ambiance des réunions, les soirs d'hiver, en milieu de semaine, dans un nuage de fumée, à la lumière d'une ampoule nue de soixante watts ou d'un néon. Les hommes assis autour de la table, encore couverts de la sueur et de la crasse des neuf heures passées à l'usine. Miriam, à côté de Bill, prenant tout en note dans sa sténo un peu malhabile. Tout le monde devait la regarder. Elle était belle. Elle n'avait jamais eu de mal à séduire les hommes, et savourait le pouvoir qu'elle exerçait sur eux. Elle devait faire l'objet d'une attention furtive et fascinée. Victor Gibbs comptait-il parmi ce cercle d'hommes captivés et envieux, incapables de s'arracher à sa contemplation ? Lui avait-elle fait comprendre qu'elle n'était pas intéressée ? Était-ce là une source d'animosité ?

Le document suivant ne répondait pas à cette question, mais au premier coup d'œil il lui procura un tel choc qu'en se levant elle renversa sa chaise, dans un vacarme qui transperça le silence de la bibliothèque, et qu'elle dut se précipiter dehors, où elle passa quelques minutes debout sur les marches, suffoquant, indifférente au crachin qui lui mouillait les cheveux et lui dégoulinait sur la nuque en minces rigoles.

C'était une lettre de Victor Gibbs à Bill Anderton. À propos de Miriam. Mais ce n'était pas le contenu qui l'avait bouleversée. C'était la typographie.

*

Claire songea à photocopier la lettre ; mais elle ne voulait pas d'une photocopie. Elle voulait l'original. Alors elle le vola. Cela ne lui posa aucun cas de conscience. Si la lettre devait revenir à quelqu'un, c'était bien à elle. De plein droit. Elle la plia, la rangea dans son sac à main et sortit de la bibliothèque sans se faire remarquer. Elle savait que c'était la seule chose à faire.

382

Dans l'après-midi, une fois rentrée chez elle, elle déplia la lettre sur la table de la cuisine et la relut. Tel était donc le texte dactylographié que Victor avait adressé à Bill Anderton près de trente ans plus tôt :

Cher Camarade Anderton,

Je ^vous écris pour me plaindre du tra^vail de Mademoiselle Newman dans ses fonctions de secrétaire du Comité d'Entraide.

Mademoiselle Newman n'est pas une bonne secrétaire. Elle ne fait pas bien son tra^vail.

Mademoiselle Newman fait preu^ve d'un coupable relâchement. Lors des réunions du Comité d'Entraide, on la ^voit sou^vent distraite. J'ai parfois l'impression qu'elle a autre chose en tête que son tra^vail de secrétaire. Je préfère ne pas préciser da^vantage à quoi elle peut bien penser.

J'ai formulé lors de la réunion plusieurs obser^vations importantes, et des réponses à plusieurs objections, qui n'ont pas été consignées dans les minutes de la réunion, par la faute de Mademoiselle Newman. Cette remarque s'applique à d'autres Membres du Comité, mais plus particulièrement à moi. Je crois qu'elle accomplit sa tâche a^vec un manque total d'efficacité.

J'attire ^votre attention sur l'urgence du problème, Camarade Anderton, et je suggère pour ma part que Miss Newman soit

désormais rele^Vée de ses fonctions de
secrétaire du Comité d'Entraide. Son
maintien à son poste de dactylo à
l'atelier de conception des modèles est
bien é^Videmment du ressort de
l'entreprise. Mais je ne crois pas
qu'elle soit non plus une dactylo
compétente.

        Fraternellement.

                        Victor Gibbs.

Après une nouvelle relecture, Claire se rua à l'étage et
ouvrit le secrétaire de la chambre d'amis où elle gardait
sous clef ses plus précieux souvenirs de Miriam. Elle en
sortit le plus précieux de tous — la lettre que ses
parents avaient reçue début décembre 1974, deux
semaines après la disparition de sa sœur; le dernier
signe de vie qu'elle leur ait jamais donné — et redescendit en courant. Elle la posa sur la table, à côté de celle
de Victor Gibbs. La lettre disait :

        Chers Papa et Maman,
        Je ^Vous écris pour ^Vous dire que j'ai
        quitté la maison et que je ne re^Viendrai
        pas. J'ai rencontré un homme et je suis
        partie ^Vi^Vre a^Vec lui et je suis très
        heureuse. J'attends un enfant de lui et
        je ^Vais sans doute le garder.
        Je ^Vous en prie, n'essayez pas de me
        retrou^Ver.
        Votre fille qui ^Vous aime.

Elle était signée de Miriam; du moins Claire l'avait-
elle toujours cru, jusqu'à ce jour. Mais Victor Gibbs ne

s'était-il pas révélé un faussaire émérite, habile à contrefaire les signatures ? Pour l'heure, ce n'était qu'une spéculation ; en revanche, ce qui ne laissait aucune place à la spéculation, c'était la typographie des deux lettres. Elles présentaient la même anomalie : un « v » légèrement décalé au-dessus de la ligne. Elles avaient donc dû être tapées sur la même machine à écrire.

Qu'est-ce que ça voulait dire ? Que l'ultime lettre de Miriam n'était qu'un faux ? Ou bien que deux semaines après sa disparition elle était encore en vie, et en compagnie de Victor Gibbs, lorsqu'elle l'avait écrite ?

Dans un cas comme dans l'autre, il fallait que Claire le retrouve.

1

Munir, le voisin de Benjamin, était un opposant déclaré à la guerre. La guerre n'avait pas encore commencé, mais tout le monde en parlait comme si elle était inévitable, et on était forcément pour ou contre. À vrai dire, presque tout le monde était contre, semblait-il, à part les Américains, Tony Blair, la plupart de ses ministres, la plupart de ses députés et les conservateurs. Sinon, tout le monde trouvait que c'était une très mauvaise idée, et on ne comprenait pas pourquoi on en parlait soudain comme si c'était inévitable.

Une seule personne semblait ne pas avoir d'opinion bien arrêtée pour ou contre la guerre : Paul Trotter. Ce qui n'était pas dénué d'ironie, puisque régulièrement il était grassement payé par plusieurs quotidiens nationaux pour exprimer son opinion à ce sujet. Le premier de ces articles, intitulé « Je m'interroge sérieusement : faut-il vraiment faire la guerre à l'Irak ? », avait paru en novembre dans le *Guardian*. Il avait été suivi par d'autres textes similaires publiés dans le *Times*, le *Telegraph* et l'*Independent*, tous exprimant la même interrogation, non moins sérieuse, quant à la légitimité morale d'une telle guerre, à sa conformité au droit international, et à son opportunité politique. On y voyait Paul se débattre avec sa conscience en termes torturés, tout en s'arrangeant in extremis pour ne jamais dire à ses lecteurs ce qu'ils désiraient savoir par-dessus tout : pensait-il ou non que cette guerre soit une bonne idée ? Il se gardait bien d'attaquer directement Tony Blair, ou de le décrire autrement que comme un homme de principes et un admirable chef de guerre potentiel. La plupart des commentateurs (notamment Doug Anderton) n'avaient pas manqué non plus de remarquer que, lors des deux votes sur le sujet à la Chambre des Communes, Paul avait obéi aux consignes de son parti et apporté son suffrage au gouvernement. Et pourtant, apparemment, il continuait de s'interroger sérieusement. Et il tenait à ce que les lecteurs le sachent.

« Tu as vu ça ? » demanda Munir en entrant chez Benjamin (la porte était ouverte) par un beau soir du début décembre. Il brandissait un exemplaire du *Telegraph*, qui avait demandé à Paul de réitérer son numéro de funambule. « Ton frère est toujours assis entre deux chaises. Je me demande comment il arrive à faire passer ça. C'en est comique.

— Je suis au téléphone, Munir, dit Benjamin en mettant une main sur le combiné. Le moment est mal choisi.

— Ça ne fait rien, dit Munir en s'installant sur le canapé, le moins cher et le moins confortable de la gamme Ikea. Je peux attendre. »

Benjamin soupira et passa dans la chambre. Il aimait bien son voisin et ne voulait pas le froisser. Munir était un Pakistanais quinquagénaire qui travaillait au bureau d'informations de la municipalité ; comme Benjamin, il vivait seul, et il avait pris l'habitude de monter presque tous les soirs pour prendre le thé et parler politique, son sujet favori. Parfois ils regardaient la télé ensemble :

Munir n'avait pas de poste — accusant la télévision britannique d'être corruptrice et décadente —, ce qui l'obligeait à venir souvent chez Benjamin pour la regarder pendant des heures. La petite maison où Benjamin avait emménagé huit mois plus tôt ne comprenait que leurs deux appartements, et chacun en était venu à apprécier la compagnie de l'autre.

« Excuse-moi, Susan, chuchota Benjamin en refermant la porte de la chambre.

— C'est pas grave; d'ailleurs, je dois te laisser. Les filles n'ont pas encore pris leur bain et il est presque huit heures. En tout cas, merci de m'avoir écoutée, Ben. Tu dois en avoir marre de cette vieille vache pathétique qui t'appelle tous les soirs.

— Tu n'as rien de pathétique, tu n'as rien d'une vache, et *surtout* tu n'es pas vieille », protesta Benjamin.

Susan éclata de rire. « Ouais, je sais... mais c'est l'effet que je me fais, des fois, à cause de ton frère.

— Il est juste débordé, Susan. Je sais qu'on t'a déjà dit ça — pas seulement moi, tout le monde —, mais je suis sûr qu'il n'y a rien d'autre. »

Il raccrocha et regagna le salon.

« Salut, Munir. En fait, j'allais sortir.

— Oh. Bon, d'accord. Tant pis. J'espérais bavarder un peu. Ça ne t'embête pas que je reste une petite demi-heure pour regarder les infos ?

— Pas de problème, dit Benjamin en empochant ses clefs et en enfilant son gros manteau. Mais surtout, ne zappe pas. Je sais qu'un rien suffit pour te choquer. »

Ce conseil ne provoqua pas le sourire escompté. Munir n'aimait pas qu'on le taquine. En cherchant des yeux la télécommande, il demanda :

« C'était encore Susan, au téléphone ?

— Oui, dit Benjamin en boutonnant son manteau.

— Sale affaire. Ton frère la néglige. Elle va finir par prendre un amant, s'il ne fait pas plus attention.

— Honnêtement, je crois qu'elle n'en a ni le temps ni l'envie. Pas avec deux gamines dans les pattes. Elle a juste besoin d'une conversation d'adultes de temps en temps. »

Munir secoua la tête d'un air réprobateur et alluma la télé. Au bout de quelques secondes, absorbé par la litanie des titres sur Channel 4, il avait oublié la présence de Benjamin. Lequel sourit et descendit l'escalier, affrontant les rues glaciales de Moseley pour prendre le bus 50A vers le centre-ville.

*

Philip était en retard, mais Steve Richards les attendait déjà au Glass & Bottle, devant une pinte de bière blonde. C'était la troisième fois qu'ils se retrouvaient ainsi, le deuxième jeudi du mois, depuis que Steve et sa famille étaient revenus s'installer à Birmingham. Ils n'avaient pas tardé à en faire un rituel, qu'ils attendaient tous avec impatience.

« Il y a quinze jours, j'ai vraiment fait une connerie, dit Steve en rapportant du comptoir une Guinness pour Benjamin. J'ai revu Valerie.

— Valerie ? Mazette ! Ça nous rajeunit pas, hein ? Comment ça s'est fait ?

— Par *AmisRetrouvés*, bien sûr. »

Ils trinquèrent, et Benjamin but une grande lampée noire et crémeuse.

« Je ne sais pas... commença Steve. On a beau savoir que c'est pas une bonne idée, on ne peut pas s'en empêcher. Sur le moment, chaque étape paraît bien innocente, jusqu'à ce qu'on s'aperçoive qu'on est allé trop loin. Le pire, en y repensant, c'est le nombre de fois où j'ai menti à Kate. Et menti sans raison. Écoute ça : un soir, je suis allé sur le site alors que soi-disant j'avais du boulot. Mensonge numéro un. Deux ou trois jours plus tard, j'ai reçu un mail de Val, et j'étais en train de le lire quand Kate est entrée dans le bureau, alors je l'ai effacé tout de suite en disant que c'était un spam : mensonge numéro deux. Et puis je lui ai raconté que j'allais dîner avec mes nouveaux collègues : mensonge numéro trois. Et comme en rentrant elle m'a posé des questions sur eux, j'ai dû tout inventer : leurs noms, leurs vies, les sujets de conversation... Mensonges numéros quatre à vingt-sept. Et tout ça pour quoi ? Valerie et moi, on s'est contentés de passer une heure et demie dans un pub à se raconter mutuellement combien on était heureux en ménage et amoureux fous de nos partenaires. Et pour ça, il a fallu que je mente à ma femme ? C'est absurde. Absurde. Quel gâchis.

— Tu ne vas quand même pas la revoir ?

— Oh, non, je ne crois pas. »

Benjamin sirota sa Guinness en repensant à ses rendez-vous secrets avec Malvina, qui avaient débuté trois ans plus tôt, et qui avaient marqué le début de la fin de son mariage. Mais il savait que le cas de Steve était différent.

« Écoute, dit-il, à ta place, j'éviterais de me torturer. Je sais ce que Valerie a représenté pour toi. C'était la première, hein ? Ce genre de choses, ça ne s'oublie jamais, ça ne s'efface jamais. Alors si tu as l'occasion — si tu te *donnes* l'occasion — de revenir sur les lieux du passé, de les revoir et de comprendre que tu n'y as plus ta place, personne ne peut te le reprocher. Tu as besoin de boucler la boucle. Comme tout le monde. Car c'est bien de ça qu'il s'agit, je crois.

« — Et Cicely et toi, alors ? Est-ce que tu as réussi à boucler la boucle ? »

Benjamin réfléchit longuement, intensément, avant de répondre enfin : « Disons que je n'y pense plus. On va le dire comme ça.

— Ce n'est pas la même chose. »

Mais Benjamin n'allait pas se laisser entraîner sur ce terrain. Il abreuva donc Steve de questions sur son emménagement : est-ce que la famille se sentait dans ses meubles ? est-ce que Kate trouvait ses repères dans cette ville inconnue ? est-ce que les filles aimaient leur nouvelle école ? Il lui demanda quel effet ça faisait d'être de retour dans sa ville natale, et Steve répondit : « Tu sais quoi, Ben ? C'est vraiment génial d'être de nouveau à Birmingham. C'est tout ce que je peux dire. Ne me demande pas pourquoi, mais c'est *vraiment... carrément... génial.* » Ils trinquèrent de nouveau, et Steve lui expliqua qu'il avait été triste de quitter la petite entreprise de Telford, dont les patrons lui avaient donné tant de liberté pour poursuivre ses recherches. Mais il ne regrettait pas sa décision. Il fallait aller de l'avant, mettre la barre plus haut. L'entreprise qu'il venait de rejoindre, Meniscus Plastics, avait un grand service Recherche et Développement en plein essor, aux laboratoires extrêmement bien équipés, installés dans l'usine de Solihull. Elle avait aussi un nouveau PDG très dynamique, nommé depuis un an à peine, qui lui promettait un avenir radieux. Bref, jamais les perspectives n'avaient semblé aussi favorables.

*

Philip arriva à neuf heures et demie passées, tout juste rentré de Londres, rouge d'excitation. Il était venu directement de la gare. Il avait sa mallette avec lui et insista pour la garder sur ses genoux, à croire qu'elle contenait un objet infiniment précieux et qu'il craignait qu'on ne la lui vole s'il la posait par terre.

« Il y a un truc que je voulais te demander, Steve, dit-il après avoir avidement englouti d'une traite presque toute sa pinte de blonde. Tu as encore ta médaille de saint Christophe ? Celle que Valerie t'avait offerte ? »

Benjamin et Steve échangèrent un regard surpris et complice.

« On parlait justement d'elle avant que tu arrives, expliqua Benjamin. C'est une soirée nostalgie.

— Bien sûr que je l'ai encore, répondit Steve. Cachée quelque part au fond d'un tiroir. C'est pas le genre de truc qu'on exhibe devant sa femme et ses gosses. Pourquoi tu me demandes ça ?

— Parce que j'ai réfléchi à ce qui s'était passé au lycée. On croyait tous que c'était Culpepper qui te l'avait piquée, pour te déstabiliser le jour du concours d'athlétisme.

— C'est sûrement le cas. C'était un vrai salopard, non ? »

Tous trois burent en silence. Steve et Benjamin se demandaient où il voulait en venir. Philip finit par dire :

« Tu te rappelles ce qui est arrivé l'année d'après ?

— De quoi tu parles ?

— Du jour où on a passé l'examen.

— Bien sûr que je me rappelle. Ce connard m'a drogué. Il m'a fait boire un truc juste avant l'examen de physique.

— Exactement. On était tous enfermés dans la même salle. Toi, moi... Doug... Tu te souviens s'il y avait quelqu'un d'autre ? »

Steve secoua la tête. « C'est tellement loin... J'ai

oublié les noms de la moitié des gens de la classe. » Il leva son verre, puis se figea. « Ah, ouais... Sean était là, ça me revient. Sean Harding.

— Exactement. » Philip se pencha vers eux. « Maintenant, réfléchis, Steve. Rappelle-toi ce qui est arrivé. Culpepper a découvert ta médaille dans la boîte des objets trouvés, et on s'est massés autour pour jeter un coup d'œil. Et on a toujours pensé qu'il l'avait fait exprès, pour créer une diversion et pouvoir verser un truc dans ton thé. Pas vrai? Mais pense à ce qui s'est passé *ensuite*. »

Steve resta inexpressif. « Non. Je ne vois pas.

— Sean nous a fait une de ces blagues dont il avait le secret. Tu te rappelles? Il a demandé à un gamin des petites classes de lancer un papier par la fenêtre. Culpepper et toi, vous avez cru que c'était le sujet de l'examen, et vous vous êtes disputé le papier. Un vrai corps à corps. Et bien sûr, ce n'était pas le vrai sujet d'examen. Sean avait monté ça de toutes pièces, et pendant que vous étiez occupés à vous castagner il était là, assis, avec un sourire jusqu'aux oreilles. En train de tapoter sa tasse avec...

— Avec sa *bague*! Sa chevalière. Ouais, ça me revient. » Mais ce souvenir ne le fit pas sourire. Il s'était lassé des facéties de Harding bien avant les autres élèves de King William. Il ne lui avait jamais vraiment pardonné d'avoir joué, même pour rire, le rôle d'un porte-parole du National Front. « Quel rapport?

— Eh bien, si c'était *ça* la véritable diversion? Et si Culpepper n'avait rien à voir là-dedans?

— Quoi... ce serait Sean qui m'aurait drogué? Pourquoi il ferait une chose pareille?

— O.K. » Philip ouvrit sa mallette et en retira une enveloppe A 4, qu'il posa sur la table. « Maintenant, je vais te montrer quelque chose. Ça a à voir avec le CD que tu m'as donné. »

Il sortit de l'enveloppe deux photos noir et blanc et en fit glisser une vers Steve, gardant l'autre soigneusement dissimulée.

« À Londres, il y a une revue qui surveille les faits et gestes de l'extrême droite. Quand je voulais écrire mon livre, ils m'ont beaucoup aidé. Ils m'ont proposé des doubles de toutes leurs photos. Je ne les avais jamais pris au mot, jusqu'à ce que Benjamin fasse une découverte dans le Dorset... il t'en a parlé ? »

Steve secoua la tête.

« Bon, il t'expliquera plus tard... Bref, ça m'a fait gamberger. J'ai décidé de retourner voir leurs archives photos. C'est là-bas que j'étais aujourd'hui. Alors, qu'est-ce que vous dites de ça ? »

Le cliché montrait quatre skinheads debout autour d'un bureau dans une pièce anonyme et pauvrement meublée, fixant l'objectif d'un regard mort, comme s'ils cherchaient la bagarre. Au bureau trônait un homme obèse en tee-shirt et *bomber*, arborant un rictus ridicule et brandissant un stylo.

« C'est qui, ces mecs ? demanda Steve.

— Les quatre musiciens prodiges. Unrepentant : la formation originale, hélas dispersée. Et lui, c'est Andy Watson, ex-patron de ce merveilleux label indépendant qu'était Albion Resurgens, et actuellement candidat du BNP aux élections municipales, dans l'East End, je crois. La vraie question étant : qui est le *sixième* homme ? »

Steve regarda de plus près. « Il n'y a personne d'autre.

— Essaie encore. »

Il prit la photo et l'examina en détail, le nez dessus.

« Je suppose qu'ici, ça pourrait être un bras.

— Exactement. » Philip reprit la photo et la montra à Benjamin. « Tu vois ? C'est là. Il y a quelqu'un d'autre, bord cadre. Appuyé contre le bureau. »

Il s'interrompit, cabotin, ménageant le suspense.

« C'est qui ? finit par demander Steve.

— Je ne peux pas l'affirmer avec certitude. Mais j'ai fait faire un agrandissement. Et ça va peut-être nous fournir un indice. »

Il dévoila le second cliché, qui montrait un détail du premier — un bras d'homme détaché du tronc — grossi dix ou douze fois. Steve et Benjamin se penchèrent pour regarder ce bras, la manche noire légèrement élimée d'un costume sans doute usé, la chair pâle de la main, les doigts longs et fins ; et au médius, une bague. Une bague qu'ils reconnurent aussitôt. C'était celle que Harding avait achetée jadis dans une brocante de Birmingham, tant d'années plus tôt : la chevalière avec laquelle il avait frappé d'innombrables lettres et articles du *Bill Board* du sceau soi-disant noble et vénérable des Pusey-Hamilton.

Rhapsodie Norfolk nº 1

HIVER

« *Rhapsodie Norfolk* n° 1, ça s'appelle, dit le chauffeur de taxi. De Ralph Vaughan Williams. C'est joli, hein ? J'ai entendu ça sur Classic FM, alors j'ai acheté le CD. Vous voulez que je monte le son ?

— Non merci », dit Paul. S'il avait posé la question, c'était uniquement parce que, la semaine précédente, il avait été interviewé pour l'*Independent* par une perfide jeune femme qui avait ensuite conclu son portrait par : « Il paraît vivre dans une bulle d'égocentrisme complètement hermétique, et il est profondément incapable de s'intéresser aux autres. »

Mais à présent le chauffeur était lancé, et il n'y avait apparemment aucun espoir de l'arrêter.

« Vous connaissez un peu sa musique ? C'est vachement beau. Ils en passent souvent sur Classic FM. Il a fait un morceau qui s'appelle "L'Envol de l'alouette", et c'est carrément fantastique. Il est sur le CD, d'ailleurs, c'est la prochaine plage. Quand le violon se met à jouer, on *voit* vraiment l'oiseau partir dans le ciel : sérieusement, on le voit. Quand j'entends ça, il suffit que je ferme les yeux pour me retrouver dans les Downs. Dans la vieille maison de ma mère. C'est de là-bas que je viens, vous voyez. Enfin, quand je dis que je ferme les yeux, c'est juste une métaphore, hein ? Si je fermais les yeux en conduisant, ça serait la mort, pas vrai ? Mais j'ai besoin de quelque chose pour me calmer les nerfs, quand je roule dans Londres, par les temps qui courent. C'est pas Dieu possible, cette putain de circulation. J'ai besoin de quelque chose pour me détendre, sinon je pète les plombs. Si j'étais chez moi, je me prendrais un petit verre ou deux de chiraz australien, vous savez, quelque chose de fruité, de velouté. Mais bon, je peux quand même pas me bourrer la gueule quand je conduis, pas vrai ? »

*

49
PAUL TROTTER, DÉPUTÉ
Sa carrière est en plein essor depuis sa réélection il y a deux ans. Ses nombreuses interventions à la radio et à la télévision en ont fait l'un des visages les plus familiers du néotravaillisme, et ses costumes sont de plus en plus tendance à chacune de ses apparitions. Sa Commission pour les initiatives financières et sociales n'a pas encore rendu son rapport, mais ses conclusions devraient renforcer sa position dominante au sein de l'aile droite du parti.

Paul Trotter porte : Costume Kilgour fait sur mesure (à partir de 2 300 £), chemise blanche en coton peigné Alexander McQueen (170 £).

(*Extrait du dossier : « Les 50 Hommes les plus tendance d'Angleterre »,
décembre 2002*)

*

En descendant du taxi, Paul vit une double haie de photographes (une bonne douzaine) devant le restaurant, encadrant l'allée qu'il allait devoir emprunter. Il ne manquait plus que le tapis rouge. Tandis que le taxi redémarrait, il rajusta sa cravate et sa coiffure. Puis il s'avança, soudain embarrassé, aspirant à la grâce féline d'un top model sur les podiums, mais bizarrement convaincu que ses bras et ses jambes étaient affectés d'un balancement autonome, d'un manque de coordination qui parodiait sa démarche normale. Il adressa des sourires à gauche et à droite, de peur de passer pour un novice. Mais il avait tort de s'inquiéter. Aucun des paparazzi ne prit la peine de brandir son appareil sur son passage, et la nuée de flashes qu'il attendait ne se concrétisa pas. Alors qu'il atteignait la porte, une limousine blanche s'arrêta derrière lui et un très jeune couple en surgit : l'homme arborait une barbe de trois jours artistement sculptée et des lunettes noires enveloppantes, la femme une robe à l'existence purement virtuelle, qui semblait confectionnée à partir de trois minuscules mouchoirs de mousseline rattachés tant bien que mal par quelques bouts de ficelle. Paul ne savait absolument pas de qui il s'agissait, mais leur apparition provoqua une émeute parmi les photographes, et dans la bousculade et le feu d'artifice des flashes il faillit se retrouver par terre. Il frictionna son coude endolori et disloqué et salua d'un sourire gêné l'immense et dédaigneux vigile qui lui ouvrit la porte en verre et lui fit signe d'entrer.

Paul connaissait le restaurant, situé à l'angle de Kingsway et d'Aldwych, où il déjeunait souvent avec des journalistes : ils échangeaient des propos informels et officieux et savouraient de la quiche au steak et aux huîtres ou de la terrine de coq de bruyère. Mais ce soir, l'endroit était méconnaissable. On avait retiré les tables, et les murs étaient couverts de posters ornés du logo du magazine, souhaitant la bienvenue aux « 50 Hommes les plus tendance d'Angleterre ». On avait tamisé la lumière, à tel point que les invités devaient gagner le bar à tâtons à travers les ténèbres souterraines. Le son, en revanche, avait été monté au maximum, mais malgré tout ce raffut, impossible de reconnaître la musique : Paul ne percevait qu'une grosse caisse obsédante et une ligne de basse robotique et lancinante dont la palpitation féroce lui ébranlait les os. Il espérait, contre toute raison, qu'il ne tarderait pas à repérer quelqu'un de sa connaissance. Mais dès qu'il voulut se frayer un passage parmi les grappes d'invités hurlants, il comprit non seulement qu'il ne risquait guère de rencontrer le moindre membre de son cercle social ou politique, mais que dans le cas contraire il n'aurait aucune chance de l'identifier. S'il ne voulait pas passer la soirée dans un isolement humiliant, il faudrait qu'il s'incruste dans l'un des petits groupes soudés et exclusifs qui déjà se formaient autour de lui. Mais comment y parvenir ? Et d'abord, qui étaient tous ces gens ? La plupart faisaient dix ans de moins que lui. Les hommes étaient plus à l'aise, plus fringants, les femmes avaient les cheveux blonds, une robe noire moulante et l'air belles et blasées. Presque tous devaient travailler de près ou de loin pour le magazine. Y avait-il parmi eux le rédacteur en chef ? Il avait écrit à Paul pour le féliciter en personne de figurer sur la liste. C'était un prestigieux magazine de luxe qui s'adressait à un lectorat masculin, jeune et friqué, et Paul aurait aimé remercier le rédacteur en chef, ce qui lui aurait fourni un prétexte pour engager la conversation. Mais il ignorait complètement à quoi il pouvait bien ressembler.

Paul avait un plan B, sur lequel il espérait ne pas avoir à se rabattre : discuter avec Doug Anderton. Doug figurait également sur la liste, et bien plus haut que Paul : il occupait une cuisante (pour Paul) vingt-troisième place.

Mais pour l'heure, il était introuvable. Peut-être qu'il n'avait même pas pris la peine de venir.

Paul gagna le bar et s'arma de champagne. On pouvait en boire à volonté, mais quelqu'un avait eu la brillante idée de le faire servir en gobelets, avec une paille. C'était immonde. Paul balança sa paille par terre et regarda autour de lui avec une détresse croissante.

Il finit par jeter son dévolu sur un quinquagénaire à cheveux gris ondulés et à lunettes d'écaille, debout dans un coin avec une femme qui était sûrement son épouse. Elle arborait une permanente stricte, et son tailleur avait l'air de venir de chez Marks & Spencer. Tous deux semblaient égarés, et franchement horrifiés par la situation. Quand même, se dit Paul, ça ne pouvait pas être l'un des cinquante hommes les plus tendance d'Angleterre ? On aurait dit un receveur des postes d'un trou perdu en rase campagne, monté à la grande ville avec bobonne en voyage organisé : ils avaient dû perdre le reste du groupe et entrer ici par erreur en croyant assister à une représentation de *Cats*.

Paul n'en décida pas moins de tenter sa chance.

« Paul Trotter, dit-il en tendant la main à l'homme grisonnant. Numéro quarante-neuf.

— Ah. Ravi de faire votre connaissance. » L'homme lui serra chaleureusement la main. « Professeur John Copland. Université d'Édimbourg. Numéro dix-sept. »

Dix-sept ? Paul était abasourdi.

« Vous nous sauvez la vie, dit la femme du professeur Copland. On n'est vraiment pas dans notre élément. »

Le professeur Copland se révéla être l'un des plus grands généticiens britanniques, et l'auteur de plusieurs best-sellers de vulgarisation scientifique. Malheureusement, Paul n'avait jamais entendu parler de lui, et ne connaissait à peu près rien à la génétique, si bien que la

405

conversation — qu'ils parvinrent à faire durer près d'une demi-heure, au prix d'efforts considérables des trois par ties en présence — se cantonna à des généralités. Le professeur et sa femme étaient curieux de connaître l'opinion de Paul sur l'invasion imminente de l'Irak : bien qu'ayant lu ses articles successifs, ils étaient un peu déconcertés, et ne savaient pas trop s'il était pour ou contre la guerre. Il ne fut guère en mesure de les éclairer. Pour la première fois, à vrai dire, sa loyauté envers la direction du parti se trouvait ébranlée, mais il était incapable de l'avouer, en public ou en privé. D'un côté, il éprouvait une allégeance inconditionnelle envers le parti auquel il devait d'avoir été élu en 1997 ; de l'autre, ses instincts politiques (et même moraux) les plus élémentaires lui suggéraient que cette aventure était périlleuse et malavisée, que les justifications invoquées étaient hypocrites, qu'une telle guerre bafouait le droit international et risquait d'alimenter le terrorisme au lieu de le prévenir. Il ne comprenait pas pourquoi le Premier ministre, auquel par ailleurs il vouait une confiance absolue, se rangeait si farouchement à une telle initiative. Cela le rendait perplexe ; et dans le cas de Paul, rien n'était plus déstabilisant. Il n'aimait pas la perplexité. Il aimait les certitudes.

« Eh bien, nous avons été ravis de faire votre connaissance », dit Mme Copland après un silence plus long que les autres, qui indiquait clairement que tous les sujets de conversation possibles avaient été épuisés. Le regard de son mari se faisait vitreux. « On ferait mieux d'y aller. On n'a pas vraiment notre place ici.

— Ce fut un plaisir », dit Paul en agitant la main. Après leur départ, de nouveau réduit à épier les conversations en rôdant aux abords de groupes de jeunes fort peu accueillants, il se sentit complètement désemparé.

Il fut sauvé quelques secondes plus tard par une apostrophe inattendue.

406

« Vous êtes bien Paul Trotter ? »

Il se retourna vers un homme qu'il ne reconnut pas, sinon très vaguement. Son travail lui faisait rencontrer des centaines de gens par semaine, et cet homme aurait pu être n'importe lequel d'entre eux. Il devait avoir un peu plus de trente ans, et arborait un bouc et un crâne rasé qui cachait peut-être un début de calvitie.

« Bonjour, dit Paul d'une voix mal assurée. Excusez-moi, je ne suis pas sûr de... »

L'homme se présenta : ils s'étaient rencontrés trois ans plus tôt, à l'époque où il produisait un jeu télévisé. Cette émission avait marqué les débuts cathodiques, fort peu prometteurs, de Paul ; mais l'un comme l'autre avaient fait du chemin depuis. Pour sa part, il dirigeait aujourd'hui une boîte de production indépendante qui pouvait s'enorgueillir de deux sitcoms à succès — l'une sur Channel 4, l'autre sur BBC 2 —, sans compter une demi-douzaine encore au stade du développement. C'est sur la foi de ces prouesses que le magazine l'avait sacré quatorzième homme le plus tendance d'Angleterre.

« Je suis le numéro quarante-neuf », dit Paul d'un ton lugubre. De minute en minute, ce classement perdait de son prestige. Il aurait été soulagé de rencontrer le numéro cinquante, mais avait oublié de qui il s'agissait.

« Vous êtes tout seul ce soir ? lui demanda le producteur.

— Oui, avoua Paul. Susan aurait bien aimé venir — c'est ma femme — mais... Avec les gosses, vous comprenez. »

Le producteur opina du chef. Il ne comprenait pas, n'ayant pas d'enfants. D'ailleurs, Paul avait menti ; il n'avait pas dit à Susan qu'il allait à cette soirée. Il avait préféré inviter la perfide jeune femme de l'*Independent*, mais elle n'avait répondu à aucun de ses mails.

« Un peu bruyant, non ? dit le producteur. Et Dieu sait qui sont tous ces gens.

— C'est insupportable, convint Paul. Je crois que je ne vais pas tarder à m'esquiver. Aller manger un morceau. » Se raccrochant à cette dernière planche de salut — car la perspective menaçante de dîner seul au restaurant ou de rentrer chez lui et de commander une pizza lui semblait au-dessus de ses forces —, il ajouta maladroitement : « Ça ne vous dirait pas de vous joindre à moi, par hasard ? Apparemment, on est les seuls à être venus en célibataires. Autant serrer les rangs.

— C'est très gentil, répondit le producteur, mais en fait, je suis avec quelqu'un. »

Et c'est alors que sa compagne revint des toilettes et apparut à ses côtés.

*

Paul n'aurait pas cru possible que Malvina soit encore plus maigre que dans son souvenir. Et encore plus pâle. Elle avait agrémenté de quelques mèches rousses ses cheveux noirs, et elle avait sous les yeux des lunes noires de mascara qui lui donnaient l'air décavé. Elle portait une robe de chiffon noir qui dévoilait des fragments de sa minceur laiteuse. Dans ses yeux, pendant la première fraction de seconde, il vit un éclair de panique, aussitôt réprimé. Elle se racla la gorge et prit une pose étudiée et stricte, serrant son sac des deux mains contre sa taille.

« Salut », dit-elle sans trahir la moindre émotion ; puis elle se tourna vers le producteur, qui les étudiait non sans curiosité. « On a travaillé ensemble quelque temps, Paul et moi. Tu te souviens ?

— Ah, oui, fit-il. C'est vrai.

— Je voudrais encore un peu de champagne », lança-t-elle, abruptement.

Le producteur acquiesça et, après avoir proposé à Paul de le resservir, partit au bar chercher trois verres. Il avait l'air habitué à obéir ainsi.

« Alors, dit Malvina lorsqu'ils furent seuls parmi la foule de plus en plus bruyante, de plus en plus ivre. Comment ça va ? » Sa voix demeurait d'une absolue froideur.

« Bien, dit Paul. Ça va plutôt bien. » Puis il demanda : « Tu savais que je serais là ce soir ? »

Malvina secoua la tête. « Alors comme ça, tu es sur la liste ? »

Paul opina.

« Bravo.

— Merci. »

Il y eut un long silence. « J'ai appris que tu avais eu une deuxième fille.

— Oui, c'est vrai. Elle va avoir deux ans en avril. C'est incroyable comme le temps passe vite.

— Susan est là ?

— Non. Non, elle n'est pas là. » Paul la scruta, essayant de déchiffrer son expression. En vain. « J'ai beaucoup pensé à toi », dit-il.

Pour la première fois, elle le regarda dans les yeux. « Vraiment ? »

Il hocha la tête.

« Tu ne m'as jamais contactée, dit-elle d'un ton calmement accusateur.

— Tu me l'avais défendu. Je t'ai prise au mot. Tu m'avais dit, lui rappela-t-il, qu'on ne pourrait pas redevenir amis tant que... qu'on ne se serait pas détachés l'un de l'autre. » Malvina détourna les yeux. « Tu crois qu'on en est là ? »

Elle secoua la tête. « Non. Je ne crois pas. »

Paul médita cette réponse : il ne s'y attendait pas, et du coup ils n'avaient plus grand-chose à se dire.

« Finalement, marmonna-t-il, c'est un peu décevant, cette soirée. À vrai dire, j'allais partir. »

Et c'est alors que Malvina lui dit quelque chose de plus inattendu encore. « Je t'accompagne. »

Le bruit ambiant parut s'effacer, les laissant seuls au monde : comme s'ils étaient subitement replongés dans le même isolement, le même silence absolu, que le jour où ils s'étaient vus pour la dernière fois, au centre du cercle millénaire formé par les Pierres levées de Rollright.

« Mais... » Paul lança un regard vers le producteur, calé au bar, en train de badiner avec deux de ces jeunes femmes qui travaillaient (ou ne travaillaient pas) pour le magazine.

« Il s'en remettra », dit Malvina ; et, prenant Paul par le bras, elle l'entraîna vers le vestiaire.

En l'aidant à enfiler son manteau, il prit la liberté de caresser fugitivement ses épaules décharnées ; et, si éphémère que soit ce contact, il la sentit se pencher vers lui, comme sous l'effet d'une force magnétique. Il sut aussitôt que le long silence qui les avait séparés n'avait été qu'une aberration, une grotesque erreur. Et il sut avec une absolue certitude qu'ils coucheraient ensemble ce soir-là.

*

Une seule personne vit Paul partir avec Malvina : Doug Anderton. Seul, adossé à un mur, il rédigeait mentalement les premières phrases de son article dominical.

Il ne cherchait pas spécialement Paul, tout en sachant qu'il devait être dans la salle. Son regard était fixé sur une scène qui se déroulait tout près de l'entrée, où le jeune couple arrivé juste après Paul dans une limousine blanche monopolisait journalistes et photographes. Ce couple que Paul n'avait pas reconnu avait participé l'année précédente à l'émission de téléréalité la plus populaire de Grande-Bretagne. Pendant des semaines, le public s'était demandé s'ils finiraient par coucher ensemble sous l'œil des caméras. Les tabloïds avaient consacré à ce sujet des dizaines de colonnes. Ni l'un ni l'autre n'avait de talent, ni d'intelligence, ni d'éducation, ni même de personnalité. Mais ils étaient jeunes et beaux, plutôt élégants, et ils étaient passés à la télé, et c'était suffisant. Et c'est ainsi que les photographes persistaient à les mitrailler, les journalistes à tenter de leur faire dire quelque chose d'accrocheur ou d'amusant (ce qui n'allait pas de soi, car ils n'avaient pas d'esprit non plus). Et pendant ce temps, remarqua Doug, à deux pas, attendant que sa femme revienne des toilettes, se tenait le professeur John Copland : le plus grand généticien britannique, l'un des scientifiques les plus lus, régulièrement cité parmi les nobélisables. Mais personne ne le prenait en photo, personne ne lui demandait de commentaire. Il aurait pu tout aussi bien être un chauffeur de taxi sur le point de reconduire un invité. Et aux yeux de Doug, cette scène résumait si parfaitement tout ce qu'il avait à dire sur l'Angleterre de 2002 — la *superficialité* obscène de sa vie culturelle, le triomphe grotesque du vernis sur le contenu, tous ces clichés qui en l'occurrence n'étaient des clichés que parce qu'ils étaient vrais — qu'il éprouvait un plaisir pervers à y assister.

Doug regarda l'éminent professeur attendre patiemment, deux manteaux sur le bras, et regarda le couple de *people* se vautrer dans sa gloire passagère, aussi fasciné, à sa manière, que les journalistes de tabloïds qui tentaient désespérément de leur arracher une phrase intéressante. Comme il essayait de graver dans sa mémoire le moindre détail de la scène, ce fut tout juste s'il remarqua, du coin de l'œil, Paul Trotter et Malvina en train de quitter le restaurant, enlacés, dans un halo d'intimité autarcique. Quoique, à y bien réfléchir, ça aussi, c'était intéressant.

9

Munir était d'une nature inquiète. La liste de ses sujets d'inquiétude était virtuellement infinie : la santé de ses frères et sœurs, par exemple, ou bien encore l'insuffisance de sa retraite complémentaire, ou les menaces de licenciement à son travail, ou la tache d'humidité au-dessus de la fenêtre de la salle de bains, ou le craquement de ses articulations chaque fois qu'il se relevait après la prière, ou le livre qu'il aurait déjà dû rendre à la bibliothèque et qui restait introuvable, ou le réchauffement de la planète. Mais en l'occurrence — en cette troisième semaine de décembre 2002 — il avait deux sujets d'inquiétude supplémentaires : la quasi-certitude d'une guerre, et la santé mentale de Benjamin.

« Ce pays est devenu fou, lui dit-il un soir pendant les pubs qui interrompaient le journal d'ITN. Et toi aussi, si tu veux mon avis. Pourquoi tu as vendu tout ce matériel dont tu étais si fier ?

— Parce que j'ai besoin d'argent », répondit Benjamin.

Il partit dans la cuisine mettre de l'eau à bouillir. Munir lui emboîta le pas.

« Mais du coup tu ne vas pas pouvoir finir ton livre.

— Le *livre*, je le finirai, corrigea Benjamin. Je me débarrasse simplement de la musique. De toute façon, ça devenait beaucoup trop complexe.

— Mais je croyais que c'était justement ça l'idée ! » Benjamin, sur le point d'allumer la bouilloire, se figea, regardant droit devant lui, le temps de trouver les mots justes. « J'ai décidé d'opter pour une simplicité radicale. »

Ils regagnèrent le salon. La table basse croulait sous les guides touristiques recensant toutes les régions du globe, de la Thaïlande à l'Alaska. Benjamin comptait partir en voyage. Le problème, c'est qu'il n'arrivait pas à se décider pour une destination : le choix était trop vaste.

« Tu te rends compte ? dit-il. Rien qu'en vendant ma réverb', j'ai de quoi me payer un voyage sur le Transsibérien. En première classe ! »

Munir émit un grognement dédaigneux. « Et qu'est-ce que tu vas faire dans le Transsibérien ?

— Regarder par la fenêtre.

— Regarder quoi ?

— Je ne sais pas... la Transsibérie, j'imagine. Mais il y a aussi Bali. L'Amérique du Sud. Les îles du Cap-Vert. Le monde est un fruit mûr qui attend d'être cueilli. »

Munir n'était pas convaincu. « Faut pas manger les fruits trop mûrs, ça donne la diarrhée. Benjamin, ne m'en veux pas de te dire ça, mais tu essaies d'échapper à toi-même. Et ça ne marchera pas.

— Je n'essaie pas d'échapper à moi-même. J'essaie d'échapper à... tout ça ! » Il désigna l'appartement, le mobilier rudimentaire, le papier peint défraîchi et la peinture écaillée. « D'échapper à Birmingham. À l'ennui. À l'échec. Où est le problème ? Il n'est que temps, tu ne trouves pas ? »

414

Munir se rassit et remonta le son de la télé. « Il vaut mieux commencer modestement, Benjamin, c'est tout ce que j'ai à dire. Faut pas avoir les yeux plus gros que le ventre. »

Ils regardèrent l'édition spéciale consacrée aux armes de destruction massive irakiennes, puis coupèrent le son au moment du journal des sports. Ni l'un ni l'autre ne s'intéressait au football.

« Ha ! s'écria Munir d'un air méprisant. Alors comme ça, les Américains ont sous les yeux un rapport de 12 000 pages, et ils sont *quand même* obligés d'admettre qu'ils n'ont aucune preuve que ces malheureuses armes existent ! Est-ce qu'il y a encore quelqu'un au monde pour ne pas comprendre que c'est une intervention purement impérialiste, qu'ils veulent simplement établir une base d'opérations au Proche-Orient et que ces armes ne sont qu'un prétexte bidon ? »

Benjamin était d'accord. « Mais qu'est-ce qu'on peut y faire ? remarqua-t-il pourtant. Une fois que ces gens sont élus, ils font ce qu'ils veulent. On est coincés. »

Munir parut plus exaspéré que jamais par cet argument. « Partout, tous les jours, j'entends dire ça ! C'est du défaitisme. De l'apathie. Et ça ne suffit pas, moi je te le dis. Tu crois qu'on ne peut pas se mobiliser, manifester, écrire aux députés, signer des pétitions ? »

— Si, on peut. Et alors ?

— Eh bien, ça a marché pour Longbridge, pas vrai ? Tu étais à Cannon Hill Park ce jour-là. Moi aussi. Ça ne nous a pas donné un élan ? Ça n'a pas changé le cours des choses ? »

Benjamin haussa les épaules. « On n'est même pas sûr que le gouvernement y ait prêté attention. Peut-être que les choses se seraient terminées de la même façon s'il n'y avait pas eu la manif. »

Il reprit la télécommande et se mit à zapper. Ils regardèrent quelques minutes d'une sitcom américaine. Elle mettait en scène quatre New-Yorkaises riches et célibataires qui déjeunaient régulièrement ensemble pour discuter des détails les plus intimes de leur vie sexuelle. Benjamin aimait bien cette série. Il n'avait jamais rencontré de femmes pareilles, et les soupçonnait fortement de n'exister que dans les rêves humides du scénariste, mais il leur enviait leur mode de vie et prenait un plaisir de voyeur à ces quelques aperçus de leur milieu interlope et privilégié. Sans compter qu'il fantasmait sur deux des actrices.

Mais il ne fallut que quelques secondes à Munir pour arborer une moue réprobatrice face à la crudité provocante des dialogues, dans les termes employés comme dans le propos. Bientôt, n'y tenant plus, il se mit à arpenter la pièce, refusant d'en entendre davantage.

« Éteins-moi ça, dit-il. C'est une honte, cette série.

— Allez! protesta Benjamin. C'est juste un divertissement inoffensif.

— Non! insista Munir. Je trouve ça incroyable! Ces femmes sont dans un endroit public et elles discutent de la meilleure manière de pratiquer une fellation, exactement comme elles parleraient tricot ou cuisine. Et l'une d'entre elles — celle-là, là-bas! — vient de reconnaître qu'elle avait couché avec cinq hommes différents en une semaine! Quel respect, quel *respect* ces femmes peuvent-elles éprouver pour elles-mêmes, pour leur corps? Qu'est-ce qui arrive à la société quand on autorise des choses pareilles sur nos écrans? Qu'est-ce qu'ils peuvent bien avoir dans la tête, les gens qui imaginent des choses pareilles? Regarde-moi ça, Benjamin! » Il s'approcha du poste et désigna du doigt l'une des héroïnes, qui faisait une démonstration de sa technique sur un goulot de bouteille. « *Voilà* ce que c'est, l'Amérique d'aujourd'hui. Un pays de dégénérés ! Pas étonnant que le reste du monde se soit mis à les mépriser ! Quelle... quelle *probité* attendre d'un pays qui se conduit ainsi ? Un pays qui professe une chose et qui fait le contraire — aux yeux de tous ! Qui prêche la religion et la morale, mais dont les femmes se comportent comme des putains. Qui oblige les autres pays à désarmer, mais qui dépense tout son argent à constituer le plus terrifiant arsenal d'armes nucléaires et conventionnelles au monde. Qui crache au visage des musulmans et qui piétine le Proche-Orient dans sa soif insatiable de pétrole pour ses bagnoles, mais qui s'étonne qu'un Oussama Ben Laden puisse exister et croire ce qu'il croit. Et c'est à ça... à *ça* que notre Premier ministre nous demande de faire allégeance. À une nation de cow-boys et de call-girls ! » Il s'affala sur le canapé, épuisé par sa propre rhétorique, et se passa distraitement la main dans les cheveux avant de conclure : « Je n'aime pas dire de gros mots, Benjamin, tu le sais, mais ce pays est complètement *niqué*. Le monde entier est niqué, putain, quand on voit ce qu'on voit. »

Benjamin chercha désespérément quelque chose à répondre. Curieusement, il avait sur le bout de la langue la phrase : « C'est un point de vue. » Mais finalement il se contenta de marmonner, pour lui-même plus que pour Munir : « Il faut que je parte d'ici, tu sais. Il faut que je parte très vite. »

*

Il décida de suivre le conseil de son ami et de commencer modestement, par étapes. Une bonne façon d'inaugurer son plan d'évasion, se dit-il, serait de passer quelques jours à Londres. Cette fois, néanmoins, il n'avait pas envie de loger chez Doug et Frankie. Il voulait échapper à tout ça, à tout ce qui lui rappelait son ancienne vie. Il voulait être seul.

Le frère de Susan, Mark, avait un appartement au Barbican Centre, qui restait inoccupé pendant ses fréquents séjours à l'étranger. Son travail pour Reuters ne lui permettait de passer que peu de temps en Angleterre : actuellement, il était à Bali pour couvrir la traque des terroristes responsables d'un attentat dans une boîte de nuit. Susan et ses filles utilisaient parfois l'appartement quand elles descendaient à Londres, et elle avait souvent proposé à Benjamin d'en profiter aussi. L'heure était venue de la prendre au mot. Il pourrait déjà y passer Noël. Tout plutôt qu'un Noël seul avec ses parents.

Il rendit visite à Susan le lendemain après-midi. Il préférait lui demander de vive voix, et d'ailleurs il adorait la compagnie de ses nièces. Il arriva en fin d'après-midi et les trouva occupées à décorer avec leur mère le sapin de Noël. Il était si lourd que Susan avait du mal à le soulever, et il allait falloir scier le pied de l'arbre pour qu'il puisse tenir sur son socle. Même Benjamin, le plus mauvais bricoleur au monde, pensait pouvoir l'aider. Il posa l'arbre par terre dans le grand salon voûté et se mit à l'ouvrage, rougissant de fierté, sous le regard admiratif des deux fillettes.

« J'avais... quelque chose... à te demander... dit-il à Susan, surpris de se sentir essoufflé au bout de trente secondes. Je me... demandais si... l'appartement de Mark... était libre... en ce moment.

— Oui, autant que je sache, répondit-elle. Pourquoi ? Tu veux y aller ?

— Je crois que j'ai besoin... de faire un break, haleta Benjamin. Je pensais aller à Londres... pour Noël. »

Il sentit sur son front quelque chose de frais et d'humide. Antonia, très gentiment, avait couru chercher dans la cuisine un chiffon mouillé avec lequel elle essuyait la sueur de son visage cramoisi.

« Ça ne devrait pas poser de problème. Enfin, on ne sait jamais où il va se trouver d'un jour à l'autre. Il m'a dit que, si la guerre éclatait, ils le rappelleraient pour l'envoyer en Irak avec les troupes britanniques. Mais pour le moment, l'appartement est libre. Le seul hic, c'est que je n'ai pas la clef. C'est Paul qui l'a.

— Paul ?

— Oui : Mark la lui a donnée en cas d'urgence ou je ne sais quoi. Je crois qu'il n'y va jamais. Tu veux que je l'appelle ?

— Ça serait super... quand tu... auras une minute.

— Je vais le faire tout de suite. »

Susan alla dans la cuisine et, après quelques coups de scie, Benjamin décida de poser son outil pour l'y rejoindre. Il avait besoin de faire une pause, même s'il n'avait scié que la moitié du tronc. Les filles restèrent dans la pièce, disposant soigneusement les décorations de Noël sur le tapis, en prévision du grand moment où elles pourraient enfin les suspendre au sapin.

« Il ne répond pas, dit Susan en raccrochant dans un soupir. J'aurais dû m'y attendre, d'ailleurs. Je n'arrive à le joindre qu'une fois sur dix. »

(En fait, Paul avait entendu sonner son portable, mais il n'avait pas décroché. Coïncidence, il se trouvait chez Mark, occupé à déboutonner prestement le chemisier de Malvina.)

Susan regarda Benjamin, le visage soudain grimaçant de douleur. « Je suis devenue une mère célibataire, Ben. Comment ça a pu m'arriver ?

419

— Pas à ce point-là, quand même! C'est vraiment l'impression que ça te fait? »

(Paul s'allongea sur le lit de Mark et Malvina s'agenouilla au-dessus de lui. Elle défit elle-même le dernier bouton et fit glisser le chemisier de ses épaules.)

« C'est encore pire, en un sens. Si j'étais mère célibataire, au moins, je pourrais chercher quelqu'un d'autre, bien que ça me terrifie. Mais pour le moment, je suis coincée dans un no man's land.

— Tu ferais peut-être mieux de le quitter, hasarda Benjamin, aussitôt conscient que ce n'était pas à lui de donner un tel conseil.

— Mais je n'ai pas *envie* de le quitter. Je n'ai pas envie de me retrouver toute seule. Je n'ai pas envie que les filles soient privées de leur père à leur âge. Et après tout, c'est moi qui ai choisi d'épouser ton frère. Parce que je l'aimais... pour des raisons absurdes et incompréhensibles. En fait, je l'aime encore. »

Elle renifla et se moucha, se détournant pour dissimuler à Benjamin ses yeux mouillés de larmes, tandis que Paul, à cent cinquante kilomètres de là, tendait la main vers les seins nus et menus de Malvina et lui caressait les tétons jusqu'à ce qu'ils durcissent.

« Il n'y a pas une autre femme, j'espère? demanda Benjamin.

— Comment tu veux que je le sache? Je ne crois pas. Il s'est montré très attentionné, ces dernières semaines. Enfin, par rapport à d'habitude. Je... je redoute que ça arrive, et en même temps, d'une certaine façon, je préférerais ça. Ça précipiterait les choses, je crois. En un sens, ça me libérerait. » Elle se moucha de nouveau. « Mais je ne suis pas sûre d'avoir *envie* d'être libérée. Qu'est-ce qui se passerait ensuite? »

Antonia apparut sur le seuil.

« Allez, vous deux ! Tout le monde est prêt pour décorer le sapin. »

Elle prit Benjamin par le bras avec un regard implorant et le ramena jusqu'au sapin, tandis que Malvina arrachait la chemise de Paul et s'attaquait à sa ceinture.

Benjamin s'aperçut que le reste du tronc était plus facile à scier, et en quelques minutes le sapin fut en place. Vint alors l'étape périlleuse consistant à enrouler les chapelets d'ampoules autour des branches. Ruth en avait déjà cassé une en marchant dessus par mégarde.

Malvina aida Paul à retirer son pantalon, qu'elle balança par terre, puis lui arracha son caleçon d'un geste avide. N'ayant plus que sa culotte, elle s'accroupit sur lui et laissa la dentelle rugueuse effleurer son sexe tendu et impatient, ondulant des hanches, puis s'appuyant contre lui.

« Qu'est-ce que tu veux mettre en premier, ma chérie ? demanda Susan à Antonia en lui ébouriffant les cheveux. Le père Noël ?

— Non, d'abord les boules. » Elle en prit une argentée et une dorée et les accrocha à deux branches différentes, concentrée, les sourcils froncés, tirant la langue. Sur ce, son père gémit de plaisir en sentant la bouche de Malvina sur son sexe, sa langue humide en parcourir la tige.

« Et toi, Ruthie ? Tu veux accrocher quelque chose ? » Comme Ruth avait l'air dubitative, Benjamin lui tendit un angelot, aux ailes pailletées légèrement tordues, et elle fit de son mieux pour le suspendre à une branche. Elle sursauta en se piquant le doigt à une aiguille de sapin.

« Attention, ma chérie ! dit Susan. C'est pointu, ces choses-là, tu sais ? »

Ruth regarda gravement son index et le suça pour

faire disparaître la douleur. Elle ne cessait de lancer à sa mère des regards solennels, comme si elle lui reprochait de ne pas encore l'avoir prévenue que le monde était un endroit dangereux. Les lèvres frémissantes, elle était au bord des larmes, mais elle se retint. Benjamin la prit dans ses bras et la serra très fort, l'embrassant sur le sommet du crâne et respirant l'odeur d'amande tiède de ses cheveux.

Paul écarta les lèvres du vagin de Malvina et y darda sa langue. Il savoura le goût âcre et salé de ses sucs brûlants. Il prit entre ses dents son clitoris gonflé et se mit à le mordiller doucement. Elle se cambra et lâcha un cri de plaisir tourmenté.

Le téléphone sonna.

Susan alla répondre dans la cuisine. « Chacune son tour, d'accord, les filles ? leur cria-t-elle. Et attention de ne pas vous piquer ! »

Elle resta absente plusieurs minutes. Benjamin et ses nièces eurent le temps d'accrocher encore quelques boules, et puis Antonia et Ruth s'en désintéressèrent, préférant se couvrir mutuellement de guirlandes. Puis elles en couvrirent Benjamin et éclatèrent de rire à sa vue, et Malvina était écartelée sur le lit comme une étoile de mer et Paul la pénétrait, et Susan apparut à la porte de la cuisine en disant : « Ben... je peux te parler une minute ?

— Bien sûr », fit-il, et il la rejoignit en se dandinant ; il pensait la faire rire en s'exhibant ainsi, la tête emmaillotée de guirlandes et couronnée d'un renne en plastique. C'était l'œuvre de Ruth. Mais Susan avait l'air sérieuse, presque inquiète.

« Tout va bien ? demanda-t-il.

— Oui, oui, tout va très bien. » Elle fit demi-tour et l'entraîna dans la cuisine.

« C'était qui ?

— C'était Emily.

— Emily ? Qu'est-ce qu'elle voulait ?

— Eh bien, à vrai dire, elle avait une bonne nouvelle à annoncer. Du moins, j'espère que tu considéreras ça comme une bonne nouvelle. »

Benjamin attendit, silencieux, suspendu à ses lèvres. Enfin Susan lui expliqua :

« Elle est enceinte. »

Il ne savait pas quoi dire. La radio dans la cuisine, remarqua-t-il, passait le troisième motet de Noël de Poulenc. Lentement, il ôta de son crâne le renne en plastique et se mit à dérouler la guirlande.

Benjamin disparut peu avant Noël. Il ne donna aucune explication à son ami et voisin, ce qui poussa Munir à se demander s'il ne l'avait pas blessé en se lançant dans sa diatribe contre les valeurs de l'Occident. Mais il n'arrivait pas à croire que ce soit là la vraie raison du départ de Benjamin, alors qu'ils avaient déjà eu tant de discussions similaires. Il devait y avoir autre chose. Quoi ? Mystère.

Tout s'était passé très vite. Le lendemain de sa visite à sa belle-sœur, Benjamin avait emprunté une voiture et passé plus d'une heure à remplir le coffre, la banquette arrière et le siège du passager de cartons bourrés de papiers. Il était parti à neuf heures du matin et n'était rentré que tard le soir, à pied, ayant sans doute restitué le véhicule à son propriétaire. Il était plus de minuit lorsqu'il frappa à la porte et tendit à Munir les clefs de son appartement.

« Je prends le premier avion du matin, dit-il. Je ne sais pas quand je rentrerai. Surveille l'appartement pour moi.

— Tu vas où ? » demanda Munir.

Benjamin hésita avant de répondre : « J'ai un billet

pour Paris. Mais je ne vais pas y rester longtemps. Ensuite, je ne sais pas. »

Et il n'en dit pas plus. Le lendemain soir en rentrant de son travail, Munir monta chez Benjamin et découvrit que l'appartement était loin d'être vide. Benjamin avait laissé la plupart de ses vêtements, de ses livres, de ses CD. Tous ses papiers avaient disparu, mais son ordinateur était encore là. Tout portait à croire qu'il comptait revenir, mais impossible de deviner quand.

Mais Benjamin n'avait pris aucune disposition avec le propriétaire concernant le loyer. Un samedi matin du début janvier 2003, Munir, alerté par des bruits dans le couloir, s'aperçut que le propriétaire était venu avec deux acolytes et se disposait à changer les serrures et à vider l'appartement de tout ce qu'il contenait encore. Munir protesta, en pure perte : le bail avait expiré fin décembre, les courriers étaient restés sans réponse, et l'appartement allait être remis en location immédiatement. Munir parvint à sauver une partie des livres et la plupart des CD, l'ordinateur, la télé, et quelques vêtements. Tout le reste — y compris les meubles — fut confisqué.

Mais l'appartement ne fut pas reloué. Ni même redécoré, contrairement aux promesses du proprio. Il demeura vide, et devint le théâtre de rencontres mystérieuses, d'étranges allées et venues. Munir commença à vivre dans la crainte et le malaise. Où était passé Benjamin ? S'il avait pris son portable, en tout cas il ne l'allumait jamais. Ses parents appelèrent pour demander de ses nouvelles, et Munir fut incapable de leur en fournir. Et pendant ce temps, à l'étage, il entendait des pas très tard dans la soirée, des voix en pleine nuit, sans compter les voitures et les motos qui se garaient devant le portail à des heures où les honnêtes gens étaient couchés. Un soir, il entendit des bruits de lutte ; une autre fois, à trois heures du matin, il fut arraché à un profond sommeil par ce qui lui sembla être un hurlement de femme. À présent, il passait le plus clair de ses nuits sans dormir, l'oreille aux aguets, le cœur battant. Quand il en avait assez de jouer les veilleurs insomniaques, l'esprit grouillant de spéculations sur le sort de son ami et sur les sombres agissements du propriétaire, il allumait la radio pour écouter le service international de la BBC. Tout ce qu'il entendait contribuait à alimenter ses angoisses. Les nouvelles ne faisaient qu'empirer. Le gouvernement britannique semblait tout juste bon à réaffirmer son soutien servile au président Bush et à sa rhétorique belliciste. De plus en plus de troupes étaient acheminées vers le Golfe dans la perspective d'une invasion. Désormais, outre sa présence hebdomadaire à la *salat al-joumou'a*, il se levait souvent en pleine nuit pour prier, dans la chambre d'amis où il avait installé un tapis à cet effet. Dans sa *dou'a*, il demandait à Allah de prendre ce monde en pitié et de ne pas le plonger dans une terrible guerre. Il priait à haute voix, plus esseulé que jamais, tandis que les mots s'échappaient de sa bouche et s'évanouissaient sans être entendus dans les ténèbres de Birmingham.

Munir savait qu'il n'était pas le seul opposant à la guerre. Qu'en réalité la majorité des Britanniques étaient de son côté. Il fut un peu réconforté par les manifestations de masse organisées le 15 février dans toutes les grandes villes. Aux côtés de ses concitoyens, il écouta des discours exaltants, applaudit, acclama, et quand il rentra chez lui, en fin d'après-midi, il regarda les infos sur le téléviseur de Benjamin et vit qu'une foule plus grande encore, une foule gigantesque, s'était rassemblée à Hyde Park. Mais au fond de son cœur il savait que le Premier ministre ne tiendrait aucun compte de ces protestations. Un processus inexorable était en marche. L'Histoire — dont la fin avait été prématurément annoncée par certains intellectuels, plus de dix ans auparavant, lors de la chute du communisme — connaissait une terrible accélération, son flot grossissait pour devenir un torrent impitoyable et déchaîné qui ne tarderait pas à déborder de son lit, et des millions de gens, il le craignait, seraient emportés par le courant vers un destin inconnu et incontrôlable.

Les visites nocturnes continuaient ; on entendait des pas sourds marteler l'escalier. Munir envisagea d'appeler la police, mais il n'avait rien de concret à leur dire et craignait qu'on ne le prenne pas au sérieux. Il se contenta d'installer une chaise près de la fenêtre et d'y passer ses soirées, un œil sur la télé, l'autre sur la rue. C'était pathétique. Perpétuellement aux aguets derrière ses rideaux, il avait l'impression d'être un petit vieux.

*

Un soir de février, quelques jours après la marche pour la paix, un épais brouillard s'abattit sur la ville. Munir, en sentinelle à la fenêtre, risquant périodiquement un coup d'œil par la fente des rideaux, ne distinguait même plus le portail du jardin, à cinq ou six mètres à peine. En revanche, il entendait des pas dans la rue. Quelqu'un rôdait aux abords de la maison depuis au moins cinq minutes. L'inconnu avait une démarche bizarre, saccadée, irrégulière. Peut-être même étaient-ils plusieurs, bien qu'aucun mot n'ait été prononcé. Au bout de quelques minutes, Munir décida d'en avoir le cœur net. Il décrocha du portemanteau son grand parapluie — qui le cas échéant pourrait faire office d'arme, vu son poids — et s'aventura dans la nuit trouble et hivernale.

Le brouillard drapait les lampadaires ambrés de spirales ondulantes. Munir habitait une rue tranquille : ce soir, il n'y avait pas un bruit de voiture, et dès qu'il referma la porte d'entrée il entendit les pas faire demi-tour et s'éloigner. Il courut jusqu'au portail et tendit l'oreille. La démarche n'avait pas l'air rapide, mais plutôt laborieuse et, là encore, irrégulière. Au bout de quelques secondes, les pas s'évanouirent dans le néant; l'inconnu invisible avait disparu.

Munir refusa d'en rester là. Il décida d'attendre quelque temps près du portail. Il sortit dans la rue et s'assit sur le muret qui bordait son bout de pelouse. La brique était glaciale : un froid douloureux et perçant se transmit aussitôt à ses fesses à travers la fine étoffe du pantalon. C'est comme ça qu'on attrape des hémorroïdes, se dit-il; mais peu à peu la douleur s'apaisa et il resta assis, un peu frissonnant, mais tout de même content de profiter du grand air, brumeux et vivifiant. Il avait tendance à surchauffer son salon, et il comprenait à présent à quel point son appartement était étouffant et sentait le renfermé.

Peu après, il entendit les pas.

Il savait que c'était la même personne. Les pas étaient lourds, lents, précautionneux : une démarche de vieillard. L'inconnu avait apparemment été effarouché par l'irruption de Munir, mais avait changé d'avis et revenait vers la maison. Munir se raidit, se leva et scruta les ténèbres, le poing crispé sur son parapluie. Au bout de quelques secondes, il devina une silhouette humaine, encore à moitié dissimulée par les nuées de brume : tout juste une tache noire plus dense, aux contours flous, mal définis. Et puis, quand la silhouette se rapprocha, il découvrit qu'il ne s'agissait pas d'un homme.

C'était une femme. Elle marchait lentement, mais d'un pas décidé, inexorable, tendu vers son but, en s'appuyant lourdement sur une canne et en regardant droit devant elle de ses yeux globuleux et intenses — tels ceux d'une créature nocturne surprise par la lumière —, mais sans paraître rien voir. Elle portait un manteau marron foncé en fausse fourrure qui s'arrêtait en dessous du genou, laissant voir des chevilles et des mollets épais revêtus d'un collant de laine couleur chair. Sa tête était enveloppée d'un foulard noué sous le menton. Elle avait une figure pâle sous une épaisse couche de fond de teint, et ses lèvres gonflées luisaient, saturées de rouge à lèvres cramoisi. Son visage était boursouflé et maladif, sa silhouette massive, et malgré tout il y avait chez elle comme une majesté impérieuse, hautaine, impressionnante. La lourdeur de son corps suggérait une grande force de caractère, tout comme son regard imperturbable, inflexible, fixé droit devant elle. En se relevant lentement, et en regardant cette énorme apparition surgir des spirales de brouillard, Munir se sentit intimidé, sur la défensive.

La femme s'arrêta à quelques pas de lui et s'appuya de tout son poids sur sa canne en respirant bruyamment. Ses yeux de poisson protubérants se posèrent sur Munir et elle reprit son souffle pour lui adresser la parole.

« Vous habitez ici ? demanda-t-elle.

— Oui, répondit Munir.

— Et Benjamin, il habite bien ici ? »

Comme cette question appelait une réponse compliquée, comme il se disait qu'elle devait avoir besoin de se reposer, et comme il était curieux d'en savoir plus,

Munir dit : « Vous avez l'air un peu fatiguée. Vous ne voulez pas entrer un moment ? »

La femme secoua la tête. Elle répéta sa question, et Munir expliqua que récemment encore Benjamin habitait là, mais qu'il avait disparu deux mois plus tôt et que personne ne savait où il se trouvait. Il s'excusa de ne pas pouvoir lui en dire davantage.

À cette nouvelle, la femme se recroquevilla. Comme si un ressort était cassé. Son corps se ratatina, rapetissant à vue d'œil.

« Merci, dit-elle.

— J'essaie toujours d'entrer en contact avec lui, ajouta-t-il. Si j'arrive à le joindre, vous voulez que je lui transmette un message ?

— Dites-lui simplement, répondit-elle en tournant les talons, que Cicely le cherchait. »

Le nom ne lui rappelait rien. N'évoquait rien. Dans un silence déconcerté, il regarda ce corps difforme s'éloigner, laborieusement, jusqu'à ce que les nappes de brouillard l'enveloppent et le soustraient à la vue, tel un rideau retombant sur le dernier acte d'un interminable drame.

7

Pour Paul et Malvina, l'appartement de Mark ne tarda pas à devenir davantage qu'un baisodrome. Ils se mirent à y voir un foyer ; leur foyer commun. Pas au point de changer le papier peint, ni d'acheter un grille-pain ou une cafetière. Néanmoins, c'était bien là qu'ils se retrouvaient, tous les jours, pendant des heures, pas seulement pour faire l'amour mais pour parler, manger ensemble, boire du vin, regarder la télé. C'était l'endroit où ils commençaient à s'inventer une vie de couple.

Il n'avait jamais été dans les intentions de Paul de l'utiliser à cette fin. En ce soir du début décembre, ils avaient quitté la soirée des « Hommes les plus tendance d'Angleterre » pour aller manger un morceau au Joe Allen, à quelques rues de là, un restaurant qu'affectionnaient les acteurs et les semi-célébrités. Avant même qu'ils aient commandé, le portable de Paul avait bipé. C'était un SMS de Doug Anderton.

> C'est dur de renoncer aux vieilles habitudes, pas vrai, Paul ? J'avais tendance à te croire plus malin.
> Prends soin de toi. Doug

« Et merde ! s'exclama Paul après l'avoir lu.

— Qu'est-ce qui se passe ? demanda Malvina.

— Quelqu'un nous a vus partir ensemble. »

Il ferma les yeux et serra les paupières, s'efforçant de croire que ce n'était qu'une hallucination. Allaient-ils devoir revivre tout ça ? Il regarda Malvina, qui le contemplait avec sollicitude et confiance, et il se sentit impuissant à résister au désir qui le parcourait, au souvenir de tout ce temps perdu, de tout ce temps à rattraper. Et puis sa main se referma sur les clefs dans sa poche — les clefs de l'appartement de Mark au Barbican — et il sut aussitôt qu'il tenait la solution. L'appartement était à des kilomètres de Kennington ; la presse en ignorait l'existence, et ne penserait jamais à l'y chercher. Il était pratique, il était sûr, il était libre.

Une heure plus tard à peine, ils y étaient allés en taxi, et ils y avaient passé la nuit.

Le système qu'ils n'avaient pas tardé à instaurer — lundi, mardi et mercredi soir dans l'appartement, plus quelques déjeuners quand l'emploi du temps de Paul le lui permettait — fut bouleversé, bien trop tôt à leur goût, par les fêtes de fin d'année. Malvina les passa presque entièrement au Barbican, mais Paul était obligé, pour sauver les apparences, de rester au moins deux ou trois jours dans les Midlands avec femme et enfants. Il lui fallut même endurer une soirée à Rubery avec sa sœur et ses parents, qui se transforma en réunion de crise sur la disparition de Benjamin. Paul, pour sa part, ne voyait pas pourquoi on en faisait tout un plat. Son frère était un grand garçon de quarante-deux ans. Il était capable de se débrouiller tout seul. Il refusait de gober l'idée que Benjamin faisait une dépression sous prétexte que sa femme (dont il était séparé depuis plus d'un an) attendait un enfant de son nouvel ami. Lois accordait beaucoup d'importance au fait qu'il était venu jusqu'à York, peu avant son départ d'Angleterre, pour laisser tous ses papiers à sa fille Sophie — dont la chambre était trop petite pour les contenir tous. Là encore, Paul ne voyait pas ce que ça avait de si inquiétant. Il lui avait toujours paru évident que Benjamin perdait son temps à écrire cet interminable roman. Et maintenant, enfin, il s'en rendait compte. Il fallait fêter ça ! Personne ne fut de cet avis. Le reste de la famille l'accusa d'être sans cœur ; mais ce n'était pas vrai. Simplement, il s'impatientait, tant le corps nu de Malvina lui manquait.

Janvier fut idyllique. Les affaires du Parlement marchaient au ralenti, et ils purent passer ensemble de longues journées et de longues nuits. Parallèlement, Paul travaillait aux conclusions du rapport de sa Commission des initiatives financières et sociales, lequel, il en était convaincu, serait bien accueilli par la direction du parti et susciterait un intérêt médiatique considérable. En épigraphe figurait une citation de Gordon Brown, extraite du *Financial Times* du 28 mars 2002 : « Le parti travailliste est davantage pro-entreprises, pro-croissance et pro-concurrence qu'il ne l'a jamais été. » Le rapport recommandait vigoureusement un nouvel accroissement du rôle des entreprises privées dans le secteur public, en particulier dans les domaines de la santé et de l'éducation. Il encourageait notamment les services de chirurgie des hôpitaux publics à confier à des entreprises privées la gestion de leurs frais salariaux et toute leur logistique. De même, les conseils d'établissement des écoles et lycées publics devraient engager des gestionnaires privés. « L'élément vital qui manque encore au secteur public [avait écrit Ronald Culpepper], et que le secteur privé est parfaitement en mesure de lui fournir, peut se résumer en un mot : le management. » Ceux qui objectaient que de telles initiatives avaient récemment connu des échecs cuisants — par exemple dans le cas de la privatisation des chemins de fer — se voyaient taxer de « défaitistes ».

On fêta l'achèvement du rapport lors d'une réunion spéciale du Cercle fermé, qui se tint au cours de la première semaine de février 2003. Le seul absent en cette grande occasion fut Michael Usborne, retenu par des réunions de crise au conseil d'administration de Meniscus Plastics. Depuis sa nomination comme PDG, et malgré un programme de rationalisation et de licenciements drastiques, qui avait déjà entraîné la fermeture de tout le service Recherche et Développement de l'usine de Solihull, le cours des actions de l'entreprise était en chute libre, en proportion inverse des coûts de fonctionnement. Cette fois encore, selon toute probabilité, il allait devoir démissionner, et il était en pleine renégociation de certaines clauses de son indemnité de départ. Paul l'avait appelé en début d'après-midi, et il avait l'air d'avoir le moral. Tout comme Paul, lorsqu'il quitta le restaurant Rules peu après onze heures. Dans le taxi, il envoya un SMS à Malvina, lui demandant de le rejoindre à l'appartement à minuit.

Mais lorsqu'il arriva sur place, vers 23 h 30, il eut une surprise fort désagréable. En ouvrant la porte, il trouva la lumière allumée, et son beau-frère Mark assis sur le canapé en train de regarder CNN.

« Paul ? dit-il en se levant. Qu'est-ce que tu fais ici ? »

Paul balbutia qu'il rentrait d'un dîner dans la City et qu'il avait décidé de vérifier que tout allait bien dans l'appartement, où il n'avait pas mis les pieds depuis longtemps. Puis il demanda s'il pouvait utiliser les toilettes et, aussitôt enfermé dans la salle de bains, y traqua fébrilement la moindre trace du passage de Malvina, en essayant désespérément de se rappeler si elle avait laissé des affaires dans la chambre. Il savait qu'il y avait des préservatifs dans le tiroir de la table de nuit, qu'il tenterait de subtiliser dès que possible. En attendant, il lui envoya un bref SMS lui enjoignant de faire demi-tour et de rentrer immédiatement chez elle.

« Alors, qu'est-ce qui t'amène ? demanda-t-il à Mark en regagnant le salon. Quelques jours de vacances ?

— Non : chez Reuters, ils ont décidé qu'ils n'avaient plus besoin que d'un seul reporter en Indonésie. L'un des terroristes de Bali a avoué, mais à part ça il ne se passe pas grand-chose. Ils rappellent un maximum de journalistes, des fois qu'il faille nous envoyer au Proche-Orient.

— Je vois. Donc tu vas rester ici quelque temps ?

— Ça dépend du président Bush, en fait. Et de ton vénéré chef de parti, bien sûr.

— Alors, combien de temps... » (Paul s'efforça de garder un air désinvolte) « ... combien de temps ça prendra, d'après toi ? »

Mark lui lança un drôle de regard et éclata de rire. « Ça, Paul, ce serait plutôt à *toi* de me le dire. Tu n'es pas censé voter bientôt sur la question ? »

*

Les semaines suivantes, tout le monde semblait curieux de savoir comment Paul allait voter. Le débat à la Chambre des Communes était programmé pour le 26 février. Une motion assez neutre avait été déposée, réaffirmant l'adhésion à la Résolution 1441 du Conseil de sécurité des Nations unies, et exprimant un soutien aux « efforts persistants du gouvernement dans le cadre de l'ONU pour démanteler les armes de destruction massive irakiennes » ; mais bien plus intéressant était l'amendement hostile déposé conjointement par le travailliste Chris Smith et le conservateur Douglas Hogg, affirmant : « La Chambre estime qu'en l'état actuel des choses les arguments en faveur d'une action militaire contre l'Irak ne sont pas concluants. » Le gouvernement ne risquait guère un désaveu ; mais on parlait d'une rébellion significative dans les rangs des députés de base, ce qui affaiblirait considérablement l'autorité de Tony Blair, et le forcerait peut-être même à reconsidérer son soutien apparemment inconditionnel au président Bush. Bien sûr, on connaissait les ténors de l'opposition à la guerre ; mais il y avait aussi des dizaines de députés de base qui n'avaient pas encore clairement pris parti pour ou contre une invasion de l'Irak sous l'égide américaine, et Paul était l'un des plus médiatisés. Les journalistes tentaient de l'intercepter dès qu'il approchait de Westminster, impatients de savoir s'il s'était enfin décidé ; les chefs du groupe parlementaire l'alpaguaient dans les couloirs, laissant entendre à mots à peine couverts qu'un vote en faveur de l'amendement sonnerait le glas de sa carrière de député ; dans sa circonscription des Midlands, en revanche, les militants, tous farouchement anti-guerre, le sommaient de les représenter dignement et menaçaient, dans le cas contraire, de lui retirer leur confiance et, à l'avenir, leur vote.

Mais aux yeux de Paul, la voix la plus persuasive du camp hostile à la guerre provenait de son entourage immédiat. C'était celle de Malvina.

La perte de l'appartement de Mark leur avait porté un coup sévère. Malvina n'avait plus d'endroit à elle : les amours sardes de sa mère s'étaient achevées

— comme toujours — avec perte et fracas, et du coup Malvina avait reçu l'ordre d'évacuer l'appartement de Pimlico. Ce qui n'avait pas l'air de la bouleverser. À présent qu'elle avait retrouvé Paul, rien ne semblait pouvoir entamer son bonheur. Deux de ses poèmes venaient d'être acceptés par une revue littéraire confidentielle mais prestigieuse, ce qui n'avait fait qu'ajouter à son euphorie. Seul bémol, sa mère était de retour à Londres, mais Malvina avait décidé de se blinder.

« Peut-être que tu pourrais t'installer quelque temps chez elle, avait suggéré Paul.

— Tu rigoles ! Je ne sais même pas où elle habite.

— Quoi ? fit-il, incrédule. Tu ne la vois donc jamais ?

— Le moins possible. Si elle a envie de me voir, elle peut m'appeler sur mon portable, et on ira prendre un café. C'est le maximum.

— Tu lui as parlé de nous ?

— Pas question. Peut-être quand les choses seront un peu moins... compliquées entre nous. Mais rien ne presse. Ça m'est égal, maintenant, ce qu'elle pense de moi. »

Malvina avait entre-temps emménagé dans une maison de Mile End qu'elle partageait avec trois autres ex-étudiantes. Aucune chance que Paul lui rende visite dans un tel environnement ; et les mails et autres SMS énigmatiques dont l'inondait Doug le rendaient paranoïaque à l'idée de l'emmener chez lui à Kennington. À défaut, ils trouvèrent un hôtel près de Regent's Park, assez décentré, pas trop cher, pas trop déprimant, qui leur servait de lieu de rendez-vous. Malvina s'occupait des réservations et payait avec sa carte de crédit, et Paul la remboursait en liquide. De quoi les dépanner quelque temps, mais bientôt il leur faudrait trouver une solution plus viable. Ils étaient à court d'idées. Et au bout de deux semaines, Paul commençait à désespérer.

L'hôtel n'était guère luxueux, et aurait dû être rénové depuis trente ans, mais chaque suite bénéficiait d'une gigantesque baignoire, et c'est ainsi qu'ils barbotaient ensemble le soir du 25 février 2003. Malvina était côté robinets. Ils buvaient du prosecco et, tandis qu'elle se prélassait, les pieds sur les épaules de Paul, il la caressait doucement entre les jambes, ses doigts savonneux amassant une mousse délicate sur son pubis. Rien de sexuel à proprement parler, juste un geste naturel et amical ; il n'essayait pas de la faire jouir, et pourtant, à en juger par la façon dont Malvina frémissait, déplaçait le poids de son corps, et parfois laissait échapper un soupir ou un petit gémissement, elle semblait y prendre un certain plaisir.

« Je ne comprends pas, disait-elle, ce qui te retient. Tu sais très bien à quoi tu *crois*. Alors il n'y a qu'un vote possible pour toi demain, pas vrai ?

— C'est très grave, de voter contre les directives de son parti. Ce n'est pas quelque chose qu'on fait à la légère.

— Mais... "En l'état actuel des choses, les arguments en faveur d'une action militaire ne sont pas concluants." C'est un simple constat, non ? »

Paul se tut. « Tu as vu comment il nous a regardés, ce soir, le type de la réception ? finit-il par dire. Je me demande s'il sait ce qu'on fait ici.

— Ça me paraît vachement évident, pourtant », dit Malvina dans un gloussement satisfait.

Paul rétorqua, presque agressif : « Tu prends tout ça d'un air bien *détendu*.

— Quoi, tout ça ?

— Toute cette... dissimulation. Prendre une chambre d'hôtel, s'inscrire sous un faux nom, toutes les complications de l'adultère. Ça n'a pas l'air de te gêner.

— Ça devrait?

— Je repensais juste... Il y a très longtemps, ce jour-là dans l'Oxfordshire : tu m'avais dit que tu ne serais jamais ma maîtresse.

— Les temps changent », dit Malvina. Elle se redressa et prit une gorgée de prosecco. « Et les gens aussi. D'ailleurs, c'est la moins mauvaise des deux solutions.

— Ça serait quoi, l'autre solution?

— Ne plus te voir.

— Il y a encore une autre solution. » Il s'interrompit, pesant soigneusement ses mots. « Tu sais, je crois que ma décision est prise. »

Malvina sourit, se pencha vers lui, et l'embrassa tendrement en y mettant la langue. « C'est prometteur. Elle va me plaire, cette décision?

— Sûrement. Je crois que je vais quitter Susan. »

Elle recula, surprise. « Quoi?

— Je vais la quitter. Je vais être tout le temps avec toi. C'est la seule vie possible. Ça ne te fait pas plaisir? »

Malvina balbutia : « Eh bien... Si, mais... Tu n'as pas à le faire, Paul. Je suis très heureuse comme ça.

— Pourquoi? Qu'est-ce qui te rend heureuse?

— Je ne sais pas. Je suis heureuse, c'est tout. Je trouve que ça fonctionne très bien. Je ne t'ai jamais demandé de quitter Susan, vrai ou faux? » Elle éclata de rire, mal à l'aise, et, pour meubler le silence blessé que ses paroles semblaient inspirer à Paul, elle ajouta : « Je croyais que tu parlais de la guerre. »

Paul resta muet; se contenta de boire son prosecco par petites gorgées rancunières.

« Et tu comptais lui annoncer quand? » demanda Malvina.

Il secoua la tête. « Je ne sais pas. »

Après cet échange, elle ne voyait qu'un moyen d'alléger l'atmosphère. Soulever les hanches de Paul hors de l'eau, se pencher en avant, prendre dans sa bouche l'extrémité initialement flasque de son pénis et pratiquer une minute d'exercices vigoureux de la tête et de la nuque. Ce qui parut faire de l'effet.

Bien des heures plus tard, Malvina se réveilla en sursaut et s'aperçut que Paul ne dormait pas : allongé auprès d'elle, les yeux grands ouverts, il fixait la pénombre de leur chambre d'hôtel.

« Hé ! fit-elle en lui caressant les cheveux. Qu'est-ce qui se passe ?

— Le débat commence dans quelques heures. Qu'est-ce que je vais *faire* ?

— Suivre ton cœur », répondit Malvina en se blottissant contre lui, tandis que les premiers bruits de la ville renaissante flottaient jusqu'à leur fenêtre.

*

Paul assista à la totalité des débats. Ils durèrent six heures. Les bancs des parlementaires et les tribunes ministérielles étaient bondés. Les galeries du public bourrées à craquer.

Paul ne prit pas la parole. Il écouta Kenneth Clarke dire :

Si nous nous demandons aujourd'hui : la justification de la guerre est-elle établie ?, il me semble que la Chambre devrait répondre par la négative, et qu'on peut arguer en faveur d'un délai supplémentaire et de solutions pacifiques pour atteindre nos objectifs [...] J'ai l'impression désagréable qu'on a déjà entouré une date au crayon, avant le début des grandes chaleurs en Irak.

440

Paul était d'accord. Toute personne raisonnable ne pouvait qu'être d'accord, se dit-il. Il écouta Chris Smith dire :

Il peut très bien y avoir un moment où l'action militaire s'impose [...] mais en l'occurrence j'ai l'impression que le calendrier des opérations est fixé par le président des États-Unis.

Paul ne put s'empêcher de se joindre aux bravos, puis regarda autour de lui, de peur qu'un chef de groupe ne l'ait remarqué.

Il écouta Tony Blair dire :

Je crois que l'argumentation que nous avons présentée dans le cas de l'Irak est une argumentation solide. J'espère que, si les gens l'écoutent et l'étudient en détail, ils admettront que, si nous devons agir et entrer en guerre, ce ne sera pas parce que nous en avons envie, mais parce que Saddam Hussein a violé les résolutions des Nations unies.

Paul n'était pas convaincu. Il ne l'avait jamais été. Il n'en demeurait pas moins troublé de voir cet homme, apparemment un homme de principes, se cramponner à ses demi-vérités et refuser de se laisser détourner — que ce soit par l'opinion publique ou par les avis de ses collègues — de la voie qu'il avait choisie, de cette voie étroite et inflexible. Ça n'avait pas de sens. *Pourquoi faisait-on ça ?* Pourquoi tentait-on de se persuader qu'un petit pays appauvri à des milliers de kilomètres, sans liens avérés avec des mouvements terroristes, et dont l'arsenal boiteux avait été démantelé depuis des années sous le contrôle des inspecteurs de l'ONU, représentait pour nous une menace ?

Six heures, c'était trop long. Trop long de rester assis sans bouger à écouter des discours. Alors même que le débat s'enflammait, l'attention de Paul commença à fléchir. Il pensa à Malvina, aux implications concrètes d'une rupture avec Susan, à cet hôtel minable de Regent's Park, au regard insolent du jeune réceptionniste. Et c'est alors qu'une autre pensée lui vint brusquement à l'esprit. En fait, elle y rôdait depuis des jours, tapie dans l'ombre, attendant son heure en coulisses, mais ce soir elle fit hardiment son entrée et se planta au milieu de la scène. C'était une pensée révoltante, mais qu'il ne pouvait plus réprimer.

Il pensa : *Si on déclare la guerre à l'Irak, Mark sera envoyé là-bas et on pourra de nouveau utiliser son appartement.*

Et c'était là ce qu'il désirait plus que tout au monde.

*

Cent vingt et un députés travaillistes défièrent le gouvernement ce soir-là et votèrent en faveur de l'amendement hostile. Mais Paul n'en faisait pas partie. À l'issue du débat, il passa dans la salle des Non, puis s'éclipsa de Westminster aussi vite que possible, évitant les journalistes et les autres députés.

Il avait suivi son cœur, et en réponse son cœur battait la chamade tandis qu'il rentrait par des rues désertées.

PRINTEMPS

6

Il fallut à Claire près de trois mois pour retrouver Victor Gibbs. Ce n'était pas une mince affaire. Trente ans plus tôt, en cette époque inimaginable d'avant l'informatique, d'avant Internet, ç'aurait sans doute été tout bonnement impossible.

Elle n'en fut pas moins contrainte, bien malgré elle, de solliciter une aide extérieure. Mais il n'y avait pas le choix. Sa première recherche sur Internet avait fait apparaître plusieurs milliers de Gibbs, et ses courriers adressés à tous ceux dont l'initiale était un V n'avaient donné aucun résultat, sinon des renvois à l'expéditeur ou de courtes réponses polies l'assurant qu'elle s'était trompée de personne. Et puis, au bout de quelques semaines bien frustrantes, il lui revint à l'esprit que Colin Trotter avait été responsable du personnel à Longbridge et, à contrecœur, elle décida de le mettre dans la confidence.

Elle appréhendait de lui parler au téléphone, mais trouva chez lui une compassion inattendue. À présent que Benjamin aussi avait disparu, lui expliqua-t-il, il avait l'impression de comprendre un peu mieux ce que Claire et sa famille avaient enduré. Elle lui assura que les deux situations étaient très différentes : Benjamin était un homme mûr (ou du moins dans la force de l'âge), il savait ce qu'il faisait, il pouvait se débrouiller, il était parti de son plein gré et ainsi de suite. Ils n'avaient donc eu aucune nouvelle depuis deux mois ? Non, dit Colin, qui apparemment n'avait rien à ajouter. Mais il accepta de retourner dans son ancien bureau de Longbridge et de consulter les archives dans l'espoir d'y retrouver une trace du passage de Victor Gibbs.

Il tint parole. Quelques jours plus tard, il la rappela pour lui dire que Gibbs était toujours répertorié dans le vieux fichier manuel, et qu'en 1972 il avait donné une adresse à Sheffield, pour le cas où il y aurait besoin de prévenir ses proches. Claire vérifia l'adresse sur ses listings et découvrit qu'un Gibbs y habitait encore. Il se révéla être le frère de Victor. Elle lui écrivit en se faisant passer pour une responsable du service financier de Longbridge : elle inventa une histoire selon laquelle l'entreprise aurait décidé de verser une retraite complémentaire à ses anciens employés. Deux semaines s'écoulèrent avant qu'il la gratifie d'une réponse et des coordonnées actuelles de Victor Gibbs : il vivait à Cromer, au bord de la mer du Nord, dans le comté de Norfolk.

Le dernier jour de février 2003, elle partit le trouver.

*

Il faisait encore plus mauvais que le jour où elle s'était rendue à la bibliothèque universitaire de Warwick, et le trajet fut beaucoup plus long. Partie de Malvern à neuf heures du matin, il lui fallut plus de cinq heures pour arriver à destination. Déjà épuisée et à bout de nerfs, elle stationna dans un parking payant et marcha jusqu'au front de mer. La pluie, soumise aux caprices du vent qui soufflait en rafales, lui fouettait le visage et lui piquait les yeux. Les vagues roulaient, grises et ternes, jusqu'à la plage de galets, et une brume vaporeuse s'insinuait, enveloppant toutes choses dans un flou humide. Claire ne tarda pas à être glacée jusqu'aux os.

En ce vendredi après-midi, la ville semblait morte. Quelques salles de jeux vidéo étaient ouvertes, répandant dans la rue un pot-pourri névrotique de bruits électroniques — où la cacophonie des consoles se mêlait au vrombissement de la techno vomie par une impitoyable sono —, mais elles n'attiraient que de rares clients; les boutiques et les cafés étaient désertés. Claire s'emmitoufla dans son imper doublé de peau, prise de frissons incontrôlables : pas seulement à cause du froid, mais de sa hantise de la rencontre qu'elle allait s'infliger. Elle s'était dit que le long trajet lui donnerait peut-être l'occasion d'élaborer un plan d'attaque, ou du moins d'imaginer une entrée en matière, ne fût-ce qu'une phrase pour nouer la conversation. Mais elle avait l'esprit vide. Elle était paniquée. Elle ne savait absolument pas à quoi il allait ressembler, comment il réagirait à sa venue inopinée, et elle allait devoir improviser. Sa grande crainte, c'était qu'il devienne violent. Mais il fallait qu'elle se prépare à cette éventualité.

Elle avait appris l'adresse par cœur, et au bout de quelques minutes de marche se retrouva devant une maison étroite à deux étages, à quelques rues du front de mer. Elle était apparemment divisée en trois appartements; Victor Gibbs était censé occuper l'appartement B, même s'il n'y avait pas de nom sous l'interphone. Elle appuya sur le bouton, entendit une sonnerie lointaine et attendit. Rien.

Elle resonna plusieurs fois. Elle remarqua le mouve-
ment d'un rideau de dentelle au rez-de-chaussée, et
bientôt une ombre apparut derrière le verre dépoli de la
porte d'entrée. Une femme ouvrit en disant :
« Vous cherchez celui qui habite en haut ?
— Oui, dit Claire. Je m'appelle... »
La femme n'était pas intéressée. « Il doit être au pub.
Au Wellington, sans doute. Vous ne pouvez pas le rater :
c'est juste à droite après le carrefour.
— Comment je peux le reconnaître ? demanda
Claire.
— Les cheveux noirs — d'après moi, il les teint —,
blouson de cuir, toujours assis dans le même coin, à
côté des fléchettes. Il lit l'*Express*. Vous pouvez pas le
rater. »
Claire balbutia quelques mots de remerciements. La
femme hocha la tête et la porte se referma.

*

Le pub, comme toute la ville apparemment, était plus
qu'à moitié vide. Un juke-box passait une horrible
chanson de Simply Red et il n'y avait personne derrière
le comptoir. Claire repéra très vite Victor Gibbs, et aussitôt une vague d'appréhension la parcourut, même s'il
avait l'air on ne peut plus ordinaire — et conforme en
tout point à la description de la voisine, jusque dans le
journal qu'il lisait. Enfin elle parvint à se faire servir.
Elle demanda un verre d'eau gazeuse et l'emporta dans
le coin de la salle, où elle s'assit à la table voisine de
celle de Gibbs. Pendant quelques minutes, elle but en
silence, à côté de lui, en lui jetant de temps à autre
des coups d'œil qu'elle ne prenait pas la peine de dissimuler : elle voulait se faire remarquer. Elle se sentait

un peu plus calme. Il paraissait approcher la soixantaine. Pas si impressionnant que ça, pas aussi horrible que ne l'avait laissé entendre sa sœur en le surnommant « Victor la Vipère ». Il lisait la rubrique sportive, et dès qu'il leva les yeux elle lui sourit. Il soutint son regard, méfiant, vaguement incrédule. Il ne devait pas avoir l'habitude que des femmes lui sourient au pub. Il la prenait sûrement pour une professionnelle, ce qui n'était pas dans ses intentions. Peut-être devrait-elle acheter des cigarettes au bar, puis lui demander du feu : mais elle n'avait pas fumé depuis le concert de Benjamin, en décembre 1999. Elle risquait la quinte de toux.

Gibbs étudiait le résultat des courses, qu'il annotait au bic bleu. Ce qui lui donna une idée. Elle sortit son calepin, l'ouvrit et fit mine de fourrager dans son sac, comme si elle avait oublié quelque chose. Enfin, elle soupira ostensiblement et se pencha vers Gibbs.

« Excusez-moi, dit-elle en désignant son stylo. Est-ce que je pourrais vous l'emprunter une minute ? »

Il la gratifia du même regard méfiant et incrédule et lui tendit le stylo sans un mot. Elle gribouilla dans son calepin puis se renfonça dans son siège, faussement absorbée, en mordillant distraitement le stylo.

« Oh... je suis désolée », s'écria-t-elle comme arrachée à sa rêverie, et elle voulut lui rendre le stylo.

Gibbs sourit. « Ça ne fait rien. Gardez-le. C'est pas les stylos qui manquent. »

Elle lui rendit son sourire. « Merci.

— Vous avez l'air fatiguée, dit-il alors en posant son journal.

— Je viens de faire un long trajet.

— Ah bon ? » Il replia soigneusement son journal en en lissant les pliures d'un geste ferme. « Vous venez d'où ?

— De Birmingham, mentit Claire.

— Ah, cette bonne vieille ville de Brum! Je connais bien. J'y ai vécu pendant des années.

— C'est vrai?

— Cela dit, ça remonte à loin.

— Dans quel coin? Moi, je suis de Harborne.

— Eh bien, moi, j'habitais tout près. À Bournville. Je travaillais à l'usine de Longbridge.

— Le monde est petit, remarqua Claire en buvant une gorgée.

— Et qu'est-ce qui vous amène à Cromer? »

Elle n'avait pas préparé de réponse, mais elle s'imposa d'elle-même.

« Je viens voir ma sœur.

— Ah, d'accord. Et là, vous l'attendez? »

Claire secoua la tête. « Elle est médecin. Elle devait avoir sa journée, et puis... il y a eu une urgence. » (Elle était à court d'imagination, mais il ne parut rien remarquer.) « Elle a été appelée pour une opération, et elle ne sera libre que ce soir. » Elle lança un regard à Gibbs et vit qu'elle l'avait ferré. « Alors, conclut-elle, qu'est-ce qu'on peut faire à Cromer par un vendredi après-midi de pluie? »

Gibbs se leva. « Eh bien, dit-il, pour commencer, on peut reprendre un verre. »

*

Claire, qui n'avait jamais fait une chose pareille — aborder un homme, commencer à flirter —, fut étonnée que ce soit aussi simple. En gros, il suffisait d'écouter. Au début, Gibbs n'était pas très bavard, mais après une autre pinte et un ou deux whiskys il devint carrément volubile. Claire était presque touchée de le voir aussi désireux de l'impressionner, de se présenter sous son meilleur jour. Il parla longuement des courses de chevaux, du système qu'il avait élaboré pour ne pas se faire rouler par les bookmakers, et qui en moyenne lui rapportait vingt livres par semaine. Apparemment, il avait contracté la passion du jeu. Il pariait aussi sur le billard, achetait pour plus de cinquante livres en billets de loterie tous les mercredis et tous les samedis, et quand ils eurent fini de boire il offrit à Claire une démonstration de son talent en matière de machines à sous. Ils choisirent le jeu où des piles de pièces de 10 pence vacillaient au bord d'une étagère animée d'un mouvement lent, donnant l'impression qu'il suffisait d'ajouter une pièce au bon moment pour qu'une cascade de monnaie vous dégringole dans les mains. Gibbs expliqua que le jeu était truqué, qu'une bonne moitié des pièces étaient fixées à l'étagère, mais qu'on pouvait parfois faire des bénéfices si on récupérait quelques pièces aux premières tentatives et qu'on changeait aussitôt de machine. Il montra à Claire comment faire, et elle le couva d'un regard admiratif, se penchant parfois vers lui pour le gratifier d'un compliment appuyé. Il la laissa même essayer. Au deuxième essai, elle gagna 1,80 £, et Gibbs éclata de rire, battit des mains d'un air ravi et lui effleura l'épaule.

Lorsqu'ils sortirent pour aller au café, elle renonça à lui prendre le bras, ne voulant pas avoir l'air trop entreprenante.

Ils s'installèrent face à face autour d'une table en formica et commandèrent deux cappuccinos. Des « cafés mousseux », comme disait Gibbs. Il était près de quatre heures, et déjà le jour baissait. La pluie fouettait rageusement les vitres.

Claire avait expressément choisi cette table. Elle était

située dans un recoin du café, et Gibbs était assis dos au mur. Elle lui bloquait le passage. Et si elle poussait la table vers lui, il serait pris au piège. Il était coincé. Autrement dit, elle devait saisir sa chance : elle ne pouvait plus retarder la confrontation.

Elle sentait que Gibbs lui-même était impatient de faire avancer les choses. Il regarda sa montre et dit : « Après le café, vous devriez venir chez moi. On peut regarder la télé. Ou jouer aux cartes. »

Claire hocha la tête sans s'engager.

« À quelle heure vous pensez retrouver votre sœur ?

— Eh bien, à vrai dire... » Elle le regarda dans les yeux avec un sourire penaud. « À vrai dire, Victor... je ne vous ai pas dit la vérité. »

Il la dévisagea sans comprendre. « Votre sœur n'habite pas ici ?

— Je n'ai pas de sœur, dit Claire d'une voix sourde. Ma sœur est morte.

— Oh. » Manifestement, il ne savait que penser. « Je suis navré de l'apprendre, Claire.

— Enfin... je suis à peu près sûre qu'elle est morte. Elle a disparu, il y a longtemps. Près de trente ans. Je n'ai jamais eu de nouvelles. »

Gibbs la surveillait à présent : il devait la croire folle. « Mais, alors, dit-il, qu'est-ce... qu'est-ce que vous êtes venue faire à Cromer ? Vous m'aviez dit que c'était pour rendre visite à votre sœur.

— Ça ne vous dérange pas qu'on parle un peu d'elle ?

— Non, non. Bien sûr que non. Comme vous voudrez. » Il s'agita sur sa chaise, remarquant soudain, inconsciemment, qu'il était coincé par la table. Son attitude avait changé du tout au tout.

« En fait, Victor, dit-elle, j'ai comme l'impression que vous avez dû la connaître.

— La connaître ? » Il éclata de rire. « Qu'est-ce que vous racontez ? On vient seulement de se rencontrer.

— J'ai apporté une lettre. » Et elle sortit de son sac un papier plié. C'était une photocopie couleur de l'original, qu'elle avait faite à la bibliothèque municipale. « C'est la dernière lettre que ma sœur ait jamais écrite à mes parents. Vous voulez y jeter un coup d'œil ? »

Gibbs lui prit la feuille et la déploya sur la table. Il l'étudia, les coudes écartés, le menton sur les mains. Longuement. Sans bouger, sans lever les yeux. Claire attendit qu'il dise quelque chose. Elle percevait une conversation à mi-voix derrière elle, et le gargouillis occasionnel et assourdissant de la machine à café.

Enfin Gibbs la regarda et fit glisser la lettre vers elle. Il ne laissait rien paraître, mais son visage avait perdu de sa couleur, et sa main était prise d'un tremblement à peine perceptible.

« Qu'est-ce que vous en dites ? » demanda Claire quand le silence s'éternisa.

Gibbs haussa les épaules. « Qu'est-ce que j'ai à voir là-dedans ? Je n'aime pas mettre mon nez dans les affaires des autres.

— Ce sont *vos* affaires », dit Claire, avant d'ajouter : « Je crois que c'est vous qui avez écrit cette lettre. »

Après un instant de flottement, Gibbs tenta de se lever. « Vous êtes cinglée », dit-il. Mais ses jambes étaient coincées par le bord de la table. « Laissez-moi sortir, d'accord ?

— Asseyez-vous, Victor. Il faut qu'on discute.

— Y a rien à discuter, bordel ! répliqua-t-il en élevant la voix. Je ne vous ai jamais vue, ni vous ni votre putain de sœur, et à mon avis vous êtes un peu dérangée. À mon avis, vous devriez être à l'asile.

— J'ai une autre lettre, lui dit Claire. Une lettre que vous avez écrite à Bill Anderton. »

Pris de court, il se rassit, le temps qu'elle ajoute : « Ce nom-là, par contre, ça vous dit quelque chose, hein ? Et je peux prouver que les deux lettres ont été écrites par la même personne. Et tapées sur la même machine. » Gibbs essaya une nouvelle fois de se lever, pesant contre la table plus violemment que jamais. « Jamais entendu parler de lui, siffla-t-il. Vous vous êtes trompée de mec.

— Assieds-toi. Tu mens, espèce de salaud ! » Claire fut la première surprise de son éclat. Et soudain, ce fut elle qui tremblait, qui craquait, qui sentait la situation lui échapper. Elle était terrifiée par la haine concentrée dans son regard. « Je vous en prie, asseyez-vous. *Je vous en prie*. Je ne vais pas aller à la police. Je ne suis pas venue ici pour vous piéger.

— Alors qu'est-ce que vous êtes venue foutre ici, putain ? »

Il poussait la table contre elle. Elle sentait l'arête coupante peser sur son ventre.

« Arrêtez ! hurla-t-elle. Arrêtez ça tout de suite ! » Elle s'aperçut, furieuse et consternée, qu'elle avait les larmes aux yeux. « Je veux juste *savoir*, Victor. Je veux savoir ce qui est arrivé à ma sœur. J'étais une petite fille. Elle avait vingt et un ans. Je veux juste *savoir*. »

Il la foudroya une dernière fois de son regard inflexible, intensément hostile.

« Eh bien c'est pas avec *moi* que vous le saurez », dit-il, et là-dessus il exerça sur la table une poussée si violente que Claire fut projetée en arrière, glissa de sa chaise et heurta la femme assise derrière elle avant de s'étaler par terre. Gibbs força le passage et l'enjamba. Il fit voler une tasse, et le café tiède éclaboussa le visage de Claire, son imper, ses mains. Il se précipita vers la sortie. L'instant d'après, il avait disparu. Tous les clients regardaient Claire. Quelqu'un s'approcha et l'aida à se relever. Elle sanglotait.

« Il vous a fait mal, ce salopard ? » demanda un homme.

La serveuse la fit asseoir et entreprit de nettoyer son imper avec un torchon.

« Faut pas pleurer, répétait-elle encore et encore. Faut pas pleurer. Un connard pareil, ça n'en vaut pas la peine. »

*

La ville était prise dans une chape de ténèbres. Claire restait prostrée sur un banc de béton, face à la mer, les membres endoloris par le froid, le corps engourdi par une heure d'immobilité. Derrière elle, sur la route, quelques voitures passaient dans un chuintement humide. Devant elle, à quelques mètres, par-delà la plage, les vagues venaient rouler sur les galets comme elles rouleraient toujours, dans un murmure régulier et monotone. Claire avait eu la pommette écorchée dans sa chute, en heurtant le rebord d'une chaise. Elle palpa l'écorchure du bout des doigts, et elle grimaça en sentant la peau à vif. Une rafale plus forte que les autres survint de la mer et elle se remit à frissonner : il fallait qu'elle boive quelque chose de chaud avant de reprendre la voiture. Cinq heures de route en perspective, et de nuit cette fois. Elle se sentait tellement épuisée. Peut-être ferait-elle mieux de trouver une chambre d'hôtel : mais cette solution était trop déprimante. Elle voyait la scène : des sachets de thé et de café soluble sur la table de nuit, une vieille télé portative, les fantômes de milliers d'occupants. Il fallait qu'elle rentre. Le long trajet lui ferait du bien, lui changerait les idées.

Mais elle ne bougeait pas. Quelque chose l'enchaînait à ce banc, malgré le froid, malgré son dégoût croissant pour cette ville. Elle restait assise là, sans pleurer, sans réfléchir, sans même entendre l'immuable bruit de fond des vagues et des voitures. Au large, perdues dans le noir d'encre trouble, clignotaient de mystérieuses lumières. Et pendant ce temps, Claire était paralysée. Frigorifiée, trempée jusqu'aux os, elle ne voyait pas ce qui pourrait la décider à bouger d'ici.

Quelques minutes plus tard — elle n'aurait su dire combien, le temps avait perdu toute mesure et tout sens —, elle entendit des pas, puis la voix d'un homme qui s'adressait à elle. Il dit : « Vous allez attraper la mort. »

Claire leva les yeux. C'était Victor Gibbs. Dans la brume et la pluie, il avait l'air décharné, dépenaillé. Elle se détourna.

Sans qu'elle l'y encourage, il s'assit à côté d'elle. Il se pencha en avant, muet.

« Vous lui ressemblez un peu, finit-il par dire. J'aurais dû le remarquer, la première fois que je vous ai vue. »

Sans bouger, d'une voix presque atone, Claire demanda : « Vous vous souvenez de son visage ?

— Oh, oui. Je m'en souviens, je m'en souviens très bien. »

Claire changea de position pour s'écarter de lui. Elle resserra son imper autour de son cou.

« Je ne sais pas grand-chose, dit-il d'une voix rauque après un long silence. Mais tout ce que je sais, je vais vous le dire. »

Claire ne trahit aucune réaction. Mais tout son corps se raidit dans l'attente d'une révélation.

« Il y avait un type qui travaillait à l'usine, commença

Gibbs. Plus ou moins un ami à moi. Roy Slater, il s'appelait. On ne travaillait pas ensemble. J'étais à la comptabilité, lui à l'atelier. Mais on a fait connaissance, j'ai oublié comment. Je crois que ça devait être à une réunion politique. C'était une des choses qu'on avait en commun. Politiquement, on était sur la même longueur d'onde.

— J'ai vu son nom dans les dossiers de Bill Anderton, dit Claire d'une voix neutre et lointaine. C'était un facho, non ?

— C'était une autre époque. On était plus libre de dire ce qu'on pensait. Mais bref. Je ne dirais pas que Slater était un type bien. Moi non plus, d'ailleurs. J'ai détourné des fonds du Comité d'entraide — j'ai imité les signatures, j'étais doué pour ça, je le suis encore — et j'ai fini par me faire virer. J'ai été repris la main dans le sac quelques années plus tard, dans une autre boîte, et cette fois j'ai fait de la taule. Ça m'a remis les idées en place. Après ça, je me suis tenu à carreau. »

Il sortit de sa poche un paquet de cigarettes et en offrit une à Claire. Elle secoua la tête.

« Pour autant que je sache, Slater n'avait rien contre votre sœur, personnellement. Je crois qu'il ne la connaissait même pas. Mais elle s'est trouvée au mauvais endroit au mauvais moment. Victime des circonstances.

« Voilà comment ça s'est passé. Vous vous rappelez les attentats de Birmingham ? Quand l'IRA a fait sauter deux pubs du centre-ville et qu'il y a eu un tas de morts ? Eh bien, après ça, il y avait une sale ambiance. Dans toute la ville, mais aussi à l'usine. Un sentiment anti-irlandais. Vachement violent. Et pas seulement en paroles mais... en actes. Partout des rouquins se faisaient tabasser. Il y avait déjà eu des incidents anti-irlandais à l'usine, mais rien de comparable à ça. Et Slater était toujours prêt à renchérir. Il haïssait les rouquins. Une putain de haine. Tôt ou tard, il allait forcément passer à l'acte.

« Bref, un jour, guère plus d'une semaine ou deux après les attentats, ils s'en sont pris à quelqu'un. Il y avait un bâtiment où les gars allaient prendre leur douche après le boulot, et c'est là qu'ils ont emmené le mec ; un mec tout jeune, vingt-cinq ans à peine. Ils s'y sont mis à trois ou quatre pour le traîner dans les douches, avec Slater qui fermait la marche, et ils l'ont dérouillé sauvagement. Il s'agissait pas simplement de lui foutre une trempe : non, ces mecs avaient autre chose en tête, depuis le début. Ils voulaient le tuer. Et ils ont réussi leur coup. Ils lui ont frappé la tête à coups de marteau ou je ne sais quoi, et ensuite ils l'ont achevé. Le pauvre bougre. C'était du travail de pro. Et ils se sont arrangés pour maquiller ça en accident. C'est la version qu'en ont donnée les journaux, quelques jours plus tard.

— Jim Corrigan », dit brusquement Claire. Un nom qui lui revenait en mémoire après une éclipse de plus de vingt-cinq ans.

« Comment ?

— J'en ai entendu parler. C'est comme ça qu'il s'appelait. Il y avait un article dans le journal du lycée. » Elle se revoyait à la vieille galerie Ikon de John Bright Street : elle feuilletait de vieux numéros du *Bill Board* quand elle était tombée sur cette histoire. Tout en lisant, elle épiait un rendez-vous clandestin entre la mère de Phil et Miles Plumb, le prof d'histoire de l'art. « Je me rappelle avoir trouvé ça horrible, tellement triste. Il avait une femme et un gosse. On a dit qu'une machine lui était tombée dessus.

— Ouais, je crois bien que c'est ça. On parle du même. »

Gibbs se tut. Au loin, on entendit soudain détoner une corne de brume.

« Je ne comprends pas, finit par dire Claire. Qu'est-ce que Miriam avait à voir là-dedans ?

— Comme je l'ai dit, reprit Gibbs, elle s'est trouvée au mauvais endroit au mauvais moment. Elle était *là* quand c'est arrivé, vous comprenez. Elle était dans les douches. Elle a tout vu. Toute cette boucherie. » Il prit une taffe puis tapota sa cigarette, faisant tomber la cendre sur le trottoir. « Dieu sait ce qu'elle foutait là. C'est *ça* que j'ai jamais compris. »

Claire connaissait la réponse. « Elle devait attendre Bill. C'est là qu'ils se retrouvaient. » Elle se renfonça sur le banc et ferma les yeux, tentant de se remémorer le moindre détail, le moindre indice potentiel. Est-ce qu'ils étaient déjà au bord de la crise, sa sœur et Bill, à cette date ? Sans doute. « Qu'est-ce qui s'est passé ensuite ?

— Ça, fit Gibbs, je n'en sais rien. Je pense que Slater a dû lui dire deux mots, lui ordonner de fermer sa gueule. Mais ça ne lui suffisait pas. C'était un témoin gênant, il fallait s'en débarrasser. Slater m'a raconté ensuite qu'il avait fait le travail lui-même. C'était vraiment un frimeur, un petit con, mais je crois qu'il disait la vérité. Je crois qu'elle a voulu rentrer directement chez elle et qu'il l'a suivie, mais... eh bien, je ne sais pas exactement où ça s'est passé. Il m'a dit qu'il avait abandonné le corps près d'un réservoir. Et dans la nuit, il est revenu, il a lesté le corps avec des haltères et il l'a balancée à la flotte.

— Et ensuite, demanda Claire d'une voix tremblante, ensuite il vous a demandé d'écrire cette lettre ? *Et vous l'avez fait ?* »

Gibbs éteignit sa cigarette et resta muet pendant une éternité, impassible, les yeux rivés sur l'horizon. Enfin, il dit, très lentement, d'une voix pâteuse : « Je lui voulais du mal. À votre sœur. Ne me demandez pas pourquoi. Mais je lui voulais du mal. »

Il n'avait plus rien à dire. Et Claire n'avait plus rien à lui demander. Au bout de quelques minutes, il se leva, laborieusement.

« Voilà. Je vous ai tout dit. Allez à la police si vous voulez. Maintenant, ça m'est égal. »

Il tourna les talons et s'éloigna. Claire entendit ses pas s'estomper. Elle ne le suivit pas des yeux.

*

Vingt minutes plus tard, après avoir lentement assimilé tout ce que lui avait dit Victor Gibbs, Claire s'aperçut qu'il lui restait une question à poser : qu'était devenu Roy Slater ? Est-ce qu'il vivait encore ? Elle se rua chez Gibbs, au pas de course, pressentant déjà qu'elle arriverait trop tard. À son arrivée, elle trouva la porte de la maison grande ouverte, et la voisine du rez-de-chaussée dans le couloir.

« Je ne sais pas ce que vous lui avez dit, mais il est parti. En voiture, il y a quelques minutes, avec deux valises. Il a pris toutes ses affaires. » Elle se mit à trier des journaux gratuits empilés sur la table du vestibule, en jetant la plupart dans un sac-poubelle noir. « C'est pas une grosse perte, ajouta-t-elle d'un ton aigre. Ça faisait des mois qu'il n'avait pas payé le loyer. »

5

Un soir, bien des années plus tard, lors d'une visite de Philip à Lucques, chez Claire et Stefano, elle lui raconta cette journée, ajoutant : « Et alors, sur le trajet du retour, je me suis dit que ces attentats avaient brisé la vie de Lois, bien sûr, à cause de ce qui lui était arrivé ce soir-là avec Malcolm à la Tavern in the Town, mais pas seulement ; ils avaient aussi brisé celle de Miriam, indirectement, à cause de ce qu'elle avait vu à Longbridge et de ce qu'on lui avait infligé : ce qui veut dire qu'ils ont aussi brisé ma vie, puisque pendant des années je n'ai pas pu réfléchir normalement ni aller de l'avant, faute de savoir ce qu'était devenue Miriam, et d'une certaine manière ils ont aussi brisé la vie de Patrick, qui a fini par faire à son tour une fixation sur Miriam, par besoin de compensation, de compenser la douleur qu'on lui avait causée en divorçant quand il était petit. Et je me suis mise à penser à toutes ces autres familles, à tous ces autres gens dont la vie avait dû être affectée par cet événement, à penser qu'il y avait de quoi devenir fou, à force de vouloir remonter à la source, chercher le véritable responsable, tu comprends, remonter aux origines de la question irlandaise, au point de se demander : Est-ce qu'Oliver Cromwell ne serait pas responsable de toutes les années que Lois a passées à l'hôpital ? Ou de l'assassinat de Miriam ? Et en un sens, tu sais, même si c'est horrible à dire, les attentats de Birmingham n'ont été qu'une atrocité mineure, d'un point de vue statistique, comparés à Lockerbie, ou aux attentats de Bali, ou au 11 septembre, ou à toutes les victimes civiles de la guerre d'Irak. Qu'est-ce qui se passerait si on essayait d'expliquer toutes ces morts, toutes ces vies brisées, en remontant à la source ? Est-ce qu'il y aurait de quoi devenir fou ? Est-ce que c'est complètement fou d'essayer, ou est-ce que c'est la seule chose raisonnable à faire ? Reconnaître le fait que, de façon spectaculaire ou complètement anodine, des gens parfaitement innocents voient sans arrêt leur vie foutue en l'air par des forces incontrôlables, qu'il s'agisse d'événements historiques ou d'un chauffard ivre qui, pas de bol, passe dans la rue à cent à l'heure juste au moment où on sort de chez soi, mais même dans ce cas-là on peut dire que c'est la société qui est responsable, cette société qui lui a dit que c'était cool de rouler en ville à cent à l'heure, ou qui a fait de lui un alcoolique, et comme je disais c'est peut-être la seule chose *raisonnable* à faire, essayer de remonter à la source, au lieu de hausser les épaules en disant "C'est le hasard" ou "Ce sont des choses qui arrivent", parce que quand on va au fond du problème on s'aperçoit que *tout* a une cause. Tout ce qu'un être humain fait à un autre être humain est le résultat d'une décision humaine, qu'elle ait été prise par lui-même ou par quelqu'un d'autre, qu'elle ait été prise vingt ans avant ou trente ans ou deux cents ans ou deux mille ans ou simplement mercredi dernier. »

Et Philip répondit : « Claire, tu serais pas bourrée,

par hasard ? Parce que je t'ai jamais entendue raconter autant de conneries. »

À quoi Claire répliqua : « C'est vrai qu'en une demi-heure j'ai bu à peu près les deux tiers de cet excellent bardolino. »

Philip : « Au bout du compte, si quelqu'un que tu aimes est victime du terrorisme — est tué dans un attentat, disons —, ça ne change rien que le terroriste ait fait ça parce qu'il est psychotique ou parce qu'il considère qu'on persécute son pays ou sa religion ou autre chose encore. Le fait est que la personne que tu aimais est morte et que le responsable, c'est celui qui a posé la bombe ou piloté l'avion ou je ne sais quoi. Rien à foutre des mobiles. *Il n'aurait pas dû faire ça.* Si Roy Slater a tué ta sœur, c'est parce qu'il était *mauvais*. Désolé d'être aussi brutal, mais c'est comme ça. »

Claire : « Oui, mais *ça ne serait pas arrivé* s'il n'y avait pas eu les attentats. »

Philip : « Peut-être pas à cette personne-là, à ce moment-là. Mais il aurait trouvé une autre raison pour tuer quelqu'un d'autre. Qu'est-ce qu'il est devenu, d'ailleurs ? »

Claire : « C'est bizarre, mais après ça je n'étais absolument pas curieuse de le savoir. Comme si j'étais exsangue, vidée de tout sentiment. Patrick a fait des recherches, deux ou trois ans plus tard. Il a découvert que Slater était mort depuis un bon moment. En prison. D'un emphysème. »

Philip : « C'est marrant, Patrick ne m'en a jamais parlé. »

Claire : « Ce que j'ai compris ce jour-là dans le Norfolk — et c'est tout ce que j'essaie de te dire —, c'est qu'il y a une logique. Il faut bien la chercher, mais une fois qu'on l'a trouvée on peut se frayer un chemin à travers le chaos et le hasard et les coïncidences et remonter jusqu'à la source et dire : "Ah, c'est *là* que tout a commencé." »

Philip : « Ce serait de la folie. Il n'y a que des individus. Et il y a des individus qui sont *mauvais* — c'est aussi simple que ça — et c'est d'eux qu'il faut se protéger, et même s'ils ont des raisons d'agir ainsi, neuf fois sur dix ces raisons n'ont rien à voir avec l'Histoire, rien à voir avec la société. Ce sont des raisons psychologiques, affectives. *D'autres gens* les ont rendus ainsi. Les parents, généralement. »

Claire : « Alors il faut se demander ce qui a rendu les *parents* ainsi. »

Philip : « Mais c'est impossible ! Dans ce cas, on n'en finirait pas de remonter toujours plus loin en arrière, on n'en verrait jamais le bout. »

Claire : « Non, pas impossible. Difficile, oui. Très difficile. Mais on n'a pas le choix. »

Stefano parut sur la terrasse. Il apportait une bouteille de vin rouge et les resservit.

Claire : « Ça sent délicieusement bon. C'est bientôt prêt ? »

Stefano : « Dans une demi-heure à peu près. Le risotto, ça demande de la patience. »

Il retourna à l'intérieur. Claire et Philip sirotèrent leur vin, tandis que le déchirant crépuscule de septembre projetait des ombres immenses et dorait les dalles anciennes de la piazza qui s'étendait sous leurs yeux.

Philip : « Les gens doivent assumer leurs responsabilités, un point c'est tout. Prends Harding, par exemple. Il a peut-être été traumatisé par ses parents, je n'en sais rien. Mais des tas de gens sont traumatisés par leurs parents et réussissent quand même à avoir une vie à peu près normale, sans faire de mal aux autres. Il a *choisi* de devenir ce qu'il est devenu. »

Claire : « Tu ne m'as jamais vraiment raconté ce qui s'était passé quand tu es allé le voir. »

Philip : « Je vais tout te raconter. »

*

« Harding aussi était dans le Norfolk. Mais pas du tout dans le même coin. À l'autre bout du comté, à la pointe ouest. L'adresse que j'avais était celle d'une ferme au milieu de nulle part, à quelques kilomètres au sud de King's Lynn. À la lisière des marécages.

« Je ne me rappelle pas la date exacte, mais ça devait être vers la fin du mois de mars, puisque j'écoutais la radio en chemin et que ça faisait deux ou trois jours que les Américains bombardaient l'Irak. "Le choc et l'effroi", ils appelaient ça. Putain, on pouvait pas écouter la radio cinq minutes sans qu'un fin stratège vienne nous bassiner avec "le choc et l'effroi". Ça faisait un drôle d'effet : j'avais quitté la nationale, je traversais ce paysage complètement vide et silencieux — le Norfolk, ça devient vite très sauvage, en quelques minutes on est loin de la civilisation —, et tout ce que j'entendais à la radio, c'étaient des récits de carnage et de destruction, et tous ces connards d'Américains qui parlaient fièrement de l'*effroi* que devait ressentir le reste du monde. C'est pas difficile, je trouve, d'inspirer de l'effroi quand on est le pays le plus riche du monde et qu'on dépense la moitié de sa richesse à fabriquer des bombes pour nous foutre en l'air. Mais bon, il y a toutes sortes d'effroi, pas vrai ? Par exemple celui qu'on peut ressentir face à un paysage. Un mélange de terreur, d'admiration, de respect. C'est tellement beau par là-bas, tellement figé. Des kilomètres de terrain plat, gorgé d'eau. On est seul avec les oiseaux. Et ces ciels du Norfolk ! En été, ça peut être incroyable. Mais cet après-midi-là le ciel était juste gris, gris argent. Et puis... ce *silence*. C'était ça le plus effrayant, je crois, le plus impressionnant, pour quelqu'un qui vient de la ville. J'ai éteint la radio, je me suis garé, j'ai coupé le contact et, avant de partir à la recherche de la ferme, je suis descendu de voiture et j'ai écouté le silence.

« Je comprenais pourquoi il avait choisi de vivre ici.

« On apercevait la maison à des kilomètres. Il n'y avait pas d'arbres, et le terrain était absolument plat. Il n'y avait que des champs de betteraves à perte de vue, et ces étranges canaux creusés il y a des siècles mais toujours absolument rectilignes, et qui ont vraiment l'air d'être faits de main d'homme. Un drôle de paysage. Qui ne ressemble à rien d'autre. Très exposé, en un sens, mais en même temps si éloigné qu'il était impensable qu'on vienne le chercher là. Je me suis demandé si c'était le but de la manœuvre, s'il se cachait. S'il fuyait quelque chose ou quelqu'un. Je crois qu'il avait eu la police sur le dos plus d'une fois ces dernières années, à cause de ses déclarations, de ce qu'il diffusait sur le Net, et bien sûr des CD. Je me suis dit qu'il avait peut-être des ennuis et qu'il préférait garder un profil bas, le temps que ça se tasse.

« Je voyais de la fumée du côté de la maison, mais en approchant j'ai découvert qu'elle ne provenait pas de la ferme elle-même, mais de la cheminée d'une vieille roulotte stationnée devant. Deux femmes y vivaient — ou plutôt deux filles, je ne sais pas trop comment les qualifier, elles n'avaient guère plus de vingt ans. Il les appelait Charybde et Scylla, et je n'ai jamais compris ce qu'elles faisaient là, à part l'aider un peu aux travaux des champs. Elles étaient très belles. Je ne sais pas où il les avait trouvées, ni comment il les avait convaincues de s'installer chez lui.

« Bref, je me suis garé à côté de la roulotte et je suis resté assis au volant, en essayant de rassembler mes esprits. Je n'avais pas la moindre idée de ce que j'allais lui dire, ni même des vraies raisons de ma visite. La curiosité, sans doute. J'avais envie de savoir comment le garçon qu'on avait connu au lycée — ou en tout cas cru connaître — avait pu ainsi mal tourner. Je suppose que ma découverte concernant Harding avait remis en cause tout mon passé — notre passé commun — et j'espérais remettre les choses en ordre, trouver un semblant de logique. Là encore, pour maintenir le chaos à distance. Mais il y avait une autre raison. Je voulais lui parler de Steve. De ce qu'il lui avait fait subir au lycée. Je voulais savoir comment il justifiait ça, même à ses propres yeux.

« Je suis resté ainsi cinq minutes, et puis je suis allé jusqu'à la porte et j'ai frappé de toutes mes forces.

« Je n'aurais jamais pu le reconnaître. En fait, l'espace d'un instant, j'ai cru que je m'étais trompé de maison. Il avait une casquette plate — j'ai compris plus tard qu'il était presque chauve —, de petites lunettes rondes à monture d'acier, et une invraisemblable barbe broussailleuse qui lui arrivait pratiquement à la poitrine. Il portait un costume de tweed, un gilet moutarde, un foulard autour du cou, la totale : il s'était métamorphosé en parfait gentleman-farmer, quoique plutôt gentleman que farmer, à en juger par l'état de ses champs. Il n'avait pas l'air très solide physiquement — il marchait voûté, et il n'avait que la peau sur les os — mais ce qui m'a vraiment frappé, c'étaient ses yeux. Il y avait dans son regard une vraie agressivité. Est-ce qu'il était déjà comme ça au lycée ? Tu peux me le dire ? Enfin, il savait qui j'étais, il se souvenait de moi, il savait que je venais, et pourtant il y avait dans ses yeux une terrible hostilité, une terrible *méfiance*. Comme s'il attendait que je dise un mot de travers pour exploser. Et ce, dès le premier instant. Aucune confiance. On voyait qu'il n'avait confiance ni en moi ni en rien. Il se méfiait du monde entier.

« Bien sûr, le premier problème, c'est que je ne savais pas comment l'appeler. Je savais déjà qu'il ne voulait plus qu'on l'appelle Sean. Il avait anglicisé son nom : John. John Harding. J'imagine que pour lui c'était un nom bien franc, bien anglais. Je me rappelais que son père était irlandais, mais chaque fois que j'y ai fait allusion il n'a rien voulu entendre. Il a même dit qu'il n'y avait qu'une génération d'Irlandais du côté de son père. Il insistait beaucoup là-dessus. Mais dans l'ensemble il n'a guère parlé de son père. Il disait que sa mère avait compté pour lui bien davantage, et il y avait des photos d'elle partout : sur les étagères, sur la cheminée, sur le piano. Elle faisait peur, je dois dire. On aurait dit qu'elle sortait des années 30 plutôt que des années 70. Comme une institutrice de cauchemar. Sur certaines photos, elle portait un monocle.

« Je dois avouer que la maison était propre et bien rangée. Je soupçonne Charybde et Scylla d'y avoir contribué. Cela dit, il n'y avait pas grand-chose à nettoyer ou à ranger. Il avait l'air de posséder très peu d'affaires. Il n'y avait presque pas de meubles, tout juste une table de cuisine et un bureau avec ordinateur. En revanche, il y avait des livres partout : pas seulement dans le bureau, mais dans toute la maison, la cuisine, le couloir, la salle de bains. Empilés les uns sur les autres. Des livres sur tous les sujets. Beaucoup d'histoire et de géographie locales, mais aussi des ouvrages bizarres sur l'occultisme, la sorcellerie, le paganisme. Beaucoup de classiques. Des romans, des centaines de romans : rien de contemporain, mais un tas d'auteurs du dix-huitième et du dix-neuvième. Des livres de politique, d'histoire. *Mein Kampf*, forcément. Beaucoup de livres sur les religions orientales. Et sur l'islam. Très éclectique, je dois dire. Assez impressionnant. Dans mon souvenir, il ne lisait pas tant que ça, au lycée.

« Le plus ridicule, c'est qu'on n'avait rien à se dire. Lui, en tout cas, n'avait visiblement aucune envie de faire la conversation, et rien de ce que je pouvais dire ne semblait l'intéresser. Tu vois, les questions banales du genre "Comment ça va ?" et "Qu'est-ce que tu deviens ?" se heurtaient à un mur. J'ai voulu lui donner des nouvelles des anciens du lycée, mais ça lui était complètement indifférent. Il n'a même pas essayé de faire semblant, ne serait-ce que par politesse. Il disait : "Je ne me souviens pas de ces gens." Il ne se souvenait pas de Doug, il ne se souvenait pas de toi non plus. Il s'est contenté de dire : "Vous étiez tous terre à terre. Vous étiez tous des *terriens*." Je n'ai pas bien compris ce que ça signifiait. La seule exception, apparemment, c'était Benjamin. J'ai vu une brève lueur dans ses yeux quand j'ai mentionné Benjamin. Il m'a demandé si Benjamin avait fini par publier son livre et j'ai répondu que non, qu'il n'avait jamais réussi à le terminer. Il paraissait trouver ça vraiment dommage. Il a dit que Benjamin avait un potentiel, quelque chose comme ça.

« Je lui ai expliqué que c'était Benjamin qui avait retrouvé sa trace, en découvrant ce qu'il avait écrit dans le livre d'or d'un château du Dorset, et je lui ai demandé s'il s'en souvenait. Et il a dit oui, qu'il s'agissait bien de lui, mais qu'il n'écrivait plus ce genre de choses. Il a dit qu'Arthur Pusey-Hamilton était mort et enterré. Je lui ai demandé dans quelle mesure il s'était identifié à ce personnage et il m'a répondu : complètement ; il avait développé toute une théorie selon laquelle, pour faire une bonne satire ou une bonne parodie, il fallait, quelque part, aimer son objet. Il m'a dit qu'il avait exposé cette théorie dans un gros livre, une histoire de l'humour anglais de Chaucer à P. G. Wodehouse. Il parlait beaucoup des livres qu'il avait écrits. Aucun n'avait été publié. Mais il a ajouté qu'il avait "renoncé" à l'humour, au même titre qu'il aurait pu arrêter de fumer ou se convertir à une religion. Apparemment, il avait passé quelque temps dans un monastère — tu vois, un autre point commun avec Benjamin — et il m'a parlé de saint Benoît et des règles qu'il avait édictées : l'une de ces règles était de ne pas faire de plaisanteries, une autre de ne pas rire trop souvent. Il a dit que le rire manquait de dignité, de sainteté. Ce genre de mots semblait avoir pris beaucoup d'importance pour lui. Il les employait sans cesse.

« Alors je l'ai pris au mot. Je lui ai demandé le rapport entre la sainteté et le fait de droguer Steve pour l'empêcher de réussir son examen de physique, et quelle dignité il y avait à persécuter un prof — un prof de maths qu'on a eu, qui s'appelait M. Silverman — sous prétexte qu'il était juif. Quant à s'acoquiner avec une bande de voyous nazis proférant des menaces de mort comme Combat 18, ou à financer des groupes célébrant l'Holocauste dans leurs chansons... je ne voyais pas ce que ça avait de digne ou de saint, ni comment justifier ça. Mais l'argument n'a pas eu l'air de le déstabiliser. Il a reconnu qu'il avait commis des erreurs dans le passé, il ne le niait pas. Mais il a ajouté qu'il admirait sincèrement les skinheads et tous les gens qui prenaient au sérieux la "guerre des races" — c'est l'expression qu'il a employée — et qui étaient prêts à livrer bataille dans les rues. Il a dit que pour lui ce n'étaient pas des voyous, mais des guerriers, et que l'Esprit guerrier faisait partie de notre héritage, de notre tradition. Alors j'ai répliqué : "Et les émeutes de Bradford, de Burnley, d'Oldham, il y a deux ou trois ans ? Quand les skins se sont déchaînés et ont tabassé des gens, des Pakistanais et des Bangladais de soixante ou soixante-dix ans, des vieillards! Qu'est-ce que ça a de si glorieux ?" Et il a dit que la violence était une chose terrible, mais que si c'était la seule façon d'atteindre son objectif elle était justifiée. Qu'il approuvait ces émeutes, que c'était un pas dans la bonne direction. Et c'est à ce moment-là que j'ai commencé à le soupçonner de mythomanie, car il se targuait d'être à l'origine de ces émeutes, d'avoir contribué à les déclencher par ses déclarations diffusées sur le Net.

« Alors j'ai demandé : "Mais c'est quoi, cet objectif, au juste ? Je ne comprends pas. Qu'est-ce que tu espères accomplir ?" Et il a répondu que les Aryens n'avaient jamais aspiré qu'à pouvoir vivre leur vie en paix et en harmonie avec la nature. J'ai rétorqué : "Qu'est-ce qui vous en empêche ?" Il a dit que cette terre souffrait d'être violée et polluée par les multinationales, envahie par les étrangers, des gens qui n'avaient pas de respect pour cette terre et pas le droit de s'y installer, et que les multinationales étaient de mèche avec les politicards pour préserver le statu quo, parce que c'était là-dessus que reposait leur pouvoir. Le délire conspirationniste habituel. Il a dit que c'était une ruse pour perpétuer un système matérialiste et maléfique fondé sur l'usure, et bien sûr il était convaincu que les Juifs tiraient les ficelles.

« Voilà pourquoi, apparemment, il s'intéressait tant à l'islam, au point de se persuader que le djihad était *la* solution. Ça ne veut pas dire qu'il prenait des leçons de pilotage ou qu'il préparait un attentat-suicide. Mais il prétendait avoir rencontré Ben Laden, qu'il s'obstinait à appeler simplement "Oussama", comme pour montrer qu'ils étaient les meilleurs amis du monde. C'est à ce stade que j'ai décrété qu'il avait perdu la boule. Il a dit que fondamentalement Al-Qaida et les guerriers aryens étaient du même bord, puisque les véritables ennemis, c'étaient l'Amérique et les sionistes qui dominaient le monde. Mais je n'écoutais plus vraiment. Pourtant, il était partisan de la guerre en Irak, sans doute parce que d'après lui elle provoquerait de nouveaux attentats anti-occidentaux et que c'était une bonne chose.

« J'ai fait une dernière tentative : et les victimes civiles irakiennes, dans tout ça ? Il a répété que c'était bien triste, mais que la guerre était une nécessité tragique et qu'il coulerait encore beaucoup de sang avant que l'ordre des choses soit rétabli. Et il m'a conseillé de lire un de ses essais, intitulé : *Violence et Mélancolie*. C'était disponible sur Internet, comme tout ce qu'il avait écrit, sur un site que ses amis avaient créé pour lui. J'ai été heureux d'apprendre qu'il avait des amis, tout bien considéré.

« Après ça, on n'a pas dit grand-chose. Il est allé me faire un thé et j'ai examiné sa discothèque. Impressionnante, elle aussi. Plusieurs milliers d'albums, soigneusement rangés par ordre alphabétique. Uniquement des vinyles. Je crois qu'il avait quasiment l'intégrale de la musique classique occidentale. Quand il est revenu, je lui en ai fait la remarque en ajoutant : "Pas beaucoup de skins là-dedans, pas vrai ?" Il a lancé le disque déjà posé sur la platine — Vaughan Williams, la *Rhapsodie Norfolk* n° 1 — et il l'a écouté en silence tandis qu'on prenait le thé, et son visage s'est transfiguré, a perdu son air agressif et parano, et il est devenu presque beau, presque souriant, comme jamais auparavant. Mais quand le morceau s'est achevé, il a eu l'air très triste, et il m'a dit qu'il avait beau l'avoir écouté des milliers, des dizaines de milliers de fois, il n'arrivait pas à s'en lasser. C'était l'un des morceaux préférés de sa mère, m'a-t-il confié. Alors je lui ai rappelé que Vaughan Williams était socialiste et l'aurait haï, lui et toutes les valeurs qu'il représentait. Mais il a répondu que ce genre d'opinions politiques était superficiel, et que les véritables convictions du compositeur s'entendaient dans sa musique. Il n'y avait rien à répondre.

« Avant de partir, je lui ai raconté ce qui était arrivé à Steve Richards, qui n'avait décroché un super boulot et emménagé à Birmingham avec sa famille que pour être victime, quelques mois plus tard, d'un licenciement massif. (Qui était l'œuvre d'un de tes ex, Claire, si je ne m'abuse.) Et Harding a dit qu'il était navré de l'apprendre, mais que le vrai problème, c'est que Steve n'avait pas sa place dans ce pays, et qu'il serait plus heureux en repartant vivre parmi ses semblables. Parmi son "peuple", pour reprendre son expression fétiche. En entendant ça, je me suis énervé et je l'ai traité de sombre connard. Et je me suis rappelé ce que Doug avait dit un jour de Harding, comme quoi ce serait déprimant de le revoir, parce qu'il était sûrement devenu métreur ou quelque chose dans le genre ; mais rien n'aurait pu être plus déprimant que ça : tant d'intelligence, tant d'humour, tant de malice pour en arriver là. C'est tellement triste. Je lui ai demandé s'il y avait une Mme Harding, et il a répondu qu'il y en avait eu une, mais qu'elle était morte. J'ai jeté un dernier coup d'œil à son intérieur, et j'ai frémi en pensant à cette petite vie étriquée et aigrie et *solitaire* qu'il avait choisi de mener — tu vois ce que je veux dire ? — , mais j'étais incapable de le plaindre. C'était impossible de l'*atteindre*, voilà le problème, alors comment le plaindre ? Il était au-delà de ça. Je ne lui ai pas serré la main, je me suis contenté d'un au revoir, et en sortant je lui ai dit : "Passe le bonjour à Oussama, d'accord ? Demande-lui s'il est prêt à accorder une interview au *Birmingham Post* un de ces jours." Et il m'a répondu par une phrase en arabe. Je lui ai demandé ce qu'elle signifiait, et il me l'a traduite en expliquant que c'était une citation du Coran. Elle disait : "Montre-nous la Voie droite, la voie de ceux auxquels Tu as dispensé Ta grâce, dont le lot n'est pas la colère, et qui ne s'écartent pas du chemin."

« Alors je suis reparti. Il n'a pas agité la main, mais il est resté sur le seuil à me regarder m'éloigner. Je ne l'ai plus jamais revu. »

*

La nuit tombait peu à peu, douce et tiède. Ils allumèrent des bougies sur la terrasse, et après le repas ils s'y attardèrent tous les trois, Claire, Philip et Stefano, jusqu'à ce que le soleil ait complètement disparu, que les bars ferment et que la ville de Lucques sombre dans le silence. À peine quelques voix prenant congé, quelques pas fugitifs sur le pavé des rues. Déjà les événements du printemps 2003 semblaient remonter à une époque lointaine.

Il était bien plus de minuit lorsque Claire déclara : « Je ne sais pas quelle leçon tirer de l'histoire de Sean.

Je ne crois pas que ça remette en cause ce que je disais. S'il y a une exception à la règle, ce n'est pas Sean, c'est Benjamin. Ça, je veux bien l'admettre. Personne n'est responsable de ce qui lui est arrivé. Il n'y a pas de causalité, d'engrenage. Personne ne l'a forcé à tomber amoureux de Cicely, et à gâcher vingt ans de sa vie à force d'obsession. Il est seul responsable. »

Philip intervint : « Oui, mais... Benjamin est heureux, à présent. Il a retrouvé Cicely, pas vrai ? Et c'est tout ce qu'il voulait.

— Je ne crois pas qu'il soit vraiment heureux.

— Tu les as vus ensemble ?

— Je suis allée une seule fois chez eux. Je n'ai pas supporté. Elle était là, dans son fauteuil roulant, à lui donner des ordres et à le traiter comme un chien. Le *caractère* qu'elle a...

— C'est un symptôme. Un des effets de la sclérose en plaques.

— Eh bien, moi, je n'ai pas supporté. C'était au-dessus de mes forces.

— Mais tu sais, Claire, il est *heureux* comme ça. Il a recommencé à écrire, tu le savais ? Et à faire de la musique. Je trouve ça super. Sérieusement, si tu l'avais vu il y a quelques années... Pense à l'époque où il avait disparu, où il était en Allemagne et où personne n'a eu de ses nouvelles pendant des mois.

— Peut-être...

— C'est ça, l'essentiel, tu vois. On a tous fini par avoir ce qu'on voulait, chacun à sa manière. Toi, moi, Doug, Emily. Quand on y pense. On a tous eu droit à un happy end. »

LE TRAIN DE MUNICH

Dans les collines
La neige strie les champs noirs.
Le crépuscule glisse sur les balcons vides, les maisons
   calfeutrées au mystère
Solennel, où les enfants
(Je suis bien forcé d'y croire) grandissent et où les parents
   aiment
Dans une terrible intimité.

Augsburg. Ulm.
Déjà dans ma tête
Ces noms jettent des ombres bleu-noir
Tristes comme des dimanches après-midi.

Parallèle à la voie, court
À présent un canal. Des plaques de glace
Planent sur son gris-vert, et sur les bords l'herbe
Est du beige de la moquette dans un appartement refait

Que quelqu'un essaie
Désespérément de vendre.

Köln. Mannheim. Stuttgart.
Dans n'importe lequel de ces endroits
Un foyer pourrait se trouver
Ou se bâtir. Mais au même titre
Qu'une pâle lumière allusive brille encore
Derrière les Alpes au loin, ce soleil qui bientôt
Caressera de ses lèvres les épaules duveteuses
De villes encore insoupçonnées :

Pas de choix possible
Quand le choix est infini.

*

Benjamin, planté dans un coin de la *Drogerie*, soupesait les deux boîtes de préservatifs, une dans chaque main, tentant de déchiffrer la notice en allemand. Il y avait manifestement une grande différence entre les deux, mais de quelle nature? De taille? De texture? D'arôme? Il n'en avait aucune idée.

Il n'avait jamais utilisé de préservatif. Incroyable, quand on y pense, mais vrai. Cicely et lui n'avaient pris aucune précaution, ce jour-là — ce qui n'était pas très prudent, rétrospectivement. Quant à Emily, au début elle prenait la pilule, et ensuite... eh bien, la suite démontra qu'elle n'avait même pas besoin de la prendre. Ce serait donc pour lui une expérience inédite. Il était donc d'autant plus crucial qu'il fasse le bon choix.

Malgré tout, il hésitait. Il se remémorait un épisode assez mortifiant remontant aux années 80, après un concert triomphal de Saps at Sea dans une maison de la culture près de Cheltenham. Dans la camionnette qui les ramenait à Birmingham, les cinq musiciens avaient joué à un jeu baptisé « Déficiences ». Le principe était le suivant : le joueur devait citer une activité a priori fort répandue, mais qu'à sa grande honte il n'avait jamais pratiquée. Pour chaque autre joueur qui en revanche l'*avait* pratiquée, on marquait un point : autrement dit, plus on marquait de points, plus on passait pour un extraterrestre aux yeux des autres. Benjamin avait gagné la première partie par un score maximum de quatre points, en avouant, sous des ululements incrédules, qu'il n'avait jamais utilisé de préservatif. En outre, il gagna les dix parties suivantes, chaque fois par un score maximum, en confessant qu'il n'avait jamais pris de cocaïne, jamais fumé de cannabis, jamais fumé tout court, jamais fait l'amour en plein air, jamais roulé à plus de cent trente à l'heure, jamais couché avec une inconnue de passage, jamais joué à un jeu d'argent, jamais fait l'école buissonnière, jamais bu plus de trois pintes en une soirée et jamais oublié l'anniversaire de sa mère. Enfin, aucun des autres joueurs ne parvint à marquer quatre points : chaque fois qu'ils reconnaissaient une lacune dans leur expérience, Benjamin était dans le même cas. Une seule fois, on crut qu'il allait y avoir une exception à la règle, lorsque Ralph, le batteur, avoua tout penaud qu'il n'avait jamais couché avec deux femmes. « Ah ! s'exclama triomphalement Benjamin. Moi, si ! » Mais il fallut alors lui expliquer que Ralph parlait de coucher avec *deux femmes à la fois*. Ce qui ne lui rapporta que trois points.

Benjamin examina encore les deux boîtes avant de se rendre compte, le cœur lourd, que son choix n'aurait sans doute aucune importance. Depuis trois semaines qu'il était à Munich, il n'avait pas parlé à âme qui vive, encore moins à une femme susceptible de vouloir coucher avec lui. Il essaya une dernière fois de deviner le sens de ces mots inconnus, et finit par mettre les deux boîtes dans son panier. Après tout, il avait un dictionnaire d'allemand dans son appartement.

*

LE JARDIN ANGLAIS EN HIVER

Le Jardin anglais en hiver
Est presque vide. Sous mes pieds,
Une gadoue de glace et de boue.
Le fleuve ici est alpin,
Et même en juillet d'une froideur de montagne.
Un oiseau solitaire effleure la surface, méfiant.
Quel genre d'oiseau ? Je ne suis pas sûr.

Difficile d'imaginer, parmi ces gris,
Ces arbres nus (dont le nom
M'échappe) qu'en été, des fleurs éclosent,
Et des femmes bronzent, sur cette berge,
Nues — à ce qu'on m'a dit —
Pendant que des cadres en costume cassent la croûte
Et se rincent l'œil, furtifs, avides.

De quelles fleurs peut-il s'agir ?
Celles qui comptent bourgeonner dans les épines
De ce buisson trapu inconnu de moi ?
Frissonnant, je me demande où est la pluie
Tant promise par le ciel de Munich,
Et je me sens bien ignorant.

Je dois repartir, loin de cette ville de malchance,
Où pèsent des nuages que je pourrais décrire
En détail si j'avais la terminologie.
La beauté de ces filles gorgées de soleil
Est bien réelle, dans mes visions.
Mais l'hiver au Jardin anglais
Me glace aujourd'hui de deux certitudes brunes :

Je ne serai pas là
Pour les voir s'exhiber,
Et jamais je ne serai poète de la nature.

*

Benjamin n'avait pas écrit de poèmes depuis le lycée. Il savait qu'il avait perdu la main, comme pour tant de choses. Mais après les vingt ans de fiasco d'*Agitation* — les montagnes de papier noirci, les centaines d'heures perdues à se débattre avec des interfaces Midi et des logiciels de séquençage —, il n'était tenté par aucune technologie plus perfectionnée qu'un papier et un crayon (ou un bic et un cahier), par aucune forme littéraire plus complexe qu'un sonnet. Chaque jour, après s'être tiré du lit vers dix ou onze heures, il entrait dans un bar ou un café près de l'université et s'installait pour écrire. La plupart du temps, il n'écrivait rien. Générale-ment, il avait la gueule de bois. Le soir, il allait dans un cinéma passant des films en anglais, puis il rentrait à l'appartement, buvait quasiment une bouteille de vin et se remettait à l'ouvrage. Quand les poèmes ne venaient pas, il essayait d'écrire autre chose — souvent des rémi-niscences, en prose, d'épisodes de sa vie passée — mais il ne conservait jamais ces épanchements. Souvent, il n'avait même pas le courage de se relire le lendemain matin. La pauvreté de son expérience commençait à le dégoûter. Il n'avait rien à dire. Et chaque fois que cette réalité le frappait de plein fouet, en fin de soirée, il buvait plus d'une bouteille de vin. Il acquit le goût des alcools forts : des single malts d'Islay, en particulier, même si à Munich ils étaient difficiles à dénicher et coûtaient une fortune. Lors d'une soirée mémorable (c'est-à-dire d'une soirée dont il ne se rappelait rien), il but les trois quarts d'une bouteille de Talisker et vomit dans ses chaussures : détail dont il ne s'aperçut qu'en les enfilant le lendemain matin. Il savait qu'il était temps d'arrêter. Mais il n'en fit rien.

Son allemand ne s'améliorait pas. Sa vie sociale restait inexistante. Ses économies commençaient à fondre. Il éprouvait des bouffées de nostalgie pour Morley Jackson & Gray, les conversations de bureau, la routine rassurante des journées de travail. Il avait pris son portable. La batterie était à plat depuis des semaines, mais il aurait pu la recharger sans problème. Il aurait pu appeler Adrian ou Tim ou Juliet au bureau ; il aurait pu appeler ses parents ou sa sœur ou sa nièce ; il aurait pu appeler Philip ou Doug ; il aurait pu appeler Munir. Mais la batterie resta à plat. Benjamin était résolu à se réinventer avant que tous ces gens le revoient. Il ferait un retour triomphal.

*

SEXYLAND

Mon regard est fixé sur ses seins
Parce qu'ainsi j'ai moins honte
Qu'en regardant ses yeux.

Ils sont bleu cobalt (je parle de ses yeux)
Sous un voile de tristesse, de colère, d'ennui —
Enfin de quelque chose qui la rend
Plus humaine. Ce n'est pas ce qu'on veut —
Ni moi, ni tous les hommes (tous jeunes, je le remarque)
Qui la regardent, tapis dans l'ombre,
En buvant la piquette facturée
Trente euros. (Le verre.)

Louablement conforme aux règles de l'UE,
Elle est démocratique, scrupuleuse, équitable.
Dévêtue à présent, elle quitte la scène
Et offre un aperçu de ses généreux charmes
À chacun tour à tour.

Je suis le septième de la file.
Une fois que la musique a enfin martelé
Ses seize mesures, elle atterrit en vrille
Sur mes genoux, enfin pas loin.
Son bassin virevolte sans vraiment me toucher,
Mais pas trop mécanique, même si je suis certain
Qu'elle a l'esprit ailleurs.
(Somnambulique. Oui. Peut-être le mot juste.)
Et sous mon nez : un téton. Que
Le barde en moi se sent tenu de célébrer.

Bien peu à dire, pourtant, de cette chose
Qui envahit mon champ visuel.
C'est rond, et rose,
Et il a son pendant, sauf erreur de ma part,
Et vient (je parierais) de se faire suçoter
Avec ferveur, il y a peu,
Les yeux fermés, les lèvres avides,

Par le bébé tout rabougri
Qu'il lui tarde d'embrasser encore.

*

Sa visite au club de strip-tease lui fit comprendre qu'il touchait le fond. Il avait de plus en plus de mal à faire l'effort de se lever. D'après ses estimations, il avait dû prendre au moins six ou sept kilos. Il ne se rasait plus, et put ainsi se prouver qu'il était encore plus moche avec la barbe que sans. Il devint accro aux sites pornos d'Internet et s'adonna à d'étranges pratiques autoérotiques où intervenaient des cintres en plastique, de la crème glacée Ben & Jerry, sa ceinture en cuir et une spatule. Il remarqua que les étudiantes qui fréquentaient les cafés de Schellingstrasse, seules ou en groupe, l'avaient repéré et évitaient de s'asseoir à proximité. Il pouvait s'estimer heureux s'il composait plus de six vers en une semaine.

Il était étonné de constater à quel point Emily lui manquait. Il ne s'y attendait vraiment pas. Son grand fantasme n'était plus de vivre une idylle passionnée avec une étudiante bronzant nue au Jardin anglais, mais de passer une soirée à la maison avec Emily, assis côte à côte sur le canapé, à lire ou à regarder la télé. Il découvrit que ce qu'il avait naguère voulu fuir était à présent ce qu'il désirait plus que tout. Il fut terrassé par cette révélation un matin, juste avant l'aube, incapable de dormir, entortillé dans des draps qui n'avaient pas été changés depuis des semaines, et soudain, sans prévenir, il se surprit à hurler de solitude dans la nuit qui n'en finissait pas, à sangloter comme il n'avait plus sangloté depuis l'enfance. Il pleura tellement qu'il crut que ça ne s'arrêterait jamais, il pleura jusqu'à ce que le soleil soit levé, jusqu'à ce que sa poitrine le brûle sous la violence des convulsions.

Benjamin quitta son appartement ce matin-là et prit une chambre d'hôtel pour la nuit, le temps de décider de la marche à suivre. Le lendemain au petit déjeuner, il lut les journaux anglais — cela faisait des siècles qu'il n'avait pas ouvert un journal — et apprit non seulement que les États-Unis et la Grande-Bretagne avaient envahi l'Irak sans l'aval de l'ONU, mais que déjà Bagdad était sur le point de tomber. L'indifférence avec laquelle il accueillit ces nouvelles l'inquiéta. Il avait envie de ressentir quelque chose. Il comprit qu'il était parvenu à un tournant : l'heure était-elle venue de renouer avec le reste de l'humanité, ou bien de s'enfoncer davantage encore dans l'isolement ? Ce qui amenait une autre question, qu'il avait soigneusement éludée jusque-là : pourquoi, en plus de trois mois d'errance sans joie, s'était-il abstenu de faire le choix qui s'imposait et de se rendre à l'abbaye de Saint-Wandrille ? La raison en était simple, pour peu qu'il ait le courage de la regarder en face. Il ne supportait pas l'idée d'y retourner, car le lieu lui rappellerait Emily, lui rappellerait ce jour où ils l'avaient visitée ensemble, longeant la rivière en fin d'après-midi avant d'assister aux complies à la tombée du jour. Tout dans ce lieu hurlerait son absence.

Mais c'était là qu'il devait aller.

*

RÉGLER LA NOTE

Quand j'ai réglé la note à l'hôtel Olympic,
J'ai dit à la réceptionniste dans mon allemand

Hésitant : « Je voudrais régler, s'il vous plaît »,
Mais, fatigué, j'ai oublié — à cet instant —
Que je devais rendre la clef, qui était dans ma poche.

Eh bien, Groucho, Keaton et Stan Laurel,
Dans un trio comique, à l'apogée de leur talent,
Pour une seule représentation,
N'auraient pas eu autant d'effet.
Elle riait et riait,
Elle riait et riait et riait et riait,
Elle riait et riait et riait.

En demandant si j'avais utilisé le minibar,
Elle bégayait tellement elle riait,
Je lui avais rendu la clef, mais malgré tout,
En comptant mes billets, elle avait du mal
À faire ses comptes tant elle riait de ce drôle d'Anglais
Qui voulait partir en gardant la clef dans sa poche.
Elle en avait pour des semaines à raconter cette bonne
    histoire,
Et elle riait encore en rendant la monnaie,
Et en portant ma valise dans la réserve
Près du comptoir elle riait et riait,
Et riait et riait et riait.

Et on dit que les Allemands n'ont pas le sens de
    l'humour.

3

Le train entra en gare d'Yvetot peu avant la nuit. Benjamin n'eut aucun mal à trouver un taxi, et serra sa valise contre lui tandis qu'il longeait la vallée, traversant un paysage qu'il s'attendait à reconnaître mais qui lui parut, en ce soir d'avril brumeux, spectral et étranger.

Le chauffeur le laissa aux portes du monastère. Tout le village avait l'air désert et, même si la porte de l'hôtellerie était ouverte, il ne fut guère surpris que personne ne soit là pour l'accueillir à la réception. Il attendit anxieusement quelques minutes, se demandant si son message avait bien été transmis. En désespoir de cause, il parcourut la centaine de mètres qui le séparait du fond de l'enceinte, où la boutique regorgeant d'artisanat monastique allait fermer, et demanda de l'aide au frère qui tenait la caisse. Le français de Benjamin était un peu rouillé, mais après quelques malentendus le moine lui indiqua obligeamment une grande porte métallique vert pâle percée dans le mur du monastère, et appuya sur un bouton dissimulé sous le comptoir, ce qui, mystérieusement, ouvrit la porte. Après le passage de Benjamin, elle se referma automatiquement dans un claquement sinistre et sans appel. Il était dans la place.

Benjamin se retrouva face à une grande étendue de gazon bien taillé, encadrant un sentier qui menait à un pont enjambant un ruisseau silencieux. Au-delà, il y avait un verger et, apparemment, un potager clos. Sur la droite s'élevait l'abbaye proprement dite, imposante, séculaire, austère, indifférente, ombre dans le crépuscule. Benjamin, nerveux, s'y achemina, attiré et dans une certaine mesure rassuré par les carrés de lumière chaude qui brillaient à certaines fenêtres. Il suivit une allée gravillonnée jusqu'à deux portes de chêne massif, toutes deux ouvertes, toutes deux donnant sur le même couloir mal éclairé.

Ses pas résonnaient sur les dalles. Il examina la porte de droite et vit une plaque indiquant : « Salle des hôtes ». C'était plutôt bon signe. Il frappa à la porte et, faute de réponse, la poussa à grand-peine.

Il se retrouva dans une pièce haute de plafond, illuminée par un chandelier électrique, mais il n'y avait toujours personne pour l'accueillir. Des brochures religieuses étaient éparpillées sur la grande table qui occupait presque tout l'espace, et une horloge tictaquait bruyamment au mur, fixant sans émotion le crucifix qui lui faisait face : comme toujours, cette imagerie sado-masochiste de souffrance et de soumission fit frissonner Benjamin au lieu de lui inspirer des sentiments pieux.

À court d'idées, il posa sa valise, s'assit dans un grand fauteuil — recouvert d'un tissu tellement fané que la couleur en était indécidable — et attendit en écoutant le tic-tac, les volées de cloches, proches et lointaines, apparemment aléatoires, et le murmure occasionnel de pas et de voix dans quelque recoin de l'édifice. C'est ainsi que le temps s'écoula lentement.

Et puis, au bout d'un quart d'heure durant lequel son malaise avait grandi jusqu'à la panique, des pas rapides et décidés annoncèrent l'arrivée de quelqu'un. Un grand jeune homme en habit de moine, au teint cireux, aux cheveux ras, aux yeux vifs et souriants derrière ses lunettes métalliques, fit irruption dans la pièce, s'arrêta devant le fauteuil de Benjamin et lui tendit une main contrite.

« Monsieur Trotter ? Benjamin ? Je suis désolé... »

C'était le père Antoine, le père hôtelier. Sans un mot, il prit la valise de Benjamin, l'escorta hors de la pièce, lui fit traverser une cour et enfin le conduisit à une cellule, au premier étage d'une tour basse et finement proportionnée d'où l'on pouvait humer, même à cette heure tardive, le parfum sucré du gazon fraîchement tondu.

*

En fait, le monastère accueillait trois autres hôtes, dont aucun ne parlait anglais. Benjamin ne les voyait qu'aux repas, où il était défendu de parler, ce qui rendait improbable de se lier d'amitié. Les moines eux-mêmes étaient courtois et hospitaliers, mais guère bavards. Néanmoins, Benjamin éprouvait un soulagement inexprimable à retrouver la compagnie de ses semblables.

Il ne tarda pas à s'apercevoir que la vie de l'abbaye était strictement réglée, et après la sinistre anarchie de son séjour à Munich il fut ravi de se voir imposer une routine. Le premier office de la journée, les matines, avait lieu à 5 h 25. Il y assistait rarement. S'il avait bien dormi, il parvenait parfois à faire une apparition aux laudes de 7 h 30. Puis venait le petit déjeuner — quelques tartines de confiture et un bol de chocolat chaud à base de Nesquik, d'eau et de lait en poudre —, qu'il prenait dans une petite crypte située sous l'hôtellerie, avec les autres hôtes, et généralement sans un mot, même si le silence n'était pas de rigueur, contrairement aux autres repas. Une ou deux fois il tenta d'engager la conversation, mais ses efforts se heurtèrent à des réponses monosyllabiques, en français comme en anglais, qu'il prit pour des remontrances.

La messe, le grand événement du matin, débutait à 9 h 45. De nombreux villageois y assistaient : elle avait lieu, comme les autres offices, dans la chapelle magnifiquement austère — une vieille grange reconvertie, dont la voûte offrait un éblouissant enchevêtrement de poutres — où, près de deux ans plus tôt, avec Emily, il avait écouté les mêmes psalmodies. (Sans savoir que c'était le dernier soir qu'ils passeraient jamais ensemble.) Puis venait sexte, à 12 h 45, et ensuite le déjeuner. Benjamin et les autres hôtes entraient en file indienne dans le grand réfectoire ensoleillé, entre deux rangées de moines dont l'âge semblait s'échelonner de vingt-cinq à quatre-vingt-dix ans. Leurs visages étaient indéchiffrables, malgré la physionomie expressive des vieillards. On chantait le bénédicité, calme et mélodieux, puis les hôtes prenaient place, servis par deux ou trois moines avec une rapidité et une efficacité joviale à rendre jaloux bien des restaurants du guide Michelin. La salade, accompagnée d'une vinaigrette aromatique, était suivie d'un plat de viande et de légumes du potager, puis d'un dessert tout simple, crème anglaise tiède couronnée d'une framboise ou gelée de groseilles. Toute parole étant prohibée dans le réfectoire, les hôtes pouvaient se dispenser de faire maladroitement la conversation pour écouter un jeune novice angélique lire, ou plutôt chanter : apparemment, il psalmodiait (du moins durant le séjour de Benjamin) le texte d'un livre d'histoire française du dix-septième siècle. Méditant sur l'exquise monotonie de cette interprétation, Benjamin se dit qu'il avait peut-être, sans le vouloir, trouvé la clef du grand projet artistique de sa vie : une combinaison nouvelle entre la musique et l'écrit. Ces moines n'avaient-ils pas résolu le problème, et ce (comme toujours avec eux, ce qui était légèrement énervant) de manière on ne peut plus simple et évidente ?

L'après-midi s'étendait devant lui, interminable et langoureux, uniquement ponctué par none (juste après le déjeuner) et vêpres, qui se déroulaient au crépuscule. Parfois il y assistait, parfois non. Dans un cas comme dans l'autre, ça n'avait l'air de gêner personne : il n'aurait su dire si l'on remarquait son comportement, si l'on contrôlait ses faits et gestes. D'ailleurs, les moines paraissaient si tolérants que ses agissements ne risquaient guère de les déstabiliser. (Il se disait parfois que le pire affront qu'il pouvait leur faire subir serait de les ennuyer, de ne pas exciter leur intérêt.) Enfin, après le dîner, avait lieu le dernier office du jour, le préféré de Benjamin : les complies. Elles avaient lieu à 20 h 35, dans une obscurité presque totale. La vieille grange n'était éclairée que par la faible lueur de deux lampes électriques, montées sur des poutres maîtresses de part et d'autre de l'autel, et impuissantes à dissiper les ombres épaisses de ces froides nuits d'avril. Dans les ténèbres de leurs stalles, les moines reprenaient leur disposition habituelle, leurs silhouettes encapuchonnées plus gothiques, plus irréelles que jamais, tandis que les lignes pures de leur psalmodie mélancolique projetaient une cascade éthérée et mourante dans le noir silence, entrelacées à des pauses rythmées plus longues, plus calmes, plus profondes que jamais.

*

À mesure que son séjour se prolongeait, Benjamin en vint à distinguer la personnalité respective de ses hôtes. Au début, il avait du mal à les différencier, ne serait-ce que physiquement : leur tenue réglementaire (crâne rasé, lunettes d'acier, et aubes apparemment identiques) les rendait interchangeables à ses yeux. Mais peu à peu, en apprenant à percer l'écran du rituel quotidien et du conformisme de surface, il eut quelques aperçus de leur diversité de caractère. Il découvrit des moines exubérants, des moines malicieux, des moines arrogants ; des commères, des intellectuels, des rêveurs et des marginaux ; des joggeurs, des jardiniers, des cyclistes. Et dans le père Antoine, à sa grande surprise, il découvrit un collègue écrivain : plus avancé que Benjamin, d'ailleurs, car les travaux de « sociologie religieuse » d'Antoine consacrés à la politique familiale avaient trouvé un éditeur. « Quand votre recueil de poèmes sera publié, lui dit-il un jour gentiment, vous devrez nous en envoyer un exemplaire. » Benjamin, gêné à l'idée que son œuvre soit étudiée par des lecteurs au cœur si pur, répondit : « Ah, je ne sais pas : ils sont un peu trop profanes pour votre bibliothèque, je crois. » Sur quoi le moine éclata d'un rire ravi : « Trop profanes ! Ah, vous vous faites des illusions sur notre compte ! »

Un beau jour, à la fin du déjeuner, quand on eut fait circuler un panier de fruits, Benjamin se retrouva face à une rangée de moines comblés, les uns juvéniles, les autres quasi séniles, tous suçant ou mâchonnant distraitement une banane à moitié pelée. Ils avaient les yeux dans le vague, comme pour exprimer une acceptation bien trop fugace des plaisirs terrestres, et pour une fois il ressentit avec eux un lien aussi intense qu'incongru. Il eut envie de rire, mais d'un rire joyeux, dénué de toute trace de moquerie. Apparemment, on riait beaucoup à l'abbaye, malgré les mises en garde inscrites dans la règle de saint Benoît (dont un exemplaire avait été placé dans sa cellule) : « 54 : Ne pas dire de paroles vaines ou qui ne portent qu'à rire. 55 : Ne pas aimer le rire trop fréquent ou trop bruyant. » Parfois même, il voyait des moines, rassemblés sur l'un des ponts enjambant la Fontenelle, qui traversait silencieusement le domaine, jeter des miettes de pain aux canards, leurs visages de clercs transfigurés par une telle expression de jubilation enfantine qu'il était permis de croire — un sentiment ancien, autefois si familier — qu'un jour la vie ne se composerait que de semblables instants de bienheureuse simplicité, et il se sentait parcouru de la même allégresse éphémère qu'il avait connue jadis en une ou deux occasions inestimables, pendant sa scolarité.

C'était la routine, comprit-il au bout de quelques jours, qui contribuait le plus à le revivifier. Ce qui au premier abord avait pu sembler une mortelle série de répétitions finissait, perversement, par revêtir un caractère libérateur, et peu à peu il adopta naturellement son propre emploi du temps, assistant à quatre des sept offices quotidiens, et meublant les intervalles par la lecture, la marche et la méditation. (Rêverie, se disait-il parfois, serait peut-être un terme plus exact.) Il rechignait à s'écarter de ce système, au point de vouloir toujours s'asseoir sur le même banc à la même heure.

Même quand une fine pluie se mettait à tomber du ciel gris métallique sur Saint-Wandrille, on le trouvait dans le verger, tous les après-midi à trois heures, sans paraître exciter la curiosité des moines qui s'y affairaient, perdu dans ses réflexions sans queue ni tête. Dans une certaine mesure, il était satisfait de son sort, et en tout cas soulagé d'avoir fui sa misérable solitude allemande. Mais il savait que cette surface apaisée dissimulait un chaos intime. Il n'éprouvait aucun sentiment religieux ; il n'avait pas retrouvé la foi, malgré toutes les laudes et les vêpres auxquelles il pouvait assister. Il avait nourri le vague espoir, en venant ici, d'atteindre à une sorte de sainteté, sans bien savoir en quoi elle pourrait consister. Mais en réalité, plus son corps se sentait reposé, plus son sommeil devenait limpide et apaisé, et plus son esprit incontrôlable s'emballait dans une surchauffe anarchique. Il repensait au passé ; à l'échec de son mariage ; à Emily ; à Malvina ; à Cicely ; à toutes celles qui s'aventuraient dans sa conscience. Il repensait à sa foi perdue, à ses années gâchées. Il tentait de décider si elles avaient vraiment été gâchées. Il tentait de décider toutes sortes de choses. Et invariablement il échouait.

*

Au huitième jour de sa retraite, un nouvel hôte venu d'Angleterre arriva à Saint-Wandrille et s'installa dans la cellule voisine. D'emblée, il parut légèrement différent des autres. Peut-être pas physiquement : il était grisonnant, vieillissant, quoiqu'un peu plus athlétique que la moyenne des hommes attirés par la vie monacale. C'était avant tout une différence d'attitude. Il avait l'air profondément mal à l'aise de se trouver entre les murs de l'abbaye. Visiblement, il ne parlait pas français, et il s'en remettait sans cesse à Benjamin pour ne pas commettre d'entorses au protocole et pour savoir quand se lever, quand s'agenouiller, comment s'adresser à l'abbé et ainsi de suite. Aux repas, alors que les autres hôtes étaient recueillis et contemplatifs, il parcourait la pièce d'un regard vif et nerveux, comme pour s'assurer que son comportement ne le trahissait pas. Les rares fois où il assistait aux offices, il paraissait plus mal à l'aise encore. Benjamin se persuada qu'il avait quelque chose à cacher.

Au début, il lui en voulut d'être là. Il éprouvait un certain plaisir à être le seul hôte britannique de Saint-Wandrille. Certes, ce n'était pas en restant là (il commençait à le comprendre) qu'il allait régler ses problèmes : mais au moins il y puiserait la volonté de s'y attaquer sitôt rentré. En attendant, il avait l'impression d'avoir été élu membre d'un club très fermé, une idée qui l'avait toujours séduit depuis son intronisation au sein du Carlton Club, au lycée. Peut-être était-ce là galvauder son expérience de Saint-Wandrille. Le monastère lui apparaissait moins comme un club, en fait, que comme un somptueux jardin secret, inconnu du reste du monde, et dont on lui avait magiquement offert la clef. À présent, il pouvait envisager de rentrer à Birmingham et de puiser des forces dans la conscience que cet endroit serait toujours à sa disposition : dans le bus, par exemple, ou en faisant la queue pour un sandwich, il éprouverait un réconfort sans limites à l'idée que ses voisins ignoraient tout de son petit paradis sur terre ; et que lui, *lui seul*, en connaissait l'existence et l'emplacement. Il sentait qu'il n'y aurait pas de bornes à ses accomplissements, pas d'entraves à l'élan de son retour fracassant, pour peu qu'il veille jalousement sur ce trésor intime.

C'est à de telles pensées qu'il s'adonnait un matin, peu avant le déjeuner, à flanc de colline, assis sur un banc qui dominait la vallée et la splendeur laiteuse de l'abbaye, lorsque soudain il fut abordé par le mystérieux visiteur.

« Je peux me joindre à vous? demanda l'homme essoufflé par son ascension.

— Bien sûr. Au fait, je m'appelle Benjamin.

— Enchanté, Benjamin, dit-il en lui serrant la main et en s'asseyant à côté de lui. Ça ne vous dérange pas que je vous pose une question qui me démange depuis mon arrivée?

— Je vous en prie.

— *Franchement*, qu'est-ce qui vous amène dans cet endroit oublié de Dieu? »

Benjamin s'attendait à tout sauf à ça; et il lui fallut du temps pour retrouver l'usage de la parole.

« Ça paraît... bizarre d'employer cette expression, finit-il par bredouiller, pour parler d'un monastère.

— C'est vrai que c'est très joli par ici. Ça, je vous le concède. » Il lui tendit la main à retardement. « Mon nom, c'est Michael : Michael Usborne. Ravi de faire votre connaissance. Dites-moi, vous aussi, vous avez entendu parler de cet endroit dans *Condé Nast Traveller*? »

*

Il était temps de rentrer. Benjamin en était convaincu. Pas seulement à cause du nouvel arrivant, ce qui en soi était déjà une raison suffisante. Apparemment, Usborne avait décidé de venir à Saint-Wandrille pour échapper aux journalistes qui le traquaient, depuis qu'on avait appris le montant de l'indemnité de départ qu'il avait négociée après avoir de nouveau mené une entreprise naguère florissante au bord de la faillite. Benjamin n'avait jamais entendu parler de Michael Usborne, et ne se souciait guère des détails, mais visiblement il avait bâti toute une carrière sur ce schéma immuable. Mais cette fois, cette indemnité était jugée si scandaleusement élevée que la nouvelle avait filtré hors du ghetto des pages Finances pour faire les gros titres de trois quotidiens nationaux.

« Depuis ce jour-là, j'ai des connards de journalistes qui campent à ma porte, disait-il. Comment ils ont su où j'habitais, d'ailleurs ? En tout cas, ils ne risquent pas de me trouver ici. J'ai toujours soigneusement dissimulé ma part de spiritualité, et je compte bien continuer. Merci, mon Dieu, d'avoir inventé les moines ! Qu'est-ce qu'on ferait sans eux, hein ? »

Mais avant même ce coup de théâtre, Benjamin éprouvait un regain d'assurance, une détermination nouvelle, et même une certaine impatience de retrouver le vaste monde. Les premiers symptômes furent assez bénins. Il s'était mis à descendre au village tous les jours pour acheter le journal et se tenir au courant de l'évolution de la guerre. Il avait visité la boutique du monastère pour jeter un coup d'œil à leur sélection de CD ; et, loin de se contenter (car telle était son intention) des disques enregistrés par les moines eux-mêmes, il avait également acheté une bonne demi-douzaine d'œuvres classiques. Il reprenait goût à la musique.

L'un de ces albums était un nouvel enregistrement de *Judith*, l'oratorio d'Honegger. Benjamin n'avait pas oublié qu'il passait à la radio quand il était reparti de chez Claire un soir de l'été 2001, qu'il était tombé pile sur le « Cantique des vierges », et qu'il avait été bouleversé par cette musique et par les souvenirs qu'elle ravivait. Claire avait été si gentille avec lui ce jour-là, lui avait donné de si bons conseils. D'ailleurs, en y repensant, elle avait toujours été gentille avec lui, et il ne l'avait guère payée de retour. Comment avait-il pu être aussi aveugle ! Il avait toujours eu un peu peur de Claire, il s'en rendait compte à présent. Elle était vraiment son égale — plus qu'une égale, sur bien des points —, et sans doute manquait-il du courage nécessaire pour entamer une relation avec une telle femme. Emily et lui s'étaient blottis derrière l'écran de leur foi, et si elle n'avait pas grand-chose à dire de ses écrits ou de sa musique, cela faisait bien son affaire, finalement. Il n'aimait pas qu'on le remette en question. Mais Claire n'hésiterait pas à le remettre en question, à chaque étape. Si ce qu'il écrivait était nul, elle le lui dirait en face. Mais c'était bien de ça qu'il avait besoin. C'était bien la marque d'une véritable amie — d'une amie aimante. Est-ce qu'il était enfin assez grand pour l'accepter ?

Dès qu'il serait de retour dans les Midlands, il irait trouver Claire. Une visite amicale, et on verrait bien ce que ça donnerait, où ça les mènerait. En écoutant la musique qu'il associait désormais à elle, et que par un hasard providentiel il avait dénichée à la boutique, il savait que c'était la seule chose à faire.

Oui, mais... oui, mais il y avait aussi Malvina.

Benjamin soupira et se retourna dans son lit. Le clair de lune filtrait autour des rideaux élimés. Comment comparer Claire et Malvina ? Évidemment, il n'y avait pas de comparaison possible. Et il était absurde, contraire à toute logique, de supposer que Malvina puisse être une compagne appropriée. Déjà, elle avait vingt ans de moins que lui. Et à vrai dire, il ne l'avait pas revue depuis près de trois ans — même s'il avait encore reçu un SMS en octobre. Il imaginait d'avance le mépris de ses amis et de sa famille, si jamais ils devenaient amants; les hochements de tête attristés à la pensée du pauvre Benjamin, de sa dépression, de son démon de midi. (Mépris qu'il avait lui-même éprouvé pour son frère, d'ailleurs, pendant cette période cauchemardesque — et par bonheur révolue — où l'on avait cru que Paul et Malvina allaient avoir une liaison.) Et de fait, il ne pouvait, n'avait jamais pu s'expliquer pourquoi, dès le premier instant, il s'était senti si proche de Malvina. Ça n'avait pas grand-chose à voir avec le désir, même s'il rentrait en ligne de compte. Non, il était impérieusement, irrésistiblement attiré par elle comme par une force de la nature. De tels sentiments ne pouvaient pas, ne devaient pas être ignorés. Il n'avait jamais rien éprouvé de tel pour Claire. Jamais.

Penser aux SMS le poussa à agir. Il sauta du lit et, pour la première fois en plus de trois mois, brancha son portable sur secteur et rechargea la batterie. Dès qu'il s'alluma et que le voyant se mit à clignoter, Benjamin attendit une sonnerie. Mais, cruelle déception, son téléphone resta muet. Si jamais il avait reçu des messages depuis sa disparition, le serveur avait dû les effacer depuis belle lurette.

Il retourna se coucher et remonta les couvertures râpeuses jusqu'au menton. Claire et Malvina... Malvina et Claire... Les deux noms, les deux visages tourbillonnaient dans sa tête quand il sombra dans le sommeil.

*

Le lendemain, lorsque Benjamin fit ses adieux au père Antoine, ils parlèrent longuement de littérature, de poésie, de musique. Benjamin mentionna le CD qu'il avait acheté la veille.

« Arthur Honegger, dit le jeune moine un peu brusque mais amical, aux faux airs d'universitaire, était quelqu'un d'intéressant. Avant de venir ici, j'écoutais beaucoup sa musique. Pas tant les grands oratorios que les symphonies. Les cinq symphonies. Vous les connaissez ? Il y a un esprit très... *religieux* dans ce cycle de symphonies. La troisième, la *Liturgique*, ne manquait jamais de m'émouvoir. En fait, elle m'ébranlait au plus profond de mon être. Vous savez, ses parents étaient suisses, mais il est né tout près d'ici.

— C'est vrai ? » Benjamin affectionnait ce genre de coïncidences. Elles lui donnaient l'impression d'être sur la bonne voie, l'espoir de déceler la logique cachée des choses.

« Oui, il est né au Havre. La maison existe encore, je crois. Il doit sûrement y avoir une plaque, un monument quelconque. C'est sur votre chemin ?

— À vrai dire, je comptais remonter sur Paris pour prendre l'Eurostar...

— Prenez plutôt le ferry, lui conseilla le père Antoine. Vous pourrez aller à pied jusqu'à l'embarcadère. Inutile de réserver. Et en chemin, vous pourrez faire une petite halte pour rendre hommage à un grand compositeur. » Il étreignit affectueusement Benjamin en lui disant au revoir. « Alors, bonne chance, monsieur Trotter. Et surtout, quand vos poèmes paraîtront, n'oubliez pas Saint-Wandrille !

—Promis », dit Benjamin. Et il était sincère.

*

Benjamin était à Étretat. Sur le sommet de craie. La nuit était claire, la mer lisse et somnolente. Pas un souffle de vent. En un tel soir, il était permis de croire que le monde entier était en paix. Il ne pouvait pas savoir qu'à des milliers de kilomètres de là, à Bagdad, les statues de Saddam Hussein étaient déboulonnées par des foules en liesse tandis que les Américains déclaraient l'invasion victorieuse, ou qu'à des centaines de kilomètres, dans la direction opposée, sur une autre falaise dominant la mer d'Irlande, dans la péninsule de Llwn au nord du pays de Galles, Paul et Malvina préparaient leur fuite tandis que Susan Trotter, dans la cuisine d'une grange reconvertie de la grande banlieue de Birmingham, pleurait la ruine de son mariage. Après tout, on ne peut pas tout savoir.

Il était six heures et demie en France — cinq heures et demie de l'autre côté de la Manche — et, hormis un couple âgé, main dans la main, croisé quelques minutes plus tôt, Benjamin n'avait vu personne sur le sentier. Il était seul, et libre de ses pensées : d'ailleurs, il était libre de ses pensées depuis des semaines, des mois. Mais il était las de cette liberté, ou plus exactement épuisé par les responsabilités qu'elle impliquait. Il commençait à se dire que la liberté (la liberté absolue, en tout cas), c'était surfait.

Il repensa, une fois encore, à Claire, et à Malvina. Benjamin avait du mal à conserver un souvenir précis des visages, même ceux des femmes qui l'attiraient. Quand il pensait à Malvina, il pensait à leurs rencontres clandestines au coin café de Waterstone — et à une époque où il avait un emploi, une femme, une époque où (il s'en rendait compte à présent) il était heureux. Et ses sentiments pour Malvina étaient empreints du souvenir de ce bonheur. Quand il pensait à Claire, il pensait à une fin de soirée où, en repartant de chez elle, il avait écouté le « Cantique des vierges » d'Honegger à la radio et observé dans le rétroviseur le reflet jaune de la pleine lune. Pour Benjamin, c'était une image fondatrice, un archétype : dorénavant, il ne devait jamais la perdre de vue s'il voulait négocier victorieusement les flots perfides de sa vie. Et pourtant, pourtant, entre ces deux options si différentes et inconciliables, il fallait faire un choix. Claire et Malvina. Malvina et Claire. Comment choisir ?

Il s'en tiendrait à la décision à laquelle il était parvenu dans le car qui l'emmenait d'Yvetot à Étretat.

Il sortit son portable et tapa un bref SMS.

> Tu vas sûrement me prendre pr 1 fou, mais je viens 2 comprendre qqch : on est faits l'1 pr l'autre ! Pourquoi ré6ter + longtemps ? Je reviens vers toi TOUT DE S8. Ben xxx

Il envoya le message et redescendit le sentier en direction d'Étretat, pour attraper le car du Havre ; en espérant avoir le temps, avant le départ du ferry, de se recueillir devant la maison natale d'Honegger, et de lui rendre un digne hommage.

2

Le 8 avril 2003

Monsieur le Premier ministre,

C'est à regret que je me vois contraint de vous remettre ma démission de membre du Parlement.

Si j'agis ainsi, c'est pour des raisons uniquement personnelles et non politiques. Il y a près de trois ans, vous vous en souvenez peut-être, certaines rumeurs concernant ma vie privée ont été répandues dans la presse. J'ai aussitôt pris des mesures pour y mettre un terme, en regrettant profondément l'embarras qu'elles avaient pu causer au parti. Mais tout récemment, je suis au regret de le dire, ma vie privée est redevenue compliquée : et cette fois, plutôt que de laisser les médias s'en emparer, j'ai décidé de recourir à une action préventive. (Un concept qui vous est familier, j'en suis sûr !)

Bref, j'ai décidé de quitter ma femme Susan et nos deux filles. Une telle décision, vous vous en doutez

— étant vous-même marié et père de famille —, ne se prend pas à la légère. Je m'attends à être vilipendé par la presse lorsque la chose sera connue. Qu'il en soit ainsi : c'est le prix à payer lorsqu'on choisit d'évoluer dans une culture médiatique. Mais je refuse que le parti ait à en souffrir.

Il va sans dire que ce fut un honneur pour moi de servir le parti travailliste, et vous plus particulièrement, pendant les sept années écoulées. Je crois sincèrement que votre gouvernement a été et continue d'être l'artisan de réformes radicales. C'est avec une admiration sans réserve que l'Histoire jugera tout ce que vous avez accompli dans les domaines de la santé, des services publics et de l'éducation. Si je puis me permettre un jugement personnel concernant ces premières années de gouvernement néotravailliste, je dirai que notre plus grand titre de gloire est d'avoir su arracher le parti à l'emprise sclérosante des syndicats pour gagner la confiance et le respect du monde de l'entreprise. Rendons grâce à votre génie d'avoir su saisir qu'il fallait entreprendre cette tâche ardue, et à votre courage de nous avoir incités à ne jamais nous écarter de cette voie.

Comme vous le savez, je n'ai jamais été déloyal envers le parti, en aucune circonstance. Il y a six semaines encore, j'ai voté contre l'amendement hostile à la guerre en Irak. À l'heure où j'écris ces lignes, l'invasion de l'Irak sous l'égide américaine paraît sur le point d'atteindre son but : le renversement de Saddam Hussein. Si cela se confirme dans les heures ou les jours qui viennent, j'aimerais de nouveau vous féliciter d'avoir su rester fidèle à vos principes. Cette campagne militaire semble avoir été menée de manière rapide, efficace et responsable.

Cette guerre ne m'en inspire pas moins un malaise plus grand que toutes les initiatives que vous avez pu imposer au parti durant vos deux mandats. Le renversement de Saddam Hussein était-il vraiment le but recherché? Ce n'est pas ainsi que nous avons présenté les choses au peuple britannique. Et une fois Saddam renversé, qu'adviendra-t-il? Tout le monde semble postuler que les Irakiens, que nous avons allégrement bombardés, vont faire volte-face et nous accueillir en héros et en libérateurs dès qu'ils seront débarrassés de Saddam. Suis-je le seul à juger ce scénario improbable? Je crains fort que nous ne soupçonnions même pas les conséquences possibles de cette aventure proche-orientale.

Je crois avoir acquis, depuis que j'ai décidé de démissionner, une lucidité qui me faisait curieusement défaut tant que je m'attachais à faire carrière dans l'atmosphère artificielle et confinée de Westminster. Et elle m'inspire d'emblée le sentiment croissant que notre guerre contre l'Irak est impossible à justifier. Le régime de Saddam ne représentait aucune menace imminente ou directe pour la population britannique; il n'entretenait aucun lien avéré avec le terrorisme international ni avec les auteurs des attentats du 11 septembre; nous avons violé le droit international; nous avons affaibli l'autorité de l'ONU; nous nous sommes aliéné bon nombre de nos partenaires européens; et surtout, nous avons confirmé les pires préjugés du monde musulman concernant le mépris et l'indifférence qu'éprouveraient les Occidentaux pour ses croyances et son mode de vie. De nouvelles attaques terroristes contre l'Occident — et la Grande-Bretagne en particulier —, qui avant la guerre n'étaient que plausibles, sont désormais inévitables.

Avoir voté contre l'amendement hostile, et en faveur de l'invasion de l'Irak, constitue le seul acte politique de ma carrière dont rétrospectivement j'ai honte. En vérité, c'était une telle erreur de jugement que j'ai été contraint d'en examiner les motifs ; et c'est alors que j'ai pris conscience du bouleversement intervenu dans la hiérarchie entre mes priorités politiques et mes priorités personnelles. Cette prise de conscience est directement à l'origine de ma décision de quitter ma femme, et donc, fatalement, de ma décision de démissionner.

Je vous prie par avance, Monsieur le Premier ministre, de me pardonner le trouble, l'embarras ou le préjudice politique que mon geste est susceptible de provoquer. J'imagine que vous lirez cette lettre avec une incrédulité et une fureur croissantes. Mais après avoir longuement et mûrement réfléchi, je reste convaincu d'avoir pris la seule décision possible et honorable.

En vous renouvelant l'expression de mon amitié et de mon admiration.

Bien à vous,

Paul Trotter

*

De : Paul Trotter
À : Susan
Envoyé : Mardi 8 avril 2003 23:07
[Pas de sujet]

Ma chère Susan

Impossible de t'annoncer ça en douceur, alors autant être direct. Je suis toujours amoureux de Malvina, et j'ai décidé de vous quitter pour vivre avec elle. J'ai envoyé ma démission à Tony. Nous allons quitter le pays quelque temps, elle et moi ; je te recontacterai. En attendant, bien sûr, n'hésite surtout pas à utiliser le compte joint et les cartes de crédit.

Dis aux filles que leur père les aime et qu'il viendra les voir bientôt.

Pardonne-moi.

Paul.

*

Le même soir, à minuit moins le quart, Malvina sonna à l'interphone de l'appartement de Paul.

« Qu'est-ce que tu fais ici ? lança-t-il depuis la porte alors qu'elle atteignait le palier. J'avais dit que je passerais te prendre demain matin. Tu n'es pas censée mettre les pieds ici. » Mais lorsqu'il la vit en larmes, il étreignit son corps frêle et tremblant. « Qu'est-ce qui se passe ? Qu'est-ce qu'il y a ?

— Ma mère, sanglota Malvina. La salope, la menteuse, la conne !

— Eh bien quoi, ta mère ? Qu'est-ce qu'elle a encore fait ? »

506

Hébétée, Malvina marcha jusqu'au salon avant de demander : « Tu as envoyé ta lettre à Tony ?

— Oui. Cet après-midi.

— Et merde, murmura-t-elle. Et Susan ? Tu lui as dit quelque chose ?

— Je t'avais promis de tout lui dire aujourd'hui. Je lui ai envoyé un mail il y a une demi-heure à peu près.

— Et merde, répéta-t-elle d'une voix plus forte. *Merde.* »

Elle s'effondra sur le canapé et enfouit son visage dans ses mains, tout son corps secoué de sanglots.

« Ma chérie, dit Paul en s'asseyant à côté d'elle et en lui caressant les cheveux. Qu'est-ce qui se passe ? Tu peux tout me dire.

— Ça ne peut pas continuer entre nous, dit Malvina. C'est fini. Je ne peux plus jamais te revoir.

— Mais pourquoi ? Qu'est-ce que tu racontes ? »

Il fallut plusieurs minutes à Malvina pour se calmer, sécher ses larmes, essuyer la morve liquide qui coulait de ses narines rougies et se sentir enfin en mesure de raconter son histoire. Elle posa quelque temps la tête sur son épaule, puis se redressa et lui prit les mains en le regardant dans les yeux.

« J'ai parlé de nous à ma mère, dit-elle. Pour la première fois. Et elle a disjoncté. Elle a pété les plombs. »

Paul soupira. « Mais tu savais que ça allait se passer comme ça. Tu as toujours dit qu'elle réagirait ainsi.

— Je sais, mais il y a autre chose. Le problème, ce n'est pas seulement... ce qui s'est passé entre nous. C'est pire encore. C'est quand je lui ai parlé de *toi*.

— Comment ça ?

— Quand je lui ai dit ton nom. »

Paul resta muet, incapable d'imaginer ce que Malvina essayait de lui faire comprendre.

« Paul, finit-elle par dire. Elle m'a menti. Ma salope de mère m'a toujours menti, cette tarée, depuis toujours. »

Il la dévisagea. « Elle t'a menti à propos de quoi ?

— De moi, répondit Malvina. De qui je suis vraiment. »

*

Susan alla chercher Ruth à la crèche avant d'attendre Antonia à la sortie de l'école, une demi-heure plus tard. Une fois rentrée, elle les planta devant la télé et entreprit de préparer le dîner. Elle mit trois saucisses au four, ainsi que des frites en forme de Smiley, et versa des petits pois surgelés dans un bol d'eau pour les réchauffer au micro-ondes. Comme la cuisson des saucisses paraissait en bonne voie, et que les filles regardaient sans se plaindre un documentaire animalier présenté par une jeune femme légèrement hystérique aux cheveux hérissés, elle se dit qu'elle avait quelques minutes devant elle pour consulter ses e-mails.

Il n'y avait qu'un seul message. Un message de Paul. Elle le lut une fois, rapidement, puis éteignit l'ordinateur.

Antonia entendit un bruit de verre brisé et se précipita dans le bureau.

« Qu'est-ce qui s'est passé, maman, qu'est-ce qui s'est passé ?

— C'est rien, ma chérie », dit Susan, les mains et la voix tremblantes. Un grand vase Stuart Crystal gisait en mille morceaux au pied du mur du fond — contre lequel Susan l'avait lancé de toutes ses forces — et les lis qu'il contenait étaient éparpillés parmi les éclats de verre, dans une flaque d'eau qui ne cessait de s'étendre.

« Je l'ai fait tomber de l'étagère sans le faire exprès, c'est tout.

— Je peux t'aider à nettoyer ?

— Moi aussi ! dit Ruth en rejoignant sa sœur sur le seuil.

— Non, ce n'est pas la peine. » Susan s'agenouilla devant elles et les étreignit avec ferveur. « Retournez voir la télé. Je m'en occupe. C'est ma faute. Ne restez pas ici, c'est dangereux avec tous ces bouts de verre. »

Les filles s'éclipsèrent, et Susan demeura immobile au milieu du bureau, le temps de cesser de trembler. Elle n'essaya même pas de ramasser les débris du vase, ni d'éponger l'eau qui commençait à imprégner la moquette.

Dix minutes plus tard, une odeur de saucisses brûlées la fit se ruer dans la cuisine. La pièce était envahie par la fumée et l'alarme s'était déclenchée, avec une obscène insistance qui poussa les filles à se boucher les oreilles en criant : « Trop de bruit, trop de bruit ! » Susan éteignit le four et sortit la grille sur laquelle étaient posées les saucisses carbonisées. Comme elle ne savait pas arrêter l'alarme, elle monta sur le plan de travail, l'arracha du plafond et enleva les piles.

« Maman, tu es sûre que ça va ? demanda Antonia quand Susan redescendit en tenant l'alarme enfin neutralisée. Tu n'arrêtes pas de faire des bêtises.

— Tout va bien, ma chérie, tout va bien. » Elle l'entoura de son bras et la guida vers le salon. « J'ai beaucoup de choses en tête, aujourd'hui, c'est tout. Ne t'en fais pas. Je vais vous faire des bâtonnets de poisson à la place. » Elle jeta un coup d'œil à la télé, à Ruth hypnotisée par les actualités pour enfants qui montraient des images d'une statue déboulonnée par une foule en liesse. « C'est quoi, ce truc ?

— Il y a eu une grande guerre, dit Antonia en experte. En Irak. Mais maintenant c'est fini, et tout va aller mieux. »

Susan regarda les visages de cette foule. Elle n'en était pas si sûre. C'était donc ainsi que ça allait finir. Ou commencer. Les Irakiens avaient l'air euphoriques, mais aussi abasourdis. Et il y avait de la folie dans leur regard. Une sorte de fureur : la fureur d'un peuple à qui on avait accordé la liberté, du moins une certaine forme de liberté, mais qui n'avait pas eu son mot à dire ; un peuple dont la libération était intervenue trop brutalement, trop vite ; un peuple qui ne serait jamais bien disposé envers ses libérateurs ; qui ne pourrait jamais leur faire confiance. Un peuple qui ne savait pas quoi faire de sa liberté nouvelle, et qui ne tarderait pas à convertir son énergie en haine pour ceux qui la lui avaient conférée, sans y être invités, sans lui demander son avis.

À cet instant, en regardant l'écran brouillé par les larmes, Susan comprenait ce qu'ils ressentaient.

*

« Non, rien, dit Paul. Plus de trente messages à propos de ma démission, mais aucun message d'elle. »

Il éteignit son ordinateur, débrancha son portable de la prise USB et verrouilla la voiture. Apparemment, il fallait venir jusque-là — au point culminant de la péninsule — pour capter correctement. Il vérifiait ses e-mails toutes les demi-heures, dans l'attente d'un message de Susan. Mais jusqu'à présent, elle n'avait pas cherché à le contacter.

« Peut-être qu'elle ne l'a pas reçu, hasarda Malvina.

— Je vérifierai encore dans un petit moment, dit Paul. Viens : puisqu'on est là, autant faire une balade. »

Il était dix-sept heures trente, le mercredi 9 avril 2003 : il régnait une telle quiétude que le bourdonnement d'une mouche dans la bruyère faisait figure d'événement considérable. Paul et Malvina se trouvaient sur le promontoire surplombant Rhîw, à la pointe ouest de la péninsule de Llŷn, dans le nord du pays de Galles. Il ne connaissait pas de lieu plus inaccessible : dans ce coin perdu, on ne risquait guère de le reconnaître. En outre, il avait été pris d'un désir inattendu et impérieux de revisiter ces lieux qu'il n'avait pas revus depuis l'enfance, depuis les vacances en caravane qu'il y passait (ou plutôt qu'il y endurait) avec sa famille dans les années 70. Ces lieux étaient indissociables de son histoire. Et de celle de Malvina, comprenait-il à présent. Ils étaient partis en voiture de Kennington à deux heures du matin, et ils étaient arrivés juste à point pour prendre le petit déjeuner dans un café de Pwllheli. Puis ils avaient repris la route, et quelques heures plus tard ils louaient une chambre dans un bed & breakfast désert d'Aberdaron, un hameau côtier complètement enclavé.

Ils escaladèrent l'escarpement déchiqueté du Creigiau Gwineu ; parvenus au sommet, ils furent récompensés par le panorama de Porth Neigwl — la Gueule de l'Enfer —, la baie qui s'étendait sur plus de huit kilomètres entre deux majestueux promontoires qui saillaient du littoral comme des crocs de vampires. Benjamin avait contemplé ce même panorama près de vingt-cinq ans plus tôt. En vérité, Paul et Malvina, descendant d'un pas mal assuré jusqu'au bord des falaises, suivaient sans le savoir le chemin précis qu'avaient emprunté Benjamin et Cicely par un après-midi non moins silencieux et figé de l'été 1978. Comme son frère avant lui, Paul prit sa compagne par la main et la guida sur un sentier de berger qui traversait les ajoncs hérissés. Avant d'atteindre le bord des falaises, ils débouchèrent sur un large sentier tracé par le temps et qui épousait la courbe du promontoire. Ils tournèrent à gauche, dans la direction de Porth Neigwl. À l'endroit précis où le sentier s'incurvait vers l'intérieur des terres, un grand rocher plat émergeait des fougères. C'était un endroit idéal pour s'asseoir. Il y avait juste assez de place pour deux, à condition de bien vouloir se serrer aussi près que possible.

Paul étendit son manteau sur la pierre froide et Malvina se pelotonna contre lui.

Plusieurs minutes s'écoulèrent en silence. À quoi bon parler, face à un paysage d'une beauté aussi indescriptible ?

« C'est assez incroyable, cet endroit, finit par dire Paul, conscient de rester en dessous de la vérité. Je ne m'en rendais pas vraiment compte quand j'étais petit. Pour moi, ça allait de soi. J'avais toujours le nez dans un bouquin, à l'époque. Je restais allongé sous la tente à potasser de la théorie économique.

— J'adore cet endroit, dit Malvina à mi-voix. Je m'y sens chez moi. » Elle soupira. « Combien de temps on peut rester ici, d'après toi ? Quelques jours ?

— On ferait mieux de partir demain, après-demain à la rigueur. Je crois que si on parvient jusqu'à Holyhead on pourra prendre le ferry pour Dublin, et de là-bas il doit y avoir des vols vers l'Allemagne. »

Leur destination finale était Binz, sur l'île de Rügen, où Rolf Baumann avait sa résidence secondaire. Paul l'avait appelé peu avant leur départ, et Rolf — d'une voix ensommeillée — lui avait assuré que la maison était à son entière disposition. Il demanda combien de temps ils comptaient rester, mais quand Paul lui avoua qu'il n'en savait rien cela n'eut pas l'air de le gêner. Effectivement, Paul n'en savait rien : à ce stade, Malvina et lui n'avaient aucun projet précis, aucune idée du temps qu'il leur faudrait vivre en cachette. Ils savaient seulement que ce que sa mère venait de lui apprendre ne changeait rien à leurs sentiments. Il fallait qu'ils soient ensemble : ça ne faisait aucun doute ; c'était leur seule certitude.

Malvina ferma les yeux et respira profondément. Elle se sentait étourdie, par manque de sommeil. « C'est vraiment fou, dit-elle. Ça paraît vraiment fou. Je n'arrive toujours pas à y croire.

— Il faut qu'on parte, insista Paul. On n'a pas le choix.

— Ce n'est pas tellement de ça que je veux parler. Je veux parler de ce que *toi* tu es en train de faire. Tu as tout abandonné. Tu as tout perdu.

— Ce n'est pas mon sentiment, dit Paul. Pour moi, c'est tout le contraire. »

Malvina l'embrassa. Un baiser de gratitude, mais qui, comme tous leurs baisers, ne tarda pas à devenir autre chose. Avant que ça ne dégénère, Malvina se dégagea en disant : « On devrait avoir honte. Vraiment honte. Mais je n'ai aucune honte. »

Ils se serrèrent l'un contre l'autre, et quand le temps se refroidit Paul reprit son manteau et ils s'en enveloppèrent, dans un silence retrouvé, à peine brisé par le cri lugubre des mouettes qui tournoyaient au-dessus des falaises. Paul et Malvina ressentaient une grande paix, et une certitude plus grande encore, qui rendait insignifiants tous les risques qu'ils prenaient. Le soleil, en s'enfonçant, dans un halo cuivré, derrière Ynis Enlli, l'île de Bardsey, répandit sur eux ses derniers rayons, les emplissant de tristesse et d'espoir. Face à l'immensité lumineuse du jour déclinant, Paul pensa à Skagen, et il comprit que d'une certaine façon ces deux endroits, Skagen et Llŷn, étaient liés entre eux. C'étaient ces lieux qui l'avaient guidé vers son destin : deux étapes d'un long voyage inexorable.

Le bip soudain du portable de Malvina fit l'effet d'une cacophonie stridente et incongrue. Elle le pêcha dans sa poche et jeta un coup d'œil à l'écran.

« Un SMS », dit-elle, et elle consulta fiévreusement sa messagerie. Elle cligna des yeux, stupéfaite, en découvrant l'expéditeur ; et elle fut plus stupéfaite encore en lisant le message.

> Tu vas sûrement me prendre pr 1 fou, mais je viens 2 comprendre qqch : on est faits l'1 pr l'autre ! Pourquoi ré6ter + longtemps ? Je reviens vers toi TOUT DE S8.
> Ben xxx

« Oh », fit-elle simplement en refermant le portable. Elle contempla la mer quelques secondes, tentant d'assimiler les implications de ce qu'elle venait de lire.

« C'était qui ? » demanda Paul.

Malvina se tourna vers lui et répondit : « Eh bien, tu ne vas pas me croire, mais c'était Benjamin. » Paul parut abasourdi. « Ton frère, ajouta-t-elle comme s'il était nécessaire de le préciser. Mon père. »

HIVER

1

En cet après-midi du vendredi 21 novembre 2003, l'air était froid et vif, le ciel limpide. Même à cette époque de l'année, Berlin bourdonnait de touristes, et à trois heures le hall de l'hôtel Adlon, dans Unter den Linden, ne désemplissait pas. Des groupes de clients ou de visiteurs à tous les stades de l'épuisement étaient affalés sur les luxueux canapés, entre lesquels évoluaient gracieusement des serveurs portant des plateaux d'argent chargés de théières, de tasses de porcelaine fine et de gigantesques parts de gâteau. Patrick examinait avec appréhension le cheesecake aux fraises noyé de crème posé devant lui, et Philip sondait prudemment, à coups de cuiller, la surface glacée de sa tarte ensevelie sous les mûres, les cerises et les groseilles, incapable de trouver un angle d'attaque pour détacher une première bouchée. Les susurrations liquides de la fontaine centrale se mêlaient harmonieusement à la musique qui émanait de la mezzanine, où un pianiste déclinait discrètement un répertoire de standards : « Night and Day », « Some Other Time », « All the Things You Are ». Tous ces éléments s'inscrivaient dans une tentative coûteuse et fervente pour créer une atmosphère d'élégance *Mitteleuropa*; ça aurait pu marcher. Mais l'hôtel avait été détruit sous le régime communiste et reconstruit dans les années 90, et aux yeux de Philip tout avait l'air trop propre et trop neuf. On ne pouvait pas fabriquer de toutes pièces, en dix ans, le charme du vieux monde.

« Ça me revient, dit-il en prenant son courage à deux mains pour découper un petit morceau de tarte. Il y a longtemps, j'avais acheté un disque de Henry Cow — sur les conseils de Benjamin, évidemment. Et il y avait un morceau qui s'appelait "Upon Entering the Hotel Adlon". Ça commence par un roulement de batterie et un cri primal, et ensuite, pendant trois minutes, tout le monde se déchaîne sur ses instruments comme des tarés. C'était le genre de chose qu'on écoutait, à l'époque.

— Mmm, fit Patrick en bâillant.

— D'ailleurs, en y repensant, poursuivit Philip qui réfléchissait à voix haute, l'album s'appelait *Unrest*. "*Agitation*". Il a dû leur piquer l'idée. Pour le titre de son chef-d'œuvre inachevé. »

C'est Carol qui avait suggéré à Philip de partir quelques jours avec son fils, entre hommes. Depuis deux mois, Patrick étudiait la biologie au University College de Londres. Il ne répondait guère aux e-mails ou aux messages téléphoniques, et ses parents ne savaient pas trop comment il s'adaptait à sa nouvelle vie. Il mentionnait rarement les noms de nouveaux amis, ou de nouvelles amies. (Sa relation avec Rowena — comme l'avait prédit Claire — n'avait pas survécu plus de quelques semaines à leur séjour aux îles Caïmans.) Et c'est ainsi que Philip avait choisi Berlin (il avait toujours rêvé d'y aller); une heure sur Internet lui avait suffi pour trouver des billets tellement bon marché qu'il lui resterait de quoi assouvir un fantasme de longue date en passant deux nuits dans l'hôtel le plus cher et le plus célèbre de la ville. Ils étaient arrivés la veille. Patrick allait rater un ou deux cours, mais rien de bien important. Et à présent, après une éprouvante visite au Kulturforum qui les avait occupés toute la matinée, ils n'avaient rien de prévu pour l'après-midi, rien de plus fatigant en tout cas que de finir leur pâtisserie, et peut-être de passer une heure ou deux à brûler le surcroît de calories au sauna de l'hôtel.

« Ah ! "The Night Has a Thousand Eyes", s'exclama Phil en reconnaissant ce que jouait le pianiste. Il existe une très belle version par Stéphane Grappelli. Je suppose que tu n'as jamais entendu parler de lui.

— Eh bien, papa, figure-toi que si. Je ne suis pas complètement inculte, tu sais. »

Philip regarda son fils sortir d'un sac plastique un catalogue de musée, qu'il se mit à feuilleter. La nervosité méfiante, le mal-être que Claire avait naguère diagnostiqués chez lui s'estompaient peu à peu. Et on commençait à deviner sur son visage un peu de la force de caractère de sa mère. Philip avait vaguement espéré que ce voyage leur donnerait l'occasion de parler des événements de l'année écoulée — d'abord la révélation du sort de Miriam, puis la réapparition de Stefano dans la vie de Claire et sa décision de repartir en Italie — mais il comprenait à présent que c'était superflu. Et il était hors de question de forcer la main à son fils. À première vue, Patrick paraissait satisfait de son existence londonienne, et plein d'espoir pour l'avenir. Il lui jeta encore un regard, puis reprit l'*Histoire de Berlin* qu'il avait empruntée à la bibliothèque de Birmingham ; père et fils lurent en silence.

Quelques minutes plus tard, il y eut un incident à l'autre bout du hall. Philip avait remarqué deux

Anglaises : une séduisante jeune fille, à peu près de l'âge de Patrick, et une autre femme qui devait être sa mère. Cette dernière leur tournait le dos, et il n'avait pas vu son visage. Or il venait de lui arriver quelque chose. Dans un fracas de vaisselle, elle s'était levée, chancelante, en renversant son plateau ; puis, alors que sa fille s'approchait, elle défaillit et s'effondra dans ses bras. Ce n'était pas un évanouissement, mais plutôt une sorte de crise. « Ça va aller, maman, ça va aller », répétait sa fille. Et tandis qu'elle l'emmenait vers la porte tournante à l'entrée de l'hôtel — en disant aux employés inquiets qui se pressaient autour d'elles : « Pas de problème, elle va bien, elle a juste besoin d'air » — , Philip aperçut brièvement un visage d'une blancheur de cadavre et des yeux baignés de larmes, et ce visage raviva un souvenir enfoui.

« Qu'est-ce qui leur arrive, à ces deux-là ? demanda Patrick, levant les yeux sans grande curiosité.

— Je ne sais pas... » Philip les suivit du regard, essayant de se rappeler où il avait bien pu voir cette femme. Et puis il remarqua quelque chose : les bouffées de piano qui leur parvenaient de la mezzanine. « Attends une minute. Cette chanson... tu la reconnais ? »

Patrick soupira. « On va pas passer toutes les vacances à jouer à "Fa-Si-La Chanter", quand même !

— C'est Cole Porter : "I Get A Kick Out Of You". » Il se leva d'un bond. « Je la connais, cette femme : c'est Lois Trotter. »

Il se rua vers la porte avec Patrick sur ses talons.

« Comment tu le sais, papa ? demandait-il.

— Parce que Benjamin m'a dit un jour qu'elle ne supportait pas d'entendre cette chanson. Ça a toujours sur elle un effet dévastateur. »

Ils poussèrent la porte tournante et furent giflés par le vent glacial en émergeant sur le large trottoir de Unter den Linden. Lois et sa fille Sophie étaient debout à côté de la porte. Lois s'appuyait au mur en respirant profondément, et Sophie tentait de dissiper les craintes du portier en livrée, qui, d'une voix affolée, tentait apparemment de la convaincre d'appeler une ambulance.

« Ça va aller, je vous assure, disait Sophie. Ça lui est déjà arrivé. Ça ne dure que quelques instants. »

Philip s'avança. La mère et la fille le considérèrent avec une méfiance égale.

« Vous êtes bien Lois ? Lois Trotter ? » Il se tourna vers Sophie. « On ne s'est jamais rencontrés, mais je suis un ami de votre oncle Benjamin. Philip Chase. Voici mon fils Patrick.

— Oh... Bonjour. » Sophie leur serra la main d'un air hésitant. Elle paraissait prise de court par la situation ; et Philip dut admettre qu'il aurait pu choisir un meilleur moment.

« Ça va aller, votre mère ? demanda-t-il.

— Je crois qu'on ferait mieux de prendre un taxi et de rentrer à l'hôtel, répondit Sophie. On était juste venues prendre le thé. Elle a besoin d'un peu de repos.

— Bonjour, Philip », dit soudain Lois. Elle s'était redressée, et commençait à reprendre des couleurs. « Saloperie de chanson. Chaque fois, ça me fout en l'air... » Elle se pencha et l'embrassa sur la joue. « Je suis contente de te revoir. Ça fait des lustres !

— Allez, viens, maman, dit Sophie en la tirant par la manche. Il y a un taxi qui attend.

— Qu'est-ce que vous faites à Berlin ? demanda Lois.

— On est là en touristes, dit Philip. On pourrait peut-être se retrouver plus tard.

— Ça serait super.

— Je suis désolée, dit Sophie en entraînant sa mère et en se retournant vers Philip et Patrick. Mais il faut qu'elle se repose. C'est très important.

— Bien sûr. Je comprends très bien. » Philip regarda Sophie aider sa mère, délicatement, à s'installer sur la banquette arrière, et eut la présence d'esprit de demander, alors qu'elle refermait la portière : « Vous êtes à quel hôtel ?

— Au Dietrich ! » cria Sophie. Et elles disparurent.

*

Deux heures plus tard, Philip les appela à leur hôtel et parla à Sophie. Apparemment, Lois se sentait beaucoup mieux, et elles se préparaient à faire un peu de shopping avant la fermeture des magasins. Philip expliqua qu'il avait réservé une table pour deux au restaurant panoramique installé sur une plate-forme tournante au dernier étage du Fernsehturm — la vieille tour de télévision dominant Alexanderplatz, dans ce qui était autrefois Berlin-Est. Est-ce que Lois et Sophie auraient envie de se joindre à eux ? Sophie n'était pas sûre que sa mère se sente à l'aise dans un tel cadre. Mais ils pouvaient en reparler plus tard. Elles comptaient faire du lèche-vitrines sur le Kurfürstendamm, non loin de l'hôtel. Elles n'en auraient que pour une heure. Et peut-être qu'ensuite elles pourraient venir prendre un verre au Adlon. C'est ce qui fut convenu : rendez-vous dans le hall à sept heures.

*

Lois n'était pas très chaude pour aller dîner au Fernsehturm. C'était trop haut. Elle n'aimait pas les ascenseurs. Et elle n'aimait pas les restaurants tournants.

Sophie, en revanche, était intriguée. Ainsi que Patrick. Philip préféra les prévenir que la nourriture ne serait sans doute pas fameuse, et leur proposa d'annuler la réservation et de réserver ailleurs. Les deux jeunes gens eurent l'air déçus. Lois, qui après quelques cocktails avait retrouvé une humeur festive, s'excusa de jouer les rabat-joie. On lui répondit qu'elle disait des bêtises. Ils reprirent des cocktails. Lois venait de passer trois jours coincée dans un congrès international de bibliothécaires. Le congrès s'était achevé le midi, et elle se grisait de sa liberté retrouvée. Mais elle n'était pas disposée pour autant à prendre l'ascenseur pour aller dîner dans un restaurant tournant.

Ils finirent par se mettre d'accord : Sophie et Patrick profiteraient de la réservation au Fernsehturm, tandis que Philip et Lois iraient dîner ailleurs. À la fin de la soirée, ils se retrouveraient à l'hôtel Adlon pour un dernier verre. De quoi contenter tout le monde.

*

Les abords du Fernsehturm ne payaient pas de mine : c'était un quartier bétonné qui illustrait à merveille tous les errements de l'architecture des années 60, à l'Est comme à l'Ouest. Malgré l'heure tardive et le froid hivernal, les touristes affluaient encore. Patrick et Sophie durent faire la queue pour prendre l'ascenseur, parmi une foule composée essentiellement d'écoliers et de routards. Ils se sentaient un peu trop habillés pour l'occasion. L'ascenseur était d'une étroitesse inattendue : ils s'y entassèrent avec une douzaine d'autres visiteurs et, tandis que le liftier débitait d'une voix monocorde des statistiques concernant la tour, la cabine fila vers le ciel à une vitesse qui leur boucha les oreilles.

Comme ils étaient déjà en retard, ils ne s'attardèrent pas à l'étage panoramique et gagnèrent directement l'escalier en colimaçon qui menait au restaurant. Une serveuse à l'euphorie intimidante, comme si elle avait parié qu'ils allaient passer la plus belle soirée de leur vie, les conduisit à leur table et alluma la lampe. Elle expliqua que s'ils voulaient admirer la vue, il valait mieux l'éteindre; mais ça risquait d'être un peu lugubre. Ils parvinrent à articuler un timide « *Danke schön* » et cherchèrent refuge dans le menu, qui paraissait s'adresser à des gros mangeurs plutôt qu'à des gourmets. Sophie commanda l'aile de canard avec brocolis aux amandes et pommes vapeur; Patrick risqua le filet de porc aux *spätzle*. Ils sirotèrent leurs verres de riesling sec en regardant pivoter au loin un énorme monstre illuminé de verre et de béton : le nouveau Reichstag.

« Je ne pensais pas que la plate-forme tournerait aussi vite, dit Patrick en regardant le paysage urbain défiler, irréel, derrière le reflet du visage de Sophie sur la vitre incurvée.

— Apparemment, il lui faut une demi-heure pour faire un tour complet. Regarde, voilà la lune. Chaque fois qu'on la verra, on saura qu'il s'est écoulé une demi-heure. »

La pleine lune flottait au-dessus du Reichstag et du Tiergarten, illuminant encore davantage les monuments de la ville scintillante d'électricité. Patrick pensa à sa mère, et aux deux nuits qu'elle avait passées seule, quelques années plus tôt, au vingt-troisième étage du Hyatt Regency de Birmingham, à contempler un spectacle sans doute assez similaire. Brusquement, brutalement, elle lui manqua : une douleur qui ne s'était pas atténuée avec les années.

Étrange situation que celle de ces jeunes gens. Il y avait entre leurs parents comme une intimité spontanée, eux qui ne s'étaient pas vus depuis si longtemps. Ils s'étaient abandonnés à leurs retrouvailles avec une sorte de soulagement joyeux, comme si cette rencontre de hasard dans un salon de thé berlinois pouvait effacer toutes ces décennies, apaiser la douleur du temps passé. Ce qui avait condamné Sophie et Patrick à se débattre dans une intimité à eux, beaucoup plus gauche. Ils n'avaient rien en commun, ils s'en rendaient bien compte, sinon le passé de leurs parents.

« Ils sont allés où, d'après toi ? demanda Sophie.

— Danser, sûrement. Faire la tournée des boîtes techno.

— Tu plaisantes ?

— Évidemment. Mon père n'a jamais mis les pieds en boîte. Et le dernier disque qu'il a acheté, c'était un Barclay James Harvest.

— Qui ça ?

— C'est bien ce que je dis. »

Sophie demanda à Patrick si son père évoquait souvent ses années de lycée. Patrick répondit que récemment il s'était mis à en parler davantage. Au début de l'année, il était allé dans le Norfolk rendre visite à un vieil ami appelé Sean Harding. Cette visite semblait l'avoir profondément affecté, mais Patrick ne savait pas exactement pourquoi. Ni qui était au juste Sean Harding.

« Je peux te raconter, dit Sophie. Je peux te raconter toute l'histoire, si tu veux. Je connais tout ça par ma mère, tu sais. Elle n'a rien oublié de cette époque.

— Comment ça se fait ?

— Eh bien... »

Et Sophie entreprit de lui expliquer. Par où commencer ? L'époque dont ils parlaient semblait remonter à l'âge des ténèbres. Elle demanda à Patrick : « Tu n'as jamais essayé d'imaginer comment c'était avant ta naissance ? »

*

Et c'est ainsi que Sophie et Patrick passèrent la soirée à se raconter des histoires. Sophie lui raconta l'histoire de Harding et de ses canulars de collégien anarchisant ; la rivalité entre Richards et Culpepper ; l'idylle adolescente entre Benjamin et Cicely. Et Patrick lui raconta comment Malvina, la fille de Benjamin et de Cicely, conçue le matin du 2 mai 1979 — la seule fois où ils avaient jamais fait l'amour — n'avait sans le savoir retrouvé son père, vingt ans plus tard, que pour tomber amoureuse de son frère cadet Paul. Et il lui raconta aussi l'histoire de sa propre mère, Claire, et comment elle avait fini par découvrir la vérité sur la disparition de sa sœur pendant l'hiver 1974.

Et tandis qu'ils racontaient ces histoires, la plate-forme du restaurant tournait, et six fois ils virent passer la pleine lune, jusqu'à ce qu'il soit près de minuit, et que les serveurs souriants se rassemblent près des portes en attendant qu'ils partent. Et lorsqu'ils revirent la pleine lune flotter au-dessus du Reichstag et du Tiergarten, ils surent qu'il était temps de partir, et que le cercle venait de se refermer pour la dernière fois.

*

Par une nuit étoilée de l'année 2003, sous le ciel limpide et bleu-noir de Berlin, Patrick et Sophie marchaient ensemble par les rues désormais silencieuses ;

ils descendirent Karl-Liebknecht-Strasse et Unter den Linden et arrivèrent tout près de Pariser Platz et de l'hôtel Adlon. Tandis qu'ils traversaient la grande artère, un taxi surgit brusquement d'une rue transversale et ils durent courir pour l'éviter. Patrick prit Sophie par la main pour l'entraîner à l'abri, et une fois en sécurité sur le trottoir il ne la lâcha plus.

En passant devant l'hôtel, ils virent qu'il ne restait que deux convives derrière les vitres du restaurant Quarré, au rez-de-chaussée : Philip et Lois. Ils leur firent un signe de la main et indiquèrent par gestes la direction de la porte de Brandebourg, pour leur faire comprendre qu'ils n'avaient pas fini leur promenade.

*

Philip et Lois ne s'étaient pas aventurés bien loin. En fait, ils n'avaient parcouru que quelques mètres, du bar de l'hôtel au restaurant Quarré, où, sans qu'ils aient réservé, on leur donna une table avec vue, car le maître d'hôtel avait reconnu en Lois la femme qui s'était évanouie quelques heures plus tôt.

Impossible de ne pas consacrer l'essentiel du dîner à parler des frères de Lois. Cela faisait plusieurs semaines que Philip n'avait pas eu de nouvelles de Benjamin. Il savait qu'il était à Londres, enfin réuni avec Cicely. Lois lui apprit qu'il avait retrouvé du travail dans un grand cabinet d'experts-comptables de la City.

« Ce qu'on ne m'a jamais vraiment expliqué, dit-elle, c'est comment Cicely avait réussi à le retrouver.

— Oh, c'est très simple, répondit Philip. C'est grâce à Doug. Quand elle a fini par revenir à Londres — après quelques années passées en Sardaigne, je crois —, l'une des premières choses qu'elle a faites a été d'écrire à

Doug, au journal. Il indique toujours son adresse e-mail au bas de ses éditoriaux. Et c'est Doug qui lui a donné les coordonnées de Ben à Birmingham. Et bien sûr, quand Benjamin est revenu de son périple, il n'en a pas cru ses oreilles lorsque Doug lui a dit qu'elle avait essayé de le joindre. Il a dû la retrouver le jour même. »

À quoi Lois répondit, de façon complètement inattendue : « Pauvre Malvina. Elle espérait tellement que ça n'arriverait pas.

— Pourquoi tu dis ça ?

— Parce qu'elle a toujours voulu, plus que tout, éviter qu'ils ne se retrouvent. Pour protéger Benjamin. » Comme Philip avait l'air perplexe, elle lui demanda : « Tu l'as déjà rencontrée ?

— Une seule fois : très brièvement, il y a quelques années, à la manif pour Longbridge.

— J'ai passé une journée entière avec elle, dit Lois d'une voix sourde, pensive. Et je suis bien contente de l'avoir fait. Maintenant, je comprends mieux. Et je ne suis plus en colère contre elle.

— C'était quand ?

— Il y a deux ou trois mois. En Allemagne. À quelques centaines de kilomètres d'ici, en fait, sur la côte. C'est là que Paul et elle... se cachent. J'étais allée les voir — en fait c'est Paul que je voulais voir, pour lui demander ce qu'il foutait et s'il avait perdu la boule — mais ce jour-là, comme par hasard, il était introuvable. Je ne l'ai pas vu, finalement. Mais j'ai discuté avec Malvina. »

Alors, d'une voix lente, elle se mit à raconter à Philip tout ce qu'elle avait appris ce jour-là.

« Il y a quatre ans, je crois, Malvina commençait à désespérer. Imagine un peu. Elle est née dans le trou du cul de l'Amérique, avec une mère de vingt ans en pleine phase lesbienne. Et quand ça s'est cassé la gueule, elle s'est retrouvée ballottée d'homme en homme, de figure paternelle en figure paternelle. Quant à son *vrai* père, Cicely a tellement peu d'estime pour lui qu'elle ne veut même pas dire à sa fille de qui il s'agit. Elle préfère inventer une belle histoire, celle d'un décorateur génial qui serait mort du sida dans les années 80. Si bien que toute sa vie Malvina se coltine cette énorme... *béance*, et Cicely par-dessus le marché. Pendant vingt ans ! Vingt ans de Cicely qui fait une dépression chaque fois qu'un de ses mecs la quitte, et qui pleurniche sur l'épaule de sa fille en lui disant qu'elle est nulle, vraiment nulle. Vingt ans de *ça*, tu te rends compte ? Et alors que ça commence à battre de l'aile avec son dernier petit copain, voilà que pour la première fois Cicely a l'air *vraiment* malade — je veux dire qu'elle ne joue plus la comédie —, et brusquement Malvina comprend qu'elle ne peut pas continuer ainsi. Pas toute seule. Mais elle n'a pas le courage non plus de laisser tomber sa mère.

« C'est alors qu'elle découvre quelque chose, quelque chose qui lui donne une idée. Elle découvre une vieille cassette que quelqu'un a enregistrée pour Cicely quand elle était encore au lycée. Sur la cassette, il y a une petite pièce pour piano et guitare intitulée *Marine n° 4*. Il y a des fausses notes, et le son est épouvantable — au milieu du morceau on entend même un chat miauler en fond sonore —, mais c'est aussi ce qui fait son charme, et ça n'affecte en rien le plus important, ce qu'elle a compris à la première écoute : la personne qui a écrit ce morceau devait *vraiment* aimer sa mère. Elle fait une fixation sur cette cassette, qu'elle se met à écouter en boucle. Et elle harcèle sa mère de questions sur l'auteur du morceau, mais Cicely ne veut rien lui dire, sinon qu'il s'agit d'un copain d'école nommé Benjamin. C'est un peu mince, mais c'est assez pour Malvina. Il lui suffit de quelques heures sur Internet pour déduire qu'il doit s'agir de Benjamin Trotter, qui aujourd'hui travaille pour un cabinet d'experts-comptables à Birmingham. En route pour Birmingham, donc. On est au début de l'hiver 1999.

« En discutant avec la réceptionniste du cabinet, elle ne tarde pas à savoir à quoi il ressemble. Elle le suit jusque dans une librairie, au coin café, et elle attend son heure, qui ne tarde pas à venir. Mais évidemment, elle n'a pas de plan. Obscurément, elle espère avoir trouvé celui qui un jour viendra à sa rescousse pour la débarrasser du fardeau de Cicely. Mais il lui suffit de quelques minutes de conversation pour comprendre que ça ne marchera jamais, qu'elle doit renoncer. Non pas qu'il ait oublié Cicely, oh non ! Bien au contraire. Il lui parle de Cicely dès leur toute première rencontre, parce qu'il lui parle de ce grand roman épique et musical qu'il est en train d'écrire, et il avoue que l'une des raisons qui le poussent à continuer — la principale, en un sens —, c'est qu'il écrit pour elle, pour lui prouver quelque chose, que c'est une sorte d'offrande qu'il compte un jour déposer à ses pieds. Il ne sait pas exactement *comment* ça va se produire, il n'a pas l'air d'y avoir réfléchi, mais il ne doute pas qu'une fois cette chose publiée, ou expulsée, bref lâchée dans la nature, Cicely en entendra parler et... quoi ? Reviendra en courant ? Dieu seul le sait. » Lois baissa les yeux en grimaçant, le front plissé, d'un air de pitié. « Enfin, bref... En tout cas, Malvina se rend compte qu'il est toujours aussi fasciné. Mais c'est justement ça qui lui fait comprendre, très vite, qu'elle ne peut pas mettre son plan à exécution. Car, tu vois, il y a un gros problème, quelque chose qu'elle n'avait pas prévu. Elle a de l'*affection* pour Benjamin. Beaucoup, beaucoup d'affection.

Et elle le plaint, aussi, de s'être ainsi enfermé dans son obsession qui a fini par lui bouffer la vie : son boulot, son couple, toute son existence. Elle sait que ce qu'il veut par-dessus tout, c'est revoir Cicely ; et elle sait aussi que c'est la pire chose qui puisse lui arriver. Elle ne tarde pas à acquérir le même réflexe que tous les amis de Benjamin : éviter le mot de six lettres.

« Bien sûr, il aurait été plus raisonnable de prendre le premier train pour Londres et de filer sans demander son reste. Mais Benjamin l'attire, pour des raisons qu'elle ne s'explique pas. Elle se sent incroyablement proche de lui. Et il s'en aperçoit, confusément, et il ressent la même chose, mais comme il ne sait pas ce qui se joue, il se méprend, et il commence à se demander si par hasard elle n'aurait pas le béguin pour lui, s'il n'y aurait pas là un désir naissant. Évidemment, fidèle à lui-même, il ne passe pas à l'action, ne lui saute pas dessus comme un soudard, n'essaie pas d'entamer une liaison ; n'empêche que, quand ils se revoient, une deuxième fois, une troisième fois, une quatrième fois, il commet l'erreur de le cacher à Emily, et bientôt, pour lui, c'est exactement *comme* une liaison, même s'il ne se passe rien. Et il s'enferre complètement là-dedans. Et pendant ce temps, tout ce que Malvina remarque, c'est qu'elle se sent à l'aise avec lui, qu'il est de bonne compagnie, qu'il est vraiment *gentil* avec elle. Et c'est vrai qu'il est gentil, Benjamin. Personne ne peut lui enlever ça. Et ce que Malvina apprécie, c'est qu'il écoute ce qu'elle a à dire — il n'y a pas grand monde qui l'écoute, pour elle c'est une expérience inédite —, qu'il s'intéresse à ses velléités d'écriture, qu'il s'intéresse à ses études. Et c'est là que sa gentillesse l'amène à commettre une énorme erreur.

« Malvina étudie les médias, et elle prépare un

mémoire sur les rapports entre les médias et le monde politique, plus spécifiquement les néotravaillistes. Alors que fait Benjamin, avec son cœur gros comme ça? Il lui suggère de rencontrer son frère. Et évidemment, Malvina saute sur l'occasion. Au début, Paul n'est pas très chaud, mais quand Benjamin lui dit qu'elle est vraiment jolie il se laisse convaincre, et... bref, tu connais la suite... » Elle regarda par la fenêtre, repensant à cette chaîne d'événements, s'efforçant d'y trouver un sens. « Et tout a commencé par un morceau de musique. Enregistré chez mes grands-parents. Il y a presque trente ans. C'est comme ça que tout a commencé... »

Elle leva les yeux en s'apercevant qu'un serveur rôdait autour d'elle. Il était tard, et il venait leur proposer du café.

Après son départ, Philip demanda : « Qu'est-ce qu'ils savent au juste de tout ça, tes parents ? »

Lois secoua la tête. « Presque rien. Enfin, ils savent que Paul est parti avec Malvina, évidemment...

— Mais ils ne savent pas... qui elle est ?

— Il ne faut pas qu'ils l'apprennent. Ils ne le supporteraient pas. La seule chose que j'espère, c'est que ça ne durera pas. Malvina vient à Londres de plus en plus souvent. Pour voir Cicely. Benjamin refuse de la rencontrer. Il refuse, tant qu'elle reste avec Paul. Mais je ne serais pas étonnée qu'elle comprenne très vite qu'elle a commis une terrible erreur. Ça ne me paraît pas impossible. » Elle leva les yeux et sourit, d'un sourire crispé et sans joie. « Apparemment, elle est en train de devenir un véritable écrivain. Tu as lu des choses d'elle ?

— J'avoue que non.

— Moi non plus, jusqu'à la semaine dernière. J'étais en train de ranger les derniers périodiques, et j'ai vu, complètement par hasard, qu'elle avait publié quelque chose. Un poème.

— Tu l'as lu ? »

Lois hocha la tête.

« Ça parlait de quoi ?

— De pères. De pères et de filles. Quelle ironie : la *fille* de Benjamin qui réussit à se faire publier avant lui. Je me demande comment il réagira, si jamais il l'apprend. » Elle but une gorgée de café. « En tout cas, voilà pourquoi j'essaie de ne pas trop en vouloir à Malvina. Elle était pleine de bonnes intentions — enfin, jusqu'à un certain point. C'est à Paul que j'en veux. Lui, je ne lui pardonnerai jamais. Personne ne pourra jamais lui pardonner. Le salaud, le pauvre... *connard*. » Le mot jaillit de la bouche de Lois avec une violence inouïe, venimeuse. Philip ne l'en aurait jamais crue capable. « Abandonner ainsi Susan et les filles. Les laisser tomber, *tout* laisser tomber. Mais enfin, qu'est-ce qu'il croit ? Qu'est-ce qu'il va faire quand tout ça se cassera la gueule ?

— Oh, ne t'en fais pas pour lui, dit Philip d'un ton désabusé. Il retombera sur ses pattes. Et plus tôt que tu ne crois.

— Je ne vois vraiment pas comment. Sa carrière politique est finie.

— Il a plein de contacts dans les milieux d'affaires. Plein d'amis dévoués. Ils lui trouveront bien quelque chose. C'est bien ça, le problème : les gens comme Paul finissent toujours par retomber sur leurs pieds. Regarde Michael Usborne. La dernière fois qu'il a mis une entreprise sur la paille et qu'il s'est taillé avec deux ou trois millions de livres, tout le monde a dit qu'il était fini. Mais le revoilà, bon Dieu, PDG d'une entreprise d'électricité. Ces gens-là ne sont pas comme nous. Ils sont invincibles. »

Lois n'avait jamais entendu parler de Michael Usborne. Philip fit de son mieux pour lui résumer l'histoire de ses accointances avec Paul — et l'histoire, plus étrange encore, de sa brève et infructueuse liaison avec Claire, qui s'était achevée, tout juste un an plus tôt, par des vacances aux îles Caïmans.

« Et Claire, elle va bien ? s'enquit Lois. Comment elle s'en sort ?

— Claire, dit Philip avec une joie non dissimulée, est la femme la plus heureuse du monde. Elle est retournée en Italie, elle vit avec l'homme qu'elle aime, et la dernière fois que je l'ai vue elle avait rajeuni de dix ans.

— Benjamin m'en a vaguement parlé, dit Lois, se remémorant une conversation qu'ils avaient eue dans le Dorset l'année précédente. Il était marié, cet homme, non ?

— À une femme qui le trompait allégrement. Claire était persuadée qu'il n'aurait jamais le courage de la quitter. Mais il a fini par le faire. Et il est allé jusqu'en Angleterre pour le lui annoncer. *Et* il a fait un procès pour obtenir la garde de sa fille. *Et* il a gagné.

— Je suis contente, dit Lois. Bien contente. Si quelqu'un mérite d'être heureux, c'est bien Claire. »

Philip remua lentement son café, songeur, et dit : « Et puis, bien sûr, il y a toi.

— Moi ?

— Toi. La discrète. Celle dont on ne parle jamais vraiment. Toi aussi, tu mérites d'être heureuse. Est-ce que tu es heureuse ? »

C'est d'une voix douce et vaillante que Lois répondit, en regardant Philip : « Bien sûr que je suis heureuse. J'ai un boulot que j'aime. Un mari qui m'aime. Une fille merveilleuse. Que demander de plus ? »

Philip croisa son regard et lui adressa un bref sourire. Puis il détourna les yeux, et alors elle l'entendit poser une question à laquelle elle ne s'attendait absolument pas : « "Il s'appelle comment, ton hamster ?" »

Elle fronça les sourcils. « Tu peux répéter ?

— "Il s'appelle comment, ton hamster ?" C'est la dernière chose que je t'avais dite avant ce soir. Tu ne t'en souviens pas ?

— Non... c'était quand ?

— Il y a vingt-neuf ans. Chez tes parents. Ils nous avaient invités à dîner. Tu portais une robe incroyablement échancrée. Je n'arrivais pas à détacher mes yeux de ton décolleté.

— Je ne m'en souviens pas *du tout*. D'ailleurs, je n'ai jamais eu de hamster.

— Je sais. Tu parlais avec mon père de films de gangsters. J'ai mal entendu. Alors je t'ai posé cette question et il y a eu un silence de mort. Sérieusement, Lois, j'étais tellement submergé de désir ce soir-là que j'étais incapable d'aligner trois mots.

— Dommage que je n'en aie rien su. T'étais pas vilain, à cet âge-là. Ça aurait pu changer le cours de l'histoire.

— Ça n'aurait pas marché. Tu étais déjà prise.

— Ah, oui. Bien sûr. » Elle baissa les yeux. Elle se rappelait à présent ; et elle se rappelait Malcolm, son premier fiancé, qui n'était jamais absent de ses pensées plus de quelques heures. Il y eut un long silence. Philip se demanda s'il avait commis un impair en évoquant un souvenir lié, même indirectement, à cet épisode lourd d'une tristesse amère. Quand enfin Lois reprit la parole, sa voix était lointaine, ténue. « On n'oublie jamais, lui dit-elle. Juste au moment où on croit enfin avoir oublié, il y a quelque chose qui revient. Comme ce morceau, cette chanson de Cole Porter. On croit en être débarrassé, mais c'est impossible. C'est toujours là. Ces images... » Elle soupira, ferma les yeux, se referma sur elle-même un bref instant. « Il faut faire avec, aller de l'avant. C'est comme ça. Qu'est-ce qu'on peut faire d'autre? Il n'y a pas le choix. Il faut aller de l'avant, et essayer d'oublier, mais c'est impossible, parce que si c'est pas une chanson c'est autre chose, il y a toujours quelque chose pour remuer tout ça. Bon Dieu, il suffit d'allumer la télé. Lockerbie. Le 11 septembre. Bali. Chaque fois, je regarde. C'est terrible, mais je ne peux pas m'en empêcher. Et le pire, c'est que ça ne s'arrête jamais. Ça ne s'arrête jamais, ça ne fait qu'empirer. Mombasa, il y a tout juste un an. Seize morts. Riyad. Quarante-six morts. Casablanca. Trente-trois morts. Djakarta. Quatorze morts. Et maintenant Istanbul. Tu as entendu ce qui s'est passé hier? Trente morts dans un attentat-suicide au consulat britannique. Tu as vu ce qu'ils ont mis, ici, à côté de l'ambassade, au coin de la rue? De gros blocs de béton en plein milieu de la chaussée, pour éviter que quelqu'un fonce sur le bâtiment avec un camion bourré d'explosifs... Et tout ça, Philip, c'est rien — *rien* — à côté du nombre de gens tués par les Américains en Irak. Et chacun de ces gens était important. Chacun d'entre eux était le Malcolm de quelqu'un. Des pères tués, des mères tuées, des enfants tués. Pense à toute la *rage* qui monte, partout dans le monde, Philip, à cause de tout ça! Pense à toute cette rage! »

Elle détourna les yeux, les joues baignées de larmes. Philip dit : « Je n'étais pas au courant, pour Istanbul. C'est terrible; vraiment terrible.

— Et il va y en avoir d'autres. J'en suis sûre. Ce n'est qu'une question de temps avant qu'il n'arrive quelque chose de pire encore. Quelque chose d'*énorme*... »

Sa voix se perdit, et peu après elle aperçut Sophie et Patrick qui se dirigeaient vers Pariser Platz. Le jeune couple leur fit un signe de la main, et leurs parents les saluèrent de même.

« Eh bien, ils ont l'air d'avoir passé une bonne soirée, dit Philip en resservant du café.

— J'avais dans l'idée que ça pouvait arriver, murmura-t-elle. Peut-être que nos dynasties vont s'unir, après tout.

— Peut-être. Il est un peu tôt pour le dire.

— Oui, convint Lois. Il est un peu tôt pour le dire. »

Et ils regardèrent en silence Patrick et Sophie passer sous la grande arche de la porte de Brandebourg, main dans la main ; deux jeunes gens qui, à cet instant, ne demandaient à la vie que la possibilité de répéter les erreurs de leurs parents, dans un monde encore hésitant à leur accorder ce maigre luxe.

Synopsis de

Bienvenue au club

Birmingham, 1973. LOIS TROTTER, dix-sept ans, répond à une annonce de Malcolm, alias le Chevelu, un peu plus âgé qu'elle. Ils tombent amoureux. Pendant ce temps, son jeune frère BENJAMIN TROTTER, treize ans, élève à l'école King William, se convertit au christianisme après une étrange expérience quasi mystique : un jour qu'il a oublié d'apporter son maillot de bain, Benjamin, terrifié, prie pour que lui soit épargnée l'humiliation de devoir nager nu devant ses camarades. Sa prière est exaucée : il découvre aussitôt un maillot de bain abandonné dans un casier vide des vestiaires.

Benjamin a pour meilleurs amis ses condisciples SEAN HARDING (farceur anarchisant), le discret et sérieux PHILIP CHASE, et enfin DOUG ANDERTON. Le père de Doug, BILL ANDERTON, est un éminent délégué syndical à l'usine automobile British Leyland de Longbridge. Il a une liaison avec MIRIAM NEWMAN, une jeune secrétaire séduisante. Mais elle vit très mal leur relation et menace d'y mettre un terme.

Le 21 novembre 1974, Malcolm emmène Lois dans un pub du centre de Birmingham, la Tavern in the Town, pour lui demander sa main. Une bombe déposée par l'IRA explose dans le pub, tuant Malcolm. Les jours et les semaines qui suivent, une vague d'incidents anti-irlandais éclate dans toute la ville ; peu après, Miriam Newman disparaît sans laisser de traces. Nul ne sait si elle s'est enfuie avec un homme ou si la vérité est plus sinistre.

*

Deux ans plus tard, pendant l'été 1976, les Trotter passent leurs vacances à Skagen, au Danemark, avec la famille de Gunther Baumann, ami et collègue du père de Benjamin. Lois est restée hospitalisée en Angleterre : elle ne s'est toujours pas remise du traumatisme d'avoir vu mourir Malcolm. Au cours de ces vacances, ROLF BAUMANN, le fils de Gunther, âgé de quatorze ans, s'attire l'inimitié de deux jeunes voisins danois, qui tentent de le noyer dans les courants, au confluent des mers du Kattegat et du Skaggerak. PAUL, le frère cadet de Benjamin, âgé de douze ans, plonge et lui sauve la vie.

De retour en Angleterre, Benjamin rejoint le comité de rédaction du journal lycéen, le *Bill Board*. Il y retrouve Doug, Philip, EMILY SANDYS et la sœur cadette de Miriam, CLAIRE NEWMAN. Leurs reportages s'intéressent notamment à la rivalité sans merci, sportive et personnelle, qui oppose RONALD CULPEPPER à STEVE RICHARDS — le seul élève noir du lycée, couramment surnommé « Banania ». Culpepper est unanimement détesté par ses condisciples, à l'exception de Paul Trotter, qui manifeste un intérêt précoce pour la politique, et qui le persuade de l'accueillir au sein d'un groupe de réflexion clandestin baptisé le Cercle fermé.

Benjamin, chroniquant la mise en scène d'*Othello*

montée par le club théâtre, descend en flammes l'interprétation de CICELY BOYD, dont il est pourtant désespérément amoureux. Mais Cicely lui est reconnaissante de sa franchise et devient son amie. La rivalité entre Culpepper et Richards s'intensifie, Lois se remet lentement, et l'humour de Harding se fait de plus en plus provocateur, jusqu'à susciter le malaise : lors d'une simulation d'élection locale organisée au lycée, il se présente comme candidat du National Front, au grand dégoût de Steve Richards.

Ce dernier remporte le trophée sportif du lycée contre Culpepper, qui désormais le poursuit de sa haine. Alors que Richards doit passer un examen de physique crucial pour son avenir, quelqu'un verse un sédatif dans son thé. Il est contraint de redoubler pour pouvoir repasser l'examen.

Cet été-là, Benjamin, lors de vacances pluvieuses dans la péninsule de Llyn, dans le nord du pays de Galles, abandonne sa famille pour rejoindre Cicely, en convalescence chez ses oncle et tante. Ils s'avouent leur amour, mais il faudra attendre des mois pour qu'ils couchent ensemble.

Il faudra attendre très exactement le mois de mai 1979. Benjamin travaille à présent dans une banque du centre de Birmingham ; il doit entrer à Oxford à l'automne. Cicely, qui vivait avec sa mère à New York, est de retour en Angleterre. Un matin, Benjamin et elle font l'amour pour la première et la dernière fois dans la chambre de Paul. Transporté de bonheur, Benjamin l'emmène prendre un verre, à l'heure du déjeuner, dans un pub de Birmingham appelé le Grapevine. Il y rencontre le père de Philip, SAM CHASE, qui fait deux prédictions : Benjamin et Cicely vont vivre ensemble une longue vie heureuse, et Margaret Thatcher ne sera jamais Premier ministre. Cicely quitte le pub en apprenant qu'elle vient de recevoir une lettre de son amie Helen, restée à New York. Le même jour, Mme Thatcher remporte sa première victoire électorale à une écrasante majorité.

Composé et achevé d'imprimer
par la Société Nouvelle Firmin-Didot
à Mesnil-sur-l'Estrée, le 12 janvier 2006
Dépôt légal : janvier 2006.
Numéro d'imprimeur : 76164.

ISBN 2-07-077477-5/Imprimé en France.

136943